Weitere Titel des Autors:

15 862 Sharpes Feuerprobe
15 982 Sharpes Sieg
16 310 Sharpes Festung

Über den Autor:

Bernard Cornwell wurde 1944 in London geboren. Er arbeitete lange für die BBC, unter anderem in Nordirland, wo er seine Frau kennenlernte. Heute lebt er die meiste Zeit in den USA. Er ist Autor zahlreicher international erfolgreicher historischer Romane und Thriller. Die Sharpe-Serie, die er in den 80er-Jahren zu schreiben begann, hat Kultstatus erreicht und wurde von der BBC mit Sean Bean in der Hauptrolle verfilmt.

Bernard Cornwell

SHARPES TRAFALGAR

Richard Sharpe und die Schlacht
von Trafalgar,
21. Oktober 1805

Aus dem Englischen von
Joachim Honnef

BASTEI LÜBBE TASCHENBUCH
Band 16369

1. Auflage: Januar 2010

Vollständige Taschenbuchausgabe

Bastei Lübbe Taschenbücher in der
BASTEI-LÜBBE GmbH & Co. KG

Deutsche Erstausgabe

Für die Originalausgabe:
Copyright © Bernard Cornwell 2000
Titel der englischen Originalausgabe: »Sharpe's Trafalgar«
Originalverlag: HarperCollins*Publishers*

Für die deutschsprachige Ausgabe:
© 2010 by BASTEI-LÜBBE GmbH & Co. KG, Köln
Prüfung der militärhistorischen Details:
Historisches Uniformarchiv Alfred Umhey
Textredaktion: Rainer Delfs
Umschlaggestaltung: Kirstin Osenau
Satz: Urban SatzKonzept, Düsseldorf
Gesetzt aus der Garamond
Druck und Verarbeitung: CPI – Ebner & Spiegel, Ulm
Printed in Germany
ISBN 978-3-404-16369-4

Sie finden uns im Internet unter
www.luebbe.de
Bitte beachten Sie auch:
www.lesejury.de

Der Preis dieses Bandes versteht sich einschließlich
der gesetzlichen Mehrwertsteuer.

Sharpes Trafalgar ist Wanda Pan, Anne Knowles,
Janet Eastham, Elinor und Rosemary Davenhill
und Maureen Shettle gewidmet

N

Agamemnon
Orion

Prince

Minotaur
Spartiate

            Dreadnought Defiance
        Thunderer   Swiftsure
Defence   Polyphemus

4   3

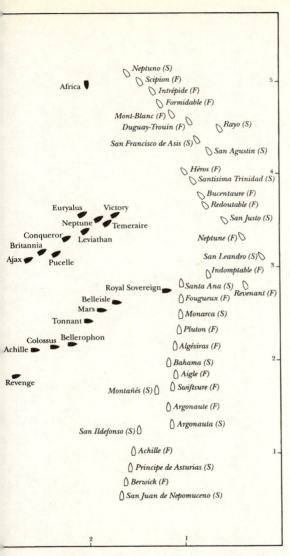

Schlacht von Trafalgar, 21. Oktober 1805. Die Flotte nähert sich der Schlacht.

KAPITEL 1

»Hundertfünfzehn Rupien«, sagte Ensign Richard Sharpe und zählte das Geld auf den Tisch.

Nana Rao verschob einige Perlen auf seinem Rechenbrett und schüttelte missbilligend den Kopf. »Hundertachtunddreißig Rupien, Sahib.«

»Verdammte hundertfünfzehn!«, beharrte Sharpe. »Es waren vierzehn Pfund, sieben Schilling, drei Pence und ein halber Penny.«

Nana Rao musterte seinen Kunden und überlegte, ob er den Streit fortsetzen sollte. Er sah einen jungen Offizier, nur ein Ensign ohne große Bedeutung, doch dieser rangniedrige Engländer mit dem harten Gesicht und der Narbe auf der rechten Wange zeigte sich kein bisschen von den hünenhaften Leibwächtern beeindruckt, die Nana Rao und sein Lagerhaus beschützten.

»Hundertfünfzehn, wie Sie sagen«, räumte der Händler ein und warf die Münzen in eine große schwarze Geldkiste. Er zuckte entschuldigend mit den Schultern. »Ich werde älter, Sahib, und da fällt mir das Rechnen manchmal schwer.«

»Sie können gut rechnen«, sagte Sharpe, »aber Sie glauben, ich könne das nicht.«

»Aber Sie werden sehr zufrieden mit Ihren Einkäufen sein«, sagte Nana Rao. Sharpe hatte soeben eine Hängematte, zwei Decken, eine Reisetruhe aus Teak, eine Laterne und eine Schachtel Kerzen, ein großes Fass Arrak, einen hölzernen Eimer, eine Kiste mit Seife, eine mit Tabak und eine Filtermaschine erworben. Der Händler hatte ihm versichert, dass sie Wasser aus den dreckigsten Fässern, die in der finstersten Ecke des Laderaums eines Schiffs vergammelten, in eine köstliche und schmackhafte Flüssigkeit verwandelten.

Nana Rao hatte die Filtermaschine vorgeführt und erklärt, dass sie aus London gekommen sei, als Teil des Gepäcks eines Direktors der East India Company, der Wert auf die beste Ausrüstung gelegt hatte. »Sie füllen das Wasser hier rein, sehen Sie?« Der Händler hatte einen Becher trübes Wasser in die obere, mit Messing verkleidete Kammer der Filtermaschine geschüttet. »Und dann lassen Sie es sich setzen, Mister Sharpe. In fünf Minuten wird es glasklar sein. Sehen Sie das?« Er hob die obere Verkleidung ab, um zu zeigen, wie das Wasser durch die Musselinschichten des Filters tröpfelte. »Ich habe persönlich den Filter gereinigt, Mister Sharpe, und ich garantiere für die Wirksamkeit des Geräts. Es wäre eine elende Schande, an einer Darmerkrankung zu sterben, nur weil Sie diese Maschine nicht gekauft haben.«

So hatte Sharpe sie gekauft. Er hatte sich geweigert, einen Stuhl, ein Sofa, einen kleinen Schrank und einen Waschständer zu kaufen, Dinge, die von Passagieren auf der Fahrt von London nach Bombay benutzt worden waren, doch er hatte für die Filtermaschine und all die anderen Dinge gezahlt, weil sonst seine Heimreise äußerst unbehaglich gewesen wäre. Von Passagieren auf den großen Handelsschiffen der East India Company wurde erwartet, dass sie sich mit eigenen Möbelstücken ausrüsteten. »Es sei denn, Sie würden es vorziehen, auf dem Deck zu übernachten, Sahib. Das ist hart! Sehr hart!« Nana Rao hatte gelacht. Er war ein rundlicher und scheinbar freundlicher schnurrbärtiger Mann, der oft lächelte. Sein Geschäft war es, den eintreffenden Passagieren die Reiseutensilien abzukaufen und dann die Waren und Güter den Heimreisenden zu verkaufen. »Ich werde die von Ihnen gekauften Dinge für Sie aufbewahren«, erklärte er Sharpe, »und am Tag Ihrer Einschiffung wird mein Cousin sie bei Ihrem Schiff abliefern. Welches Schiff ist das?«

»Die *Calliope*«, sagte Sharpe.

»Ah! Die *Calliope*! Captain Cromwell. Leider ankert die *Calliope* in der Reede. Und so müssen die Güter per Boot zum Schiff gebracht werden, aber mein Cousin berechnet für diesen Dienst sehr wenig, und wenn Sie glücklich in London eintreffen, können Sie die Dinge mit viel Profit verkaufen!«

Was wahrscheinlich nicht stimmte, aber es spielte ohnehin keine Rolle, denn in dieser Nacht, zwei Tage vor Sharpes Einschiffung, brach in Nana Raos Lagerhaus ein Feuer aus, und es brannte bis aufs Fundament nieder. All die Güter, die Betten, Tische und Stühle, Bücherregale, Laternen, Wasserfilter, Decken, Schachteln, Arrak, Seife, Tabak, Brandy und Wein wurden vermutlich vom Feuer verzehrt. Am Morgen gab es nur noch verkohlte Trümmer, Asche, Rauch und jammernde Trauernde, die beklagten, dass der freundliche Nana Rao in der Feuersbrunst ums Leben gekommen war. Zum Glück gab es ein anderes Lagerhaus, keine dreihundert Yards von Nana Raos ruiniertem Geschäft entfernt, in dem es alle Utensilien für die Reise zu kaufen gab, und dieses zweite Geschäft verkaufte seine begehrten Güter zu fast den doppelten Preisen, die Nana Rao verlangt hatte.

Richard Sharpe kaufte nichts von dem zweiten Geschäft. Er war fünf Monate in Bombay gewesen, viele Wochen davon mit Schüttelfrost im Fieber im Hospital, doch als sich das Fieber gelegt hatte und während der Wartezeit auf den jährlichen Schiffskonvoi hatte er die Stadt erkundet, von den Villen der Reichen in Malabar Hills bis zu den verpesteten Gassen im Hafenviertel.

In diesen Gassen hatte er Gesellschaft gefunden, und es war einer dieser Bekannten gewesen, der ihm für eine Guinee eine Information gegeben hatte, die er für weitaus wertvoller hielt. Deshalb hielt er sich bei Einbruch der Nacht in einer Gasse am östlichen Rand der Stadt auf. Er trug seine Uniform, doch darüber einen weiten Mantel aus billigem Sackleinen, der fleckig und an einigen Stellen mit Schlamm bedeckt war. Er humpelte und schlurfte vornübergebeugt und hatte eine Hand ausgestreckt, als bettele er. Er murmelte vor sich hin, und manchmal fuhr er herum und knurrte etwas, als schnauze er unsichtbare Leute an. Niemand schenkte dem »irren Bettler« Aufmerksamkeit.

Er fand das Haus, das er suchte, und kauerte sich an die Wand. Eine Schar Bettler, einige schrecklich verstümmelt, war mit fast hundert Bittstellern, die auf den Hausbesitzer warteten, am Tor des Hauses versammelt. Es war ein reicher Händler, der nach Einbruch der Dunkelheit in einer Sänfte eintraf, die von acht Männern getragen wurde, während weitere Männer, fast ein Dutzend, die Bettler mit langen Stöcken aus dem Weg prügelten. Als die Sänfte des Händlers im Hof war, wurden die Tore jedoch offen gelassen, sodass die Bittsteller und Bettler folgen konnten. Die Bettler, Sharpe unter ihnen, wurden zu einer Seite des Hofes geschoben, während sich die Bittsteller am Fuß der breiten Treppe versammelten, die zur Haustür führte. Laternen hingen in den Kokospalmen im Hof, und aus den mit Filigranarbeiten verzierten Fensterläden des großen Hauses schimmerte gelbes Kerzenlicht.

Sharpe schob sich so nahe ans Haus, wie er konnte, und blieb im Schatten der Palmenstämme. Unter dem verschmutzten Mantel trug er seinen Kavalleriesäbel und eine geladene Pistole, hoffte jedoch, dass er keine der Waffen zu benutzen brauchen würde.

Der Händler hieß Panjit, und er ließ die Bittsteller und Bettler warten, bis er seine Abendmahlzeit verzehrt hatte. Dann wurde die Haustür geöffnet, und Panjit, prächtig gekleidet in einem langen Gewand aus bestickter gelber Seide, erschien auf der obersten Treppenstufe. Die Bittsteller riefen laut, während die Bettler aufs Haus zuschlurften, bis sie von den Leibwächtern mit den Stöcken zurückgetrieben wurden.

Der Händler lächelte und läutete eine kleine Handglocke, um die Aufmerksamkeit eines grell bemalten Gottes zu gewinnen, der in einer Nische an der Wand im Hof saß. Panjit verneigte sich vor dem Gott, und ein zweiter Mann in einem roten Seidengewand tauchte in der Haustür auf.

Dieser zweite Mann war Nana Rao. Er lächelte breit und war – kein Wunder – vom Feuer verschont geblieben. Sharpes Guinee hatte herausgefunden, dass er der Cousin von Panjit war, dem Händler, der so gewaltig als Besitzer des zweiten Lagerhauses vom katastrophalen Brand bei Nana Rao profitiert hatte. Es war ein raffinierter Betrug, der es den Cousins erlaubt hatte, dieselben Güter zweimal zu verkaufen, und heute Abend, nach ihrem großen Profit, wählten sie die Männer aus, die den lukrativen Job erhielten, die Passagiere und ihren Besitz zu den großen Schiffen hinaus zu rudern, die vor dem Hafen vor Anker lagen. Diese ausgewählten Männer würden für das Privileg zahlen und somit Panjit und Nana Rao noch mehr bereichern, und die beiden Cousins, die um ihr Glück wussten, wollten den Göttern danken, indem sie einige kleine Münzen an die Bettler verteilten.

Sharpe nahm an, dass er, als demütiger Bettler getarnt, zu Nana Rao vordringen konnte. Dann würde er den dreckigen Mantel abwerfen und von dem Mann sein Geld zurückverlangen. Die kräftigen Leibwächter am Fuß der Treppe ließen darauf schließen, dass sein dürftiger Plan sich als komplizierter erweisen würde, als er gedacht hatte, doch Sharpe hoffte, dass Nana Rao alles daransetzen würde, dass sein Betrug nicht publik gemacht und er deshalb froh sein würde, ihn ausbezahlen zu können.

Sharpe war jetzt nahe beim Haus. Er hatte bemerkt, dass die leere Sänfte durch einen engen und dunklen Durchgang neben dem Gebäude zu einem Hof hinter dem Haus getragen worden war und man sich von dort aus Nana Rao von hinten nähern konnte. Aber jeder der Bettler, der es wagte, sich dem Durchgang zu nähern, wurde von den Leibwächtern mit Prügeln vertrieben. Die Bittsteller durften in kleinen Gruppen die Treppe hinaufgehen, doch die Bettler mussten warten, bis das Hauptgeschäft des Abends abgewickelt war.

Sharpe nahm an, dass es eine lange Nacht werden würde. Er zog die Kapuze des Mantels tiefer über den Kopf, um sein Gesicht zu verbergen, hockte sich an die Wand und wartete auf eine Gelegenheit, in den Durchgang neben dem Haus zu schlüpfen.

Ein Diener, der das äußere Tor bewacht hatte, schob sich jetzt durch die Menge und flüsterte etwas in Panjits Ohr. Für einen Moment wirkte der Händler alarmiert, und Stille senkte sich über den Hof, dann flüsterte er etwas zu Nana Rao, der daraufhin mit den Schultern zuckte. Panjit klatschte in die Hände und rief nach den Leibwächtern, die daraufhin energisch die Bittsteller so zurückdrängten, dass sie eine Gasse zwischen dem Tor und der Treppe bildeten.

Jemand näherte sich dem Haus, und Nana Rao trat nervös in den tiefen Schatten hinten auf der Veranda zurück.

Der Weg in den Durchgang neben dem Haus wäre jetzt für Sharpe frei gewesen, doch die Neugier ließ ihn verharren.

In der Gasse entstand Lärm. Es klang wie das Stimmengewirr und Gedränge, das stets einen Trupp Polizisten begleitete, der durch die engen Straßen von London marschierte. Dann wurde das äußere Tor ganz aufgeschoben, und Sharpe starrte erstaunt hin.

Eine Gruppe britischer Seeleute stand in dem Tor, angeführt von einem Captain, tadellos gekleidet mit Zweispitz, blauem Gehrock, Seidenhose und Strümpfen, Schuhen mit Silberschnallen und einem Degen. Die goldenen Litzen glitzerten auf seinen Epauletten. Er nahm seinen Zweispitz ab und enthüllte dichtes blondes Haar, lächelte und verneigte sich.

»Habe ich die Ehre, das Haus von Panjit Lashti zu besuchen?«, fragte er.

Panjit nickte vorsichtig. »Dies ist das Haus«, antwortete er auf Englisch.

Der Captain setzte seinen Zweispitz auf. »Ich bin wegen Nana Rao gekommen«, erklärte er freundlich und mit unverkennbarem Devonshire-Akzent.

»Er ist nicht hier«, sagte Panjit.

Der Captain blickte zu der Gestalt im roten Gewand im Schatten der Veranda. »Sein Geist reicht schon.«

»Ich habe Ihnen geantwortet«, sagte Panjit, und seine Stimme klang jetzt wütend. »Er ist nicht hier. Er ist tot.«

Der Captain lächelte. »Mein Name ist Chase«, stellte er sich höflich vor, »Captain Joel Chase von der Marine Seiner britannischen Majestät, und ich wäre Ihnen zu Dank verpflichtet, wenn Sie Nana Rao bitten würden, mit mir zu kommen.«

»Seine Leiche ist verbrannt und die Asche im Fluss verstreut. Warum suchen Sie ihn nicht dort?«

»Er ist so wenig tot wie Sie und ich«, sagte Chase, und dann winkte er seinen Männern. Er hatte ein Dutzend Matrosen mitgebracht, alle identisch gekleidet mit weißer Leinenhose und Hemd und Strohhüten mit roten und weißen Bändern. Sie hatten lange Zöpfe und trugen dicke Stöcke, die Sharpe für

Belegnägel hielt. Ihr Anführer war ein Hüne, auf dessen nackten Unterarmen Tätowierungen zu sehen waren. Neben ihm stand ein Neger, genauso groß, der seinen Belegnagel hielt, als sei er ein Zauberstab. »Nana Rao...«, Chase gab nicht mehr vor, zu glauben, dass der Händler tot war, »... Sie schulden mir eine Menge Geld, und ich bin gekommen, um es zu kassieren.«

»Mit welcher Befugnis sind Sie hier?«, fragte Panjit.

Die Menge – die meisten der Männer verstanden kein Englisch – beobachtete nervös die Matrosen, aber Panjits Leibwächter, Chases Männern zahlenmäßig überlegen und ebenso gut bewaffnet, schienen begierig darauf zu sein, auf die Matrosen losgelassen zu werden.

»Meine Befugnis«, sagte Chase lässig, »ist meine leere Brieftasche.« Er lächelte. »Sicherlich wollen Sie nicht, dass ich Gewalt einsetze.«

»Setzen Sie nur Gewalt ein, Captain Chase«, erwiderte Panjit ebenso lässig, »und im Morgengrauen werden Sie vor einem Richter stehen.«

»Ich werde freudig vor Gericht erscheinen«, sagte Chase, »wenn ich Nana Rao neben mir habe.«

Panjit gestikulierte, als wolle er Chase und seine Männer von seinem Hof scheuchen. »Sie werden jetzt gehen, Captain. Verlassen Sie mein Grundstück.«

»Das werde ich nicht«, sagte Chase.

»Hauen Sie ab. Oder ich rufe die Polizei!«

Chase wandte sich zu dem tätowierten Riesen um. »Nana Rao ist der Scheißkerl mit dem Schnurrbart und dem roten Seidengewand, Bootsmann. Holen Sie ihn.«

Die britischen Matrosen setzten sich in Bewegung, voller Vorfreude auf eine Keilerei, doch Panjits Leibwächter waren ebenso begierig darauf, und die beiden Gruppen trafen sich in der Mitte des Hofes.

Stöcke prallten aufeinander, Fäuste knallten auf Schädel. Die Matrosen waren zuerst im Vorteil, denn sie hatten mit einer Wildheit angegriffen, von der die Leibwächter bis zum Fuß der Treppe zurückgetrieben wurde, doch Panjits Männer waren nicht nur in der Überzahl, sondern auch mehr an das Kämpfen mit langen Knüppeln gewohnt. Sie sammelten sich an der Treppe und benutzten ihre Stöcke wie Speere, die sie nach den Beinen der Matrosen stießen. Einer der Matrosen nach dem anderen geriet ins Stolpern und wurde niedergeknüppelt. Der Bootsmann und der Neger waren die Letzten, die zu Boden gingen. Sie versuchten ihren Captain zu schützen, der seine Fäuste geschickt einsetzte, doch die britischen Matrosen hatten gegen die unterschätzten Gegner keine Chance.

Sharpe schob sich zur Treppe vor, stieß die Bettler mit den Ellbogen beiseite. Die Menge johlte und spottete über die besiegten britischen Matrosen, Panjit und Nana Rao lachten, und einige der Bittsteller, ermutigt durch den Erfolg der Leibwächter, traten nach den Gefallenen. Einige der Leibwächter trugen nun die Hüte der Matrosen, und einer hatte sich Chases Zweispitz auf den Kopf gesetzt. Der Captain war ein Gefangener, von zwei Männern an den Armen festgehalten.

Einer der Leibwächter war bei Panjit geblieben und sah, wie Sharpe sich an der Treppe vorbeistahl. Er rannte auf ihn zu und schrie ihn an, zurückzubleiben, und als der vermeintliche Bettler nicht gehorchte, holte er zum Tritt aus.

Sharpe packte den vorschnellenden Fuß und riss ihn hoch. Der Leibwächter stürzte auf den Rücken und sein Kopf schlug auf eine Treppenstufe. Der dumpfe Aufprall ging in der geräuschvollen Feier über die britische Niederlage unter.

Panjit hob die Hände und rief um Ruhe. Nana Rao lachte vor Freude, während Sharpe im Schatten der Büsche an der Seite der Treppe angelangt war.

Die siegreichen Leibwächter schoben die Bittsteller und Bettler von den blutigen und zusammengeschlagenen Matrosen fort, die nur zuschauen konnten, wie ihr zerzauster Captain zu Panjit gezerrt wurde.

Panjit schüttelte in gespielter Traurigkeit den Kopf. »Was soll ich nur mit Ihnen machen, Captain?«

Chase riss sich aus der Umklammerung los. »Ich schlage vor, Sie übergeben mir Nana Rao und beten, dass ich Sie nicht vor Gericht bringe.«

Panjit blickte gequält drein. »Sie werden es sein, der vor Gericht steht«, sagte er. »Und wie wird das aussehen? Captain Chase von der Marine Seiner britannischen Majestät, verurteilt wegen Hausfriedensbruchs und Ruhestörung wie ein Säufer. Ich finde, Captain Chase, wir sollten besser beraten, mit welchen Bedingungen wir Ihnen dieses Schicksal ersparen können.«

Panjit wartete, doch Chase erwiderte nichts. Er war geschlagen. Panjit blickte stirnrunzelnd zu dem Leibwächter, der sich den Zweispitz des Captains aufgesetzt hatte, und befahl dem Mann, ihn zurückzugeben. Dann lächelte er.

»Ich will ebenso wenig einen Skandal wie Sie, Captain, aber ich werde nach diesen traurigen Ereignissen jeden Skandal überleben, Sie jedoch nicht. So halte ich es für besser, Sie machen mir ein Angebot.«

Ein lautes helles Geräusch unterbrach Panjit. Es war das metallische Klicken einer Pistole. Panjits Kopf ruckte herum. Er sah einen britischen Offizier mit rotem Rock. Der Mann mit schwarzem Haar und einer Narbe im Gesicht stand neben seinem Cousin und hielt Nana Rao die Mündung einer Pistole an die Schläfe.

Die Leibwächter blickten zu Panjit, sahen seine Unsicherheit, und einige von ihnen packten ihre Knüppel fester und bewegten sich auf die Treppe zu, doch Sharpe packte mit der linken Hand Nana Raos Haar und trat ihm in die Kniekehlen, sodass der Händler mit einem Aufschrei zu Boden stürzte. Die plötzliche Brutalität und Sharpes offensichtliche Entschlossenheit, abzudrücken, stoppte die Leibwächter.

»Ich finde, Sie machen besser mir ein Angebot«, sagte Sharpe zu Panjit, »denn dieser ach so tote Cousin von Ihnen schuldet mir vierzehn Pfund, sieben Schilling, drei Pence und einen halben Penny.«

»Nehmen Sie die Pistole weg«, sagte Panjit und winkte seine Leibwächter zurück. Er war nervös. Mit einem höflichen Captain, offenbar ein Gentleman, zu verhandeln, war die eine Sache, aber mit diesem rot berockten Ensign zurechtzukommen, war eine völlig andere, denn er wirkte wild und entschlossen. »Nehmen Sie nur die Pistole fort«, wiederholte Panjit besänftigend.

»Halten Sie mich für blöde?« Sharpe grinste höhnisch. »Außerdem kann mich kein Richter verurteilen, wenn ich Ihren Cousin erschieße. Er ist bereits tot! Das haben Sie selbst behauptet. Er ist nichts als Asche im Fluss.« Er zog an Nana Raos Haar, und der kniende Mann stöhnte auf. »Vierzehn Pfund«, sagte Sharpe, »sieben Schilling, drei Pence und ein halber Penny.«

»Ich werde zahlen«, keuchte Nana Rao.

»Und Captain Chase will sein Geld auch zurückhaben«, sagte Sharpe.

»Zweihundertsechzehn Guineen«, sagte Chase und rieb über seinen Zweispitz, »obwohl ich glaube, wir haben ein bisschen mehr verdient, weil wir das Wunder bewirkt haben, Nana Rao wieder lebendig zu machen!«

Panjit war kein Dummkopf. Er sah, dass Chases Matrosen ihre Belegnägel aufhoben und sich darauf vorbereiteten, den Kampf fortzusetzen.

»Keine Behörden?«, fragte er Sharpe.

»Ich hasse Behörden«, erwiderte Sharpe.

Panjits Miene zeigte die Spur eines Lächelns. »Wenn Sie die Haare meines Cousins loslassen«, sagte er, »dann können wir vernünftig miteinander reden.«

Sharpe ließ Nana Rao los und trat zurück. Er stand kurz vor Captain Chase still. »Ensign Sharpe«, stellte er sich vor.

»Sie sind kein Ensign, Sharpe, sondern mein rettender Engel.« Chase ging Sharpe entgegen und streckte ihm die Hand hin. Trotz des Bluts auf seinem Gesicht war er ein gut aussehender Mann mit einem Selbstvertrauen und einer Freundlichkeit, die auf einen gutmütigen Charakter schließen ließen. »Sie sind der *deus ex machina*, Ensign, so willkommen wie eine Brise in einer windstillen Zone.« Er sagte es leichthin, doch es gab keinen Zweifel an der Aufrichtigkeit seines inbrünstigen Danks, und anstatt Sharpe die Hand zu schütteln, umarmte er ihn. »Danke«, flüsterte er und trat zurück. »Hopper!«

»Sir?« Der riesige Bootsmann mit den tätowierten Armen, der viele Gegner flachgelegt hatte, bevor er überwältigt worden war, trat vor.

»Machen Sie sich bereit, Hopper. Unsere Feinde wollen über unsere Kapitulationsbedingungen sprechen.«

»Aye, aye, Sir.«

»Und dies ist Ensign Sharpe, Hopper, und er soll als ehrbarer Freund behandelt werden.«

»Aye, aye, Sir«, sagte Hopper grinsend.

»Hopper hat das Kommando über die Barkassen-Mannschaft«, erklärte Chase. »Und diese verbeulten Gentlemen sind seine Ruderer. Diese Nacht wird nicht als unsere ruhmreichste Siegesnacht verzeichnet werden, Gentlemen ...«, Chase wandte sich an seine grün und blau geschlagenen Männer, »... aber es ist immerhin ein Sieg, und ich danke euch.«

Der Hof war geräumt, Bedienstete brachten Stühle aus dem Haus, und dann wurde über die Bedingungen gesprochen.

Die Ausgabe der Guinee hat sich gelohnt, dachte Sharpe.

»Eigentlich mag ich die Typen«, sagte Chase.

»Panjit und Nana Rao? Sie sind Schurken«, sagte Sharpe.

»Eigentlich mag ich sie auch.«

»Sie haben ihre Niederlage wie Gentlemen hingenommen.«

»Sie sind glimpflich davongekommen, Sir«, sagte Sharpe. »Mit der Brandstiftung müssen sie ein Vermögen verdient haben.«

»Heiß saniert, der älteste Trick in der Kiste«, sagte Captain Chase. »Da war ein Typ auf der Insel der Hunde, der in der Nacht vor der Abreise eines ausländischen Schiffes stets behauptete, Diebe hätten seine Lagerhalle ausgeraubt, und die Opfer fielen immer darauf herein.« Chase lachte, und Sharpe schwieg. Er hatte den Mann gekannt, von dem Chase gesprochen hatte. Er hatte ihm in einer Nacht sogar geholfen, das Lagerhaus auszuräumen, und er hielt es für das Beste, darüber zu schweigen. »Aber Sie und ich sind wohlauf, Sharpe, außer ein paar Beulen und Schrammen«, fuhr Chase fort, »und das ist alles, was zählt, nicht wahr?«

»Ja, mit uns ist alles in Ordnung«, stimmte Sharpe zu.

Die beiden Männer, gefolgt von Chases Barkassen-Mannschaft, spazierten zurück durch die Gassen von Bombay, und beide hatten Geld in den Taschen. Chase hatte ursprünglich mit Rao vereinbart, dass der Händler sein Schiff mit Rum, Brandy, Wein und Tabak belieferte, jetzt hatte er statt der zweihundertsechzehn Guineen, die er dem Händler bezahlt hatte, noch dreihundert in der Tasche, während Sharpe zweihundert Rupien besaß. Sharpe nahm an, dass er alles in allem an diesem Abend gut verdient hatte, besonders, weil Panjit versprochen hatte, ihm die Hängematte, Decken, Laterne, Arrak, Tabak und Filtermaschine im Morgengrauen kostenlos zur *Calliope* zu liefern.

Die beiden Inder waren begierig gewesen, die Engländer versöhnlich zu stimmen. Als ihnen klar wurde, dass Chase und Sharpe nicht beabsichtigten, dem Rest der geschröpften Opfer zu verraten, dass Nana Rao noch lebte, hatten die Händler ihre unerwünschten Gäste beköstigt, ihnen reichlich Arrak eingeschenkt, das Geld ausbezahlt, ewige Freundschaft geschworen und ihnen eine gute Nacht gewünscht.

Jetzt schlenderten Chase und Sharpe durch die dunkle Stadt.

»Himmel, stinkt es hier!«, sagte Chase.

»Sind Sie noch nicht hier gewesen?«, fragte Sharpe überrascht.

»Ich bin fünf Monate in Indien gewesen«, sagte Chase, »aber immer auf See. Jetzt lebe ich seit einer Woche an Land, und überall riecht es übel. Mein Gott, wie diese Stadt stinkt!«

»Nicht mehr als London«, sagte Sharpe.

Das stimmte zwar, aber die Gerüche waren verschieden. Statt nach Kohlenrauch stank es nach Ochsendungrauch, Kräutern und Abwässern. Es war ein süßes Gemisch, jedoch nicht unangenehm. Sharpe erinnerte sich, wie er bei seiner Ankunft vor dem Geruch zurückgeprallt war, der jetzt sogar etwas Anheimelndes für ihn hatte.

»Ich werde den Duft vermissen«, gab er zu. »Manchmal wünschte ich, nicht nach England zurückzukehren.«

»Mit welchem Schiff reisen Sie?«

»Mit der *Calliope*.«

Chase fand das anscheinend amüsant. »Und was halten Sie von Mister Seltsam?«

»Mister Seltsam?«

»Ich meine natürlich den seltsamen Cromwell, den Kapitän.« Chase sah Sharpe an. »Sie haben ihn doch gewiss kennen gelernt!«

»Nein, habe ich nicht. Ich habe noch nie von ihm gehört.«

»Aber der Konvoi muss schon vor zwei Monaten eingetroffen sein«, sagte Chase.

»So ist es.«

»Dann hätten sie ihn sehen müssen. Peculiar (seltsam, sonderbar) ist übrigens sein richtiger Name. Peculiar Cromwell. Komisch, wie? Er war einst bei der Marine wie die meisten Kapitäne in Ostindien, aber Peculiar nahm seinen Abschied, weil er reich werden wollte. Und weil er glaubte, Admiral werden zu können, ohne lange Jahre als Captain zu dienen. Er ist eine seltsame Seele. Aber er segelt ein prächtiges, schnelles Schiff. Ich kann kaum glauben, dass Sie sich nicht um seine Bekanntschaft bemüht haben.«

»Warum sollte ich?«, fragte Sharpe.

»Um sicherzustellen, dass Sie einige Privilegien an Bord bekommen, meine ich natürlich. Kann ich davon ausgehen, dass Sie auf dem Zwischendeck reisen?«

»Ich reise billig, falls Sie das meinen.« Sharpes Stimme klang bitter. Der niedrigste Fahrpreis hatte immer noch hundertsieben Pfund und fünfzehn Schilling gekostet. Er hatte angenommen, die Armee würde für die Reise zahlen, doch sie hatte sich geweigert, hatte gesagt, dass Sharpe eine Einberufung der 95th Rifles nachkommen würde, und wenn die 95th Rifles seine Passage nicht zahlen wollten, dann zum Teufel mit ihnen, mit ihren schrecklichen grünen Uniformröcken, und zum Teufel mit Sharpe. So hatte er einen der kostbaren Diamanten aus dem Saum seines roten Rockes genommen und die Reise selbst bezahlt. Er besaß immer noch die wertvollen Steine, die er von Tippu Sultans Leiche in Seringapatam erbeutet hatte, doch es widerstrebte ihm, den Schatz für die East India Company auszugeben. Britannien hatte ihn nach Indien geschickt, und Sharpe war der Ansicht, dass das Land ihn dann auch zurückholen sollte.

»Es wäre clever gewesen, Sharpe, wenn Sie sich Peculiar vorgestellt hätten, während er sich an Land aufhielt, und dem gierigen Kerl ein Geschenk gemacht hätten, damit er Ihnen ein anständiges Quartier zuweist. Aber wenn Sie Peculiar nicht geschmiert haben, wird er Sie höchstwahrscheinlich im Unterdeck mit den Ratten einquartieren. Das Hauptdeck ist viel besser und kostet keinen Penny mehr, aber das Unterdeck ist nichts außer Furzen, Kotzen und dem Anblick von Elend auf dem ganzen Heimweg.«

Die beiden Männer hatten die schmalen Gassen verlassen und führten die Barkassen-Mannschaft durch eine Straße, die von Abwasserrinnen gesäumt war. Es war ein Viertel mit Blechschmieden. Die Schmiedefeuer brannten bereits hell und Hammerschläge erfüllten die Dunkelheit. Kühe beäugten die vorbeigehenden Matrosen, und Hunde kläfften wütend und weckten die obdachlosen Armen zwischen den Abwasserrinnen und den Hauswänden.

»Ein Jammer, dass Sie in einem Konvoi segeln«, sagte Chase.

»Warum, Sir?«

»Weil ein Konvoi nur mit dem Tempo seines langsamsten Boots vorankommt!«, erklärter Chase. »Die *Calliope* würde es in drei Monaten bis England schaffen, wenn sie fliegen dürfte, aber sie wird humpeln müssen. Ich wünschte, ich könnte mit Ihnen segeln. Ich würde Ihnen die Überfahrt als Dank für Ihre heutige Rettungstat spendieren, aber ich bin leider auf Geisterjagd.«

»Auf Geisterjagd, Sir?«

»Haben Sie von der *Revenant* gehört?«

»Nein, Sir.«

»Die Unwissenheit von euch Soldaten ist erstaunlich«, sagte Chase belustigt. »Die *Revenant*, mein lieber Sharpe, ist ein französischer 74-Kanonen-Dreidecker, der den Indischen Ozean unsicher macht. Er verbirgt sich vor Mauritius, segelt los, um Prise zu machen und zieht sich wieder zurück, bevor wir ihn schnappen können. Ich bin hier, um ihm Einhalt zu gebieten, doch bevor ich ihn jagen kann, muss ich mit meinem Schiff nach acht Monaten auf See schneller werden.«

»Ich wünsche Ihnen viel Glück, Sir«, sagte Sharpe. Dann runzelte er die Stirn. »Aber was hat das mit Geistern zu tun?« Sharpe stellte für gewöhnlich nicht gern solche Fragen. Er war einst in den Reihen eines Rotrock-Bataillons marschiert und war aus den Mannschaften zum Offizier aufgestiegen, und so hatte er sich in einer Welt wiedergefunden, in der fast jeder gebildeter war als er selbst. Er hatte sich daran gewöhnt, zu überspielen, was ihm ein Rätsel war, doch jetzt machte es ihm nichts aus, sich bei einem gutmütigen Mann wie Chase zu seiner Unwissenheit zu bekennen.

»*Revenant* ist die Bezeichnung der Franzmänner für Gespenst«, sagte Chase. »Substantiv, männlich. Ich hatte einen Lehrer für diese Dinge, der mir die Sprache einpeitsche, und ich möchte sie jetzt aus ihm herauspeitschen.« In einem nahen Hof krähte ein Hahn, und Chase blickte zum Himmel auf. »Fast Morgendämmerung«, sagte er. »Vielleicht erlauben Sie mir, Ihnen ein Frühstück auszugeben? Dann werden meine Jungs sie zur *Calliope* hinausbringen. Gott stehe Ihnen auf Ihrer Heimreise bei.«

Heimreise. Das Wort kam Sharpe sonderbar vor, denn er hatte kein anderes Heim als die Armee und England seit sechs Jahren nicht mehr gesehen. Sechs Jahre! Dennoch empfand er keine Vorfreude bei der Aussicht, nach England zu segeln. Er betrachtete es nicht als Heim, hatte keine Ahnung, wo sein Zuhause war, aber wo auch immer dieser schwer zu definierende Ort war, er fuhr dorthin.

Chase lebte an Land, während sein Schiff vom Tang gesäubert wurde. »Wir schrubben ihr bei Ebbe den kupferbeschlagenen Hintern, bevor wir sie wieder schwimmen lassen«, erklärte er, als Kellner Kaffee, gekochte Eier, Brot, Schinken, kalte Hähnchenteile und einen Korb mit Mangos servierten.

»Hintern schrubben ist verdammt lästig. Alle Geschütze müssen beiseite und der halbe Laderaum muss ausgeräumt werden, aber sie wird danach wieder wie der Teufel segeln. Essen Sie noch ein Ei, Sharpe! Sie müssen Hunger haben. Ich bin jedenfalls hungrig. Gefällt Ihnen dieses Haus? Es gehört einem Cousin meiner Frau. Er ist hier Händler, und im Augenblick ist er in den Hügeln und tut, was immer Händler tun, wenn sie reich werden wollen. Es war sein Steward, der mich vor Nana Raos Tricks warnte. Setzen Sie sich, Sharpe, setzen Sie sich. Essen Sie.«

Sie frühstückten im Schatten einer breiten Veranda, die auf einen kleinen Garten, eine Straße und die See hinausblickte. Chase war freundlich, großzügig, und offenkundig machte ihm die Kluft zwischen einem einfachen Ensign, dem niedrigsten Offiziersrang der Armee, und einem Captain – offiziell gleichbedeutend mit einem Colonel der Armee, an Bord seines eigenen Schiffes allmächtig – nichts aus. Zuerst hatte Sharpe diese Kluft gespürt, doch dann war ihm allmählich klar geworden, dass Joel Chase wirklich gutmütig war, und er hatte begonnen, den Marineoffizier zu mögen, dessen Verhalten offen und herzlich war.

»Ist Ihnen klar, dass dieser verdammte Panjit mich tatsächlich vor Gericht hätte bringen können?«, fragte Chase. »Lieber Gott, Sharpe, das wäre eine böse Sache gewesen! Nana Rao wäre verschwunden, und wer hätte mir geglaubt, dass er noch lebt? Nehmen Sie mehr Schinken, bitte. Es hätte zumindest eine Untersuchung und höchstwahrscheinlich einen Kriegsgerichtsprozess gegeben. Ich hätte verdammt Glück gehabt, wenn ich überlebt und mein Kommando behalten hätte. Aber wie hätte ich ahnen können, dass er eine Privatarmee hat?«

»Wir sind alle unbeschadet davongekommen, Sir.«

»Das haben wir Ihnen zu verdanken, Sharpe, nur Ihnen.« Chase schauderte es. »Mein Vater sagte immer, ich würde tot sein, bevor ich dreißig bin, und ich habe das schon um fünf Jahre überlebt, aber eines Tages werde ich in einer Klemme stecken, aus der mich kein Ensign rausholen kann.« Er klopfte gegen den Beutel mit dem Geld, das er von Nana Rao und Panjit erhalten hatte. »Und zwischen uns beiden, Sharpe, dieses Geld ist ein Glücksfall. Ein Geschenk des Himmels! Meinen Sie, man kann Mangos in England anpflanzen?«

»Ich weiß nicht, Sir.«

»Ich werde es versuchen. Ein paar an einer warmen Stelle des Gartens anpflanzen, und wer weiß? Vielleicht gelingt das.« Chase schenkte Kaffee ein und streckte die langen Beine aus. Er war neugierig, warum ein Mann Ende zwanzig ein Ensign war, und er stellte die Frage sehr taktvoll. Als er herausfand, dass Sharpe aus den Mannschaften aufgestiegen war, war seine Bewunderung echt. »Ich hatte einst einen Captain, der vom Matrosen aufgestiegen war«, erzählte er Sharpe. »Und der war verdammt gut! Kannte sein Geschäft. Verstand, was in den dunkelsten Ecken vorging, in die die meisten Captains nicht zu gucken wagten. Ich nehme an, die Armee kann sich glücklich mit Ihnen preisen, Sharpe.«

»Ich bin mir nicht so sicher, dass es so ist, Sir.«

»Ich werde es einigen Leuten ins Ohr flüstern, Sharpe. Aber wenn ich die *Revenant* nicht erwische, werden mir nur wenige zuhören.«

»Sie werden sie erwischen, Sir.«

»Ich bete darum, aber sie ist höllisch schnell. Schnell und kaum zu schnappen. Alle französischen Schiffe sind das. Gott weiß, dass die Scheißer sie nicht segeln können, aber sie wissen, wie man sie baut. Französische Schiffe sind wie französische Frauen, Sharpe. Schön und schnell bereit, aber hoffnungslos bemannt. Nehmen Sie etwas Senf.« Chase schob das Senftöpfchen über den Tisch, dann tätschelte er ein mageres Kätzchen, während er an den Palmen vorbei zum Meer blickte. »Ich möchte noch einen Kaffee«, sagte er. Dann wies er zur See. »Da ist die *Calliope*.«

Sharpe hielt Ausschau, konnte jedoch nur eine Masse von Schiffen weit draußen jenseits des Hafens erkennen, der voller Proviantboote, Barkassen und Fischerboote war.

»Es ist das, bei dem die Topsegel trocknen«, sagte Chase, und Sharpe sah, dass bei einem der fernen Schiffe die obersten Segel von den Rahen hingen und im leichten Wind flatterten. Auf diese Distanz wirkte die *Calliope* wie eines der anderen Dutzend Schiffe der East India Company, die zusammen heimsegeln würden, um sich im Verbund gegen die Freibeuter verteidigen zu können, die den Indischen Ozean unsicher machten. Von Land aus sahen sie wie Kriegsschiffe aus, denn ihr Rumpf war schwarz und weiß gestrichen, um vorzutäuschen, dass massive Breitseiten hinter geschlossenen Stückpforten verborgen waren, doch die List würde keinen Freibeuter täuschen. Diese Schiffe, vollgestopft mit den Reichtümern Indiens, waren die größten Prisen, die sich jeder Korsar oder französische Marine-Kapitän wünschen konnte. Wenn man gut leben und reich sterben wollte, dann brauchte man nur einen Ostindienfahrer aufzubringen. Deshalb segelten die großen Schiffe im Konvoi.

»Wo ist Ihr Schiff, Sir?«, fragte Sharpe.

»Kann es von hier nicht sehen«, sagte Chase. »Es liegt auf einer Sandbank auf der fernen Seite von Elephant Island auf der Seite.«

»Auf der Seite?«

»Ja, wir haben es auf die Seite gelegt, damit wir ihr den Hintern polieren können.«

»Wie heißt es?«

Chase blickte beschämt. »*Pucelle*«, sagte er.

»*Pucelle?* Klingt französisch.«

»Es ist französisch, Sharpe. Es heißt Jungfrau.« Chase tat, als wäre er beleidigt, als Sharpe lachte. »Sie haben schon von *la Pucelle d'Orleans* gehört?«, fragte er.

»Nein, Sir.«

»Die Jungfrau von Orleans, Sharpe, war Jeanne d'Arc, und das Schiff wurde nach ihr benannt, und ich vertraue darauf, dass es nicht endet wie Jeanne, also nicht verbrannt wird.«

»Aber warum hat man ein englisches Schiff nach einer Französin benannt, Sir?«, fragte Sharpe.

»Wir haben es nicht so getauft. Die Franzmänner haben das getan. Es war ein französisches Schiff, bis Nelson es bei Abukir aufbrachte. Wenn ein Schiff aufgebracht wird, Sharpe, behält es den alten Namen, bis er wirklich verhasst wird. Nelson brachte bei Abukir am Nil auch die *Franklin* auf, ein Schiff von großer Schönheit mit achtzig Geschützen, aber die Marine will verdammt sein, wenn sie ein Schiff hat, das nach einem verdammten, verräterischen Yankee benannt ist, und so heißt es jetzt *Canopus*. Aber mein Schiff behielt seinen Namen, und es ist ein hübsches Ding. Und schnell. O mein Gott, nein.« Er setzte sich aufrecht und starrte zur Straße. »Mein Gott, nein!«

Eine offene Kutsche hatte diesen Ausruf ausgelöst, die ihre Fahrt verlangsamt hatte und jetzt jenseits des Gartentors hielt. Chase, der bis zu diesem Moment freundlich gewesen war, blickte plötzlich böse drein.

Ein Mann und eine Frau saßen in der Kutsche, die von einem Inder gefahren wurde, der mit gelbschwarzer Livree gekleidet war. Zwei eingeborene Lakaien in derselben Livree eilten jetzt zur Kutschentür, klappten die Treppe herunter und ließen den Mann, der ein weißes Leinenjackett trug, aussteigen. Sofort schleppte sich ein Bettler auf kurzen Krücken auf die Kutsche zu, doch einer der Lakaien versetzte ihm einen Tritt, und der Kutscher beendete das Vertreiben des Bettlers mit einem Peitschenhieb.

Der Mann mit dem weißen Jackett war in mittlerem Alter, und sein Gesicht erinnerte Sharpe an Sir Arthur Wellesley. Vielleicht lag es an der vorspringenden Nase oder an der kalten und hochmütigen Art des Mannes. Oder vielleicht, weil einfach alles um ihn, von der Kutsche bis zu den livrierten Dienern, privilegiert wirkte.

»Lord William Hale«, sagte Chase, und aus jeder Silbe klang Abneigung.

»Nie von ihm gehört.«

»Er ist im Kontrollausschuss«, erklärte Chase. Dann sah er Sharpes fragenden Blick und fügte hinzu: »Sechs Männer, von der Regierung ernannt, um sicherzustellen, dass die East India Company keine Dummheiten macht. Oder eher, wenn sie welche macht, dafür zu sorgen, dass auf die Regierung keine Schuld fällt.« Er blickte an Lord William vorbei, der sich zu der Frau in der Kutsche umgedreht hatte und mit ihr sprach. »Das ist seine Gattin. Ich habe die beiden gerade von Kalkutta hergebracht, damit sie mit demselben Konvoi heimkehren können wie Sie. Sie sollten beten, dass sie nicht auch auf der *Calliope* sind.«

Lord William war grauhaarig, und Sharpe nahm an, dass seine Frau ebenfalls in mittlerem Alter war. Doch als sie ihren weißen Sonnenschirm sinken ließ, hatte er freie Sicht auf sie, und ihm stockte der Atem. Sie war viel jünger als Lord William, und ihr blasses, schmales Gesicht war von einer melancholischen, fast traurigen Schönheit, die Sharpe faszinierte. Er starrte sie hingerissen an.

Chase lächelte, als er Sharpes begeisterte Miene sah. »Sie wurde als Grace de Laverre Gould geboren, die dritte Tochter des Earl of Selby. Sie ist zwanzig Jahre jünger als ihr Mann, aber ebenso kalt.«

Sharpe konnte nicht den Blick von Ihrer Ladyschaft nehmen. Sie war wirklich atemberaubend schön, eine ätherische, unerreichbare Schönheit. Ihr Gesicht war elfenbeinfarben und von einer Fülle schwarzen Haars umgeben, dessen Lockenpracht ganz natürlich wirkte, jedoch von ihrer Zofe kunstvoll hergerichtet worden sein musste. Sie lächelte nicht, sondern blickte ernst zu ihrem Mann auf.

»Sie sieht eher traurig als kalt aus«, sagte Sharpe.

Chase machte sich über den sehnsüchtigen Klang von Sharpes Stimme lustig. »Worüber sollte sie denn traurig sein? Ihre Schönheit ist ihr Glück, und ihr Mann ist so reich wie ehrgeizig und clever. Sie ist auf dem Weg, Frau Premierminister zu werden, solange Lord William keinen falschen Schritt macht, und glauben Sie mir, er tritt so leise auf wie eine Katze.«

Lord William beendete die Unterhaltung mit seiner Frau und forderte einen Lakai mit einer Geste auf, das Tor zu öffnen.

»Sie hätten ein Haus mit einem Zufahrtsweg nehmen sollen«, sagte der Lord leicht tadelnd, als er über den kurzen Weg zu Chase schritt. »Es ist ein großes Ärgernis, jedes Mal, wenn man einen Besuch macht, von Bettlern belästigt zu werden.«

»Leider kennen wir Matrosen uns an Land nicht so gut aus. Darf ich Ihrer Frau eine Tasse Kaffee anbieten?«

»Ihre Ladyschaft fühlt sich nicht wohl.« Lord William stieg die Verandatreppe hinauf, warf Sharpe einen gleichgültigen Blick zu und streckte Chase die Hand hin, als erwarte er, von ihm etwas zu bekommen. Er musste das Blut, das auf Chases Haar verkrustet war, gesehen haben, erwähnte jedoch nichts davon. »Nun, Chase, können Sie Ihre Schuld begleichen?«

Chase nahm widerwillig den Lederbeutel, der die Münzen von Nana Rao enthielt, zählte eine wesentliche Summe davon ab und gab sie Lord William. Seine Lordschaft schauderte es bei dem Gedanken, das schmuddelige Geld anzufassen, zwang sich jedoch, es anzunehmen, und schob es in die Taschen seines Gehrocks.

»Ihre Quittung«, sagte er und gab Chase einen Zettel. »Sie haben keine neuen Befehle erhalten, nehme ich an?«

»Leider nein, Mylord. Wir haben immer noch den Befehl, die *Revenant* aufzuspüren.«

»Ich hatte gehofft, dass Sie stattdessen heimfahren. Es ist ungemein wichtig, dass ich London schnell erreiche.« Er runzelte die Stirn und wandte sich dann ohne ein weiteres Wort ab.

»Sie haben mir keine Gelegenheit gegeben, Mylord, Ihnen meinen besonderen Freund, Mister Sharpe, vorzustellen«, sagte Chase.

Lord William schenkte Sharpe einen zweiten kurzen Blick. Seine Lordschaft sah nichts, was seinen ersten Eindruck von dem Ensign änderte, dass dieser mittellos und ohne Macht war, doch er blickte nun zu ihm, schätzte ihn ein und blickte wieder fort, ohne sich zu äußern. In diesem kurzen Blickkontakt erkannte Sharpe Macht, Selbstsicherheit und Arroganz. Lord William war ein Mann, der sich seiner Macht bewusst war, mehr wollte und keine Zeit mit jemandem verschwendete, der ihm nichts zu geben hatte.

»Mister Sharpe diente unter Sir Arthur Wellesley«, sagte Chase.

»Wie viele tausend andere, glaube ich«, sagte Lord William gleichgültig. Dann runzelte er die Stirn. »Sie könnten mir einen Gefallen tun, Chase.«

»Ich stehe Eurer Lordschaft selbstverständlich zur Verfügung«, sagte Chase höflich.

»Sie haben eine Barkasse und eine Mannschaft?«

»Ja, das haben alle Captains«, sagte Chase.

»Wir müssen zur *Calliope*. Könnten Sie uns dorthin bringen?«

»Leider, Mylord, habe ich die Barkasse Mister Sharpe versprochen«, sagte Chase, »aber ich bin überzeugt, dass er sie gern mit Ihnen teilen wird. Er fährt auch zur *Calliope*.«

»Ich würde gern helfen«, sagte Sharpe.

Lord Williams Miene verriet, dass Sharpes Hilfe das Letzte war, was er jemals erbitten würde. »Wir belassen es bei unserer gegenwärtigen Vereinbarung, Chase«, sagte er und schritt davon, als hätte er bereits genug Zeit verschwendet.

Chase lachte leise. »Ein Boot mit Ihnen teilen, Sharpe? Lieber lässt er sich Flügel wachsen und fliegt.«

»Es wäre eine Freude für mich gewesen, mit ihr ein Boot zu teilen«, sagte Sharpe und starrte zu Lady Grace, die starr geradeaus blickte, als eine Schar Bettler in sicherer Entfernung unter den Peitschenhieben des Kutschers wimmerte.

»Mein lieber Sharpe«, sagte Chase und blickte der Kutsche nach, »Sie werden die Gesellschaft dieser Dame wenigstens vier Monate lang teilen, und ich bezweifle, das Sie sie jemals zu Gesicht bekommen werden. Lord Williams behauptet, sie leide an einer Nervenkrankheit und verabscheue Gesellschaft.

Ich hatte sie fast einen Monat an Bord der *Pucelle* und habe sie gerade zwei Mal gesehen. Sie bleibt in ihrer Kabine oder wandert des Nachts übers Achterdeck, wenn niemand sie ansprechen kann. Ich wette einen Monatssold von Ihnen gegen einen Jahressold von mir, dass sie nicht einmal Ihren Namen kennen wird, wenn Sie in England eintreffen.«

Sharpe lächelte. »Ich halte nicht viel von Wetten.«

»Gut für Sie«, sagte Chase. »Ich Dummkopf habe letzten Monat zu viel Whist gespielt. Ich hatte meiner Frau versprochen, nicht zu viel zu riskieren, und Gott hat mich dafür bestraft. Mann, war ich ein Narr! Fast jede Nacht habe ich zwischen Kalkutta und hier gespielt und hundertsiebzig Guineen an diesen reichen Bastard verloren. Mein eigener Fehler«, gab er reumütig zu, »und ich werde nicht noch einmal der Versuchung erliegen.« Er klopfte auf die Tischplatte, wie um das zu bekräftigen. »Aber Geld ist immer knapp, nicht wahr? Ich werde einfach die *Revenant* aufbringen und mir ein anständiges Prisengeld verdienen müssen.«

»Das werden Sie schaffen«, sagte Sharpe zuversichtlich.

Chase lächelte. »Ich hoffe es. Ich hoffe es sehnlichst, aber manchmal machen die verdammten Franzmänner selbst einem richtigen Seemann einen Strich durch die Rechnung. Und die *Revenant* ist in den Händen von Capitaine Louis Montmorin. Er ist gut, seine Mannschaft ist gut und das Schiff ist gut.«

»Aber Sie sind Brite«, sagte Sharpe, »also müssen Sie besser sein.«

»Amen darauf«, sagte Chase. »Amen.« Er schrieb seine englische Adresse auf einen Zettel. Dann bestand er darauf, dass Sharpe zur Festung ging und sein Gepäck abholte, und danach gingen die beiden Männer an der immer noch rauchenden Ruine von Nana Raos Lagerhaus vorbei zum Kai, wo Chases Barkasse wartete.

Der Captain schüttelte Sharpe die Hand. »Ich stehe für immer in Ihrer Schuld, Sharpe.«

»Das ist überhaupt nicht der Rede wert, Sir.«

Chase schüttelte den Kopf. »Ich war gestern Nacht ein Narr, und wenn Sie nicht gewesen wären, wäre ich heute Morgen ein noch größerer gewesen. Ich bin Ihnen dankbar, Sharpe, und ich werde es nicht vergessen. Wir sehen uns wieder, dessen bin ich mir sicher.«

»Ich hoffe es, Sir«, sagte Sharpe. Dann ging er die schmutzige Treppe hinunter. Es war Zeit, heimzufahren.

Die Mannschaft von Captain Chases Barkasse hatte immer noch blaue Flecken und blutige Schrammen, war nach ihrem Abenteuer in der Nacht jedoch guter Laune. Hopper, der Bootsmann, der so tapfer gekämpft hatte, half Sharpe hinab in die Barkasse, die strahlend weiß angestrichen war. Sie hatte einen roten Streifen unter dem Dollbord, passend zu den roten Streifen auf den Riemen.

»Sie haben gefrühstückt, Sir?«, fragte Hopper.

»Captain Chase hat sich um mich gekümmert.«

»Er ist ein guter Mann«, sagte Hopper. »Ich kenne keinen besseren.«

»Sie kennen ihn schon lange?«, fragte Sharpe.

»Seit er so alt wie Mister Collier war«, sagte der Bootsmann und nickte zu einem schmächtigen Jungen hin, der wie ein Zwölfjähriger wirkte und neben ihm im Heck saß. Mister Collier war Midshipman, und wenn Sharpe zur *Calliope* gebracht worden war, trug er die Verantwortung dafür, den Rum und Cognac für Captain Chases privaten Vorrat zu besorgen. »Mister Collier«, fuhr der Bootsmann fort, »hat das Kommando über dieses Boot, ist es nicht so, Sir?«

»Stimmt«, sagte Collier und reichte Sharpe die Hand. »Harry Collier, Sir.« Er hatte es nicht nötig, Sharpe mit »Sir« anzusprechen, denn sein Rang kam dem eines Ensign gleich, aber Sharpe war viel älter und außerdem ein Freund des Captains.

»Mister Collier hat das Kommando«, sagte Hopper noch einmal. »Wenn er uns befiehlt, ein Schiff anzugreifen, dann greifen wir an. Wir gehorchen ihm bis in den Tod, ist es nicht so, Mister Collier, Sir?«

»Wenn Sie es sagen, Mister Hopper.«

Die Mannschaft grinste.

»Wischt dieses blöde Grinsen aus euren Visagen!«, rief Hopper und spuckte einen Strahl Tabaksaft übers Dollbord. Seine beiden Schneidezähne fehlten, was ihm das Spucken sehr erleichterte. »Ja, Sir«, fuhr er fort und sah Sharpe an. »Ich habe mit Captain Chase gedient, seit er ein junger Hüpfer war. Wir waren zusammen, als er die *Bouvines* aufbrachte.«

»Die *Bouvines?*«

»Eine französische Fregatte, Sir, zweiunddreißig Kanonen, und wir waren auf der *Spritely*, achtundzwanzig Kanonen, und wir feuerten zweiundzwanzig Minuten. Blut sickerte aus ihrem Speigatt, als wir sie erledigt hatten. Und eines Tages, Mister Collier, Sir ...«, er blickte ernst auf den kleinen Mann, dessen Gesicht fast ganz von einem viel zu großen Zweispitz verdeckt war, »... werden Sie das Kommando über eines der Schiffe Seiner Majestät haben, und es wird Ihre Pflicht und Ihr Privileg sein, ein Schiff der Froschfresser fertigzumachen.«

»Das hoffe ich, Mister Hopper.«

Die Barkasse schnitt durch das Hafenwasser, auf dem Müll, Farnwedel und aufgedunsene Kadaver von Ratten, Hunden und Katzen schwammen. Viele andere Boote, einige mit Gepäckstücken vollgepackt, ruderten ebenfalls zu dem wartenden Konvoi. Die glücklichsten Passagiere waren die, deren

Schiffe an den Kais der Company ankerten, doch diese Kais waren nicht groß genug für jedes Handelsschiff, das in die Heimat fuhr, und so wurden die meisten der Reisenden zu den Liegeplätzen auf der Reede hinausgefahren.

»Ich habe Ihre Sachen auf ein Eingeborenenboot verladen lassen, Sir«, sagte Hopper, »und den Bastarden gesagt, dass ich ihnen die Hölle heiß machen werde, wenn nicht alles tipptopp abgeliefert wird. Sie lieben ihre Spielchen und kennen alle Tricks, Sir.« Er spähte voraus und lachte. »Sehen Sie da vorne? Einer der Scheißer zieht gerade seine üble Schau ab.«

»Üble Schau?« Sharpe konnte nur zwei kleine Boote sehen, die unbeweglich im Wasser lagen. Auf einem war ledernes Gepäck aufgestapelt, in dem anderen befanden sich drei Passagiere.

»Der Kerl sagt vorher, dass es eine Rupie bis zum Schiff kostet, Sir«, erklärte Hopper, »wenn er dann auf halbem Weg ist, verdreifacht er den Preis, und wenn sie den nicht zahlen wollen, rudert er zurück zum Kai. Unsere Jungs tun das Gleiche, wenn sie Reisende für Geld aufnehmen, um sie hinauszurudern.«

Er gab Anweisungen, und die Barkasse wich den beiden Booten aus.

Sharpe sah, das sich Lord William Hale, seine Frau und ein junger Mann im ersten Boot befanden, während zwei Diener, eingezwängt zwischen einem Haufen Gepäck, im zweiten saßen. Lord William sprach ärgerlich mit einem grinsenden Inder, der vom Zorn Seiner Lordschaft unbeeindruckt wirkte.

»Seine verdammte Lordschaft wird eben zahlen müssen«, sagte Hopper, »sonst wird er an Land zurückgebracht.«

»Lassen Sie nahe heranrudern«, sagte Sharpe.

Hopper blickte ihn an und zuckte mit den Schultern, wie um zu sagen, dass es ihn nichts anging, wenn Sharpe sich zum

Narren machen wollte. Er gab Kommandos, und die Mannschaft befolgte sie. Die Barkasse glitt dicht neben die stillliegenden Boote und hielt an.

Sharpe stand auf. »Haben Sie Probleme, Mylord?«

Lord William blickte Sharpe stirnrunzelnd an, sagte jedoch nichts, während seine Frau äußerte, dass ihr der noch üblere Gestank als sonst im Hafen in die empfindliche Nase gestiegen sei. Sie blickte nur zum Heck, ignorierte die indische Mannschaft, ihren Mann und Sharpe. Es war der dritte Passagier, der junge Mann, der unauffällig wie ein Hilfspfarrer gekleidet war, der aufstand und ihre Schwierigkeiten erklärte. »Sie wollen sich nicht bewegen«, beklagte er sich.

»Seien Sie ruhig, Braithwaite, seien Sie ruhig und setzen Sie sich«, blaffte Seine Lordschaft und hielt es für unter seiner Würde, Sharpe um Hilfe zu bitten.

Nicht, dass Sharpe Lord William helfen wollte, aber bei seiner Frau war das was anderes, und um ihretwillen zog er seine Pistole.

»Rudert weiter!«, befahl er dem Inder, der als Antwort über Bord spuckte.

»Was in Gottes Namen tun Sie da?«, fragte Lord William und starrte Sharpe entgeistert an. »Meine Frau ist an Bord! Passen Sie mit dieser Waffe auf, Sie Narr. Wer, zum Teufel, sind Sie?«

»Man hat uns vor einer knappen Stunde miteinander bekannt gemacht, Mylord. Mein Name ist Richard Sharpe.« Er feuerte, und die Kugel fetzte eben über der Wasserlinie des Bootes zwischen dem widerspenstigen Skipper und seinen Passagieren einen Splitter aus dem Holz. Lady Grace schlug alarmiert eine Hand vor den Mund, doch die Kugel hatte niemanden gefährdet, nur das Boot gelöchert, sodass sich der Inder bückte und einen Daumen in das Loch steckte. Sharpe begann wieder zu laden. »Rudern Sie weiter, Mann!«, rief er.

Der Inder blickte hinter sich, als schätze er die Entfernung zum Land ein, doch Hopper befahl seiner Mannschaft, die Barkasse hinter die beiden Boote zu rudern und ihnen den Weg zum Land zu versperren. Lord William war sprachlos vor Staunen. Er starrte nur empört drein, als Sharpe eine neue Kugel in den kurzen Lauf rammte.

Der Inder wollte vermeiden, dass Sharpe noch einmal auf sein Boot schoss. Er setzte sich hastig und schrie seinen Männern etwas zu, die daraufhin kräftig zu rudern begannen.

Hopper nickte zufrieden. »Captain Chase wäre stolz auf Sie, Sir. Sie haben das Boot an der Wasserlinie durchlöchert. Es wird sinken, wenn der Bastard das Loch nicht verstopft hält.«

Sharpe blickte zu Ihrer Ladyschaft, die sich endlich umdrehte, um ihren Retter zu betrachten. Sie hatte große, seelenvolle Augen, die melancholisch blickten, und Sharpe war immer noch so sehr von ihrer Schönheit fasziniert, dass er ihr zuzwinkerte. Sie blickte schnell weg.

»Jetzt wird sie meinen Namen in Erinnerung behalten«, sagte er.

»Haben Sie ihr deshalb zugezwinkert?«, fragte Hopper und lachte, als Sharpe keine Antwort gab.

Lord Williams Boot erreichte die *Calliope* zuerst. Die Diener aus dem zweiten Boot kletterten mühsam an der Schiffsseite hoch, während Matrosen das Gepäck in Netzen an Bord hievten. Lord William und seine Frau traten auf eine schwimmende Plattform, von der sie über die Gangway zum Mitteldeck hochstiegen. Sharpe, der wartete, bis er an der Reihe war, konnte das Kielwasser, Salz und Teer riechen. Ein Strom Schmutzwasser floss aus einem Loch hoch oben im Rumpf.

»Die Bilge wird leer gepumpt«, sagte Hopper.

»Sie meinen, es gibt Lecks?«

»Alle Schiffe haben Lecks. Das ist die Natur der Schiffe, Sir.«

Ein anderes Boot hatte längsseits des Bugs der *Calliope* angelegt, und Matrosen hievten Netze mit Ziegen und Kisten mit gackernden Hühnern hinauf. »Milch und Eier«, sagte Hopper vergnügt, dann bellte er seine Mannschaft an, dass sie ihre Riemen einziehen sollten, damit die Barkasse an der Plattform anlegen konnte. »Ich wünsche Ihnen eine schnelle, sichere Reise, Sir«, sagte der Bootsmann. »Zurück nach England, wie?«

»Zurück nach England«, sagte Sharpe und beobachtete, wie die Riemen angehoben wurden und Hopper den letzten Schwung der Barkasse nutzte, um längs der schwimmenden Plattform anzulegen. Sharpe gab Hopper eine Münze, tippte grüßend vor Mister Collier an seinen Hut, dankte der Bootsbesatzung und trat auf die Plattform. Von dort stieg er zum Hauptdeck, vorbei an einer offenen Stückpforte, in der ein poliertes Kanonenrohr zu sehen war.

Ein Offizier wartete hinter der Eingangsluke.

»Ihr Name?«, fragte er gebieterisch.

»Richard Sharpe.«

Der Offizier schaute auf eine Liste. »Ihr Gepäck ist bereits an Bord, Mister Sharpe, und dies ist für Sie.« Er nahm ein gefaltetes Blatt Papier aus der Tasche und reichte es Sharpe. »Die Regeln des Schiffes. Lesen, markieren, lernen und genau befolgen. Ihre Position ist Geschütz Nummer fünf.«

»Meine was?«, fragte Sharpe.

»Von jedem männlichen Passagier wird erwartet, dass er hilft, das Schiff zu verteidigen, Mister Sharpe. Geschütz Nummer fünf.« Der Offizier winkte über das Deck, auf dem sich die Gepäckstücke so häuften, dass keines der Geschütze auf der anderen Seite zu sehen war, und rief: »Mister Binns!«

Ein sehr junger Offizier bahnte sich eilig einen Weg durch das aufgestapelte Gepäck. »Sir?«

»Bringen Sie Mister Sharpe ins Steuerdeck. Sieben mal sechs für ihn, Mister Binns, sieben mal sechs. Hammer und Nägel, flott jetzt.«

»Hier entlang«, sagte Binns zu Sharpe und wandte sich schnell nach achtern. »Den Hammer und die Nägel habe ich, Sir.«

»Die was?«

»Hammer und Nägel, Sir, damit Sie Ihre Möbelstücke festnageln können. Wir wollen vermeiden, dass sie bei rauem Wetter verrutschen, Sir. Bei rauer See könnte das ein Chaos geben, Sir. Wenn wir die Straße von Madagaskar erreichen, kann es dort unruhig werden, Sir, sehr unruhig.« Binns eilte weiter, verschwand einen Niedergang hinab wie ein Kaninchen, das in seinen Bau stürzt.

Sharpe folgte ihm, doch bevor er den Niedergang erreichte, wurde er von Lord William Hale angesprochen, der hinter einem Stapel Kisten hervortrat.

»Ihr Name?«, fragte Hale.

In Sharpe stieg Zorn auf. Er wusste, dass es das Vernünftigste gewesen wäre, klein beizugeben, denn Hale war in London offenbar ein einflussreicher Mann, doch Sharpe hatte eine starke Abneigung gegen den Lord entwickelt.

»Derselbe wie vor zehn Minuten«, antwortete er schroff.

Lord William blickte in Sharpes sonnenverbranntes, hartes Gesicht mit der Narbe.

»Sie sind impertinent, und ich dulde keine Impertinenz«, sagte Lord William. Sein Blick glitt zum schmuddelig weißen Besatz auf Sharpes Uniformrock. »Vierundsiebzigstes? Ich bin bekannt mit Colonel Wallace und werde ihn von Ihrer Unbotmäßigkeit wissen lassen.« Bis jetzt hatte Lord William die

Stimme, die ohnehin kalt und hart war, noch nicht erhoben, doch jetzt klang eine Spur von Empörung darin mit. »Sie hätten mich mit dieser Pistole töten können!«

»Sie töten?«, fragte Sharpe. »Nein, das konnte ich nicht. Ich habe nicht auf Sie gezielt.«

»Sie werden gleich an Colonel Wallace schreiben, Braithwaite«, sagte Lord William zu dem jungen Mann in der schwarzen Kleidung, »und dafür sorgen, dass der Brief noch an Land kommt, bevor wir absegeln.«

»Selbstverständlich, Mylord. Sofort, Mylord«, sagte Braithwaite. Er war offenkundig der Sekretär von Lord William, und er warf Sharpe einen mitleidigen Blick zu, der sagte, dass er sich gegen Kräfte aufgelehnt hatte, die zu stark für einen Ensign waren.

Lord William trat zur Seite, und Sharpe konnte Binns folgen, der die Konfrontation vom Niedergang aus beobachtet hatte.

Sharpe war nicht besorgt wegen Lord Williams Drohung. Seine Lordschaft konnte tausend Briefe an Colonel Wallace schreiben und würde damit nicht viel erreichen, denn er war nicht länger in dessen Einheit. Er trug die Uniform nur noch, weil er keine andere hatte, aber wenn er erst wieder in Britannien war, würde er sich den 95. Schützen mit ihrer sonderbar grünen Uniform anschließen. Die Vorstellung, Grün zu tragen, gefiel ihm nicht sonderlich. Er hatte immer Rot getragen.

Binns wartete am Fuß des Niedergangs. »Steuerdeck, Sir«, sagte er. Dann schob er sich durch einen Segeltuchvorhang in einen dunklen, feuchten und übel riechenden Raum. »Dies ist der Steuerraum, Sir.«

»Warum wird er so genannt?«

»Von hier aus pflegte man die Schiffe zu steuern, Sir, in den alten Tagen, bevor es das Steuerrad auf dem Quarterdeck gab.

Kolonnen von Männern zogen an Tauen, Sir, es muss die Hölle gewesen sein.« Der Raum sah immer noch höllisch aus. Das trübe Licht von ein paar Laternen kämpfte gegen die Düsternis an, in der ein Dutzend Matrosen Trennwände aus Segeltuch nagelten, um den stinkenden Raum in ein Gewirr von kleinen Kammern aufzuteilen.

»Eins sieben mal sechs!«, rief Binns, und ein Matrose wies zur Steuerbordseite, wo die Trennwände bereits standen. »Treffen Sie Ihre Wahl, Sir«, sagte Binns, »denn Sie sind einer der ersten Gentlemen an Bord, aber wenn ich Ihnen einen Rat geben darf, dann würde ich mir das Quartier so weit wie möglich achtern suchen und am besten nicht mit einem Geschütz teilen, Sir.« Er wies zu einer 18-Pfünder-Kanone, die eine der Kabinen halb ausfüllte. Die Kanone war festgezurrt und auf eine geschlossene Stückpforte gerichtet.

Binns führte Sharpe in eine leere Kabine neben der Tür, wo er einen Leinenbeutel auf den Boden warf. »Darin sind ein Hammer und Nägel, Sir, und sobald Ihre Sachen geliefert werden, können sie alles tipptopp sichern.« Er schlug eine Segeltuchseite der Kabine zurück und band sie fest, sodass etwas trübes Laternenlicht in die Kabine fallen konnte, dann stampfte er leicht mit dem Fuß auf den Boden. »Da drunter ist all das Geld, Sir«, sagte er heiter.

»Das Geld?«, fragte Sharpe.

»Eine Fracht von Indigo, Sir, Salpeter, Silberbarren und Seide. Genug, um uns alle tausend Mal reicher zu machen.« Er grinste, dann ließ er Sharpe in der winzigen Segeltuchkabine zurück, die in den nächsten vier Monaten sein Heim sein würde.

Die hintere Wand seiner Kabine war die gewölbte Seite des Schiffes. Die Decke war niedrig und wurde gekreuzt von schweren, schwarzen Balken, in denen einige Haken rosteten.

Der Boden war das Deck, übersät mit alten Nagellöchern, wo frühere Passagiere ihre Truhen angenagelt hatten. Die verbleibenden drei Wände bestanden aus schmutzigem Segeltuch, doch es war himmlisch im Vergleich zu dem Komfort, den er gehabt hatte, als er von Britannien nach Indien gesegelt war. Da war er ein Private gewesen und hatte mit einer Hängematte und nur so viel Platz, wie er zum Schwingen brauchte, vorlieb nehmen müssen.

Er hockte sich vor seine Kabine, wo eine Laterne etwas Licht bot, und entfaltete den Zettel mit den Regeln des Schiffes. Sie waren gedruckt, doch nachträglich waren einige Bemerkungen mit Tinte dazugeschrieben worden. Es war ihm verboten, über das Achterdeck zu gehen, es sei denn, der Kapitän oder der Offizier der Wache forderte ihn dazu auf. Und zu diesem Verbot hatte jemand die Warnung hinzugefügt, dass er – selbst wenn er sich mit Genehmigung des Kapitäns auf dem Achterdeck aufhielt – niemals zwischen den Kapitän und die Wetter-Reling treten durfte. Sharpe wusste nicht einmal, was die Wetter-Reling war.

Wenn man an Deck trat, musste man seinen Hut zum Achterdeck hin ziehen, selbst wenn der Kapitän nicht in Sicht war. Das Spielen war verboten. Der Zahlmeister würde, wenn das Wetter es zuließ, jeden Sonntag Gottesdienst abhalten, und die Passagiere mussten ihn besuchen, wenn sie nicht mit einem Attest vom Schiffsarzt entschuldigt waren.

Frühstück wurde um 8 Uhr am Morgen ausgegeben, Mittagessen um 12 Uhr, Tee gegen 16 Uhr und das Abendessen um 20 Uhr. Alle männlichen Passagiere mussten sich mit der Quartiermarke ausweisen, die ihnen ihre Dienst-Station zuwies. Auf den unteren Decks durften keine abgeschirmten Flammen angezündet und alle Laternen mussten um neun Uhr abends gelöscht sein. Das Rauchen war wegen der Brandgefahr verboten, und Passagiere, die Kautabak kauten, mussten die Spucknäpfe benutzen. Das Spucken auf Deck war strikt verboten.

Kein Passagier durfte ohne Genehmigung eines Schiffsoffiziers die Takelage erklettern. Es war keine schmutzige Sprache an Bord erlaubt.

»Allmächtiger!«, grollte ein Matrose, als er sich mit Sharpes Arrak-Fass abschleppte. Zwei andere Seeleute trugen sein Bett, und ein anderes Paar seine Truhe.

»Haben Sie ein Tau, Sir?«, fragte einer von ihnen.

»Nein.«

Der Matrose gab Sharpe ein Hanfseil und zeigte ihm, wie er die hölzerne Truhe und das schwere Holzfass, das fast seine kleine Kabine ausfüllte, sichern sollte. Sharpe gab dem Mann eine Rupie als Dankeschön und hämmerte dann Nägel durch die Ecken der Truhe ins Deck und zurrte das Fass an einem der Balken auf der Bordwandseite fest. Das Bett war eine hölzerne Koje von der Größe eines Sarges, das er an den verrosteten Haken in den Balken aufhängte. Er hängte den Eimer daneben.

»Es ist am besten, durch die Stückpforte achtern zu pissen, wenn sie nicht unter Wasser ist«, sagte ihm der Matrose, »und den Eimer für härtere Sachen zu benutzen, wenn Sie verstehen, was ich meine, Sir. Oder an Deck zu gehen und über die Reling Wasser zu lassen, aber nicht gegen den Wind und nicht bei schwerer See, denn sonst gehen Sie über Bord, und niemand wird Sie jemals finden. Viele gute Männer haben die Engel gesehen, weil es sie in einer schlimmen Nacht erwischt hat.«

Eine Frau protestierte lautstark auf der anderen Seite des Schiffes über die miese Unterbringung, während ihr Mann demütig bekannte, dass sie sich nichts Besseres leisten konnten. Zwei kleine Kinder, erhitzt und verschwitzt, heulten. Ein

Hund kläffte, bis er mit einem Tritt zum Verstummen gebracht wurde. Staub rieselte von einem Balken an der Decke, als ein Passagier auf dem Hauptdeck auf einen Nagel hämmerte. Ziegen meckerten. Die Lenzpumpe klapperte, saugte und spuckte rülpsend Schmutzwasser in die See.

Sharpe setzte sich auf seine Truhe. Es war gerade genügend Licht, um die Schrift auf dem Papier zu erkennen, das Captain Chase ihm aufgedrängt hatte. Es war ein Empfehlungsschreiben für Sharpe bei Florence, Chases Frau, die er im Haus des Captains bei Topsham in Devon aufsuchen sollte.

»Gott weiß, wann ich Florence und die Kinder wiedersehen werde«, hatte Chase gesagt, »aber wenn Sie zu Hause sind, Sharpe, besuchen Sie sie und stellen sich vor. Das Haus ist nichts Besonderes. Ein Dutzend Morgen Land, heruntergekommene Stallungen und ein paar Scheunen, aber Florence wird Sie willkommen heißen.«

Niemand sonst wird mich willkommen heißen, dachte Sharpe. Niemand wartete in England auf ihn, kein Herd würde bei seiner Rückkehr glühen und keine Familie ihn begrüßen. Aber es war die Heimat. Und ob er es wollte oder nicht, er würde dorthin zurückkehren.

KAPITEL 2

An diesem Abend, als die letzten Boote ihre Passagiere und das Gepäck beim Konvoi abgeliefert hatten, befahl der Bootsmann der *Calliope* seine Männer in die Takelage. Dreißig andere Seeleute kamen aufs untere Deck und lichteten den Anker. Die Passagiere im unteren Zwischendeck durften ihr Quartier erst verlassen, als die Segel gesetzt waren, und Sharpe saß auf seiner Truhe und lauschte den Schritten über ihm, dem Scharren von Tauen an Deck und dem Ächzen der Holzbalken des Schiffs.

Eine halbe Stunde nach dem Lichten des Ankers rief Binns, der junge Offizier, dass das Deck betreten werden durfte, und Sharpe stieg die Treppe hinauf und sah, dass das Schiff noch nicht auf dem offenen Meer war. Schwarze Wolken trieben vor einer roten Sonne, die über den Dächern und Palmen von Bombay zu schweben schien. Sharpe nahm den Geruch des Landes stark wahr. Er bezweifelte, dass er es wiedersehen würde, und er bedauerte, es zu verlassen.

Das Takelwerk knarrte und das Wasser gurgelte an der Seite des Schiffes. Auf dem Achterdeck, wo die wohlhabenderen Passagiere Luft schöpften, winkte eine Frau zur zurückbleibenden Küste. Das Schiff neigte sich unter einer Böe, und die Lafettenräder einer Kanone schrammten auf dem Deck, bis sie von den Brooktauen gestoppt wurden.

Die Fahrrinne führte näher an die Küste heran und brachte das Schiff in die Nähe eines Tempelturms mit bunt bemalten Schnitzereien von Affen, Göttern und Elefanten.

Hinter der *Calliope* verließen die anderen großen Schiffe des

Konvois ihren Ankerplatz. Eine Fregatte der East India Company, die den Konvoi bis zum Kap der Guten Hoffnung eskortieren würde, segelte vor der *Calliope*, und die dreizehn Streifen von Rot und Weiß mit der Unionsflagge im linken oberen Feld leuchteten im Glühen des Abendrots.

Sharpe hielt nach Captain Joel Chases Schiff Ausschau, aber das einzige Schiff der Königlichen Marine, das er sehen konnte, war ein kleiner Schoner mit vier Kanonen.

Die Matrosen der *Calliope* brachten das Deck in Ordnung und überprüften die Sicherung der Beiboote, die auf den Ersatzmasten wie auf großen Flößerholzstämmen zwischen dem Achterdeck und dem Vordeck lagerten.

Ein dunkelhäutiger Mann in einem Fischerkanu paddelte dem Schiff aus dem Weg und starrte dann offenen Mundes zu der großen schwarzweißen Wand empor, die an ihm vorbeizog. Der Tempel verblasste jetzt in der Abendsonne, aber Sharpe sah den dunklen Umriss des Turms und empfand so etwas wie Abschiedsschmerz. Er hatte Indien gemocht, es als Spielplatz für Krieger, Prinzen, Schufte und Abenteurer kennen gelernt. Er hatte hier Wohlstand gefunden, war hier zum Offizier geworden, hatte in den Hügeln und auf den alten Brustwehren seiner Festungen gekämpft. Er verließ dort Freunde und Geliebte und mehr als einen Feind in seinem Grab. Aber wofür? Für Britannien, wo niemand auf ihn wartete, keine Feinde von den Hügeln ritten und keine Tyrannen hinter Festungswällen lauerten?

Einer der wohlhabenden Passagiere kam mit einer Frau am Arm die steile Treppe vom Achterdeck herab. Wie die meisten Passagiere der *Calliope* war er ein Zivilist und elegant gekleidet mit dunkelgrünem Gehrock, weißer Hose und einem altmodischen Dreispitz. Die Frau an seinem Arm war pummelig, blond und in hauchdünnem Weiß gekleidet. Die beiden sprachen miteinander in einer Sprache, die Sharpe nicht kannte. Deutsch, Holländisch? Schwedisch? Die Frau lachte. Alles, was das ausländische Paar sah, angefangen von den Käfigen mit den Hühnern bis zum ersten seekranken Passagier an der Reling, schien sie zu amüsieren. Der Mann erklärte seiner Gefährtin das Schiff. »Bumm!«, stieß er hervor und zeigte auf eines der Geschütze. Dann wankte er, als das Schiff unter einer Windböe schlingerte. Die Frau lachte gespielt alarmiert auf und klammerte sich an den Ellbogen des Mannes.

»Sie wissen, wer das ist?« Es war Braithwaite, Lord William Hales Sekretär, der unbemerkt an Sharpes Seite getreten war.

»Nein«, sagte Sharpe brüsk. Er hatte instinktiv eine Abneigung gegen alles, was mit Lord William in Zusammenhang stand.

»Das ist der Baron von Dornberg«, sagte Braithwaite, als erwarte er, dass Sharpe beeindruckt war. Der Sekretär beobachtete, wie der Baron seiner Dame auf das Vordeck half, wo ein anderer Windstoß drohte, ihr den breitkrempigen Hut vom Kopf zu fegen.

»Nie von ihm gehört«, sagte Sharpe mürrisch.

»Er ist ein Nabob.« Braithwaite sprach das Wort ehrfürchtig aus, meinte damit, dass der Baron in Indien sagenhaft reich geworden war und jetzt seinen Wohlstand mit nach Europa nahm. Solch eine Karriere war ein Glücksspiel. Man starb entweder in Indien oder wurde reich. Die meisten starben.

»Führen Sie Güter mit sich?«, erkundigte sich Braithwaite.

»Güter?«, fragte Sharpe und fragte sich, warum sich Braithwaite so bemühte, freundlich zu ihm zu sein.

»Zum Verkaufen«, sagte Braithwaite ungeduldig, als sei Sharpe absichtlich begriffsstutzig. »Ich habe Pfauenfedern«, fuhr er fort. »Fünf Kisten voll. Die Federn erzielen in London einen Wahnsinnspreis. Hutmacher kaufen sie. Ich bin übrigens

Malachi Braithwaite.« Er streckte Sharpe die Hand hin. »Lord Williams Privatsekretär.«

Sharpe schüttelte widerwillig die dargebotene Hand.

»Ich habe diesen Brief nicht abgeschickt«, sagte Braithwaite und lächelte bedeutungsvoll. »Ich habe es ihm bestätigt, aber nicht getan.« Braithwaite neigte sich näher. Er war ein wenig größer als Sharpe, jedoch viel dünner und hatte ein schwermütiges Gesicht mit unruhigen Augen, deren Blicke nie lange auf Sharpe ruhten, bevor sie zur Seite glitten, als erwarte er, jeden Augenblick angegriffen zu werden. »Seine Lordschaft wird nur annehmen, dass Ihr Colonel den Brief nie erhalten hat.«

»Warum haben Sie ihn nicht abgeschickt?«, fragte Sharpe.

Braithwaite wirkte gekränkt durch Sharpes schroffen Tonfall. »Wir werden Reisegefährten sein«, erklärte er ernst. »Für wie lange? Drei, vier Monate? Und ich reise nicht im Achterschiff wie seine Lordschaft, sondern muss im Zwischendeck schlafen, und obendrein noch im unteren! Nicht mal im oberen!« Es war ihm anzusehen, dass er diese Demütigung kaum ertragen konnte. Der Sekretär war wie ein Gentleman gekleidet, mit steifem Kragen und kunstvoll gebundener Krawatte, doch das Tuch seiner schwarzen Jacke war abgetragen, die Manschetten waren abgescheuert und sein Hemdkragen war verschlissen. »Warum sollte ich mir unnötig Feinde machen, Mister Sharpe?«, fragte Braithwaite. »Eine Hand wäscht die andere, und vielleicht könnten Sie mir auch einen Gefallen tun.«

»Zum Beispiel?«

Braithwaite zuckte mit den Schultern. »Wer weiß, was alles passieren kann«, sagte er leichthin. Dann wandte er sich um und beobachtete, wie Baron von Dornberg den Niedergang zum Vordeck hinabstieg. »Man sagt, er hat ein Vermögen in Diamanten gemacht«, flüsterte er Sharpe zu, »und sein Diener braucht nicht im Zwischendeck zu schlafen, sondern hat einen Platz in der großen Kabine.« Diese letzte Information spuckte er fast heraus, dann verschloss sich sein Gesicht, und er trat vor, um den Baron abzufangen.

»Malachi Braithwaite, Privatsekretär von Lord William Hale«, stellte er sich vor und nahm den Hut ab, »sehr geehrt, Eure Lordschaft zu treffen.«

»Die Ehre und das Vergnügen sind ganz meinerseits«, antwortete Baron von Dornberg in ausgezeichnetem Englisch, dann erwiderte er Braithwaites Höflichkeit, indem er seinen Dreispitz abnahm und sich tief verneigte. Als er sich aufrichtete, sah er Sharpe an, und Sharpe hatte das Gefühl, ein vertrautes Gesicht zu erkennen, allerdings war dieses Gesicht jetzt mit einem großen, gewachsten Schnurrbart verziert. Er schaute den Baron an, und der Baron blickte einen Moment erstaunt, doch dann erholte er sich von seiner Überraschung und zwinkerte Sharpe zu.

Sharpe wollte etwas sagen, befürchtete jedoch, in lautes Lachen auszubrechen, und so begnügte er sich damit, dem Baron steif zuzunicken.

Doch von Dornberg wollte von Sharpes Förmlichkeit nichts wissen. Er breitete die Arme aus und nahm Sharpe in eine bärenartige Umarmung.

»Dies ist einer der tapfersten Männer in der britischen Armee«, sagte er zu seiner Frau, und dann flüsterte er in Sharpes Ohr: »Kein Wort, ich bitte Sie, kein Sterbenswörtchen.« Er trat zurück. »Darf ich Ihnen die Baroness von Dornberg vorstellen? Dies ist Mister Richard Sharpe, Mathilde. Ein Freund und ein Feind vor langer Zeit. Erzählen Sie mir nicht, Sie reisen im Zwischendeck, Mister Sharpe!«

»So ist es, Mylord.«

»Ich bin schockiert. Die Briten wissen nicht, wie sie ihre

Helden behandeln sollten. Aber ich weiß es. Sie werden mit uns in der Kapitänskajüte dinieren. Ich bestehe darauf!« Er grinste Sharpe an, bot Mathilde den Arm, verneigte sich vor Braithwaite und ging davon.

»Sie sagten doch, Sie würden ihn nicht kennen«, beschwerte sich Braithwaite.

»Ich habe ihn mit dem Hut nicht erkannt«, sagte Sharpe. Er wandte sich ab, denn nun konnte er ein Grinsen nicht mehr unterdrücken.

Von Dornberg war kein Baron, und Sharpe bezweifelte, dass er jemals im Diamantenhandel tätig gewesen war, ganz gleich, wie viel er davon im Gepäck hatte, denn von Dornberg war ein Gauner. Mit richtigem Namen hieß er Anthony Pohlmann, und er war einst Gefreiter in der Hannoveranischen Armee gewesen, bevor er desertierte und einem indischen Prinzen diente. Sein Talent der Kriegsführung hatte ihm eine schnelle Beförderung eingebracht, bis er eine Zeitlang eine Marathen-Armee befehligt hatte, die in ganz Zentralindien gefürchtet war. Dann, eines heißen Tages, stieß seine Truppe zwischen zwei Flüssen und einem Ort namens Assaye auf eine viel kleinere britische Armee, die ihn mit Sepoys und schottischen Highlandern vernichtend schlug. Pohlmann selbst war spurlos untergetaucht, und jetzt war er hier auf der *Calliope* ein gefeierter Passagier.

»Wie haben Sie ihn kennen gelernt?«, fragte Braithwaite.

»Ich kann mich wirklich nicht mehr erinnern«, antwortete Sharpe vage. Er wandte sich um und blickte zur Küste. Das Land war jetzt dunkel, gesprenkelt von Lichtpunkten unter einem grauen Himmel und dem Rauch einer Stadt. Er wünschte, wieder dort zu sein, doch dann hörte er Pohlmanns laute Stimme, wandte sich um und sah, dass der Deutsche seine Frau Lady Grace Hale vorstellte.

Sharpe spähte zu Ihrer Ladyschaft. Sie befand sich oberhalb von ihm auf dem Achterdeck und nahm anscheinend die Leute, von denen es auf dem Hauptdeck wimmelte, gar nicht wahr. Sie gab Pohlmann die Hand, neigte ihren Kopf zu der blonden Frau und wandte sich dann ohne ein Wort ab.

»Das ist Lady Grace«, sagte Braithwaite mit ehrfürchtiger Stimme.

»Jemand hat mir erzählt, sie soll krank sein«, sagte Sharpe.

»Nur äußerst nervös.« Es klang, als wolle Braithwaite Grace verteidigen. »Sehr schöne, sensible Frauen neigen zu Unpässlichkeit, und ich finde, Ihre Ladyschaft ist wirklich eine empfindsame Schönheit.« Er sprach herzlich und konnte nicht den Blick von Lady Grace nehmen, die hinüber zur zurückbleibenden Küste blickte.

Eine Sunde später herrschte völlige Dunkelheit. Indien war verschwunden, und Sharpe segelte unter den Sternen.

»Der Krieg ist verloren«, erklärte Captain Peculiar Cromwell, »verloren.« Er sprach mit harter Stimme und blickte dann mit gerunzelter Stirn auf das Tischtuch. Es war der dritte Tag nach dem Auslaufen aus Bombay, und das Schiff segelte vor einer leichten Brise. Es war, wie Captain Chase Sharpe gesagt hatte, ein schnelles Schiff, und die Fregatte der East India Company hatte Cromwell befohlen, tagsüber einige Segel zu reffen, damit sie den langsameren Schiffen nicht davonfuhr. Cromwell hatte über den Befehl gemurrt, dann hatte er so viele Segel reffen lassen, dass die *Calliope* jetzt am Schluss des Konvois segelte.

Anthony Pohlmann hatte Sharpe eingeladen, in der Kapitänskajüte zu Abend zu speisen, wo Kapitän Cromwell abends über diejenigen wohlhabenden Passagiere präsidierte, die es sich leisten konnten, in den luxuriösen Heckkabinen zu reisen. Die Kapitänskajüte befand sich darüber auf dem Quarterdeck, dem höchsten Teil des Schiffes. Lord William Hale und der Baron von Dornberg bewohnten die größten, luxuriösesten und teuersten Kajüten, während unter ihnen, auf dem Hauptdeck, die große Kabine in vier Abteile für andere wohlhabende Passagiere des Schiffes aufgeteilt war. Einer war ein Nabob mit seiner Frau, der nach zwanzig profitablen Jahren in Indien in seine Heimat Cheshire zurückkehrte, ein anderer war ein Rechtsanwalt, der im Obersten Gerichtshof in Bengalen praktiziert hatte, der Dritte war ein grauhaariger Major, der seinen Abschied von der Armee genommen hatte, und die letzte Kabine gehörte Pohlmanns Diener, der nicht zum Essen in die Kapitänskajüte eingeladen worden war.

Es war der schottische Major, ein stämmiger Mann namens Arthur Dalton, der bei Peculiar Cromwells Erklärung, dass der Krieg verloren war, die Stirn runzelte.

»Wir haben die Franzosen in Indien besiegt«, protestierte er, »und ihre Marine in die Knie gezwungen.«

»Wenn ihre Marine in die Knie gezwungen worden ist«, grollte Cromwell, »warum segeln wir dann im Konvoi?« Er blickte Dalton streitlustig an, wartete auf eine Antwort, doch der Major weigerte sich, den verbalen Kampf aufzunehmen, und Cromwell blickte triumphierend in die Runde. Er war ein großer, schwergewichtiger Mann, und sein schwarzes, von weißen Strähnen durchzogenes Haar fiel bis auf seine Schultern. Er hatte ein eckiges Kinn, lange gelbe Zähne und streitlustig blickende Augen. Seine Hände, groß und kraftvoll, waren ständig geschwärzt vom geteerten Takelwerk. Sein Uniformrock aus dickem, blauem Wollstoff war mit großen Messingknöpfen verziert, die das Symbol der Company – ein Löwe, der eine Krone hält – trugen. Jeder nannte das Symbol »die Katze und der

Käse«. Cromwell schüttelte den massigen Kopf. »Der Krieg ist verloren«, wiederholte er. »Wer wird den Kontinent Europa regieren?«

»Die Franzosen«, sagte der Rechtsanwalt, »doch es wird nicht lange so bleiben. Alles Strohfeuer ohne Substanz. Überhaupt nichts dahinter.«

»Die ganze Küste von Europa ist in feindlichen Händen«, sagte Cromwell eisig und ignorierte den Einwand. Er verstummte, als ein knirschendes, schabendes Geräusch die Kabine erfüllte. Es dauerte einen Moment, bis Sharpe erkannte, dass es das Geräusch des Ruderreeps war, das zwei Decks unter ihm verlief. Cromwell blickte zum Kompass hinauf, der an der Decke montiert war, sagte sich, dass alles in Ordnung war, und sprach weiter. »Europa ist, wie gesagt, in feindlicher Hand. Die Amerikaner mit ihrer Überheblichkeit sind uns feindlich gesinnt, und so ist unser Heimatmeer, Sir, eine feindliche See. Wir segeln dort, weil wir mehr Schiffe haben, aber Schiffe kosten Geld, und wie lange wird das britische Volk für Schiffe zahlen?«

»Da sind noch die Österreicher«, sagte Major Dalton. »Und die Russen.«

»Die Österreicher, Sir!« Cromwell lachte spöttisch. »Die Österreicher bekämpfen erst eine Armee, wenn sie vernichtet ist! Und die Russen? Würden Sie den Russen vertrauen, Europa zu befreien, wenn sie sich nicht mal selbst befreien können? Sind Sie schon mal in Russland gewesen, Sir?«

»Nein«, gab Major Dalton zu.

»Ein Land von Sklaven«, sagte Cromwell spöttisch.

Man hätte von Lord William Hale, einem der sechs Mitglieder des Kontrollausschusses der East India Company, vielleicht erwartet, dass er sich an dieser Unterhaltung beteiligte, denn er musste mit der Denkweise der britischen Regierung vertraut sein, doch er gab sich damit zufrieden, mit der Andeutung eines amüsierten Lächelns zuzuhören. Nur bei Cromwells Äußerung, dass die Russen eine Nation von Sklaven sei, hob er eine Augenbraue.

»Die Franzosen, Sir«, fuhr Cromwell hitzig fort, »stehen einem Pöbelhaufen von Feinden an ihren östlichen Grenzen gegenüber, aber keinem an ihren westlichen. Sie können deshalb ihre Armeen konzentrieren, sicher in dem Wissen, dass keine britische Armee jemals ihre Küste angreifen wird.«

»Niemals?«, fragte der Händler, ein gediegener Mann namens Ebenezer Fairley, sarkastisch.

Cromwells Kopf ruckte zu seinem neuen Widersacher herum. Er betrachtete Fairley eine Weile und schüttelte dann den Kopf. »Die Briten, Fairley, mögen keine Armeen. Sie halten nur eine kleine Armee. Eine kleine Armee kann Napoleon niemals besiegen. Ergo ist Napoleon sicher. Ergo ist der Krieg verloren. Guter Gott, Mann, sie könnten bereits in Britannien eingefallen sein!«

»Ich bete, dass dies nicht der Fall sein wird«, sagte Major Dalton inbrünstig.

»Ihre Armee ist bereit«, sagte Cromwell dröhnend, weil er anscheinend sonderbaren Geschmack an diesem Gerede von einer britischen Niederlage empfand, »und alles, was sie brauchen, ist die Hoheit über den Ärmelkanal.«

»Die sie nicht gewinnen werden«, warf der Rechtsanwalt ruhig ein.

Cromwell ignorierte den Anwalt und fuhr fort: »Und selbst wenn sie die Invasion nicht in diesem Jahr machen, dann werden sie in dieser Zeit eine Marine aufbauen, die in der Lage ist, unsere zu besiegen. Und wenn dieser Tag kommt, wird Britannien Frieden suchen. Britannien wird zu seiner natürlichen Haltung zurückkehren, und die natürliche Haltung ist, eine kleine und unbedeutende Insel zu sein, abgeschnitten vom großen Kontinent.«

Lady Grace sprach zum ersten Mal an diesem Abend. Sharpe war überrascht und erfreut gewesen, sie beim Abendessen zu sehen, denn Captain Chase hatte gesagt, dass sie Gesellschaft mied, doch sie schien sich in der Kapitänskajüte wohl zu fühlen, obwohl sie sich ebenso wenig an der Unterhaltung beteiligt hatte wie ihr Mann. »So sind wir also zur Niederlage verdammt, Captain?«, fragte sie.

»Nein, Ma'am«, antwortete Cromwell, und zähmte seine Kampfeslust, nachdem er mit seinem Titel angesprochen worden war. »Wir sind zu einem realistischen Friedensschluss verdammt, wenn die Politiker erst erkannt haben, was klar vor ihren Augen liegt.«

»Und was ist das?«, fragte Fairley.

»Dass die Franzosen mächtiger sind als wir, natürlich«, grollte Cromwell. »Und bis wir Frieden schließen, macht der kluge Mann Geld, denn wir werden Geld brauchen, wenn die Welt von den Franzosen beherrscht wird. Deshalb ist Indien wichtig. Wir sollten es aussaugen, bevor die Franzosen es uns wegnehmen.« Cromwell schnippte mit den Fingern, um die Stewards anzuweisen, die Teller abzuräumen. Es hatte Rindfleischragout gegeben. Sharpe hatte mit dem schweren Silberbesteck ungeschickt hantiert und sich gewünscht, sein Taschenmesser nehmen zu können, das er bei Mahlzeiten benutzte, wenn seine Vorgesetzten nicht anwesend waren.

Mathilde, die Baroness von Dornberg, lächelte dankbar, als der Captain ihr Weinglas auffüllte. Die Baroness, die höchstwahrscheinlich keine war, saß an Captain Cromwells linker Seite, während an seiner andere Grace Hale saß. Pohlmann, strahlend in einem mit Spitze besetzten Seidenrock, saß neben Lady Grace, während Lord William links von Mathilde saß.

Sharpe, die unwichtigste anwesende Person, saß am unteren Ende des Tisches.

Die Kapitänskajüte war ein eleganter Raum, mit Holz getäfelt, das erbsengrün und golden angestrichen war, und ein messingfarbener Kerzenleuchter ohne Kerzen hing von einem Balken nahe des großen Heckfensters. Wenn der Raum nicht sanft geschaukelt und sich gelegentlich ein Weinglas auf dem Tisch verschoben hätte, dann hätte Sharpe sich wie an Land gefühlt.

Den ganzen Abend hatte er nichts gesagt, sich damit zufriedengegeben, die bleiche und zurückhaltende Lady Grace anzuschauen, die ihn ignoriert hatte, seit man ihn ihr vorgestellt hatte. Sie hatte ihm höflich eine behandschuhte Hand gereicht, ihm einen ausdruckslosen Blick geschenkt und sich dann abgewandt. Ihr Mann hatte bei Sharpes Anwesenheit die Stirn gerunzelt und dann wie seine Frau getan, als nähme er ihn gar nicht wahr.

Ein Dessert aus Orangen und Karamell wurde serviert. Pohlmann löffelte den gebrannten Zucker genüsslich und blickte dann Sharpe an. »Was meinen Sie, Sharpe? Ist der Krieg verloren?«

»Ich, Sir?« Sharpe war überrascht, angesprochen zu werden.

»Sie, Sharpe, ja, Sie«, sagte Pohlmann.

Sharpe zögerte, sagte sich, dass es das Klügste wäre, etwas Harmloses zu sagen und die Unterhaltung ohne seine Beteiligung weitergehen zu lassen, doch er fühlte sich durch Cromwells Defätismus fast beleidigt. »Er ist gewiss noch nicht verloren, Mylord«, sagte er zu Pohlmann.

Cromwell missfiel die Kritik. »Was meinen Sie damit, Sir? Erklären Sie das.«

»Ein Kampf ist erst verloren, wenn er zu Ende ist, Sir«, sagte Sharpe, »und dieser hat noch nicht stattgefunden.«

»Sprach der Ensign«, murmelte Lord William spöttisch.

»Sie meinen, eine Ratte hat eine Chance gegen einen Terrier?«, fragte Cromwell genauso spöttisch.

Pohlmann hob die Hand, bevor Sharpe etwas erwidern konnte. »Ich bin sicher, Ensign Sharpe weiß viel übers Kämpfen, Captain«, sagte der Deutsche. »Als ich ihn kennen lernte, war er Sergeant, und jetzt ist er zum Offizier aufgestiegen.« Er legte eine Pause ein und ließ die Überraschung dieser Äußerung einwirken. »Wie kommt es, dass ein Sergeant zum Offizier der britischen Armee wird?«

»Verdammtes Glück«, sagte Lord William lakonisch.

»Es erfordert eine Tat von herausragender Tapferkeit«, bemerkte Major Dalton mit ruhiger Stimme. Er hob sein Weinglas und prostete Sharpe zu. »Ich bin geehrt, Ihre Bekanntschaft zu machen, Sharpe. Ich wusste Ihren Namen nicht einzuordnen, als wir vorgestellt wurden, aber jetzt erinnere ich mich an ihn. Ich bin geehrt.«

Pohlmann genoss es, dass er mit seinen Worten Zwietracht gesät hatte, und prostete Sharpe zu. »Was ist also Ihre Tat von herausragender Tapferkeit gewesen, Mister Sharpe?«

Sharpe schoss das Blut in die Wangen. Lady Grace starrte ihn an. Es war das erste Mal, seit sich die Gesellschaft zum Essen gesetzt hatte, dass sie Notiz von ihm nahm.

»Nun, Sharpe?«, fragte Captain Cromwell.

Sharpe brachte kein Wort hervor. Er wurde jedoch von Major Dalton gerettet.

»Er hat Sir Arthur Wellesley das Leben gerettet«, sagte Dalton mit ruhiger Stimme.

»Wie? Wo?«, fragte Pohlmann.

Sharpe fing den Blick des Deutschen auf. »Bei einem Ort namens Assaye, Sir.«

»Assaye?« Pohlmann furchte leicht die Stirn. Es war bei

Assaye gewesen, wo seine Armee geschlagen und seine Ambitionen durch Wellesley vernichtet worden waren. »Nie gehört«, sagte er leichthin und lehnte sich auf dem Stuhl zurück.

»Und sie waren der Erste auf den Mauern von Gawilgarh, Sharpe«, sagte der Major, »das stimmt doch?«

»Ich und Captain Campbell, wir waren die Ersten, Sir. Aber die Mauer der Festung, die wir erstürmten, wurde nur unzulänglich verteidigt.«

»Haben Sie sich dabei die Narbe geholt?«, fragte der Major, und alle am Tisch schauten Sharpe an.

Er fühlte sich unbehaglich, doch er wusste, dass die Narbe auf Gewalt schließen ließ und er sie nicht wegleugnen konnte. »Sie stammt nicht von einer Kugel, habe ich recht?«, sagte der Major. »Kugeln verursachen keine solche Narben.«

»Es war ein Schwert, Sir«, antwortete Sharpe. »Das Schwert eines Mannes namens Dodd.« Während er sprach, blickte er Pohlmann an, und Pohlmann, der einst den Abtrünnigen Dodd befehligt und tiefe Abneigung gegen ihn gehabt hatte, lächelte schmal.

»Und lebt Mister Dodd noch?«, fragte der Deutsche.

»Er ist tot, Sir«, sagte Sharpe.

»Gut.« Pohlmann hob sein Glas und prostete Sharpe zu.

Der Major wandte sich an Cromwell. »Mister Sharpe ist ein bedeutender Soldat, Captain. Sir Arthur hat mir erzählt, dass man in einer schlimmen Schlacht keinen Besseren als ihn an seiner Seite haben kann.«

Die Äußerung, dass General Wellesley so etwas gesagt hatte, gefiel Sharpe, doch Captain Cromwell ließ sich nicht von seinem Thema ablenken. Er sah Sharpe finster an. »Sie meinen, dass die Franzosen besiegt werden können?«

»Wir sind im Krieg mit ihnen, Sir«, erwidert Sharpe, »und man führt keinen Krieg, wenn man nicht gewinnen will.«

»Man führt Krieg«, sagte Lord William eisig, »weil Kleingeister keine Alternative sehen.«

»Und jeder Krieg hat einen Gewinner«, sagte Cromwell. »Zwangsläufig muss es auch einen Verlierer geben. Wenn Sie meinen Rat hören wollen, junger Mann, dann sollten Sie die Armee verlassen, bevor irgendein Politiker Sie mit einem unbesonnenen Angriff auf Frankreich umbringt. Oder, wahrscheinlicher, die Franzosen in Britannien einfallen und Sie mit dem Rest der Rotröcke umbringen.«

Kurze Zeit später zogen sich die Damen zurück, und die Männer tranken ein Glas Portwein, doch die Atmosphäre war steif, und Pohlmann, sichtlich gelangweilt, entschuldigte sich bei der Gesellschaft und forderte Sharpe mit einer Geste auf, ihm zu folgen. Er führte Sharpe zu seiner Kabine ein Deck tiefer, wo Mathilde jetzt auf einem mit Seide bezogenen Sofa lag. Ihr gegenüber saß auf einem identischen Sofa ein älterer Mann, der lebhaft auf Deutsch mit ihr sprach. Sofort erhob er sich und verneigte sich respektvoll.

Pohlmann wirkte überrascht, ihn zu sehen, und winkte ihn zur Tür. »Ich werde Sie heute Abend nicht brauchen«, sagte er auf Englisch.

»Sehr gut, Mylord«, antwortete der Mann, offenbar Pohlmanns Diener, in derselben Sprache, warf einen Blick auf Sharpe und verließ die Kabine. Pohlmann befahl Mathilde gebieterisch, etwas Luft auf dem Achterdeck zu schöpfen. Als sie fort war, schenkte er zwei große Brandys ein und grinste Sharpe an. »Ich hätte fast einen Herzschlag bekommen, als ich Sie an Bord sah«, sagte er und hielt dramatisch eine Hand auf seine Brust.

»Was würde es schon ausmachen, wenn man wüsste, wer Sie in Wirklichkeit sind?«, fragte Sharpe.

Pohlmann grinste. »Wie viel Kredit werden Händler einem

Sergeant Anthony Pohlmann geben? Wohl keinen, wie? Aber dem Baron von Dornberg! Aaah! Sie stehen Schlange, um dem Baron Kredit zu geben. Sie fallen über ihre fetten Füße, um Guineen in seine Tasche zu schütten.«

Sharpe ließ seinen Blick durch die große Kabine schweifen. Sie war mit zwei Sofas, einem Sideboard, einem niedrigen Tisch, einer Harfe und einem breiten Bett aus Teak mit Schnitzereien auf dem Kopfbrett eingerichtet. »Es muss Ihnen in Indien gut gegangen sein.«

Pohlmann lachte. »Für einen ehemaligen Sergeant, wie? Ich habe einigen Kies gemacht, mein lieber Sharpe. Aber nicht so viel, wie ich mir gewünscht habe, und nicht annähernd so viel, wie ich bei Assaye verloren habe. Aber ich kann mich nicht beschweren. Wenn ich sparsam bin, werde ich nie wieder arbeiten müssen.« Er blickte auf den Saum von Sharpes rotem Rock, wo die eingenähten Juwelen kleine Beulen in dem abgetragenen Stoff bildeten. »Ich sehe, Ihnen ist es in Indien ebenfalls gut gegangen, wie?«

Sharpe war sich bewusst, dass der ausgefranste, abgenutzte Stoff des Rocks ein unsicherer Platz als Versteck für die Diamanten, Smaragde und Rubine war, aber darüber wollte er nicht mit Pohlmann sprechen. Stattdessen wies er auf die Harfe. »Sie spielen?«

»Mein Gott, nein! Mathilde spielt. Sehr schlecht, aber ich sage ihr, dass es wundervoll ist.«

»Sie ist Ihre Frau?«

»Bin ich ein Schwachkopf? Ein Blödmann? Würde ich heiraten? Ha! Nein, Sharpe. Sie war die Hure eines Radschas, und als er ihrer überdrüssig war, übernahm ich sie. Sie stammt aus Bayern und will Babys, also ist sie doppelt blöde, doch sie wird mir das Bett wärmen, bis ich in der Heimat bin, und dann werde ich eine Jüngere finden. Sie haben also Dodd gekillt?«

»Ich nicht, ein Freund hat ihn getötet.«

»Er hatte den Tod verdient. Ein schrecklicher Mann.« Pohlmann schauderte es. »Und Sie? Sie reisen allein?«

»Ja.«

»Im Rattenloch, wie?« Er blickte zum Saum von Sharpes Uniformrock. »Sie behalten Ihre Juwelen, bis Sie in England sind, und reisen im unteren Zwischendeck. Aber wichtiger, mein vorsichtiger Freund, werden Sie verraten, wer ich bin?«

»Nein«, erwiderte Sharpe mit einem Lächeln. Er hatte Pohlmann, den Hannoveraner, zum letzten Mal gesehen, als er sich in einer Bauernhütte in Assaye versteckt hatte. Sharpe hätte ihn festnehmen und die Lorbeeren einheimsen können, weil er den Kommandeur der besiegten Armee gefangen genommen hätte, doch er hatte fortgeblickt und den großen Mann entkommen lassen. »Aber ich nehme an, mein Schweigen ist Ihnen etwas wert«, fügte Sharpe hinzu.

»Sie wollen Mathilde, sagen wir jeden Freitag?« Pohlmann, sicher, dass sein Geheimnis bei Sharpe gut aufgehoben war, konnte seine Erleichterung nicht verbergen.

»Vielleicht ein paar Einladungen zum Abendessen.«

Pohlmann war überrascht von Sharpes bescheidener Bitte. »Sie lieben also Captain Cromwells Gesellschaft?«

»Nein.«

Pohlmann lachte. »Lady Grace«, sagte er leise. »Ich habe gesehen, Sharpe, wie Ihnen die Zunge heraushing wie einem scharfen Hund. Sie lieben die Damen schlank und zart, nicht wahr?«

»Mir gefällt sie.«

»Ihr Mann ist nicht so begeistert von ihr«, sagte Pohlmann. »Wir hören sie durch die Trennwand.« Er wies auf die Wand, die die große Kabine teilte. Sie bestand aus dünnem Paneelholz, das ausgebaut werden konnte, wenn nur ein Passagier in den Luxusquartieren wohnte. »Der Steward des Kapitäns sagte mir, dass seine Kabine doppelt so groß wie diese und geteilt ist. Er hat eine Seite und sie die andere. Sie sind wie – wie sagt man? – Hund und Katze?«

Sharpe nickte.

»Er bellt und sie faucht. Ich wünsche Ihnen trotzdem Spaß. Die Götter wissen, was die Frauen aus uns machen. Sie denken vermutlich, wir sind Bullen und sie Kühe. Sollen wir uns zu Mathilde aufs Deck gesellen?« Pohlmann nahm zwei Zigarren vom Sideboard. »Der Kapitän sagt, wir sollen nicht an Bord rauchen. Wir müssen uns mit Kautabak begnügen, aber er kann beim Bumsen qualmen.« Er zündete die Zigarren an, reichte eine Sharpe und führte ihn dann die Treppe hinauf zum Achterdeck.

Mathilde stand an der Reling und starrte auf einen Seemann hinab, der die Lampe im Kompasshaus anzündete, das einzige Licht, das auf dem Schiff in der Dunkelheit erlaubt war, während Lady Grace an der Heckreling unter der großen Hecklaterne stand, die auf dieser Reise nicht angezündet werden würde, solange die Gefahr bestand, dass die *Revenant* oder ein anderes französisches Schiff den Konvoi entdeckte.

»Gehen Sie zu ihr und reden Sie mit ihr«, sagte Pohlmann grinsend und stieß Sharpe mit dem Ellbogen an.

»Ich wüsste ihr nichts zu sagen.«

»Sie sind also nicht wirklich tapfer«, meinte Pohlmann. »Ich wage zu sagen, Sie würden nicht zweimal überlegen, ob Sie eine Linie von Geschützen angreifen, wie ich sie bei Assaye hatte, aber bei einer schönen Frau trauen Sie sich nicht.«

Lady Grace stand einsam da, eingehüllt in einen Mantel. Ein Dienstmädchen stand abseits von ihr auf dem Deck, als sei es nervös und fürchte sich vor ihr.

Sharpe war ebenfalls nervös. Er wünschte, mit ihr zu reden,

doch er wusste, dass er ins Stammeln geraten würde. So blieb er neben Pohlmann und starrte zu den Segeln der anderen Schiffe des Konvois hinüber, die gerade noch zu erkennen waren. Auf dem Vordeck wurde Violine gespielt, und eine Gruppe Matrosen tanzte einen alten Matrosentanz.

»Sind Sie wirklich aus den Mannschaften heraus zum Offizier aufgestiegen?«, fragte eine kühle Stimme. Sharpe wandte sich um und sah Lady Grace, die zu ihm gekommen war.

Im ersten Augenblick war er sprachlos vor Überraschung, doch dann schaffte er es, zu nicken und zu sagen: »Ja, Ma'am, Mylady.«

Sie blickte in seine Augen. Sie war groß genug, um nicht zu ihm aufsehen zu müssen. Die Farbe ihrer großen Augen war in der Dunkelheit kaum zu erkennen, aber beim Abendessen hatte Sharpe gesehen, dass sie grün waren. »Es müssen problematische Umstände gewesen sein«, sagte sie, immer noch mit kühler, distanzierter Stimme, als sei sie zu dieser Unterhaltung gezwungen worden und nur widerwillig dazu bereit.

»Ja, Ma'am«, sagte Sharpe von Neuem und kam sich wie ein Dummkopf vor. Er war angespannt, ein Muskel zuckte in seinem linken Bein, sein Mund war trocken und in seinem Bauch war ein unbehagliches Gefühl, die gleichen Empfindungen, die er immer hatte, wenn er auf die Schlacht wartete. »Bevor es geschah, Ma'am«, platzte er heraus, denn er wollte etwas anderes als eine einsilbige Antwort geben, »habe ich es mir erträumt, aber danach? Ich glaube, ich hätte es mir gar nicht erst wünschen sollen.«

Ihr Gesicht war ausdruckslos. Schön, aber ausdruckslos. Sie ignorierte Pohlmann und Mathilde, sondern schaute nur übers Achterdeck, bevor sie wieder Sharpe anblickte. »Wer macht es so problematisch?«, fragte sie. »Die einfachen Soldaten oder die Offiziere?«

»Beide, Ma'am«, sagte Sharpe. Er bemerkte, dass der Rauch seiner Zigarre ihr unangenehm war, und so warf er sie über Bord. »Die ehemaligen Kameraden bezweifeln, dass man ein richtiger Offizier ist, und die Offiziere – nun, es ist, als ob es sich ein Arbeitshund plötzlich auf dem feinen Kaminvorleger bequem gemacht hätte. Da werden die Schoßhunde neidisch.«

Sie lächelte leicht. »Sie müssen mir erzählen«, sagte sie mit einer Stimme, die immer noch darauf schließen ließ, dass sie nur höflich plauderte, »wie Sie Arthur das Leben gerettet haben.« Sharpe sah, wie an ihrem linken Auge aus Nervosität ein Muskel zuckte. »Er ist ein Cousin von mir«, fuhr sie fort, »aber ein sehr entfernter. Keiner von der Familie dachte, dass er es je zu etwas bringt.«

Es hatte ein paar Sekunden gedauert, bis Sharpe erkannt hatte, dass sie Sir Arthur Wellesley meinte, den kalten Mann, der Sharpe befördert hatte. »Er ist der beste General, den ich je kennen gelernt habe, Ma'am«, sagte er.

»Das meinen Sie wirklich?«, fragte sie skeptisch.

»Ja, Ma'am«, bekräftigte Sharpe, »das meine ich.«

»Wie haben Sie ihm das Leben gerettet?«

Sharpe zögerte. Der Duft ihres Parfüms war schwer. Er hätte fast etwas Vages über die Verwirrung während der Schlacht und über mangelnde Erinnerung gesagt, doch in diesem Augenblick tauchte Lord William auf dem Achterdeck auf, und ohne ein Wort wandte sie sich zur Treppe. Sharpe blickte ihr nach, und sein Herz schlug heftig. Er war immer noch aufgewühlt. Ihre Nähe hatte ihn schwindlig gemacht.

Pohlmann lachte leise. »Sie mag Sie, Sharpe.«

»Seien Sie nicht blöde.«

»Sie ist scharf auf Sie«, sagte Pohlmann.

»Mein lieber Sharpe! Mein lieber Sharpe!« Es war der Schotte, Major Dalton, der vom Achterdeck herabstieg. »Da sind Sie ja! Sie waren so schnell verschwunden! Ich möchte mit Ihnen reden, wenn Sie so freundlich wären, mir ein paar Minuten zu widmen. Wie Sie, Sharpe, war ich bei Assaye dabei, und ich bin über die Geschehnisse dort immer noch verwirrt. Mein lieber Baron, Baroness...«, er nahm den Hut ab und verneigte sich, »... seien Sie gegrüßt. Vielleicht werden Sie verzeihen, wenn zwei Soldaten in Erinnerungen schwelgen?«

»Ich werde Ihnen verzeihen, Major«, sagte Pohlmann überschwänglich. »Aber ich werde Sie ebenfalls verlassen, denn ich habe keine Ahnung vom Soldatentum, nicht die geringste! Ihre Unterhaltung wäre ein großes Geheimnis für mich. Komm, mein Liebchen, komm.«

So erzählte Sharpe in der tropischen Dunkelheit von der Schlacht bei Assaye.

»Geschütz Nummer vier!«, rief Tufnell, der Erste Leutnant der *Calliope*. »Feuer!«

Das 18-Pfünder-Geschütz sprang zurück und ruckte zu einem Halt, als die Brooktaue den Rückstoß abfingen. Weiße Fragmente des Anstrichs flogen von dem gespannten Hanf, denn Captain Cromwell bestand darauf, dass die Brooktaue wie jedes andere Ausrüstungsstück an Deck weiß angestrichen waren. Es war der Grund dafür, dass nur ein einziges Geschütz feuerte, denn Cromwell wollte nicht die anderen einunddreißig Kanonen einsetzen, die polierte Rohre und frisch angestrichene Brooktaue hatten, sodass jede Geschützmannschaft, zur Hälfte gebildet aus der Schiffscrew und zur Hälfte aus Passagieren, sich abwechselte, um Geschütz Nummer vier abzufeuern. Das 18-Pfünder-Geschütz, das Rohr vom Pulver geschwärzt, zischte, als das Rohr ausgewischt wurde. Eine große Rauchwolke zog hinter dem Schiff her und zerfaserte im Wind.

»Der Schuss war zu kurz, Sir!«, meldete Binns, der junge Offizier vom Heck aus, wo er, ausgerüstet mit einem Fernrohr, den Einschlag der Kugel beobachtet hatte. Die *Chatham Castle*, ein anderes Schiff des Konvois, ließ regelmäßig leere Fässer ins Kielwasser nieder, die dem Geschütz der *Calliope* als Ziel dienten.

Jetzt war die Mannschaft des Geschützes Nummer fünf mit dem Schießen an der Reihe. Der befehlshabende Seemann war ein verhutzelter Mann mit langen grauen Haaren, das er zu einem großen Knoten gebunden hatte. »Sie...«, er wies auf Malachi Braithwaite, von dem zu seinem größten Unbehagen erwartet wurde, ein Geschütz zu bedienen, obwohl er der Privatsekretär eines Lords war, »... schieben zwei der schwarzen Beutel in das Rohr, wenn ich es sage. Er...«, er zeigte auf einen Laskar, einen indischen Seemann, »... rammt sie fest, und Sie...«, er wies wieder auf Braithwaite, »... schieben die Kugel ins Rohr. Der Schwarze rammt sie mit dem Ansetzer fest, und keiner von euch Landratten kommt ihm in den Weg. Und Sie...«, er sah Sharpe an, »... zielen mit dem Geschütz.«

»Ich dachte, das sei Ihr Job«, sagte Sharpe.

»Ich bin halb blind.« Der Seemann grinste zahnlos und wandte sich an die anderen drei Passagiere. »Der Rest von euch hilft den anderen Blackies, das Geschütz vorwärts auf diese beiden Linien dort zu schieben, und wenn ihr das getan habt, tretet ihr verdammt aus dem Weg und haltet euch die Ohren zu. Wenn es zu einem Gefecht kommt, fallt ihr am besten auf die Knie und betet zum Allmächtigen, dass wir kapitulieren. Sie werden das Geschütz abfeuern, Sir?«, fragte er Sharpe. »Und Sie wissen, dass Sie auf einer Seite der Kanone stehen müssen, es sei denn, Sie wünschen ein Grab in der See. Am besten feuern Sie, wenn das Schiff in der Aufwärtsbewegung auf dem Wasser liegt, wenn Sie uns nicht wie Landratten aussehen lassen wollen. Sie werden ohnehin nichts treffen, Sir, weil das noch keinem gelungen ist. Wir üben nur, weil die Company das für nötig hält, aber wir haben noch keinen Schuss im Ernstfall abgegeben, und ich hoffe und bete, dass das niemals der Fall sein wird.«

Die Kanone war mit einem Steinschloss ausgestattet, genau wie eine Muskete. Das Pulver, eingehüllt in Riedgras, wurde in das Zündloch eingeführt. Wenn das Geschütz geladen war, brauchte Sharpe es nur noch auszurichten, zur Seite zu treten und die Abzugsleine zu ziehen. Braithwaite und der Laskar gaben das Pulver und die Kanonenkugel in den Lauf, der Laskar rammte sie fest, Sharpe stieß einen angespitzten Stift durch das Zündloch, um den Pulverbeutel zu durchlöchern, dann schob er das Zündröhrchen hinein. Die anderen Mannschaftsmitglieder schoben das Geschütz vor, bis das Rohr aus der geöffneten Stückpforte ragte. Es standen Handspaken zur Verfügung, große, keulenartige Holzhebel, die benutzt werden konnten, um das Geschütz nach links oder rechts auszurichten, aber keiner von den Mannschaften benutzte sie. Sie zielten nicht ernsthaft mit dem Geschütz, sondern erfüllten nur die obligatorischen Schritte der Übung, sodass im Logbuch bestätigt werden konnte, dass die Vorschriften der Company erfüllt worden waren.

»Da ist euer Ziel!«, rief Captain Cromwell. Sharpe, der durch die Stückpforte starrte, sah ein winziges Fass auf den Wellen schaukeln. Er hatte keine Ahnung, wie groß die Entfernung war, konnte nur warten, bis das Fass in die Schusslinie schwamm, und dann wiederum warten, bis sich das Schiff im Wellengang aufwärts bewegte. Dann sprang er gewandt zur Seite und zog an der Abzugsleine. Das Steinschloss schlug nach vorn, ein kleiner Feuerstrahl zuckte aus dem Zündloch, und dann polterte das Geschütz auf seinen kleinen Rädern zurück und sein Rauch wehte fast bis zur Hälfte des Hauptsegels hinauf, als die Pulverflamme durch die weiße Wolke stach. Die dicken Brooktaue erzitterten, Teilchen der Anstrichfarbe wirbelten durch die Luft, und Mister Binns rief aufgeregt vom Achterdeck: »Ein Treffer, Sir, ein Treffer! Ein Treffer! Voll drauf, Sir! Ein Treffer!«

»Wir haben Sie schon beim ersten Mal gehört, Mister Binns«, grollte Cromwell.

»Aber es ist ein Treffer, Sir!«, protestierte Binns und dachte, dass niemand ihm glaubte.

»Rauf auf den Großmast!«, fuhr Cromwell Binns an. »Ich habe Ihnen befohlen, still zu sein. Wenn Sie nicht lernen können, Ihre Zunge zu hüten, Junge, dann gehen Sie rauf und schreien Sie die Wolken an. Rauf!« Er wies zur Spitze des Großmasts. »Und Sie bleiben dort, bis ich Ihre übel riechende Anwesenheit wieder ertragen kann.«

Mathilde hatte vom Achterdeck begeistert applaudiert. Lady Grace war ebenfalls dort, und Sharpe war sich beim Zielen Ihrer Anwesenheit sehr bewusst gewesen.

»Das war verdammtes Glück«, sagte der alte Seemann.

»Reines Glück«, stimmte Sharpe zu.

»Und Sie haben den Käptn zehn Guineen gekostet«, fügte der alte Mann kichernd hinzu.

»Was habe ich?«

»Er hat mit Mister Tufnell gewettet, dass niemand das Ziel jemals treffen wird.«

»Ich dachte, das Wetten und Spielen ist an Bord verboten.«

»Es ist vieles verboten, aber das schließt nicht aus, dass es passiert.«

Sharpe dröhnte und klingelte es noch in den Ohren, als er vom rauchenden Geschütz wegtrat.

Tufnell, der Erste Offizier, bestand darauf, ihm die Hand zu schütteln, und wollte nichts von seiner Behauptung wissen, dass es reines Glück gewesen war. Dann trat Tufnell zur Seite, denn Captain Cromwell kam vom Achterdeck herunter und näherte sich Sharpe.

»Haben Sie schon einmal eine Kanone abgefeuert?«, fragte der Captain grimmig.

»Nein, Sir.«

Cromwell spähte zur Takelage hinauf, dann sah er seinen Ersten Offizier an. »Mister Tufnell?«

»Sir?«

»Ein gebrochenes Tau. Da, am Marssegel!« Cromwell wies hin, und Sharpe folgte seinem ausgestreckten Finger und sah, dass eines der Fußpferde, auf denen die Matrosen in der Takelage bei der Arbeit standen, gerissen war. »Ich will kein marodes Schiff befehligen, Mister Tufnell«, schnarrte Cromwell. »Dies ist kein Lastboot mit Heu auf der Themse, Mister Tufnell, sondern ein Ostindienfahrer! Lassen Sie das flicken, Mann, bringen Sie das in Ordnung!«

Tufnell schickte zwei Matrosen hoch, um das gebrochene Tau zu ersetzen, während Cromwell der nächsten Mannschaft zuschaute, die das Geschütz abfeuerte. Die Kanone prallte zurück, der Rauch quoll auf, und die Kugel schlug gut hundert Yards von dem auf und ab schaukelnden Fass entfernt ein.

»Ziel verfehlt!«, meldete Binns vom Großmast.

»Ich habe ein Auge für Mängel«, sagte Cromwell mit seiner rauen, tiefen Stimme, »wie Sie zweifellos auch, Mister Sharpe. Sie sehen an die hundert Mann bei einer Parade, und bestimmt fällt Ihr Blick auf einen schlampigen Soldaten mit einer dreckigen Muskete. Habe ich recht?«

»Ich hoffe es, Sir.«

»Ein gebrochenes Tau kann einen Mann töten. Er kann deswegen aufs Deck stürzen und sich den Hals und seiner Mutter das Herz brechen. Ihr Sohn wollte mit seinem Fuß Halt finden, und da war nichts als Leere unter ihm. Wollen Sie, dass Ihrer Mutter das Herz bricht, Mister Sharpe?«

Sharpe sagte sich, das dies nicht der richtige Zeitpunkt war, um zu erklären, das er seit langer Zeit eine Waise war. »Nein, Sir.«

Cromwell ließ seinen Blick auf dem Hauptdeck schweifen, das voller Männer war, die zu den Geschützmannschaften zählten. »Was fällt Ihnen bei diesen Männern auf, Mister Sharpe?«

»Ich verstehe nicht, was Sie meinen, Sir.«

»Diese Männer sind in Hemdsärmeln, Mister Sharpe. Alle außer Ihnen und mir sind in Hemdsärmeln. Ich lasse meinen Rock an, Sharpe, weil ich Kapitän dieses Schiffs bin und es sich schickt, förmlich gekleidet vor seinen Männern zu erscheinen. Aber warum, frage ich mich, lässt Mister Sharpe an einem heißen Tag seinen wollenen Rock an? Halten Sie sich für den Käptn?«

»Mir ist es nur kalt, Sir«, log Sharpe.

»Kalt?« Cromwell schnaubte. Er stellte seinen rechten Fuß auf eine Spalte zwischen den Decksplanken. Als er den Fuß hob, haftete ein Streifen von geschmolzenem Teer an seiner Schuhsohle. »Es ist Ihnen nicht kalt, Mister Sharpe, Sie schwitzen. Schwitzen! Also kommen Sie mit mir, Mister Sharpe.«

Der Captain wandte sich um und führte Sharpe zum Achterdeck hinauf. Die Passagiere, die bei der Schießübung zuschauten, machten Platz für die beiden Männer. Sharpe nahm plötzlich das Parfüm von Lady Grace wahr, und dann folgte er Cromwell den Niedergang hinab zur großen Kabine, dem Quartier des Kapitäns. Cromwell schloss die Tür auf, schob sie auf und forderte Sharpe mit einer Geste auf, einzutreten.

»Mein Heim«, brummte der Captain.

Sharpe hatte erwartet, dass der Kapitän eine der Heckkabinen mit ihren großen, breiten Fenstern hatte, doch es war wohl profitabler, solche Quartiere an Passagiere zu vergeben, und Cromwell gab sich mit einer kleineren Kabine auf der Backbordseite zufrieden. Dennoch war es eine komfortable Kabine. Eine Schlafkoje war in eine Bücherwand eingefügt, und auf einem Tisch lagen Karten, die mit drei Laternen und einem Paar langläufiger Pistolen beschwert waren. Das Tageslicht strömte durch ein geöffnetes Fenster, über dem sich die See an der weiß getünchten Decke widerspiegelte.

Cromwell schloss einen kleinen Schrank auf und entnahm ihm ein Barometer und etwas, das wie eine dicke Uhr aussah, die von einem Haken hing. »Dreihundertzwanzig Guineen«, sagte Cromwell und klopfte auf das Stück.

»Ich habe nie eine Uhr besessen«, erwiderte Sharpe.

»Es ist keine Uhr, Mister Sharpe«, sagte Cromwell, und es klang fast angewidert, »sondern ein Chronometer. Ein Wunder der Wissenschaft. Ich bezweifle, dass es mehr als zwei Sekunden zwischen hier und Britannien verlieren wird. Es ist diese Maschine, Mister Sharpe, die uns mitteilt, wo wir sind.« Er blies ein Staubkörnchen von dem Chronometer, klopfte leicht auf das Barometer, schob dann sorgfältig das Schränkchen zu und verschloss es. »Ich sichere meine Schätze, Mister Sharpe. Sie, andererseits, stellen Ihre zur Schau.«

Sharpe sagte nichts, und der Captain wies auf den einzigen Sessel in der Kabine. »Nehmen Sie Platz, Mister Sharpe. Wundern Sie sich wegen meines Namens?«

Sharpe fühlte sich unbehaglich. »Ihr Name ist – ungewöhnlich, Sir«, sagte er mit einem Schulterzucken.

»Er ist sonderbar«, sagte Peculiar Cromwell und fügte ein Lachen hinzu, das keine Heiterkeit verriet. »Meine Familie, Mister Sharpe, waren leidenschaftliche Christen, und sie nannten mich nach der Bibel. Nach dem fünften Buch Mose, Kapitel vierzehn, Vers zwei. Es ist nicht leicht, Mister Sharpe, mit einem solchen Namen zu leben. Er lädt zu Lächerlichkeiten ein. Meistens hat mich dieser Name zu einer Lachnummer gemacht!« Er sagte es so heftig, als ärgere er sich immer noch über alle Leute, die ihn jemals verspottet hatten, aber Sharpe, der angespannt auf der Kante des Sessels hockte, konnte sich nicht vorstellen, dass sich jemand über Peculiar Cromwell, den hartgesichtigen Mann mit der rauen Stimme, jemals lustig gemacht hatte.

Cromwell setzte sich auf seine Koje, legte die Ellbogen auf die Karten und heftete den Blick auf Sharpe. »Ich wurde für Gott beiseitegeschoben, und das trägt zu einem einsamen Leben bei. Mir wurde eine richtige Bildung versagt. Andere Leute studieren in Oxford oder Cambridge, werden mit Wissen vollgestopft, doch ich wurde zur See geschickt, weil meine Eltern glaubten, ich wäre, fern von jeder Küste, gegen jede irdische Versuchung gefeit. Doch ich habe mich selbst gebildet, Mister Sharpe. Ich habe aus Büchern gelernt...«, er wies auf die Bücherregale, »... und herausgefunden, dass ich einen passenden Namen habe. Ich bin peculiar, absonderlich, in meinen Meinungen, Ansichten und Entscheidungen, Mister Sharpe.« Er schüttelte den Kopf, und sein langes Haar, das bis auf die Schultern seines schweren blauen Rocks fiel, geriet in Wallung. »Rings um mich sehe ich gebildete Männer, rational denkende, vernünftige Männer, vor allem gesellige Männer, aber ich habe festgestellt, dass keiner jemals eine große Tat vollbrachte. Nur die Einsamen, Mister Sharpe, bringen es zu wahrer Größe.« Er blickte finster drein, als sei diese Last fast zu schwer zu tragen. »Ich glaube, Sie sind ebenfalls ein absonderlicher Mann«, fuhr Cromwell fort. »Das Schicksal hat Sie von Ihrem natürlichen Platz aus dem Bodensatz der Gesellschaft gezerrt und zu einem Offizier gemacht. Und dies...«, er lehnte sich vor und stieß einen Finger in Sharpes Richtung, »... muss Sie einsam machen.«

»Es hat mir nie an Freunden gemangelt«, sagte Sharpe, der die Unterhaltung peinlich fand.

»Sie haben Selbstvertrauen, Mister Sharpe«, sagte Cromwell dröhnend und ignorierte Sharpes Worte, »so wie ich mir Selbstvertrauen in der Erkenntnis angeeignet habe, dass man keinem anderen trauen kann. Wir sind beiseitegestellt worden, Sie und ich, als einsame Männer dazu verdammt, das Treiben derjenigen zu beobachten, die nicht peculiar, absonderlich, sind. Aber heute, Mister Sharpe, werde ich darauf bestehen, das Sie Ihr Misstrauen zurückstellen. Ich verlange, dass Sie mir vertrauen.«

»Wobei, Sir?«

Cromwell blickte auf den Kompass, der über der Koje befestigt war. »Ein Schiff ist eine kleine Welt, Mister Sharpe«, sagte er, »und ich bin auf diesem Schiff der Herr über alles, habe sogar die Macht über Leben und Tod. Aber ich sehne mich nicht nach dieser Macht. Meine Sehnsucht ist die Ordnung, Mister Sharpe. Ordnung!« Er schlug mit einer Hand auf die Karten. »Und ich werde keinen Diebstahl auf meinem Schiff dulden!«

Sharpe setzte sich empört auf. »Diebstahl! Wollen Sie damit sagen...«

»Nein!«, unterbrach Cromwell ihn. »Natürlich beschuldige ich Sie nicht. Aber es wird Diebstahl geben, Mister Sharpe, wenn Sie weiterhin Ihren Wohlstand so zur Schau stellen.«

Sharpe lächelte. »Ich bin ein Ensign, Sir, der Niedrigste der Offiziere. Sie sagen selbst, dass mich das Schicksal aus meinem natürlichen Platz in der Gesellschaft angehoben hat, und Sie wissen, dass es dort unten kein Geld gibt. Ich bin nicht wohlhabend.«

»Und was, Mister Sharpe, ist dann in die Säume Ihres Rockes eingenäht?«, fragte Cromwell.

Sharpe schwieg. Eine Riesensumme war in die Säume seines Rocks, oben in seine Stiefel und in den Hosenbund eingenäht, und die Juwelen in seinem Rock waren zu erahnen, weil der rote Stoff so abgetragen war.

»Seeleute sind scharfsichtig, Mister Sharpe«, grollte Cromwell. Er wirkte verärgert, als das Geschütz auf dem Hauptdeck feuerte, als hätte ihn der Lärm beim Denken gestört. »Seeleute müssen scharfsichtig sein«, fuhr er fort, »und meine sind clever genug, um zu wissen, dass ein Soldat seine Beute an seinem Körper versteckt, und sie sind scharfsichtig genug, um zu bemerken, dass Mister Sharpe seinen Rock nicht auszieht. Eines Nachts, Mister Sharpe, wenn Sie an Deck frische Luft schöpfen, wird ein scharfsichtiger Matrose hinter Ihnen auftauchen. Ein Messerstich oder ein Schlag auf Ihren Schädel. Ein Platschen in der Dunkelheit und gute Nacht. Wer würde Sie vermissen?« Er enthüllte bei seinem Lächeln lange gelbe Zähne und berührte dann eine der Pistolen auf dem Tisch. »Wenn ich Sie jetzt erschieße, Ihre Leiche ausziehe und dann durch das Fenster werfe, wer würde es wagen, meine Geschichte anzuzweifeln, dass Sie mich angegriffen haben?«

Sharpe sagte nichts.

Cromwells Hand blieb auf der Pistole. »Sie haben eine Truhe in Ihrer Kabine?«

»Ja, Sir.«

»Aber Sie vertrauen meinen Matrosen nicht. Sie wissen, dass sie das Schloss binnen Sekunden aufbrechen könnten.«

»Das würden sie auch«, sagte Sharpe.

»Aber sie werden es nicht wagen, meine Truhe aufzubrechen!«, erklärte Cromwell und wies unter den Tisch, wo eine große, eisenbeschlagene Truhe aus Teak stand. »Ich will, dass

Sie mir Ihren Schatz jetzt übergeben, Mister Sharpe, und ich werde Ihnen das schriftlich bestätigen, ihn aufbewahren und an unserem Zielort zurückgeben. Es ist eine normale Prozedur.«
Erst jetzt zog er die Hand von der Waffe, griff in das Bücherregal und nahm eine kleine Schachtel, die mit Papieren gefüllt war. »Ich habe etwas Geld von Lord William Hale in dieser Truhe, sehen Sie?« Er überreichte Sharpe eines der Papiere. Darauf war der Erhalt von hundertsiebzig Guineen in indischer Währung bestätigt. Das Papier war von Peculiar Cromwell unterzeichnet und im Namen Lord Williams von Malachi Braithwaite. »Ich habe Besitz von Major Dalton«, sagte Cromwell und zeigte ein anderes Blatt Papier. »Und Juwelen, die dem Baron von Dornberg gehören.« Er reichte Sharpe die Quittung. »Und weitere Juwelen, die Mister Fazackerly gehören.« Fazackerly war der Anwalt. Cromwell trat gegen die Truhe. »Dies ist der sicherste Aufbewahrungsplatz auf diesem Schiff, und wenn einer meiner Passagiere Wertsachen mit sich herumschleppt, dann möchte ich, dass sie sicher aufbewahrt werden und meine Mannschaft oder irgendeinen Passagier nicht in Versuchung führen. Habe ich mich verständlich gemacht, Mister Sharpe?«

»Jawohl, Sir.«

»Aber Sie denken, dass Sie mir nicht vertrauen können?«

»Nein, Sir«, sagte Sharpe, der genau dies dachte.

»Ich habe Ihnen gesagt«, grollte Cromwell, »es ist eine normale Prozedur. Sie vertrauen mir Ihre Wertsachen an, und ich, als Captain im Dienst der East India Company, gebe Ihnen eine Quittung. Wenn ich die Wertsachen verliere, Mister Sharpe, wird die Company Sie entschädigen. Sie können sie nur verlieren, wenn das Schiff sinkt oder dem Feind in die Hände fällt. In diesem Fall müssten Sie sich an die Versicherung wenden.« Cromwell lächelte schmal, denn er wusste nur zu gut, dass Sharpes Schatz nicht versichert sein würde.

Sharpe sagte immer noch nichts.

»Bis jetzt, Mister Sharpe«, sagte Cromwell, »habe ich Sie gebeten, meinen Wünschen zu entsprechen. Wenn nötig, kann ich auch darauf bestehen.«

»Nicht nötig, darauf zu bestehen, Sir«, sagte Sharpe, denn Cromwell hatte recht mit seiner Behauptung, dass jeder scharfsichtige Seemann die schlecht versteckten Juwelen bemerken würde. Tag für Tag war sich Sharpe der Edelsteine bewusst. Sie waren eine Belastung für ihn und würden das bleiben, bis er sie in London verkaufen konnte, und diese Belastung würde von ihm genommen werden, wenn er die Steine in die Obhut der Company geben würde. Außerdem war es beruhigend für ihn, dass Pohlmann dem Captain so viele Juwelen anvertraut hatte. Wenn Pohlmann, der sich von keinem reinlegen ließ, Cromwell vertraute, dann konnte er, Sharpe, das ebenfalls.

Cromwell gab ihm eine kleine Schere, und Sharpe schnitt den Saum seines Rocks auf. Er gab weder die Steine in seinem Hosenbund noch die in seinen Stiefeln preis, denn sie waren selbst bei einem suchenden Blick nicht zu erkennen, doch er legte einen wachsenden Haufen von Rubinen, Diamanten und Smaragden aus den Säumen des roten Rocks auf den Tisch.

Cromwell teilte die Steine in drei Haufen und wog dann jeden Haufen auf einer kleinen Feinstwaage. Nachdem er sorgfältig die Resultate notiert hatte, schloss er die Edelsteine fort und gab Sharpe ein Übergabeprotokoll, das sie beide unterschrieben.

»Ich danke Ihnen, Mister Sharpe«, sagte Cromwell ernst, »denn Sie haben mir die Sorgen genommen. Der Proviantmeister wird einen Seemann finden, der Ihren Rock nähen kann«, fügte er hinzu und stand auf.

Auch Sharpe erhob sich. Er zog unter den niedrigen Deckenbalken den Kopf ein. »Danke, Sir.«

»Ich sehe Sie bald bestimmt beim Dinner. Der Baron mag anscheinend Ihre Gesellschaft. Sie kennen ihn gut?«

»Wir sind uns ein paarmal in Indien begegnet, Sir.«

»Er scheint ein seltsamer Mann zu sein, nicht dass ich ihn überhaupt kenne. Aber ein Aristokrat? Der seine Hände mit Handel schmutzig macht?« Cromwell schauderte es. »Ich nehme an, die Dinge laufen in Hannover anders.«

»Das könnte ich mir vorstellen, Sir.«

»Danke, Mister Sharpe.« Cromwell steckte seine Schlüssel ein und nickte zum Zeichen, dass Sharpe gehen konnte.

Major Dalton war auf dem Achterdeck und genoss die Schießübung. »Niemand kam an Ihre Schießkunst heran, Sharpe«, sagte der Schotte. »Ich bin stolz auf Sie! Sie haben die Ehre der Armee hochgehalten.«

Lady Grace schenkte Sharpe einen ihrer desinteressierten Blicke, dann wandte sie sich ab, um wieder auf den Horizont zu schauen. »Sagen Sie mir, Sir«, sagte Sharpe zu dem Major, »würden Sie einem Captain der East India Company trauen?«

»Wenn Sie solch einem Mann nicht trauen können, Sharpe, wäre das wie das Ende der Welt.«

»Das wollen wir doch nicht, oder?«

Sharpe blickte zu Lady Grace. Sie stand neben ihrem Mann und berührte leicht seinen Arm, um auf dem leicht schaukelnden Deck ihr Gleichgewicht zu bewahren. Hund und Katze, dachte er, und er fühlte sich wie von Krallen gekratzt.

KAPITEL 3

Die Langeweile auf dem Schiff ging auf die Nerven. Einige Passagiere lasen, aber Sharpe, der immer noch Schwierigkeiten mit dem Lesen hatte, fand keine Entspannung mit den wenigen Büchern, die er sich von Major Dalton lieh. Dalton verbrachte seine Zeit damit, sich Notizen für ein Buch zu machen, das er über den Krieg gegen die Marathen schreiben wollte. »Ich bezweifle, dass jemand so etwas lesen will«, bekannte der Major bescheiden, »aber es wäre ein Jammer, wenn die Erfolge der Armee nicht aufgezeichnet würden. Ich wäre Ihnen dankbar, wenn Sie mir mit Ihren Erinnerungen helfen könnten.«

Einige der Männer schlugen die Zeit tot, indem sie mit Handfeuerwaffen übten oder sich mit Schwert und Säbel Schaukämpfe auf Deck lieferten, bis der Schweiß in Strömen lief. Während der zweiten Woche begeisterte man sich plötzlich für Zielübungen mit den Musketen der Seesoldaten, und sie schossen auf leere Flaschen, die auf den Wellen schaukelten, doch nach fünf Tagen erklärte Captain Cromwell, dass die Salven zu viel Pulver aus dem Vorratslager der *Calliope* verbrauchten, und der Zeitvertreib hörte auf.

Später in dieser Woche behauptete ein Seemann, er habe in der Morgendämmerung eine Seejungfrau erspäht, und ein paar Tage hielten Passagiere an der Reling Ausschau und suchten vergebens die leere See ab, um einen weiteren Blick auf die Nixe zu erhaschen. Lord William bestritt verächtlich die Existenz solcher Kreaturen, doch Major Dalton behauptete, als Junge eine gesehen zu haben.

»Da war eine in Edinburgh ausgestellt«, erzählte er Sharpe, »nachdem die arme Kreatur in Inchkeith Rock an Land gespült worden war. Ich erinnere mich, dass man sie in einem sehr dunklen Raum ausgestellt hatte und haarig aussah. Eigentlich verdreckt und durchnässt. Sie roch übel, aber ich erinnere mich an ihren Schwanz und daran, dass sie darüber von der Natur reichlich ausgestattet war.« Er lächelte verzückt. »Oh, Mann, aber das arme Ding war mausetot.«

Eines morgens wurde ein Segelschiff gesichtet, und es herrschte eine Stunde Aufregung, als die Geschützmannschaften antraten, der Konvoi aufschloss und die Fregatte der Company ihre Leesegel setzte, um sich den fremden Segler aus der Nähe anzusehen. Er stellte sich als arabische Dau heraus, die auf Kurs nach Kotschin und gewiss keine Bedrohung für den großen Indienfahrer war.

Die Passagiere im Heck, die reichen Leute, die in der Achterkajüte wohnten, spielten Whist. Eine andere Gruppe spielte im Steuerraum, aber Sharpe hatte dieses Kartenspiel nie gelernt. Er wettete auch nicht. Er wusste, dass große Summen gewonnen und verloren wurden, und obwohl es gegen die Regeln der Company verstieß, erhob Captain Cromwell keine Einwände. Manchmal spielte er selbst eine Partie mit. »Er gewinnt«, sagte Pohlmann zu Sharpe, »er gewinnt immer.«

»Und Sie verlieren?«

»Ein wenig.« Pohlmann zuckte mit den Schultern, als mache ihm das nichts aus.

Pohlmann hockte auf einem der festgezurrten Geschütze. Er kam oftmals zu diesem Platz und unterhielt sich mit Sharpe, meistens über Assaye, wo er seine große Niederlage erlitten hatte.

»Ihr William Dodd«, sagte er, »hat behauptet, dass Sir Arthur ein vorsichtiger General ist. Das ist er nicht.« Er sprach von

Dodd stets als »Ihr William Dodd«, als sei der abtrünnige Rotrock ein Kollege von Sharpe.

»Wellesley ist starrköpfig«, sage Sharpe. »Er erkennt eine Chance und greift danach.«

»Und er ist nach England zurückgekehrt?«

»Im letzten Jahr.« Sir Arthur war – wie es sich für seinen Rang geziemte, mit der *Trident*, Admiral Rainiers Flaggschiff, gesegelt und hielt sich jetzt vermutlich in Britannien auf.

»Er wird sich zu Hause langweilen«, meinte Pohlmann.

»Langweilen? Warum?«

»Weil unser mürrischer Captain Cromwell recht hat. Britannien kann nicht Frankreich in Europa bekämpfen. Es kann am Ende der Welt gegen Frankreich kämpfen, aber nicht in Europa. Die französische Armee, mein lieber Sharpe, ist kein wilder Haufen. Sie ist nicht wie unsere Armee. Sie ist nicht auf Knastbrüder, Versager und Säufer angewiesen, sondern besteht aus Wehrpflichtigen. Deshalb ist sie so erfolgreich.«

Sharpe grinst. »Die Knastbrüder, Versager und Säufer haben Sie fertiggemacht.«

»Stimmt«, gab Pohlmann zu, ohne beleidigt zu sein, »aber sie können sich nicht gegen die Riesenarmee von Frankreich behaupten. Keiner kann das. Jetzt nicht. Und wenn sich die Franzosen entscheiden, eine anständige Marine aufzubauen, mein Freund, dann werden Sie sehen, dass die Welt bald nach Ihrer Pfeife tanzt.«

»Und Sie?«, fragte Sharpe. »Wo werden Sie tanzen?«

»Hannover«, sagte Pohlmann. »Ich werde ein großes Haus bauen, es mit Frauen füllen und die Welt aus meinen Fenstern heraus beobachten. Oder vielleicht werde ich in Frankreich leben. Die Frauen sind dort schöner, und ich habe eines in meinem Leben gelernt, Sharpe, und das ist, dass Frauen Geld lieben. Warum hat Ihrer Meinung nach Lady Grace Lord William geheiratet?« Er blickte zum Achterdeck, auf dem Lady Grace, begleitet von ihrem Dienstmädchen, auf und ab schlenderte. »Wie läuft Ihr Feldzug um die Lady?«

»Gar nicht«, erwiderte Sharpe brummig. »Es gibt keinen Feldzug.«

Pohlmann lachte. »Warum nehmen Sie dann meine Einladungen zum Abendessen an?«

In Wirklichkeit war Sharpe von Lady Grace besessen. Vom Moment des Erwachens am Morgen bis zum Abend, wenn er endlich einschlief, dachte er fast nur an sie. Sie wirkte unberührbar, kühl und distanziert, und das machte seine Besessenheit nur noch schlimmer. Sie hatte nur einmal zu ihm gesprochen, dann nie wieder, und wenn Sharpe sie zum Abendessen in der Kapitänskajüte traf und versuchte, sie in eine Unterhaltung zu verwickeln, dann wandte sie sich ab, als sei seine Anwesenheit eine Beleidigung für sie.

Sharpe dachte ständig an sie und beobachtete sie. Er bemühte sich sehr, sich seine Besessenheit nicht anmerken zu lassen, doch sie war da, quälte ihn in den langweiligen Stunden, in denen sich die *Calliope* ihren Weg durch den Indischen Ozean bahnte.

Die Winde meinten es weiterhin gut, und jeden Tag meldete Tufnell, der Erste Leutnant, die Entfernung, die der Konvoi zurückgelegt hatte: zweiundsiebzig Meilen, achtundsechzig Meilen, siebzig Meilen, fast stets die gleiche Distanz.

Das Wetter war schön und trocken, trotzdem schien das Schiff unter den Decks durch die Feuchtigkeit zu verrotten. Selbst bei den tropischen Winden, die den Konvoi südwestwärts bliesen, floss etwas Wasser durch die unteren geschlossenen Stückpforten, und das Unterdeck, auf dem Sharpe schlief, war niemals trocken. Seine Decken waren feucht, das Holz des Schiffes war feucht, die ganze *Calliope* weinte vor Wasser, stank und vermoderte, von Pilzen befallen und von Ratten geplagt. Seeleute bemannten ständig vier Pumpen, und das Wasser schwappte aus den Rohren in Abwasserrinnen auf dem Unterdeck, die das stinkende Bilgenwasser über Bord leiteten. Doch je mehr sie pumpten, desto mehr musste aus dem Rumpf gesaugt werden.

Die Ziegen hatten eine Infektion. Die meisten verendeten in den ersten vierzehn Tagen, und so gab es keine frische Milch mehr für die Passagiere im Zwischendeck. Die frische Nahrung war bald aufgebraucht, und was übrig blieb, war salzig, hart und von fadem Geschmack. Das Wasser war schmutzig, verfärbt und stinkend, nur für starken Tee zu gebrauchen, und obwohl Sharpes Filtermaschine etwas von der Verunreinigung entfernte, tat sie nichts, um den Geschmack des Wassers zu verbessern. Nach zwei Wochen war der Filter so verstopft mit braunem Schmutz, dass Sharpe die Maschine ins Meer warf. Er trank Arrak und saures Bier oder in Cromwells Kapitänskajüte Wein, der kaum besser als Essig war.

Frühstück gab es jeden Morgen um acht. Die Passagiere des unteren Zwischendecks wurden in Zehnergruppen geteilt, und die Männer jeder Gruppe wechselten sich ab, um einen großen Kessel *burgoo* aus der Kombüse auf dem Vordeck zu holen. Das *burgoo* war eine Mischung aus Haferschleim und Streifen von Rindfleisch, die in der Nacht auf dem Kombüsenofen gesiedet hatten. Das Mittagessen war ein anderer *burgoo*, enthielt jedoch diesmal größere Fleischstreifen oder faserige Stücke aus Trockenfisch im klumpigen Hafermehl. An Sonntagen gab es Salzfisch und steinharte Brötchen, die mit Getreidekäfern durchsetzt waren, die herausgeklopft werden mussten. Die Brötchen mussten endlos gekaut werden, als zerstampfe man einen Backstein. Tee wurde um vier serviert, jedoch nur für die Passagiere, die in den Achterkajüten des Schiffes reisten, während die Passagiere im Zwischendeck auf das Abendessen warten mussten, das wiederum aus getrocknetem Fisch, Brötchen und einem Hartkäse bestand, in den rote Würmer Miniatur-Tunnel gegraben hatten.

»Von Menschen sollte man nicht erwarten, dass sie solche Dinge essen«, sagte Malachi Braithwaite schaudernd bei einem besonders teuflischen Abendessen. Er hatte sich zu Sharpe auf das Hauptdeck gesellt, um die rotgoldene Pracht des Sonnenuntergangs zu betrachten.

»Sie haben sie doch auch auf der Hinreise gegessen, oder?«, fragte Sharpe.

»Ich reiste als Privatsekretär eines Londoner Händlers ein«, sagte Braithwaite stolz, »und er quartierte mich in der großen Kajüte ein und verpflegte mich auf seine eigenen Kosten. Das habe ich seiner Lordschaft gesagt, aber er weigert sich, die Kosten zu übernehmen.« Er klang gekränkt.

Braithwaite war ein stolzer, aber armer Mann und sehr empfindlich gegen Beleidigungen seines Selbstbewusstseins. Er verbrachte seine Nachmittage in der Kapitänskajüte, wo Lord William einen Bericht für den Kontrollausschuss zusammenstellte. Der Bericht sollte die zukünftige Regierungsform Indiens empfehlen.

Die Arbeit machte Braithwaite Freude, doch an jedem späten Nachmittag wurde er zum Unterdeck weggeschickt, und er schämte sich, im Zwischendeck reisen zu müssen. Er hasste es, ein Mitglied der Geschützmannschaften zu sein, und es widerte ihn an, die Essenskübel aus der Kombüse zu holen, denn er glaubte, diese Aufgabe stelle ihn auf die Stufe eines niedrigen Dieners, nicht besser als Lord Williams Lakai oder Lady Graces Dienstmädchen. »Ich bin ein Sekretär«, beschwerte er sich einmal bei Sharpe. »Ich habe Oxford besucht!«

»Wie sind Sie eigentlich Lord Williams Privatsekretär geworden?«, fragte Sharpe ihn jetzt.

Braithwaite dachte über die Frage nach, als würde er eine Falle dahinter vermuten. Schließlich hielt er es für sicher, darauf zu antworten. »Sein ursprünglicher Sekretär starb in Kalkutta. An einem Schlangenbiss, glaube ich, und Seine Lordschaft war so freundlich, mir die Stelle anzubieten.«

»Und jetzt bedauern Sie, dass Sie das Angebot angenommen haben?«

»Nein, das bedaure ich nicht«, sagte Braithwaite heftig. »Seine Lordschaft ist ein prominenter Mann. Er ist vertraut mit dem Premierminister.« »Sein Bericht geht nicht nur an den Kontrollausschuss, sondern direkt an den Premier persönlich! Vieles hängt von den Erkenntnissen und Schlüssen Seiner Lordschaft ab. Vielleicht sogar ein Kabinettsposten. Seine Lordschaft könnte in ein oder zwei Jahren gut Außenminister werden. Und was würde das dann aus mir machen?«

»Einen überarbeiteten Sekretär«, sagte Sharpe.

»Aber ich werde Einfluss haben«, sagte Braithwaite ernst, »und Seine Lordschaft wird eines der größten Häuser von London führen. Seine Gattin wird über einen Salon des Geistes und Einflusses präsidieren.«

»Wenn Sie jemals mit jemandem reden wird«, bemerkte Sharpe trocken. »Sie sagt kein Wort zu mir.«

»Natürlich tut sie das nicht, denn sie ist nur an gepflegter Unterhaltung in höchsten Kreisen gewöhnt.« Der Sekretär blickte zum Achterdeck, doch wenn er gehofft hatte, Lady Grace zu sehen, wurde er enttäuscht. »Sie ist ein Engel, Sharpe«, platzte er heraus. »Eine der besten Frauen, die ich je das Privileg hatte, kennen zu lernen. Und sie hat Verstand! Ich habe in Oxford promoviert, Mister Sharpe, aber ich kann ihr bei ihren Kenntnissen nicht das Wasser reichen.«

»Wie auch immer, sie sieht jedenfalls ganz annehmbar aus«, sagte Sharpe, um Braithwaite zu weiterer Schwärmerei zu provozieren.

Es klappte. »Ganz annehmbar?«, fragte Braithwaite sarkastisch. »Sie ist eine Schönheit, Mister Sharpe, die Quintessenz von weiblicher Tugend, Aussehen und Intelligenz.«

Sharpe lachte. »Sie sind in sie verknallt, Braithwaite.«

Der Sekretär bedachte Sharpe mit vernichtendem Blick. »Wenn Sie kein Soldat mit dem Ruf eines wilden Draufgängers wären, würde ich diese Äußerung für unverschämt halten.«

»Ich mag ein wilder Draufgänger sein«, sagte Sharpe und rieb Salz in den verletzten Stolz des Sekretärs. »Aber ich bin derjenige, mit dem sie gestern zu Abend gegessen hat.«

Dennoch hatte Lady Grace in der Kapitänskajüte, wo das Essen kaum besser war als der Fraß im Zwischendeck, kein Wort mit ihm gesprochen, anscheinend nicht einmal seine Anwesenheit bemerkt. Für die wohlhabenden Gäste waren die toten Ziegen gekocht und mit einer Essigsoße serviert worden, außerdem Erbsen mit Schweinefleisch, Captain Cromwells Lieblingsgericht. Die Erbsen waren getrocknet und von der Konsistenz von Musketenkugeln gewesen, und das Fleisch war zu stark gesalzen und hatte an altes Leder erinnert.

An den meisten Abenden gab es eine Süßspeise aus Mehl, Talg und Brotkrumen, dann Portwein oder Brandy, Kaffee, Zigarren und Whist. Eier und Kaffee wurden zum Frühstück serviert, ein Luxus, den es nie im Zwischendeck gab.

An den Abenden, wenn er im Zwischendeck aß, ging er danach an Deck und beobachtete, wie die Matrosen zur Musik der vierköpfigen Kapelle von zwei Violinisten, einem Flötisten und einem Trommler tanzten.

Eines Nachts gab es einen heftigen Wolkenbruch, und der Regen prasselte gegen die Segel. Sharpe lehnte sich mit nacktem Oberkörper zurück und trank mit weit geöffnetem Mund das klare Regenwasser. Doch die Regenflut, die auf das Schiff niederging, schien ihren Weg zu den unteren Decks zu finden, deren Geruch immer widerlicher wurde. Alles schien zu verrotten, rostete vor sich hin und bekam Schimmelpilz.

An Sonntagen hielt der Zahlmeister Gottesdienst ab, und die Kapelle spielte, während die Passagiere – die reicheren auf dem Achterdeck, die weniger privilegierten auf dem Hauptdeck – »Dank sei Gott in der Höhe zu dieser Morgenstund...« sangen.

Major Dalton sang inbrünstig und schlug den Takt mit der Hand. Pohlmann schienen die Gottesdienste zu amüsieren, während Lord William und seine Frau gegen die Anweisung des Kapitäns verstießen und sich nicht daran beteiligten.

Wenn das Kirchenlied vorbei war, sprach der Zahlmeister ein tonloses Gebet, das Sharpe und diejenigen Passagiere, die zuhörten, alarmierend fanden. »Oh, Allmächtiger im Himmel, der Du alles auf Erden lenkst, wir bitten Dich aus den Tiefen dieses Leids und der Todesangst, uns zu erhören und zu retten, Herr, denn sonst werden wir zugrunde gehen.«

Doch sie gingen nicht zugrunde, und die See und die Meilen zogen sich scheinbar endlos dahin, unberührt von irgendeinem Fleck Land oder einem feindlichen Schiff.

Am Mittag maßen die Offiziere den Sonnenstand über der Kimm mit ihren Sextanten, dann eilten sie in Captain Cromwells Kabine, um ihre Berechnungen auszuarbeiten, doch in der Mitte der dritten Woche war der Himmel so stark von Wolken bedeckt, dass keine Berechnungen nach dem Sonnenstand möglich waren. Jemand hörte Captain Cromwell bemerken, dass die *Calliope* in einen Sturm geraten könne.

Die Windstärke stieg langsam, aber stetig. Die Passagiere auf dem geneigten Deck gerieten ins Taumeln und mussten ihre

Hüte festhalten. Viele derjenigen, die am Anfang ihre Seekrankheit überwunden hatten, mussten sich von Neuem übergeben, und die Gischt, die sich am Bug brach, klatschte über Deck. Spät am Nachmittag begann es so stark zu regnen, dass graue Schleier alles außer den nächsten Schiffen des Konvois verbargen.

Sharpe wurde von Neuem als Pohlmanns Gast zum Abendessen eingeladen, und als er nach unten ging, um sein letztes dreckiges Hemd zu wechseln und seinen Rock anzuziehen, der von einem Matrosen an den Säumen genäht und auch gebügelt worden war, fand er das untere Zwischendeck voller Wasser und Erbrochenem. Kinder schrien, ein angebundener Hund kläffte.

Braithwaite hing über einem Geschütz und übergab sich. Jedes Mal, wenn sich das Schiff senkte, drang Wasser durch die verschlossenen Stückpforten und rann über das Deck, und wenn es den Bug in die See tauchte, kam eine wahre Flut durch die Ankerklüsen und rollte über die durchnässten Planken.

Als Sharpe wieder zu den Resten des Tageslichts hinaufkletterte, stürzte Wasser den Niedergang herab. Er torkelte durch die Tür des Achterdecks, wo er auf dem kleinen Eingangskorridor bis zur Kapitänskajüte geworfen wurde. Nur der Kapitän, Major Dalton, Pohlmann, Mathilde und Lord William mit Lady Grace warteten dort. Die anderen drei Passagiere waren entweder seekrank oder aßen in ihren Kabinen.

»Sie sind wieder der Gast des Barons?«, fragte Cromwell anzüglich.

»Stört es Sie, dass Mister Sharpe mein Gast ist?«, fragte Pohlmann hitzig.

»Er isst auf Ihre Kosten, Baron, nicht auf meine«, grollte Cromwell, dann winkte er Sharpe auf seinen üblichen Platz. »Nehmen Sie um Gottes willen Platz, Mister Sharpe.« Er hob eine Hand, um etwas zu sagen, doch in diesem Augenblick schlingerte das Schiff. Holz ächzte alarmierend, und die Essbestecke glitten über den Tisch.

»Möge Gott diese Lebensmittel segnen«, sagte Cromwell, »und uns dankbar für ihren Nährwert machen, im Namen des Herrn, Amen.«

»Amen«, sage Lady Grace distanziert. Ihr Mann sah blass aus und klammerte sich an die Tischkante, als könne er damit die Schlingerbewegungen des Schiffes mildern. Lady Grace hingegen wirkte ziemlich unbeeinflusst von Wetter und Seegang. Sie trug ein rotes Kleid mit einer Perlenkette. Ihr schwarzes Haar war hochgesteckt und wurde von Nadeln gehalten, die mit Perlen verziert waren.

Das Schlingern des Schiffes machte die Mahlzeit zu einer heiklen Angelegenheit. Cromwells Steward servierte als Erstes eine dicke Fischsuppe.

»Frischer Fisch!«, prahlte Cromwell. »Heute Morgen gefangen. Ich habe keine Ahnung, welche Fische das waren, aber es ist noch niemand auf meinem Schiff an einem unbekannten Fisch gestorben.« Der Kapitän löffelte die Suppe und hielt den Teller so, dass nichts daraus überschwappen konnte, wenn sich das Schiff neigte. »Natürlich starben schon Männer an Bord. Sie fielen aus der Takelage, Leute starben am Fieber, und ich hatte sogar einen Passagier, der sich wegen unerwiderter Liebe selbst umgebracht hat, aber nie starb jemand an giftigem Fisch.«

»Unerwiderte Liebe?«, fragte Pohlmann amüsiert.

»Das kommt schon mal vor, Baron, ja, das gibt es«, sagte Cromwell und ließ sich die Suppe schmecken. »Es ist ein wissenschaftlich bestätigtes Phänomen, dass eine Seereise niedere Instinkte weckt. Sie werden mir verzeihen, dass ich die Sache erwähne, Mylady«, fügte er hastig an Lady Grace gewandt hinzu, die seine verbale Grobheit ignorierte.

Lord William kostete nur an der Fischsuppe und ließ dann seinen Teller stehen. Lady Grace schaffte es, ein paar Löffel zu essen, schob dann jedoch den Teller von sich, weil ihr die übel riechende Suppe nicht schmeckte. Der Major aß herzhaft, Pohlmann und Mathilde hungrig und Sharpe vorsichtig, weil er sich nicht mit schlechten Manieren vor Lady Grace blamieren wollte. Gräten verfingen sich zwischen seinen Zähnen, und er versuchte sie unbemerkt zu entfernen, denn er hatte gesehen, wie es Lady Grace schauderte, wenn Pohlmann sie auf den Tisch spuckte.

»Kaltes Rindfleisch mit Reis«, kündigte der Captain den nächsten Gang an, als biete er die nächste Köstlichkeit vom Festschmaus an. »Erzählen Sie mir, Baron, wie haben Sie Ihr Vermögen gemacht? Sie haben meines Wissens gehandelt, ist das richtig?«

»Ich habe gehandelt, ja, das ist richtig.«

Lady Graces Kopf ruckte hoch. Sie runzelte die Stirn, dann tat sie so, als interessiere sie sich nicht für die Unterhaltung. Die Weinkaraffen rasselten in ihren Metallhaltern. Das ganze Schiff knarrte, ächzte und erzitterte, wenn sich eine größere Welle an ihrem Bug brach.

»In England handeln die Aristokraten nicht«, sagte Cromwell. »Sie halten das für unter ihrer Würde.«

»Englische Lords besitzen Land«, erwiderte Pohlmann, »doch meine Familie verlor ihre Ländereien vor hundert Jahren, und wenn man kein Land besitzt, muss man für seinen Lebensunterhalt arbeiten.«

»Und mit welcher Tätigkeit tun Sie das?«, fragte Cromwell. Sein feuchtes Haar fiel bis auf seine Schultern.

»Ich kaufe und verkaufe«, sagte Pohlmann. Die Befragung machte ihm offensichtlich nichts aus.

»Und auch erfolgreich!« Captain Cromwell schien die Unterhaltung angefangen zu haben, um seine Gäste vom Rollen und Stampfen des Schiffes abzulenken. »Und jetzt schaffen Sie also Ihren Reichtum nach Hause, und das ist auch ganz richtig so. Wo ist Ihr Zuhause? In Bayern? Preußen? Hessen?«

»Hannover«, sagte Pohlmann, »aber ich spiele mit dem Gedanken, mir ein Haus in London zu kaufen. Lord William kann mir da zweifellos einen Rat geben.« Er lächelte über den Tisch hinweg Lord William an, der statt einer Antwort ruckartig aufstand, eine Serviette auf seinen Mund presste und aus der Kapitänskajüte stürzte. Etwas klatschte an die Scheibe des geschlossenen Oberlichts.

»Mein Mann ist ein schlechter Seemann«, sagte Lady Grace mit ruhiger Stimme.

»Und Sie, Mylady?«, fragte Pohlmann.

»Ich liebe die See«, sagte sie fast empört. »Ich habe sie schon immer gemocht.«

Cromwell lachte. »Man sagt, Mylady, dass diejenigen, die zum Vergnügen zur See fahren, die Hölle zum Zeitvertreib besuchen.«

Sie zuckte mit den Schultern, als ändere das, was andere sagten, für sie nichts. Major Dalton übernahm die Last der Unterhaltung. »Sind Sie schon jemals seekrank gewesen, Sharpe?«

»Nein, Sir, ich habe Glück gehabt.«

»Ich ebenfalls«, sagte Dalton. »Meine Mutter meinte immer, ein Beefsteak zum Frühstück sei gut für die Kondition.«

»Beefsteak? Das ist Unsinn«, grollte Cromwell. »Nur Rum und Öl helfen.«

»Rum und Öl?«, wiederholte Pohlmann mit einer Grimasse.

»Man zwingt den Patienten, ein Pint Rum zu trinken und flößt ihm danach ein Pint Öl ein. Sie können jedes Öl nehmen, selbst Lampenöl, denn der Patient wird es nicht bei sich behalten, aber am nächsten Tag wird er bei bester Gesundheit sein.« Cromwell warf einen schiefen Blick auf Lady Grace. »Soll ich den Rum und das Öl zu Ihrer Kabine schicken, Mylady?«

Lady Grace machte sich nicht einmal die Mühe, darauf zu antworten. Sie blickte auf die Wandverkleidung, wo ein kleines Ölbild einer englischen Dorfkirche durch das Schlingern des Schiffes verrutscht war.

»Wie lange wird dieser Sturm noch dauern?«, fragte Mathilde in ihrem akzentuierten Englisch.

»Sturm?«, rief Cromwell. »Sie halten das für einen Sturm? Dies, Ma'am, ist nichts anderes als ein Lüftchen, ein bisschen Luftbewegung und Regen, was keinem Menschen oder Schiff schadet. Ein Sturm, Ma'am, ist stark, gewaltig! Nichts im Vergleich zu dem, was uns jenseits des Kaps erwarten kann.«

Keinem war nach einem Dessert zumute, und so schlug Pohlmann stattdessen eine Partie Whist in seiner Kabine vor.

»Ich habe ausgezeichneten Brandy, Captain«, sagte er, »und wenn Major Dalton bereit ist, mitzuspielen, können wir zu viert spielen. Ich weiß, dass Sharpe nicht spielen wird.« Er wies auf sich und Mathilde als die anderen Spieler und lächelte dann Lady Grace an. »Es sei denn, ich könnte Sie überreden, mit uns zu spielen, Mylady?«

»Ich spiele nicht«, sagte sie in einem Tonfall, der vermuten ließ, Pohlmann hätte ihr angeboten, in seinem Erbrochenen zu waten. Sie stand auf, schaffte es irgendwie, trotz des Schlingerns des Schiffs graziös zu wirken, und die Männer schoben sofort ihre Stühle zurück, damit sie die Kabine verlassen konnte.

»Bleiben Sie und trinken Sie Ihren Wein aus, Sharpe«, sagte Pohlmann und führte seine Whist-Spieler hinaus.

Sharpe blieb allein in der Kapitänskajüte zurück. Er trank seinen Wein, dann nahm er die Karaffe vom Sideboard und schenkte sich noch einmal ein.

Die Nacht war hereingebrochen, und die Fregatte feuerte alle zehn Minuten ein Geschütz ab, weil man den Konvoi in der Dunkelheit zusammenhalten wollte. Sharpe sagte sich, dass er noch drei Schüsse abwarten und sich dann auf den Weg zu seinem Quartier im stinkenden Zwischendeck machen und schlafen gehen würde.

Dann öffnete sich die Tür, und Lady Grace kehrte in die Kajüte zurück. Sie trug eine Seidenstola, die die glatte, weiße Haut ihrer Schultern und die Perlenkette verdeckte. Sie bedachte Sharpe mit einem unfreundlichen Blick und ignorierte seine verlegene Begrüßung. Sharpe erwartete, dass sie sofort wieder gehen würde. Er nahm an, dass sie nur gekommen war, um etwas aus der Kajüte zu holen, was sie vergessen hatte, doch zu seiner Überraschung setzte Sie sich auf Cromwells Stuhl und blickte ihn finster an. »Setzen Sie sich, Mister Sharpe.«

»Etwas Wein, Mylady?«

»Setzen Sie sich«, wiederholte sie.

Sharpe nahm am anderen Ende des Tisches Platz. Der Messingkronleuchter reflektierte das Kerzenlicht, das von den beiden Laternen an der Trennwand kam. Die flackernden Flammen akzentuierten Lady Graces Gesicht mit den hohen Wangenknochen.

»Wie gut kennen Sie den Baron von Dornberg?«, fragte sie unvermittelt.

Sharpe blinzelte, überrascht von der Frage. »Nicht sehr gut, Mylady.«

»Sie haben ihn in Indien kennen gelernt?«

»Ja, Ma'am.«

»Wo?«, fragte sie gebieterisch. »Wie?«

Sharpe runzelte die Stirn. Er hatte versprochen, Pohlmanns Identität nicht preiszugeben, und so würde er Lady Graces Frage taktvoll beantworten müssen. »Ich habe eine Zeitlang mit einem Offizier der Company zusammen gedient, Ma'am, und er ritt häufig hinter den feindlichen Linien. So habe ich Po... – den Baron kennen gelernt.« Er überlegte kurz. »Ich bin ihm vier- oder fünfmal begegnet.«

»Welche Feinde waren das?«

»Die Marathen, Ma'am.«

»Er war also ein Freund der Marathen?«

»Das könnte so sein, Ma'am.«

Sie starrte ihn an, als wäge sie die Wahrheit seiner Worte ab. »Er scheint Ihnen sehr zugetan, Mister Sharpe.«

Sharpe hätte fast geflucht, als das Weinglas über die Tischkante rutschte, am Boden zerklirrte und sich Wein über den Segeltuchläufer ergoss. »Als wir uns beim letzten Mal begegneten, habe ich ihm einen Gefallen getan. Es war nach einem Gefecht.«

»Er war auf der anderen Seite?«, unterbrach sie ihn.

»Er war auf der anderen Seite, Ma'am.« Sharpe wählte seine Worte vorsichtig, verschleierte die Tatsache, dass Pohlmann der General gewesen war, der das Kommando über die andere Seite gehabt hatte. »Er war auf der Flucht, und ich hätte ihn gefangen nehmen können, nehme ich an, aber er stellte anscheinend keine Bedrohung dar, und so ließ ich ihn laufen. Ich nehme an, dafür ist er mir dankbar.«

»Ich danke Ihnen«, sagte sie und wirkte, als wolle sie sich erheben.

»Wofür, Ma'am?«, fragte Sharpe und hoffte, dass sie bleiben würde.

Sie entspannte sich sichtlich und starrte ihn dann lange an, als überlege sie, ob sie darauf antworten sollte. Dann zuckte sie mit den Schultern. »Sie haben gehört, wie sich heute Abend der Kapitän und der Baron unterhalten haben?«

»Ja, Ma'am.«

»Es hat den Anschein, dass sie einander fremd sind.«

»Das sind sie tatsächlich«, stimmte Sharpe zu, »und Cromwell hat es mir selbst gesagt.«

»Doch fast jede Nacht, Mister Sharpe, treffen sie sich und reden miteinander, nur die beiden. Nach Mitternacht gehen sie hier rein, setzen sich an den Tisch und reden miteinander. Und manchmal ist der Diener des Barons dabei.« Sie legte eine Pause ein. »Oft finde ich keinen Schlaf, und wenn die Nacht schön ist, gehe ich an Deck. Ich höre sie durch das Oberlicht. Ich lausche nicht, aber ich höre ihre Stimmen.«

»Sie kennen sich also viel besser, als sie vorgeben?«, fragte Sharpe.

»Diesen Anschein hat es«, antwortete sie.

»Sonderbar, Ma'am«, sagte Sharpe.

Sie zuckte mit den Schultern, als sei Sharpes Meinung nicht von Interesse für sie. »Vielleicht spielen sie auch nur Backgammon«, sagte sie distanziert.

Sie wirkte wieder wie vor dem Aufbruch, und Sharpe beeilte sich, die Unterhaltung in Gang zu halten. »Der Baron erzählte mir, dass er vielleicht in Frankreich wohnen wird, Ma'am.«

»Nicht in London?«

»Er sagte, Frankreich oder Hannover.«

»Aber Sie können kaum annehmen, dass er Ihnen das aufgrund Ihrer flüchtigen Bekanntschaft anvertraut«, sagte sie spöttisch und stand auf.

Sharpe schob seinen Stuhl zurück und beeilte sich, ihr die Tür zu öffnen. Sie nickte, dankend für seine Höflichkeit, doch eine plötzliche Welle hob die *Calliope* an und ließ Lady Grace taumeln. Sharpe streckte im Reflex eine Hand aus, um sie abzufangen, und die Hand umschloss ihre Hüfte und stützte sie, sodass sie an ihm lehnte und ihr Gesicht dicht vor seinem war. Er verspürte den unbändigen Wunsch, sie zu küssen, und er wusste, dass sie nichts dagegen gehabt hätte, denn obwohl das Schiff jetzt wieder ruhiger auf dem Wasser lag, trat sie nicht von ihm fort. Sharpe spürte ihren schlanken Körper unter dem weichen Stoff ihres Kleides. Ihre Augen, groß und ernst blickend, waren wieder auf ihn gerichtet, und er glaubte darin zu versinken. Wie beim ersten Mal, als er sie erblickt hatte, spürte er eine Melancholie in ihrem schönen Gesicht, und dann sprang die Tür zum Achterdeck auf und Cromwells Steward betrat mit einem Tablett auf den Händen die Kajüte. Lady Grace drehte sich aus Sharpes Arm und ging ohne ein Wort zur Tür hinaus.

»Es gießt wie aus Kübeln«, sagte der Steward. »Ein Fisch würde auf dem Deck ersaufen, das sage ich Ihnen.«

»Verdammtes Sauwetter«, sagte Sharpe. Er nahm die Weinkaraffe, setzte sie an und trank.

Wind und Regen blieben während der Nacht stark. Cromwell hatte die Segel bei Einbruch der Nacht reffen lassen, und die wenigen Passagiere, die sich in der Morgendämmerung an Deck wagten, sahen, dass die *Calliope* unter tiefen, dunklen Wolken durch die See stampfte, aus denen Sturmböen in die schaumgekrönten Wellen peitschten. Sharpe, dem es an einem Mantel mangelte und der nicht bereit war, seinen Rock oder sein Hemd zu durchnässen, ging mit bloßem Oberkörper zum Vordeck, wo zum Frühstück das *burgoo* wartete, abgeholt zu werden. Vor der Kombüse fand er eine Gruppe von Matrosen, einer davon der grauhaarige Seemann, der die Mannschaft von Geschütz Nummer fünf befehligte. Er begrüßte Sharpe grinsend und entblößte seine nikotingelben Zähne. »Wir haben den Konvoi verloren, Sir.«

»Verloren?«

»Er hat sich verpisst.« Der Mann lachte. »Und nicht zufällig, wie ich mir denken kann.«

»Und was kannst du dir denken, Jem?«, fragte ein jüngerer Matrose.

»Mehr, als du weißt – und mehr, als du je erfahren wirst.«

»Warum nicht durch Zufall?«, fragte Sharpe.

Jem neigte den Kopf und spuckte Tabaksaft aus. »Der Captain ist seit Mitternacht am Ruder gewesen, und er hat uns hart südwärts gesteuert. Ließ uns mitten in der Nacht an Deck antanzen und die Segel reffen. Wir fahren jetzt geradenwegs nach Süden anstatt nach Südwesten.«

»Der Wind hat gewechselt«, meinte ein Mann.

»Der Wind wechselt hier nicht!«, widersprach Jem heftig. »Nicht zu dieser Jahreszeit. Hier bläst er ständig aus Nordost. Neun von zehn Tagen aus Nordost. Man braucht kein Schiff aus Bombay rauszusteuern, Sir. Wenn Sie auf dem offenen Meer sind, setzen Sie die großen Fetzen, und der Wind wird Sie so schnurgerade wie 'ne Kugel durch 'ne Tavernengasse nach Madagaskar blasen, Sir.«

»Warum ist er also nach Süden gefahren?«, fragte Sharpe.

»Weil wir ein schnelles Schiff sind, Sir, und es ging Peculiar auf die Nerven, an die langsamen alten Pötte des Konvois gebunden zu sein. Sie werden sehen, dass er uns unsere Hemden in die Takelage hängen lassen wird und wir wie eine Seemöwe nach Hause fliegen werden. Das erste Schiff, das heimkommt, kassiert die besten Preise für die Fracht, verstehen Sie, Sir?«

Der Koch löffelte Sharpes Napf aus dem großen Kessel mit *burgoo* voll und öffnete ihm die Tür zum Vordeck. Sharpe prallte beim Hinausgehen fast mit Pohlmanns Diener zusammen, mit dem älteren Mann, den Sharpe in der ersten Nacht, in der er Pohlmanns Kabine besucht hatte, so entspannt auf dessen Sofa gesehen hatte.

»*Pardonnez-moi*«, sagte der Diener instinktiv und trat hastig zurück, sodass Sharpe nichts vom *burgoo* über seine graue Kleidung verschüttete.

Sharpe sah ihn an. »Sind Sie Franzose?«

»Ich bin Schweizer, Sir«, erwiderte der Mann respektvoll. Dann trat er zur Seite und blickte immer noch Sharpe an, der dachte, dass es nicht die Augen eines Dieners waren. Sie waren wie Lord Williams Augen und blickten selbstsicher, clever und wissend. »Guten Morgen, Sir«, sagte der Diener respektvoll und Sharpe trat an ihm vorbei und trug den Napf mit dampfendem *burgoo* über das Hauptdeck zum hinteren Niedergang.

In diesem Moment tauchte Cromwell an der Reling des Achterdecks auf, und wie Jem auf dem Vordeck prophezeit hatte, wollte er jedes Segel gesetzt haben. Er bellte die Matrosen an, hinaufzuklettern, nahm ein Sprachrohr und rief den Ersten Offizier. »Lassen Sie das Klüver-Sprietsegel setzen, Mister Tufnell. Schnell jetzt! Mister Sharpe, ich wäre Ihnen dankbar, wenn Sie sich anziehen. Dies ist ein Ostindienfahrer, kein schlampiges Kohleschiff.«

Sharpe ging nach unten, um zu frühstücken, und als er wieder an Deck hinaufstieg, ordentlich angezogen, war Cromwell zum Achterdeck gegangen, wo er den Norden beobachtete, aus Furcht, die Fregatte der Company könne erscheinen und ihm befehlen, zum Konvoi zurückzukehren. Doch weder Cromwell noch die Männer in der Takelage sahen irgendein Anzeichen auf die anderen Schiffe. Es hatte den Anschein, als wäre Cromwell dem Konvoi entkommen und könne die *Calliope* jetzt ihre Schnelligkeit zeigen lassen. Und die zeigte sie, denn jedes Segel, das beim Einbruch der Nacht gerefft worden war, war jetzt wieder gesetzt und blähte sich im feuchten Wind, und die *Calliope* schien die See wie Creme zu durchschneiden, als sie südwärts fuhr.

Der Wind ließ im Laufe des Tages nach, und die Wolkendecke riss auf. Gegen Abend war der Himmel wieder klar, und die See war blaugrün statt grau. Es war eine überschwängliche Atmosphäre an Bord, als hätte die *Calliope*, als sie sich vom Konvoi befreit hatte, jedermanns Leben von Neuem fröhlich gestimmt. In den Zwischendecks wurde gelacht, und man freute sich, als Tufnell befahl, gut durchzulüften, damit sich der Gestank verflüchtigte.

Als die Sonne in orangefarbenem und goldenem Schein unterging, gesellten sich Passagiere zu den Seeleuten auf dem Vordeck zum Tanz.

Vor dem Abendessen brachte Pohlmann Sharpe eine Zigarre.

»Ich werde Sie heute Abend nicht zum Essen mit uns einladen«, sagte er. »Joshua Fazackerly spendiert den Wein, was bedeutet, dass er sich berechtigt fühlt, uns alle mit seinen juristischen Erinnerungen zu langweilen. Es wird wahrscheinlich ein schrecklich ermüdendes Essen.« Er blies eine Qualmwolke zum Großsegel hinauf. »Sie wissen, warum ich die Marathen gemocht habe? Es gab keine Anwälte unter ihnen.«

»Es gab auch kein Gesetz«, sagte Sharpe.

Pohlmann warf ihm einen Seitenblick zu. »Stimmt. Aber ich mag verdorbene, gesetzlose Gesellschaften, Richard. In einer verdorbenen Gesellschaft gewinnen die größten Schurken.«

»Warum dann heimkehren?«

»Europa ist verdorben«, sagte Pohlmann. »Die Franzosen reden laut von Gesetz und Recht, doch dahinter verbirgt sich nichts als Gier. Ich verstehe Gier, Richard.«

»Wo wollen Sie also leben?«, fragte Sharpe. »London, Hannover oder Frankreich?«

»Vielleicht in Italien. Eventuell in Spanien? Nein, nicht Spanien, ich könnte die Priester nicht ertragen. Vielleicht sollte ich nach Amerika gehen. Man sagt, Schurken leben dort gut.«

»Vielleicht werden Sie in Frankreich leben?«
»Warum nicht? Ich habe nichts gegen Frankreich.«
»Sie werden aber etwas dagegen haben, wenn die *Revenant* uns aufspürt.«
»Die *Revenant*?«, fragte Pohlmann unschuldig.
»Französisches Kriegsschiff«, sagte Sharpe.
Pohlmann lachte. »Das wäre – wie sagt man? – wie eine Nadel im Heuhaufen finden. Obwohl ich immer gedacht habe, es wäre leicht, eine Nadel in einem Heuhaufen zu finden. Einfach ein Mädchen ins Heu mitnehmen und vögeln, und man könnte ziemlich sicher sein, dass die Nadel ihren Hintern finden wird. Haben Sie jemals in einem Heuhaufen gevögelt?«
»Nein.«
»Das kann ich auch nicht empfehlen. Es ist wie auf diesen Betten der Fakire. Wenn Sie aber dort vögeln, Richard, sorgen Sie dafür, dass Sie derjenige sind, der oben liegt.«
Sharpe blickte hinaus auf den sich verdunkelnden Ozean. Es war kein Schaum mehr darauf zu sehen, und die langen Wellen bewegten sich nur langsam auf und ab.
»Wie gut kennen sie Cromwell?«, platzte er heraus, hin- und hergerissen zwischen der Abneigung, das Misstrauen des Deutschen zu erregen, und dem Wunsch, diese Verdächtigungen überhaupt nicht zu glauben.
Pohlmann betrachtete Sharpe voller Neugier, kein bisschen feindselig. »Ich kenne den Mann kaum«, antwortete er steif. »Ich habe ihn ein-, zweimal in Bombay getroffen, als er an Land war, weil ich es für vernünftig hielt, damit wir hier ein anständiges Quartier bekommen, aber sonst kenne ich ihn so gut, wie Sie ihn kennen. Warum fragen Sie?«
»Ich habe überlegt, ob Sie ihn gut genug kennen, um herauszufinden, warum er den Konvoi verlassen hat.«
Polmann lachte, und sein Argwohn war durch Sharpes Er-

klärung beschwichtigt. »Ich glaube nicht, dass ich ihn so gut kenne, aber Mister Tufnell sagte mir, dass wir östlich von Madagaskar segeln werden, während der Konvoi nach Westen unterwegs ist. Wir werden Zeit gewinnen und mindestens zwei Wochen vor den anderen Schiffen in der Heimat sein. Und das wird den Wert der Fracht steigern, woran der Captain ein beträchtliches Interesse hat.« Pohlmann sog an seiner Zigarre. »Missbilligen Sie sein eigenmächtiges Handeln?«

»In der Gemeinschaft ist man sicher«, sagte Sharpe.

»In der Schnelligkeit aber auch. Tufnell sagt, wir sollten jetzt mindestens neunzig Seemeilen pro Tag machen.« Der Deutsche warf den Zigarrenstummel über Bord. »Ich muss mich zum Abendessen umziehen.«

Sharpe spürte, dass da etwas nicht stimmte, aber er konnte nicht genau sagen, was es war. Wenn Lady Grace recht hatte, dann unterhielten sich Pohlmann und der Captain häufig, und Sharpe neigte dazu, Ihrer Ladyschaft zu glauben. Doch er konnte einfach nicht erkennen, welche Auswirkungen Pohlmanns und Cromwells Bekanntschaft auf andere haben konnte.

Zwei Tage später wurde in der Ferne im Westen Land gesichtet. Der Ruf vom Masttopp bewirkte einen Ansturm von Passagieren zur Steuerbordreling, doch niemand konnte Land sehen, wenn er nicht bereit war, in die Takelage zu klettern. Nur ein Streifen Wolken an der Kimm zeigte, wo die entfernte Küste lag.

»Die Ostspitze von Madagaskar«, sagte Leutnant Tufnell, und den ganzen Tag starrten die Passagiere zu den Wolken, als zeigten sie etwas Bedeutendes an.

Am folgenden Tag waren die Wolken verschwunden. Tufnell erzählte Sharpe, dass sie immer noch der Küste von Madagaskar folgten, die jetzt jenseits der Kimm lag. »Die nächste Landkennung wird die Küste von Afrika sein«, sagte Tufnell.

»Und dort werden wir eine schnelle Strömung finden, die uns um Kapstadt herumträgt.«

Die beiden Männer sprachen auf dem abgedunkelten Achterdeck. Es war nach Mitternacht, seit der Sichtung von Madagaskar die dritte Nacht in Folge, in der Sharpe in den frühen Stunden in der Hoffnung, Lady Grace anzutreffen, aufs Achterdeck gegangen war. Der Wachoffizier hatte jede Nacht seine Gesellschaft zu schätzen gewusst und keine Ahnung gehabt, was Sharpe dort wollte.

Lady Grace war an den ersten beiden Tagen nicht aufgetaucht, doch als Sharpe jetzt neben dem Leutnant stand, hörte er das Knarren einer Tür. Jemand stieg auf leisen Sohlen die Treppe zum Achterdeck hinauf. Sharpe wartete, bis der Leutnant ging, um mit dem Steuermann zu sprechen, dann wandte er sich um und ging selbst zum Achterdeck.

Eine dünne Mondsichel glänzte auf der See und bot gerade genügend Licht für Sharpe, um Lady Grace zu erkennen, die, in einen dunklen Mantel gehüllt, neben der Hecklaterne stand. Sie war allein, ohne Dienstmädchen, das die Anstandsdame spielte, und Sharpe gesellte sich zu ihr. Er stellte sich einen Schritt links von ihr hin, legte wie sie eine Hand auf die Reling und starrte in das vom Mondschein versilberte Kielwasser, das in der Dunkelheit zurückblieb. Das große Besansegel ragte blass über ihnen auf.

Beide schwiegen. Sie blickte nicht zu ihm, als er sich zu ihr gesellte, ging jedoch nicht fort. Sie starrte nur auf die See.

»Pohlmann ...«, sagte Sharpe schließlich sehr leise, denn zwei Oberlichter der Kapitänskajüte standen offen, und er wollte nicht, dass jemand mithören konnte, »... behauptet, Captain Cromwell nicht zu kennen.«

»Pohlmann?«, fragte Lady Grace und blickte Sharpe stirnrunzelnd an.

»Der Baron von Dornberg ist kein Baron, Mylady.«

Sharpe brach sein Wort, das er Pohlmann gegeben hatte, doch es machte ihm nichts aus, nicht, wenn er so nahe bei Lady Grace stehen konnte, dass er ihr Parfüm wahrnahm. »Sein Name ist Anthony Pohlmann, und er war einst Sergeant in einem Hannoveranischen Regiment, das von der East India Company angeworben wurde. Aber er desertierte. Er war der Befehlshaber der feindlichen Armee bei Assaye.«

»Befehlshaber?« Sie klang überrascht.

»Ja, Ma'am. Er war der feindliche General.«

Sie starrte wieder auf die See. »Warum haben Sie ihn geschützt?«

»Ich mag ihn«, sagte Sharpe. »Ich habe ihn immer gemocht. Er machte mir einst das Angebot, mich in der Marathen-Armee zum Offizier zu machen, und ich bekenne, dass ich versucht war. Er sagte, er würde mich reich machen.«

Sie lächelte ihn an. »Sie wollen reich sein, Mister Sharpe?«

»Das ist besser, als arm zu sein, Mylady.«

»Ja«, sagte sie, »stimmt. Warum erzählen Sie mir jetzt von Pohlmann?«

»Weil er mich angelogen hat, Ma'am.«

»Sie angelogen?«

»Er sagte mir, er kenne den Captain nicht, und Sie haben mir gesagt, dass er ihn kennt.«

Sie drehte sich wieder zu ihm. »Vielleicht habe ich Sie angelogen.«

»Haben Sie das?«

»Nein.« Sie blickte zum Oberlicht der Kapitänskajüte, dann ging sie zur fernen Ecke des Decks, wo eine kleine Signalkanone an der Bordwand festgezurrt war. Sie blieb zwischen der Kanone und der Heckreling stehen, und nach kurzem Zögern ging Sharpe zu ihr. »Das gefällt mir nicht«, sagte sie leise.

»Was gefällt Ihnen nicht, Ma'am?«

»Dass wir östlich von Madagaskar segeln. Warum?«

Sharpe zuckte mit den Schultern. »Pohlmann sagte mir, wir versuchen den Konvoi abzuhängen, als Erste nach London zu gelangen und die Fracht zu den besten Preisen auf den Markt zu bringen.«

»Niemand segelt um Madagaskar herum«, sagte sie. »Niemand! Das wird uns Zeit kosten, und auf diesem Kurs geraten wir viel näher an die Ile-de-France.«

»Mauritius?«, fragte Sharpe.

Sie nickte. Mauritius – oder die Ile-de-France – war der feindliche Stützpunkt im Indischen Ozean, die Inselfestung für Plünderer und Kriegsschiffe mit einem Haupthafen, der von tückischen Korallenriffen und steinernen Festungen geschützt war. »Ich habe William all dies gesagt, aber er hat mich ausgelacht. Was ich schon wüsste, hat er gefragt. Cromwell kenne sein Geschäft, und ich solle einfach Ruhe geben.« Sie schwieg, und Sharpe erkannte plötzlich und peinlich berührt, dass sie weinte. Sie stützte beide Hände auf die Reling, und die Tränen rannen über ihre Wangen. »Ich habe Indien gehasst«, sagte sie nach einer Weile.

»Warum, Mylady?«

»Alles stirbt in Indien«, sagte sie bitter. »Meine beiden Hunde verendeten, und dann starb mein Sohn.«

»O Gott, das tut mir leid.«

Sie ignorierte sein Mitgefühl. »Und ich kam fast ums Leben. Fieber natürlich.« Sie schniefte. »Und es gab Zeiten, an denen ich mir gewünscht habe, zu sterben.«

»Wie alt war Ihr Sohn?«

»Drei Monate«, sagte sie leise. »Er war unser erstes Kind und so winzig. Er hatte süße Fingerchen und begann gerade erst zu lächeln, und dann siechte er dahin. Alles verrottet in

Indien. Es wird schwarz und verfault!« Sie begann stärker zu weinen, ihre Schultern hoben und senkten sich schluchzend.

Sharpe ergriff sie einfach an den Schultern, drehte sie herum und zog sie an sich, und sie ließ ihn gewähren und weinte an seiner Schulter.

Nach einer Weile beruhigte sie sich. »Es tut mir leid«, flüsterte sie und trat ein wenig zurück, schien jedoch damit zufrieden zu sein, dass er seine Hände auf ihren Schultern ließ.

»Es gibt keinen Grund dazu«, sagte Sharpe.

Ihr Kopf war gesenkt, und er konnte den Duft ihres Haars wahrnehmen. Dann hob sie ihr Gesicht und schaute ihn an.

»Haben Sie je gewünscht, zu sterben, Mister Sharpe?«

Er lächelte sie an. »Ich habe immer gedacht, das wäre eine schreckliche Verschwendung, Mylady.«

Sie runzelte die Stirn bei dieser Antwort, doch dann, ganz plötzlich, lachte sie, und ihr Gesicht war, zum ersten Mal, seit Sharpe sie gesehen hatte, mit Leben erfüllt, und er glaubte, dass er niemals eine so schöne Frau gesehen hatte und jemals wieder sehen würde. Der Anblick war so liebreizend, dass er sich zu ihr neigte und sie küsste.

Sie schob ihn fort, und er wich gekränkt zurück, bereitete sich verwirrt auf Entschuldigungen vor, doch sie zog nur ihre Arme zurück, die zwischen ihren Körpern gefangen gewesen waren, schlang sie um seinen Nacken und zog sein Gesicht an ihres, um ihn so leidenschaftlich zu küssen, dass Sharpe Blut von ihren Lippen schmeckte. Sie seufzte und schmiegte ihre Wange an seine. »O Gott«, sagte sie leise. »Ich wollte vom ersten Moment an, als ich dich sah, dass du das tust.«

Sharpe verbarg sein Erstaunen. »Ich dachte, Sie haben mich gar nicht zur Kenntnis genommen.«

»Dann bist du ein Narr, Richard Sharpe.«

»Und Sie, Mylady?«

Sie zog den Kopf zurück, ließ die Arme jedoch um seinen Nacken. »Oh, ich bin ein Dummkopf, das weiß ich. Wie alt bist du?«

»Achtundzwanzig, Mylady, jedenfalls soweit ich weiß.«

Sie lächelte, und er hatte noch niemals ein Gesicht gesehen, das plötzlich so viel Freude ausstrahlte. Dann neigte sie sich vor und küsste ihn leicht auf die Lippen. »Ich bin Grace«, sagte sie leise, »und warum sagst du ›soweit du weißt‹?«

»Ich habe meine Eltern nie kennen gelernt.«

»Nie? Wer hat dich erzogen?«

»Ich bin nie wirklich erzogen worden, Ma'am. Verzeihung – Grace.« Ihm schoss das Blut in die Wangen, denn obwohl er sich vorstellen konnte, sie zu küssen und mit ihr im Bett zu liegen, konnte er sich nicht daran gewöhnen, sie beim Vornamen zu nennen. »Ich war ein paar Jahre im Waisenhaus, eines, das an ein Arbeitshaus angeschlossen war, und danach habe ich mich allein durchs Leben geschlagen.«

»Ich bin auch achtundzwanzig«, sagte sie, »und ich bezweifle, dass ich jemals glücklich war. Deshalb bin ich ein Dummkopf.« Sharpe sagte nichts, starrte sie nur ungläubig an. Sie bemerkte seine Ungläubigkeit und lachte. »Es stimmt, Richard.«

»Warum?«

Da war das Murmeln von Stimmen auf dem Achterdeck und plötzliches Licht, als eine Laterne im beleuchteten Kompasshaus nicht mehr beschirmt war. Lady Grace trat von Sharpe fort und er von ihr, und beide drehten sich um und starrten auf die See. Das Licht verschwand. Lady Grace schwieg eine Weile, und Sharpe fragte sich, ob sie bedauerte, was geschehen war, doch dann sagte sie leise: »Du bist wie Unkraut, Richard. Du kannst überall wachsen. Ein großes, starkes Unkraut, und du bekommst vermutlich Dornen und stinkende Blätter. Aber ich bin in einem Rosengarten aufgewachsen, gehegt und verwöhnt, aber ich durfte nicht irgendwo aufwachsen, nur dort, wo der Gärtner es wollte.« Sie zuckte mit den Schultern. »Ich will nicht dein Mitleid, Richard. Du solltest nie Mitleid für die Privilegierten verschwenden. Ich rede nur, um herauszufinden, warum ich hier mit dir zusammen bin.«

»Und warum sind Sie es?«

»Weil ich einsam bin«, antwortete sie, »und unglücklich, und weil du mich faszinierst.« Sie streckte die Hand aus und berührte sanft die Narbe auf seiner rechten Wange. »Du bist ein schrecklich gut aussehender Mann, Richard Sharpe, aber wenn ich dich in einer Londoner Straße sehen würde, dann würde ich mich sehr vor deinem Gesicht fürchten.«

»Böse und gefährlich«, sagte Sharpe, »das bin ich.«

»Und ich bin hier«, fuhr Lady Grace fort, »weil ein Kitzel darin ist, Sehnsüchte nach Dingen zu befriedigen, die wir nicht tun sollten. Das, was Captain Cromwell als unsere niedrigen Instinkte bezeichnet, nehme ich an, und ich nehme ebenfalls an, es wird mit Tränen enden, aber das schließt den Spaß nicht aus.« Sie schaute ihm in die Augen. »Du wirkst manchmal sehr grausam. Bist du grausam?«

»Nein«, sagte Sharpe. »Vielleicht bin ich das zu den Feinden des Königs. Vielleicht auch zu meinen Feinden, aber nur, wenn sie so stark sind wie ich. Ich bin ein Soldat, kein Schläger.«

Sie berührte wieder die Narbe. »Richard Sharpe, mein furchtloser Soldat.«

»Ich hatte Angst vor Ihnen«, gab Sharpe zu. »Vom ersten Moment an.«

»Angst?« Sie wirkte echt verwirrt. »Ich dachte, du verachtest mich. Du hast mich so grimmig angeblickt.«

»Ich habe nicht gesagt, dass ich Sie nicht verachte«, sagte Sharpe in gespieltem Ernst, »aber von dem Moment an, an dem ich Sie sah, wollte ich in Ihrer Nähe sein.«

Sie lachte. »Sie können hier bei mir sein«, sagte sie, »aber nur in schönen Nächten. Ich komme hierher, wenn ich nicht schlafen kann. William schläft in der Heckkabine«, erklärte sie, »und ich schlafe auf dem Sofa in der Tageskabine. Mein Mädchen benutzt dort ein Rollbett.«

»Sie schlafen nicht mit ihm?«, wagte Sharpe zu fragen.

»Ich muss mit ihm zu Bett gehen«, gab sie zu, »doch er nimmt jede Nacht Laudanum, denn er behauptet, sonst nicht einschlafen zu können. Er nimmt zu viel davon, und dann schläft er wie ein Schwein. Wenn er eingeschlafen ist, gehe ich in die Tageskabine.« Sie schauderte. »Und die Droge macht ihn gereizt und übellaunig, bevor er zu schnarchen anfängt.«

»Ich habe eine Kabine«, sagte Sharpe.

Sie sah ihn an, ernst, und Sharpe befürchtete, er hätte sie beleidigt, doch dann lächelte sie. »Für dich allein?«

Er nickte. »Sie wird Ihnen gefallen. Sie ist sieben mal sechs Fuß groß, mit Wänden aus feuchtem Holz und klammem Segeltuch.«

»Und du schaukelst dort in deiner einsamen Hängematte?«, fragte sie, immer noch lächelnd.

»Die Hängematte können Sie vergessen«, sagte Sharpe. »Ich habe ein richtiges Bett mit einer feuchten Matratze.«

Sie seufzte. »Vor einem knappen halben Jahr bot mir ein Mann einen Palast mit Wänden aus geschnitztem Elfenbein, einen Garten mit Springbrunnen und einen Pavillon mit einem Bett aus Gold an. Er war ein Prinz, und sehr diskret.«

»Und Sie?«, fragte Sharpe, plötzlich eifersüchtig auf den Mann. »Waren Sie diskret?«

»Ich habe ihn abblitzen lassen.«

»Darin sind Sie gut.«

»Und am Morgen«, sagte sie, »werde ich wieder gut darin sein müssen.«

»Ja, Mylady, das werden Sie.«

Sie lächelte, erkannte dankbar an, dass er für die notwendige Täuschung Verständnis hatte. »Aber es wird nicht leicht sein, in den nächsten drei Stunden.«

»Vier, wahrscheinlicher.«

»Und ich habe das Schiff erkunden wollen«, sagte sie. »Alles, was ich bisher gesehen habe, ist das Achterdeck und die Kapitänskajüte.«

Er nahm ihre Hand. »Es wird unten stockfinster sein.«

»Das wird vermutlich gut für uns sein«, sagte sie ernst. Sie zog ihre Hand aus seiner. »Du gehst zuerst«, sagte sie, »und ich werde folgen. Ich treffe dich auf dem Hauptdeck.«

Und so ging er nach unten, und sie folgte ihm. Er wartete auf dem Hauptdeck, und dann führte er sie zu seinem Quartier, wo sie ihren Verdacht gegen Pohlmann und Cromwell vergaßen.

Die beiden haben vermutlich Backgammon gespielt, dachte Sharpe im Morgengrauen, als er erstaunt und wieder allein in seinem Bett lag, verwundert über sein Glück und in der Hoffnung, dass diese Reise nie enden würde.

KAPITEL 4

Zwei Morgen später wurde ein Segel gesichtet, das erste, seit die *Calliope* den Konvoi verlassen hatte. Es dämmerte, und der Himmel über dem fernen Madagaskar war noch dunkel, als ein Ausguck sah, wie das erste Sonnenlicht steuerbord vor dem Bug von einem Segel reflektiert wurde. Captain Cromwell, von Leutnant Tufnell aus seiner Kabine gerufen, erschien aufgeregt. Er trug ein langes Nachthemd, und sein langes Haar war im Nacken zu einem Knoten gebunden. Er starrte durch ein altes Fernrohr zu den Segeln des fremden Schiffs.

»Das ist kein einheimisches Schiff«, hörte Sharpe ihn sagen. »Es hat anständige Marssegel. Das ist christliches Segeltuch.« Cromwell befahl, die Geschütze auf dem Hauptdeck loszulaschen. Pulver wurde aus den Magazinen geholt, während Cromwell seine Uniform anzog. Tufnell kletterte zum Großmars hinauf, der mit einem Fernrohr ausgerüstet war. Er schaute lange hindurch, dann rief er, er glaube, bei dem fernen Schiff handele es sich um einen Walfänger. Cromwell wirkte erleichtert, ließ jedoch die Pulverladungen an Deck, nur für den Fall, dass es sich als Kaperschiff erwies.

Es dauerte fast eine Stunde, bis das ferne Schiff vom Deck der *Calliope* gesehen werden konnte, und seine Anwesenheit brachte die Passagiere an Bord. Wie der Blick auf Land, war dies eine Abwechslung in der täglichen Langeweile.

Sharpe war gegenüber den anderen Passgieren im Vorteil, denn er besaß ein Fernrohr. Das Instrument war ein hervorragendes Fernglas von Matthew Berge aus London, in das die

Daten der Schlacht von Assaye eingraviert waren. Sir Arthur Wellesley hatte Sharpe das Fernrohr geschenkt, und über den Daten war sein Dank eingraviert, obwohl Wellesley bei der Übergabe wie üblich distanziert und etwas verlegen gewesen war. »Sie sollen nicht denken, ich hätte nicht gewusst, welche Dienste Sie für mich geleistet haben«, hatte der General gesagt.

»Ich habe die Dienste gern geleistet, Sir«, hatte Sharpe ebenso verlegen geantwortet.

Sir Arthur hatte sich zwingen müssen, noch etwas mehr zu sagen. »Denken Sie immer daran, Mister Sharpe, dass die Augen eines Offiziers wertvoller sind als sein Degen.«

»Ich werde es mir merken, Sir«, hatte Sharpe gesagt und gedacht, der General wäre ohne den Degen des Ensigns Sharpe tot gewesen. »Und vielen Dank, Sir«, hatte Sharpe gesagt. Er erinnerte sich daran, dass er von dem Fernrohr enttäuscht gewesen war. Er hatte gedacht, dass ein guter Degen eine bessere Belohnung dafür gewesen wäre, dass er dem General das Leben gerettet hatte.

Sir Arthur hatte grimmig geblickt, doch Campbell, einer seiner Adjutanten, hatte versucht, freundlich zu sein. »Sie gehen also zu den Schützen, Sharpe?«

»So ist es, Sir.«

Sir Arthur hatte die Unterhaltung schnell beendet. »Dort werden Sie glücklich sein, dessen bin ich sicher. Ich danke Ihnen, Mister Sharpe. Einen guten Tag.«

Und so war Sharpe in den Besitz eines Fernrohrs gekommen, auf das reichere Männer neidisch wären. Er richtete es jetzt auf das fremde Schiff, das für sein ungeübtes Auge viel kleiner als die *Calliope* war. Es war gewiss kein Kriegsschiff, anscheinend ein kleines Handelsschiff.

»Das ist ein Jonathon!«, rief Tufnell von oben. Sharpe richtete das Fernrohr nach links und sah eine verblichene Flagge am Heck des fernen Schiffes. Die Flagge ähnelte sehr dem rot und weiß gestreiften Banner der East India Company, doch dann hob der Wind sie an, und Sharpe sah die Sterne im oberen linken Viereck und erkannte, dass sie amerikanisch war.

Major Dalton war zum Hauptdeck gekommen und stand nun neben Sharpe. Höflich bot er dem Schotten das Fernrohr an. Der Schotte blickte hindurch zu dem fernen Schiff. »Es transportiert Pulver und Munition nach Mauritius«, sagte er.

»Woher wissen Sie das?«

»Das liegt auf der Hand. Kein französisches Handelsschiff wagt es, in diesen Gewässern zu segeln, also liefern die verdammten Amerikaner Waffen an Mauritius. Und sie haben den Nerv, sich als neutral zu bezeichnen! Zweifellos machen sie prächtigen Profit, und das ist alles, was für sie zählt. Dies ist ein sehr feines Glas, Sharpe!«

»Es ist ein Geschenk, Major.«

»Ein schönes.« Dalton gab das Fernrohr zurück und runzelte die Stirn. »Sie sehen müde aus, Sharpe.«

»Ich habe nicht viel Schlaf gehabt, Major.«

»Hoffentlich sind Sie nicht erkrankt. Lady Grace sieht ebenfalls sehr blass aus. Ich hoffe, es ist kein Fieber an Bord ausgebrochen. Als ich ein Kind war, kam eine Brigantine nach Leith. Es können nicht mehr als drei lebende Männer darauf gewesen sein, und die waren dem Tode nahe. Sie konnten natürlich nicht landen, die armen Kerle. Sie mussten vor der Küste ankern und der Krankheit ihren Lauf lassen, bis sie alle tot waren.«

Der Amerikaner, überzeugt, dass von der *Calliope* keine Gefahr drohte, segelte nahe an den großen Indienfahrer heran, und die beiden Schiffe inspizierten einander, als sie sich mitten im Ozean passierten. Der Amerikaner war halb so lang wie die

Calliope, und das Hauptdeck war gerammelt voll mit Beibooten für die Waljagd. »Zweifellos hat sie Fracht für Mauritius«, bemerkte Major Dalton.

Die amerikanische Mannschaft segelte vorbei, und die Leute an Bord des Indienfahrers konnten den Namen des Walfängers und den Heimathafen lesen, der blau und golden am Heck aufgemalt war. »Die *Jonah Coffin* aus Nantucket«, sagte Dalton. »Welch ausgefallene Namen die auswählen!«

»Wie Peculiar Cromwell?«

»Da sagen Sie was!« Dalton lachte. »Aber ich kann mir nicht vorstellen, dass unser Captain seinen Namen auf das Heck seines Schiffes malt. Übrigens, Sharpe, ich habe zum Dinner eine eingepökelte Zunge spendiert.«

»Großzügig von Ihnen, Sir.«

»Und ich schulde Ihnen eine Entschädigung für all Ihre Hilfe«, sagte Dalton und meinte damit seine langen Unterhaltungen mit Sharpe über den Krieg gegen die Marathen, über den er in seinem Ruhestand schreiben wollte. »Warum leisten Sie uns nicht am Mittag Gesellschaft? Der Captain hat zugestimmt, dass wir auf dem Achterdeck essen!« Dalton klang so aufgeregt, als sei ein Essen in frischer Luft etwas ganz Besonderes.

»Ich möchte nicht stören, Major.«

»Das ist doch keine Störung! Sie werden mein Gast sein. Ich habe auch Wein spendiert, und Sie können uns beim Trinken helfen. Roter Rock, befürchte ich, Sharpe. Das Essen könnte nur ein kalter Imbiss werden, aber Peculiar duldet niemanden in Hemdsärmeln auf dem Achterdeck.«

Sharpe hatte noch eine Stunde bis zum Dinner, und so ging er nach unten, um seinen roten Uniformrock auszubürsten. Zu seiner Überraschung saß Malachi Braithwaite im Quartier auf seiner Reisetruhe. Der Sekretär wurde im Verlauf der Reise immer mürrischer, und jetzt blickte er Sharpe ärgerlich an.

»Haben Sie Ihr eigenes Quartier nicht gefunden, Braithwaite?«, fragte Sharpe schroff.

»Ich wollte mit Ihnen sprechen.« Der Sekretär wirkte nervös und wich Sharpes Blick aus.

»Sie hätten mich an Deck finden können«, sagte Sharpe und wartete, aber Braithwaite sagte nichts, sondern beobachtete nur, wie Sharpe den Uniformrock über den Rand der Koje hängte und ihn abzubürsten begann. »Nun?«, fragte Sharpe schließlich.

Braithwaite zögerte immer noch. Er fummelte mit der Rechten an einem losen Faden am Ärmel seines schwarzen Rocks herum, fand endlich den Mut, Sharpe anzublicken, öffnete den Mund, um etwas zu sagen, doch dann presste er wieder die Lippen zusammen. Sharpe rieb an einem Schmutzflecken, und schließlich fand der Sekretär die Sprache wieder. »Sie unterhalten sich nachts mit einer Frau«, platzte er anschuldigend heraus.

Sharpe lachte. »Na und? Hat man Ihnen in Oxford nichts über Frauen gelehrt?«

»Eine besondere Frau«, sagte Braithwaite, und es klang fast wie das Zischen einer Schlange.

Sharpe legte die Bürste auf sein Fass Arrak und wandte sich zu dem Sekretär um. »Wenn Sie was zu sagen haben, Braithwaite, dann sagen Sie es, verdammt.«

Der Sekretär wurde rot. Er war nervös, aber er zwang sich, die Konfrontation fortzusetzen. »Ich weiß, was Sie tun, Sharpe.«

»Sie wissen verdammt nichts, Braithwaite.«

»Und wenn ich Seine Lordschaft informiere, wie ich es sollte, dann können Sie sicher sein, dass Ihre Karriere in der Armee Seiner Majestät zu Ende sein wird.« Es hatte Braithwaites ganzen Muts bedurft, um die Drohung auszustoßen, doch er war getrieben von seinem tiefen Groll. »Es wird keine Karriere für Sie geben, Sharpe, keine!«

Sharpes Gesicht blieb ausdruckslos, als er den Sekretär anstarrte, doch innerlich war er entsetzt, weil Braithwaite sein Geheimnis entdeckt hatte. Lady Grace war in zwei aufeinander folgenden Nächten in seiner primitiven Kabine gewesen, war spät in der Nacht zu ihm gekommen und vor dem Morgengrauen gegangen, und Sharpe hatte gedacht, dass niemand es bemerkt hatte. Sie hatten beide geglaubt, diskret gewesen zu sein, aber Braithwaite hatte irgendwie Wind davon bekommen und war nun neidisch auf ihn. Sharpe nahm die Bürste. »Ist das alles, was Sie zu sagen haben?«

»Und es wird auch sie ruinieren«, zischte Braithwaite, und dann wich er hastig zurück, als Sharpe die Bürste hinwarf und sich zu ihm umwandte. »Und ich weiß, dass Sie Wertsachen beim Captain deponiert haben!«, fuhr der Sekretär fort und hob beide Hände, wie um einen Schlag abzuwehren.

Sharpe zögerte. »Woher wissen Sie das?

»Jeder weiß das. Es ist ein Schiff, Sharpe. Die Leute reden.«

Sharpe schaute in die verschlagen blickenden Augen des Sekretärs. »Fahren Sie fort«, sagte er leise.

»Sie können mein Schweigen kaufen«, sagte Braithwaite trotzig.

Sharpe nickte, als erwäge er die Sache. »Ich werde Ihnen sagen, wie ich Ihr Schweigen erkaufen werde, Braithwaite, übrigens ein Schweigen über nichts, denn ich weiß nicht, wovon Sie reden. Ich nehme an, Oxford ist Ihrem Gehirn nicht bekommen, aber lassen wir mal annehmen, nur für eine Minute, ich wüsste, wovon Sie reden. Sollen wir es so halten?«

Braithwaite nickte vorsichtig.

»Und ein Schiff ist ein sehr kleiner Raum, Braithwaite«, sagte Sharpe und setzte sich neben den Sekretär, »und Sie können mir an Bord nicht entkommen. Das bedeutet, wenn Sie Ihr Schandmaul aufmachen, um irgendjemandem irgendwas zu erzählen, wenn Sie auch nur ein verdammtes Wort sagen, dass ich Sie dann töten werde.«

»Sie verstehen nicht...«

»Ich verstehe«, unterbrach Sharpe. »Also halten Sie Ihr Maul. In Indien, Braithwaite, gibt es Männer, die man *jettis* nennt, die killen, indem sie ihren Opfern den Hals wie einem Hühnchen umdrehen.« Sharpe legte die Hände auf Braithwaites Kopf und begann ihn zu drehen. »Sie drehen ihn, bis es knackt, Braithwaite.«

»Nein«, stieß der Sekretär entsetzt hervor. Er fummelte an Sharpes Händen herum, um sich aus seinem Griff zu befreien, aber es fehlte ihm die Kraft dazu.

»Sie drehen, bis ihren Opfern die Augen hervorquellen und sie auf ihren Arsch blicken können und ihr Genick bricht.«

»Nein!« Braithwaite konnte kaum sprechen, denn sein Nacken wurde herumgedreht.

»Es ist eigentlich kein Knacken«, fuhr Sharpe im Plauderton fort, »eher eine Art knirschendes Quietschen, und ich habe mich oft gefragt, ob ich das auch tun könnte. Nicht, dass ich Angst vor dem Töten habe, Braithwaite. Das sollten Sie nicht denken. Ich habe Männer mit Pistolen, mit Degen, Messern und meinen bloßen Händen getötet. Ich habe mehr Männer umgebracht, als Sie sich in Ihren schlimmsten Albträumen vorstellen können, doch ich habe noch nie jemandem den Hals umgedreht, bis es knirscht. Aber ich werde mit Ihnen anfangen. Wenn Sie irgendetwas tun, um mich oder eine Lady, die ich kenne, zu verletzen, werde ich Ihren Schädel wie einen Korken in einer verdammten Flache drehen, und es wird schmerzen. Mein Gott, wird das wehtun! Und ich verspreche Ihnen, dass es passieren wird, wenn Sie auch nur ein verdammtes Sterbenswörtchen sagen. Sie werden tot sein, Braithwaite, und es wird mich so wenig wie Rattenscheiße kümmern, es zu tun. Es wird mir ein wahres Vergnügen sein.« Er drehte den Kopf des Sekretär ein letztes Mal und ließ ihn dann los.

Braithwaite rang um Atem und massierte seinen Hals. Er blickte angstvoll zu Sharpe und versuchte aufzustehen, doch Sharpe schleuderte ihn zurück auf die Truhe. »Sie werden mir etwas versprechen müssen, Braithwaite«, sagte er.

»Alles!« Aller Kampfgeist war jetzt aus dem Mann gewichen.

»Sie werden niemandem etwas sagen. Und wenn Sie es doch tun, werde ich es erfahren und Sie finden. Und dann drehe ich Ihnen den mageren Hals um wie einem Hühnchen.«

»Ich werde kein Wort sagen!«

»Weil Ihre Anschuldigungen falsch sind, nicht wahr?«

»Ja.« Braithwaite nickte hastig. »Ja, weil sie falsch sind.«

»Sie hatten Träume, Braithwaite.«

»Die hatte ich, hatte ich.«

»Dann gehen Sie jetzt. Und vergessen Sie nicht, dass ich ein Killer bin, Braithwaite. Als Sie in Oxford waren und lernten, ein verdammter Narr zu sein, habe ich gelernt, Leute umzubringen. Und ich habe gut gelernt.«

Braithwaite flüchtete, und Sharpe blieb sitzen. Verdammt, dachte er, verdammt noch mal und dreimal verdammt! Er nahm an, er hatte dem Sekretär Angst eingejagt, und dadurch würde er schweigen, aber Sharpe war immer noch besorgt. Denn wenn Braithwaite das Geheimnis herausgefunden hatte, wer mochte es dann noch entdeckt haben? Nicht, dass es Sharpe etwas ausmachte, aber es konnte Schlimmes für Lady Grace bedeuten. Sie hatte einen Ruf zu verlieren. »Du spielst mit dem Feuer, du verdammter Idiot«, murmelte er vor sich hin. Dann nahm er die Bürste und säuberte seinen Rock zu Ende.

Pohlmann wirkte überrascht, dass Sharpe an dem Dinner teilnehmen wollte, und fragte sich bestimmt, wer ihn eingeladen haben mochte, doch er begrüßte Sharpe überschwänglich und rief dem Steward zu, einen weiteren Stuhl aufs Achterdeck zu holen.

Ein Zeichentisch war mit weißem Leinentuch und Silbergeschirr gedeckt worden. »Ich wollte Sie selbst einladen«, sagte Pohlmann zu Sharpe, »doch in der Aufregung beim Anblick des Jonathon habe ich das ganz vergessen.«

Es gab keine Priorität an diesem Tisch, denn Captain Cromwell dinierte nicht mit seinen Passagieren, doch Lord William sorgte dafür, dass er am Kopf des Tisches saß, und dann lud er den Baron freundlich ein, neben ihm Platz zu nehmen. »Wie Sie wissen, mein lieber Baron, erstelle ich gerade einen Bericht über die zukünftige Politik der Regierung Seiner Majestät gegenüber Indien, und ich würde Ihre Meinung über die verbleibenden Marathen-Staaten schätzen.«

»Ich bin mir nicht sicher, ob ich Ihnen viel erzählen kann«, sagte Pohlmann, »denn ich kenne die Marathen kaum, aber ich werde Ihnen gefällig sein, so gut ich kann.« Dann nahm zu Lord Williams offensichtlicher Verwirrung Mathilde den Platz zu seiner Linken ein und forderte Sharpe auf, sich neben sie zu setzen.

»Ich bin der Gast des Majors, Mylady«, erklärte Sharpe seine Abneigung, sich neben Mathilde zu setzen, doch Dalton schüttelte den Kopf und bestand darauf, dass Sharpe auf dem angebotenen Stuhl Platz nahm.

»Jetzt habe ich auf jeder Seite von mir einen gut aussehenden Mann!«, erklärte Mathilde in ihrem holprigen Englisch und erntete einen Blick vernichtender Herablassung von Lord William. Lady Grace, die einen Platz neben ihrem Mann verschmähte, blieb stehen, bis Lord William zu dem Stuhl neben

Pohlmann nickte, was bedeutete, dass sie Sharpe direkt gegenübersitzen würde.

In hervorragend gespielter Missbilligung blickte sie zu Sharpe und hob dann fragend die Augenbrauen für ihren Mann, der mit den Schultern zuckte, als könne er nichts dafür, dass sie das Pech hatte, gegenüber einem popeligen Ensign zu sitzen, und so nahm Lady Grace Platz. Keine acht Stunden zuvor hatte sie nackt in Sharpes Bett gelegen, doch jetzt war ihre Geringschätzung für ihn grausam offensichtlich. Fazackerly, der Anwalt, bat um die Erlaubnis, sich neben sie setzen zu dürfen, und sie lächelte ihn wohlwollend an, als sei sie erleichtert, einen Tischgefährten zu haben, mit dem sie sich zivilisiert unterhalten konnte.

»Neunundsechzig Meilen«, sagte Leutnant Tufnell, als er sich zu den Passagieren gesellt hatte. »Wir hätten mehr schaffen können, viel mehr, aber der Wind spielt nicht mit.«

»Meine Frau«, sagte Lord William und schüttelte seine Serviette aus, »behauptet, wir würden schneller vorankommen, wenn wir nicht außen an Madagaskar vorbeisegeln würden. Hat sie recht, Leutnant?« Sein Tonfall klang, als hoffe er, dass sie sich irrte.

»Sie hat tatsächlich recht, Mylord«, sagte Tufnell, »denn es gibt eine starke Strömung an der afrikanischen Küste. Doch die Madagaskar-Straße ist bekannt dafür, sehr stürmisch zu sein. Und der Captain meinte, wir könnten besser zurechtkommen, wenn wir außen herumfahren, was wir tun werden, wenn der Wind auffrischt.«

»Hörst du, Grace?« Lord William sah seine Frau an. »Der Captain kennt offenbar sein Geschäft.«

»Ich dachte, wir sind in Eile, um als Erste in London zu sein«, sagte Sharpe zu Tufnell.

Der Erste Offizier zuckte mit den Schultern. »Wir haben

stärkeren Wind erwartet. Nun, soll ich die Zunge anschneiden? Major, reichen Sie bitte den Kohlsalat weiter. Sharpe? Dies ist ein Chutney in der abgedeckten Schüssel, eine scharf gewürzte Paste aus Früchten. Baron, schenken Sie vielleicht etwas Wein ein? Major Dalton, wir schulden Ihnen Dank für den Wein und für diese sehr feine Zunge.«

Die Gäste murmelten Anerkennendes über Daltons Großzügigkeit und schauten dann zu, wie Tufnell die Zunge schnitt. Der Erste Offizier reichte die Teller mit den Portionen am Tisch weiter. »Wirklich eine feine ...«, sagte Fazackerly, als sich das Schiff unter einem Wellenkamm hob und einer der Teller aus Major Daltons Hand rutschte und dicke Scheiben von gepökelter Zunge auf das Tischtuch rutschten. »Lapsus linguae«, sagte Fazackerly ernst und wurde mit sofortigem Gelächter belohnt.

»Sehr gut!«, sagte Lord William. »Sehr gut.«

»Ihre Lordschaft ist zu freundlich«, erwiderte der Anwalt und neigte den Kopf.

Lord William lehnte sich auf seinem Stuhl zurück. »Sie haben nicht gelacht, Mister Sharpe«, bemerkte er sanft. »Vielleicht machen Sie sich nichts aus Wortspielen?«

»Wortspielen, Mylord?« Sharpe wusste, dass er lächerlich gemacht wurde, aber er sah keine Möglichkeit, das abzuwenden.

»Lapsus linguae«, sagte Lord William, »heißt sich versprechen, Versprecher.«

»Freut mich, dass Sie mir das erklärt haben«, ertönte eine kräftige Stimme vom fernen Ende des Tischs, »weil ich es auch nicht gewusst habe. Und es ist kein so besonderer Witz, auch wenn Sie es wissen.« Der Sprecher war Ebenezer Fairley, der wohlhabende Händler, der mit seiner Frau nach England zurückkehrte, nachdem er in Indien ein Vermögen gemacht hatte.

Lord William schaute den Nabob an. Es war ein korpulenter Mann mit ungehobelten Manieren und freimütigen, unkomplizierten Ansichten. »Ich bezweifle, Fairley«, sagte Lord William, »dass Latein in Ihrem Geschäft erforderlich ist. Aber das Wissen davon ist ein Attribut eines Gentleman. So wie Französisch eine Sprache der Diplomatie ist, und wir brauchen alle Gentlemen und Diplomatie, wenn dieses neue Jahrhundert eine Zeit des Friedens werden soll. Das Ziel der Zivilisation ist es, die Barbarei zu besiegen...«, er warf einen spöttischen Blick zu Sharpe, »... um Wohlstand und Fortschritt zu kultivieren.«

»Sie meinen, ein Mann kann kein Gentleman sein, wenn er nicht Latein spricht?«, fragte Ebenezer Fairley empört. Seine Frau runzelte die Stirn, vielleicht dachte sie, dass ihr Mann sich nicht mit einem Aristokraten anlegen sollte.

»Die Künste der Zivilisation«, sagte Lord William, »sind die höchsten Ziele, und jeder Gentleman sollte hohe Ziele haben. Und Offiziere...«, er blickte nicht zu Sharpe, aber jeder am Tisch wusste, wen er meinte, »... sollten Gentlemen sein.«

Ebenezer Fairley schüttelte erstaunt den Kopf. »Sie wollen doch bestimmt keinem Mann das Offizierspatent des Königs absprechen, nur weil er kein Latein kann?«

»Offiziere sollten gebildet sein«, sagte Lord William. »Richtig gebildet.«

Sharpe wollte etwas völlig Taktloses sagen, als sich ein Fuß auf seinen rechten Schuh stellte und hart drückte. Er blickte zu Lady Grace, die keine Notiz von ihm zu nehmen schien, doch es war zweifellos ihr Fuß.

»Ich stimme dir zu, mein Liebling«, sagte Lady Grace mit ihrer kältesten Stimme. »Ungebildete Offiziere sind eine Schande für die Armee.« Ihr Fuß glitt an Sharpes Unterschenkel hinauf.

Lord William, nicht an Anerkennung von seiner Frau gewöhnt, wirkte leicht überrascht und belohnte sie mit einem Lächeln. »Wenn die Armee was anderes als ein Pöbelhaufen sein will«, meinte er, »muss sie von Männern mit guter Abstammung, Geschmack und Manieren geführt werden.«

Ebenezer Fairley schnitt eine Grimasse. »Wenn Napoleon seine Armee nach Britannien führt, Mylord, wird es Ihnen egal sein, ob unsere Offiziere Latein, Griechisch, Englisch oder Suaheli sprechen, solange sie ihren Job tun.«

Lady Graces Fuß drückte härter auf Sharpes Fuß, warnte ihn, vorsichtig zu sein.

Lord William schnaubte. »Napoleon wird nicht in Britannien landen, Fairley. Die Marine wird das verhindern. Nein, der Kaiser von Frankreich...«, er sprach den Titel verächtlich aus, »...wird höchstens noch für ein Jahr den Welteroberer spielen, aber früher oder später wird er einen Fehler machen, und dann wird es eine andere Regierung in Frankreich geben. Wie viele hatten wir denn in den vergangenen paar Jahren? Wir hatten eine Republik, ein Direktorium, ein Konsulat und jetzt ein Kaiserreich. Ein Kaiserreich wovon? Von Käse? Von Knoblauch? Nein, Fairley, Bonaparte wird sich nicht halten. Er ist ein Abenteurer. Ein Halsabschneider. Er ist sicher, solange er Siege einheimst, aber kein Halsabschneider gewinnt immer. Eines Tages wird er besiegt werden, und dann werden wir ernsthafte Männer in Paris haben, mit denen wir ernsthafte Geschäfte machen können. Männer, mit denen wir Frieden machen können. Das wird bald kommen.«

»Ich hoffe, dass Eure Lordschaft recht behält«, sagte Fairley zweifelnd, »aber meines Wissens könnte dieser Napoleon bereits den Kanal überquert haben.«

»Seine Marine wird nie in See stechen«, behauptete Lord William. »Unsere Marine wird dafür sorgen.«

»Ich habe einen Bruder bei der Marine«, sagte Tufnell, »und er erzählte mir, wenn der Wind zu stark von Osten bläst, suchen die Blockadeschiffe Deckung auf, und die Franzosen können aus dem Hafen auslaufen.«

»Sie sind seit zehn Jahren nicht gesegelt«, bemerkte Lord William, »so nehme ich an, dass wir sicher in unseren Betten schlafen können.«

Lady Graces Fuß glitt zärtlich an Sharpes Wade auf und ab.

»Aber wenn der Kaiser eine Invasion in Britannien macht«, fragte Pohlmann, »wer wird dann Frankreich verteidigen?«

»Ich vertraue auf die Preußen. Auf die Preußen und die Österreicher.« Lord William schien sehr sicher zu sein.

»Nicht auf die Briten?«, fragte Pohlmann.

»Wir haben keinen Hund in dem europäischen Rattenloch«, sagte Lord William. »Wir sollten unsere Armee dazu benutzen...«, er blickte zu Sharpe, »...um unseren Handel zu schützen.«

»Sie meinen, wir würden verschwendet, wenn wir gegen die Franzosen kämpfen?«, fragte Sharpe. Lady Graces Fuß drückte warnend auf seinen.

Lord William dachte über Sharpes Worte kurz nach. Dann zuckte er mit den Schultern. »Die französische Armee würde unsere in einem Tag vernichten«, sagte er höhnisch. »Sie mögen einige Siege über indische Armeen gesehen haben, Sharpe, aber das ist kaum dasselbe, wie gegen Frankreich zu kämpfen.«

Graces Fuß drückte härter auf Sharpes Spann.

»Ich finde, wir würden unsere Sache gut machen«, behauptete Major Dalton, »und die indischen Armeen sind nicht zu verachten, Mylord, überhaupt nicht.«

»Feine Soldaten!«, sagte Pohlmann herzlich und fügte dann hastig hinzu: »Das hat man mir jedenfalls gesagt.«

»Es geht nicht um die Qualität der Soldaten«, sagte Lord William aufgebracht, »sondern um ihre Führung. Guter Gott! Selbst Arthur Wellesley schlug die Inder! Er ist ein entfernter Cousin von uns, nicht wahr, mein Liebling?« Er wartete nicht auf eine Antwort seiner Frau. »Und er war nie besonders helle. Ein ziemlich mieser Schüler.«

»Sie waren mit ihm auf der Schule, Mylord?«, fragte Sharpe interessiert.

»Eton«, sagte Lord William knapp. »Und mein jüngerer Bruder war dort mit Wellesley, der verdammt schlecht in Latein war. Er brach früh ab, glaube ich. War dem Niveau nicht gewachsen.«

»Aber er lernte, Kehlen durchzuschneiden«, sagte Sharpe.

»Ganz richtig«, stimmte der Major begierig hinzu. »Sie waren bei Argaum, Sharpe. Sie haben doch gesehen, wie er diese Sepoys antreten ließ. Die Linie war gebrochen, das feindliche Feuer wie ein Hagelschauer, Kavallerie lauerte an der Flanke, und da ist Ihr Cousin, Ma'am, und bringt die Kameraden in aller Ruhe wieder in die Linie zurück.«

»Arthur ist ein sehr ferner Cousin«, sagte Grace und lächelte Dalton an, »obwohl mich Ihre gute Meinung über ihn freut, Major.«

»Und Sharpes gute Meinung hoffentlich auch?«, sagte Dalton.

Lady Grace sah aus, als schaudere ihr bei dem Gedanken, Sharpes Meinung auch nur in Erwägung zu ziehen, und zugleich trat sie ihm heimlich ans Schienbein, sodass er fast grinste.

Lord William betrachtete Sharpe kühl. »Sie mögen Wellesley nur, weil er Sie zum Offizier gemacht hat. Was nur loyal von Ihnen, aber kaum weniger diskriminierend ist.«

»Er ließ mich auch auspeitschen, Mylord.«

Das brachte Stille an den Tisch. Lady Grace wusste als Einzige, dass Sharpe ausgepeitscht worden war, denn sie hatte mit ihren zarten Fingern über die Narben auf seinem Rücken gestreichelt, doch die übrigen Gäste am Tisch starrten ihn an, als sei er ein übles Monster, das gerade aus der See gefischt worden war.

»Sie wurden ausgepeitscht?«, fragte Dalton erstaunt.

»Zweihundert Hiebe«, sagte Sharpe.

»Die hatten Sie sich bestimmt verdient«, sagte Lord William amüsiert.

»Zufällig nicht, Mylord.«

»Na, na, Sharpe.« Lord William runzelte die Stirn. »Jeder sagt das, nicht wahr, Fazackerly? Haben Sie je erlebt, dass ein Übeltäter die Verantwortung für seine Straftat übernommen hat?«

»Nie, Mylord.«

»Es muss furchtbar wehgetan haben«, meinte Leutnant Tufnell mitfühlend.

»Das«, sagte Lord William, »ist ja auch der Sinn der Sache. Sie können keine Schlachten ohne Disziplin gewinnen, und es gibt keine Disziplin ohne die Peitsche.«

»Die Franzosen benutzen die Peitsche nicht«, sagte Sharpe sanft und starrte zum Großsegel hinauf, »und da sagen Sie mir, Mylord, dass sie uns in einem Tag vernichten werden.«

»Das ist eine Frage der Anzahl, Sharpe. Offiziere sollten auch rechnen können.«

»Ich schaffe es, bis zweihundert zu zählen«, sagte Sharpe und wurde mit einem weiteren Tritt von Grace belohnt.

Sie beendeten die Mahlzeit mit Trockenobst, dann tranken die Männer Brandy. Sharpe schlief am Nachmittag in einer Hängematte unter den Ersatzspieren auf dem Hauptdeck, auf dem die Beiboote während der Reise vertäut waren. Er träumte von der Schlacht. Er flüchtete, verfolgt von einem gigantischen Inder mit einem Speer. Er erwachte schweißnass und blickte sofort zur Sonne, denn er wusste, dass er Grace erst treffen konnte, wenn es dunkel war. Sehr dunkel. Bis alle auf dem Schiff schliefen und nur die Nachtwache an Deck war. Aber Braithwaite würde in der Dunkelheit lauern und lauschen. Was, zur Hölle, konnte er gegen Braithwaite unternehmen? Er wagte es nicht, Lady Grace von den Anschuldigungen des Mannes zu erzählen, denn das würde ihr einen Schrecken einjagen.

Er aß im unteren Zwischendeck, und als die Dunkelheit hereinbrach, schritt er auf dem Hauptdeck auf und ab. Und immer noch musste er warten, bis Lord William seine Partie Whist oder Backgammon beendet, sein Laudanum genommen hatte und zu Bett gegangen war.

Die Schiffsglocke läutete die Nacht ein, und Sharpe wartete in den tiefen Schatten zwischen dem Großmast und dem Schott, das das vordere Ende des Achterdecks bildete. Dorthin konnte sie ungesehen von jemandem aus der Mannschaft auf das Achterdeck kommen. Sie benutzte den Niedergang, der von der Kapitänskajüte hinab zur großen Kabine führte, und ging dann durch eine Tür, die auf das Hauptdeck führte. Sie schlich zwischen den Zwischenwänden aus Segeltuch hinaus durch eine Tür auf das offene Deck. Dort würde Sharpe sie an die Hand nehmen und sie hinabführen in den warmen Gestank des unteren Zwischendecks und zu seiner schmalen Koje, wo sie sich mit einem Verlangen, das sie beide erstaunte, wie Ertrinkende aneinanderklammern würden. Allein bei dem Gedanken daran wurde es Sharpe schwindlig. Er war verrückt nach Grace und wie berauscht in seiner Vorfreude.

Er wartete. Das Takelwerk knarrte. Der Großmast bewegte sich kaum wahrnehmbar unter Windstößen. Er konnte einen

Offizier auf dem Achterdeck auf und ab gehen hören und nahm das Schaben von Händen am Ruder wahr. Die Flagge flatterte am Heck, die See schwappte an den Seiten des Schiffs, und Sharpe wartete immer noch. Er starrte zu den Sternen empor, die durch die Segel hindurch sichtbar waren, und glaubte, zu Biwakfeuern einer großen Armee am Himmel zu blicken.

Er schloss die Augen, wünschte, sie würde kommen, und wünschte, dass die Reise niemals enden würde. Er wünschte, dass sie ewig Geliebte auf einem Segelschiff unter den Sternen sein konnten, denn wenn die *Calliope* in England eintreffen würde, dann würde Grace von ihm fortgehen. Sie würde zum Haus ihres Mannes in Lincolnshire gehen, und Sharpe würde nach Kent gehen, zu einem Regiment, das er noch nie gesehen hatte.

Dann wurde die Tür geöffnet, und sie war da, duckte sich in ihrem weiten Mantel neben ihn. »Komm zum Achterdeck«, flüsterte sie.

Er wollte nach dem Grund fragen, verbiss es sich jedoch, denn ihre Stimme hatte drängend geklungen, und er nahm an, wenn es für sie wichtig war, dann auch für ihn, und so ließ er sich von ihr an die Hand nehmen und zum Quartierraum auf dem Hauptdeck führen. Diese Quartiere kosteten das Gleiche wie auf dem Zwischendeck, waren jedoch viel trockener und luftiger. Es war stockfinster, denn ab neun Uhr abends war kein Licht erlaubt, mit Ausnahme in den Tageskabinen des Achterdecks, wo Fensterblenden an den schmalen Luken angebracht werden konnten.

Lady Grace umschlang seine Hand, als sie sich ihren Weg zu der Tür ertasteten, die zur großen Kabine und dann die Treppe hinaufführte. »Als ich die Kabine verließ«, flüsterte sie ihm auf dem oberen Treppenabsatz zu, »sah ich Pohlmann in die Kajüte gehen.«

Sie führte ihn zu der Tür, die sich hinten auf das Achterdeck öffnete, und sie traten hinaus, riskierten, vom Steuermann und dem Wachoffizier vom Dienst gesehen zu werden, aber wenn das der Fall war, gab es kein Anzeichen darauf. Sie stiegen zum Achterdeck hinauf, und Lady Grace wies zum Oberlicht, aus dem Captain Cromwells Anweisungen zuwider ein schwaches Licht fiel.

Sharpe und Lady Grace schlichen wie Kinder, die zu lange nach der Schlafenszeit aufgeblieben waren, nahe an das Oberlicht heran. Vier der zehn Scheiben waren geöffnet, und Sharpe konnte das Murmeln von Stimmen hören. Lady Grace spähte über die Kante und zog sich dann zurück. »Sie sind da«, flüsterte sie ihm ins Ohr.

Sharpe spähte durch eine der schmutzigen Scheiben und sah drei Männer, die ihre Köpfe über den langen Tisch beugten. Einer war Cromwell, der zweite Pohlmann. Den dritten Mann erkannte Sharpe nicht. Das Trio schien eine Karte zu betrachten. Pohlmann richtete sich auf, und Sharpe duckte sich zurück. Der Geruch von Zigarrenrauch kam durch die geöffneten Scheiben des Oberlichts.

»Morgen früh«, sagte eine Stimme, doch es war nicht Pohlmann, der Deutsch sprach, sondern ein anderer Mann. Sharpe riskierte es, sich wieder vorwärts zu neigen. Er sah, dass es Pohlmanns Diener war, der sonst Französisch sprach und behauptete, Schweizer zu sein.

»Diese Dinge sind nicht sicher, Baron«, sagte Cromwell.

»Sie haben es bis jetzt gut gemacht, mein Freund, und so bin ich sicher, dass morgen alles klappen wird«, antwortete Pohlmann.

Sharpe hörte das leise Klirren von Gläsern. Dann wichen er und Grace zurück, denn eine Hand kam in Sicht, welche die Luken des Oberlichts schloss. Das schwache Licht wurde gelöscht, und einen Moment später hörte Sharpe Cromwells grollende Stimme mit dem Steuermann auf dem Achterdeck reden.

»Wir können jetzt nicht runtergehen«, wisperte Grace Sharpe ins Ohr.

Sie zogen sich in die dunkle Ecke zwischen der Signalkanone und der Heckreling zurück, duckten sich in die Schatten und küssten sich. Erst dann fragte Sharpe, ob sie die deutschen Worte gehört hatte.

»Sie bedeuten ›morgen früh‹«, sagte Grace.

»Und der Mann, der sie zuerst sagte, soll Pohlmanns Diener sein«, raunte Sharpe. »Wieso trinkt ein Diener mit seinem Herrn? Ich habe ihn auch Französisch sprechen gehört, aber er behauptet, Schweizer zu sein.«

»Die Schweizer, Liebster«, sagte Lady Grace, »sprechen Deutsch und Französisch.«

»Tatsächlich? Ich dachte, sie sprechen Schweizerisch.«

Sie lachte. Sharpe saß mit dem Rücken zur Bordwand, und sie saß mit gespreizten Beinen auf seinem Schoss, die Knie auf beiden Seiten seiner Brust. »Ich weiß es nicht«, fuhr er fort, »vielleicht haben sie nur gesagt, dass wir morgen westwärts segeln. Seit Tagen sind wir südwärts gesegelt, wir müssen uns bald nach Westen halten.«

»Nicht zu bald«, sagte sie. »Ich hätte gern, wenn es ewig so weitergehen würde.« Sie neigte sich vor und küsste ihn auf die Nase. »Ich dachte, du würdest beim Essen erschreckend grob gegenüber William werden.«

»Ich habe doch meine Zunge gezähmt, oder? Aber nur, weil mein Schienbein grün und blau ist.« Er berührte mit einem Finger ihr Gesicht, streichelte zärtlich über ihre Wangen und den Mund. »Ich weiß, dass er dein Mann ist, meine Liebe, aber er ist bis obenhin mit Müll zugestopft. Will, dass Offiziere Latein sprechen! Wozu soll das denn gut sein?«

Lady Grace zuckte mit den Schultern. »Wenn der Feind kommt, um dich zu töten, Richard, wen willst du dann verteidigen? Einen richtig gebildeten Gentleman, der etwas mit Ovid anfangen kann, oder irgendeinen barbarischen Halsabschneider mit einem Hintern wie ein Waschbrett?«

Sharpe gab vor, nachzudenken. »Wenn du es so siehst, dann werde ich mich natürlich für den gebildeten, knackigen Hintern entscheiden.« Sie lachte, und Sharpe hatte das Gefühl, dass diese Frau für das Glück geboren war, nicht für das Leid. »Du hast mir gefehlt«, sagte er.

»Du mir auch«, bekannte sie.

Er schob seine Hände unter den großen, schwarzen Mantel und stellte fest, das sie bis auf das Nachthemd darunter nackt war. Und dann vergaßen sie beide die Sorge vor dem nächsten Morgen, vergaßen Pohlmann und den geheimnisvollen Diener, denn die *Calliope* segelte unter der Mondsichel durch die Sternennacht und trug die beiden Liebenden ins Nirgendwo.

Captain Peculiar Cromwell war den ganzen nächsten Morgen auf dem Achterdeck, schritt von backbord nach steuerbord, starrte auf den Kompass und nahm seine unruhige Wanderung wieder auf. Seine Unruhe ging auf das Schiff über, sodass die Passagiere nervös wurden und ständig zum Kapitän blickten, als rechneten sie damit, dass er in Wut geriet. Spekulationen machten an Bord die Runde, und schließlich schälte sich die Meinung heraus, dass Cromwell einen Sturm erwartete, doch der Captain traf keine Vorbereitungen. Kein Segel wurde gerefft, kein Tauwerk überprüft.

Ebenezer Fairley, der Nabob, der so ärgerlich auf Lord Williams Vorliebe für Latein reagiert hatte, kam auf der Suche nach Sharpe aufs Hauptdeck herab.

»Ich habe gehofft, Mister Sharpe, dass Sie sich gestern beim Dinner nicht zu sehr über diese Narren aufgeregt haben«, sagte er mit seiner dröhnenden Stimme.

»Über Lord William? Nein.«

»Der Mann ist ein Schwachkopf«, sagte Fairley wütend. »Hat die Blödheit, zu behaupten, wir sollten Latein sprechen! Was hat das für einen Sinn? Oder Griechisch? Er beschämt mich, ein Engländer zu sein.«

»Ich habe es ihm nicht übel genommen, Mister Fairley.«

»Und seine Frau ist nicht besser! Behandelt Sie wie Dreck, nicht wahr? Und sie wollte nicht mal mit meiner Frau sprechen.«

»Aber sie ist eine Schönheit«, sagte Sharpe sehnsüchtig.

»Eine Schönheit?« Fairley klang angewidert. »Nun ja, wenn Sie sich Splitter einfangen wollen, wenn Sie sie anfassen.« Er rümpfte die Nase. »Aber was haben beide je gelernt außer Latein? Haben sie jemals ein Weizenfeld bestellt? Eine Fabrik aufgebaut? Einen Kanal gegraben? Sie wurden geboren, das ist alles, was jemals mit ihnen geschah, sie wurden geboren.« Er erschauerte. »Ich sage Ihnen, Sharpe, ich bin kein Radikaler, aber es würde mir nichts ausmachen, eine Guillotine außerhalb des Parlaments zu sehen. Ich könnte Arbeit dafür finden, das sage ich Ihnen.« Fairley, ein großer Mann von grobschlächtiger Art, blickte zu Cromwell auf. »Peculiar hat miese Laune.«

»Die Leute sagen, ein Sturm kommt auf.«

»Dann rette Gott das Schiff«, sagte Fairley, »denn ich habe dreitausend Pfund Fracht im Laderaum. Ich habe die *Calliope* gewählt, weil sie einen guten Ruf hat. Einen sehr guten. Sie ist schnell und seetüchtig, und Peculiar ist trotz all seiner miesen Laune ein guter Seemann. Dieser Laderaum, Mister Sharpe, ist mit wertvoller Fracht vollgestopft, weil das Schiff einen guten Namen hat. Im Geschäft gibt es nichts Besseres als einen guten Namen. Hat man Sie tatsächlich ausgepeitscht?«

»Ja, hat man, Sir.«

»Und Sie sind Offizier geworden?« Fairley fragte es voller Bewunderung, als könne er es immer noch nicht glauben. »In meiner Glanzzeit habe ich ein Vermögen gemacht, Sharpe, ein beträchtliches, und das schafft man nicht, ohne die richtigen Leute zu kennen. Wenn Sie für mich arbeiten wollen, brauchen Sie's nur zu sagen. Ich mag nach Hause fahren und mich ausruhen, aber ich habe immer noch ein Geschäft zu leiten und brauche gute Männer, denen ich vertrauen kann. Ich mache Geschäfte in Indien, in China und wo immer in Europa die verdammten Franzosen mich gewähren lassen, und ich brauche fähige Mitarbeiter. Ich kann Ihnen nur zweierlei versprechen, Sharpe, dass ich Sie wie einen Hund arbeiten lassen und wie einen Prinz bezahlen werde.«

»Ich soll für Sie arbeiten, Sir?« Sharpe war erstaunt.

»Sie sprechen kein Latein, nicht wahr? Das ist schon ein Vorteil. Und Sie kennen den Handel ebenfalls nicht, aber den können Sie verdammt viel leichter lernen als Latein.«

»Mir gefällt es, Soldat zu sein.«

»Ah, das kann ich verstehen. Und Dalton erzählte mir, dass Sie gut darin sind. Aber eines Tages, Sharpe, wird irgendein Schwachkopf wie William Hale Frieden mit den Franzosen schließen, weil er Angst vor einer Niederlage hat, und an diesem Tag wird die Armee Sie ausspucken wie einen Getreidekäfer aus dem Brötchen.« Er griff in die Tasche seines Gehrocks, der sich über einem Bauch spannte, der sich vom abscheulichen Essen auf dem Schiff unbeeindruckt zeigte. »Hier.« Er reichte Sharpe eine Karte. »Das nennt meine Frau eine *carte visite*. Suchen Sie mich auf, wenn Sie einen Job wünschen.« Auf der Visitenkarte stand Fairleys Adresse, Pallisser Hall. »Ich bin in der Nähe dieses Hauses aufgewachsen«, sagte Fairley, »und mein Vater pflegte die Gossen dort mit seinen bloßen Händen zu säubern. Jetzt gehört es mir. Ich habe seine Lordschaft aufgekauft.« Er lächelte selbstzufrieden. »Es kommt kein Sturm. Peculiar hat Flöhe in seiner Hose, das ist alles. Und so sollte es auch sein.«

»So sollte es sein?«

»Ich bin nicht glücklich, dass wir aus dem Konvoi ausgebrochen sind, Sharpe. Ich billige das nicht, aber an Bord eines Schiffes ist es Peculiars Wort, das zählt, nicht meines. Man kauft sich keinen Hund und bellt dann selbst, Sharpe.« Er zog seine Taschenuhr und ließ den Deckel aufklappen. »Fast Zeit zum Mittagessen. Zweifellos der Rest dieser Zunge.«

Es wurde Mittag, und immer noch erklärte nichts Cromwells Nervosität. Pohlmann erschien an Deck, vermied es jedoch, in die Nähe des Captains zu gehen. Ein paar Minuten später schöpfte Lady Grace, begleitet von ihrem Dienstmädchen, Luft an Deck, bevor sie zum Essen in die Kapitänskajüte ging. Der Wind war leichter als seit Tagen, und das Schiff schaukelte auf den Wogen. Einige bleichgesichtige Passagiere klammerten sich an die Leereling. Leutnant Tufnell war beruhigend. Es werde keinen Sturm geben, versicherte er, denn das Barometer in der Kapitänskabine stehe gut. »Der Wind wird aber wiederkommen«, erklärte er den Passagieren auf dem Hauptdeck.

»Nehmen wir heute Kurs auf Westen?«, fragte Sharpe.

»Morgen, vermutlich«, sagte Tufnell, »jedenfalls Südwesten. Ich glaube, unser Vabanquespiel hat sich nicht ausgezahlt, und wir hätten durch die Madagaskar-Straße fahren sollen. Dennoch sind wir ein schneller Segler und sollten die verlorene Zeit im Atlantik aufholen.«

»Segel, ho!«, rief ein Ausguck vom Großmast. »Segelt backbord vor Bug!«

Cromwell rief durch das Sprachrohr: »Welche Art Segel?«

»Marssegel, Sir, mehr kann ich nicht sehen.«

Tufnell runzelte die Stirn. »Ein Marssegel bedeutet ein europäisches Schiff. Vielleicht ist es ein Franzose?« Er blickte zu Cromwell auf. »Wollen Sie vor dem Wind drehen, Sir?«

»Wir werden den Kurs beibehalten, Mister Tufnell, wir halten Kurs. Keine Halse durchführen!«

»Halse?«, fragte Sharpe.

»Das ist in der Seemannssprache ein Wendemanöver«, sagte Tufnell. »Egal, wir wollen keine Spielchen mit einem Franzosen machen.«

»Mit der *Revenant*?«

»Sprechen Sie den Namen nicht aus«, antwortete Tufnell grimmig und griff nach der Reling, um das für Abergläubige nach Sharpes Frage drohende Unheil abzuwenden. »Aber wenn wir jetzt halsen, könnten wir sie abhängen. Sie kommt gegen den Wind, wer immer es auch ist.«

Der Ausguck rief: »Es ist ein französisches Schiff, Sir!«

»Woran sehen Sie das?«, rief Cromwell zurück.

»An den Segeln, Sir!«

Tufnell blickte gequält drein. »Sir?«, wandte er sich an Cromwell.

»Die *Pucelle* ist ein in Frankreich hergestelltes Schiff, Mister Tufnell«, blaffte Cromwell. »Höchstwahrscheinlich ist es die *Pucelle*. Wir halsen nicht.«

»Pulver an Deck, Sir?«, fragte Tufnell.

Cromwell zögerte, dann schüttelte er den Kopf. »Vielleicht ist es ein Walfänger, Mister Tufnell, vielleicht nur ein Walfänger. Bleiben wir gelassen.«

Sharpe vergaß sein Essen, stieg aufs Vordeck und richtet sein Fernrohr auf das sich nähernde Schiff. Er konnte zwei Reihen von Segeln über dem Horizont sehen. Er lieh das Fernrohr den Matrosen auf dem Vordeck, und keinem gefiel, was er sah.

»Das ist nicht die *Pucelle*«, brummte einer. »Sie hat einen schmutzigen Streifen auf dem Fockmarssegel.«

»Hätte die Segel waschen können«, meinte ein anderer. »Captain Chase ist keiner, der Dreck auf einem Segel lässt.«

»Nun, wenn es nicht die *Pucelle* ist«, sagte der erste Mann, »ist es die *Revenant*, und wir sollten, nein *müssten* den Kurs ändern. Alles andere wäre blöde.«

Tufnell war mit seinem eigenen Fernrohr zum Großmars gegangen. »Französisches Kriegsschiff, Sir!«, rief er hinab aufs Achterdeck. »Schwarze Ringe auf dem Mast!«

»Die *Pucelle* hat schwarze Ringe!«, rief Cromwell zurück. »Können Sie ihre Flagge sehen?«

»Nein, Sir.«

Cromwell war einen Moment unschlüssig, dann gab er dem Steuermann einen Befehl, und die *Calliope* drehte sich schwerfällig nach Westen. Matrosen beeilten sich, die großen Segel dem neuen Winkel des Windes anzupassen.

»Sie dreht mit uns, Sir!«, rief Tufnell.

Die *Calliope* segelte jetzt schneller, und ihr Bug donnerte gegen die Wellen. Bei jedem Aufprall ging ein Zittern durch die Eichenplanken. Die Passagiere blieben stumm. Sharpe starrte durch das Fernrohr und sah, dass das ferne Schiff schwarz und gelb angestrichen war. Er dachte unwillkürlich an eine Wespe.

»Französische Fahnen, Sir!«, rief Tufnell.

»Peculiar hat zu spät abgedreht«, sagte ein Matrose in Sharpes Nähe. »Der verdammte Kerl meint, er könne über Wasser spazieren.«

Sharpe wandte sich um und spähte zu Peculiar Cromwell. Vielleicht hat der Captain dies erwartet, dachte er. *Morgen früh*, dachte er. Das Rendezvous hat nur ein paar Minuten später stattgefunden. Doch dann verwarf er den Gedanken wieder. Cromwell hatte dies sicherlich nicht erwartet, oder? Dann sah Sharpe Pohlmann durch ein Fernrohr starren und erinnerte sich, dass Pohlmann einst französische Offiziere befehligt hatte. War er nach Assaye mit Frankreich in Kontakt geblieben? Nein, dachte Sharpe, das ist undenkbar.

Dann kam Lady Grace zur Reling des Achterdecks. Sie schaute zu Sharpe, dann anzüglich zu Cromwell, dann wieder zu Sharpe, und er wusste, dass sie den gleichen undenkbaren Gedanken hatte.

»Werden wird kämpfen?«, fragte ein Passagier.

Ein Matrose lachte. »Wir können nicht gegen einen französischen 74er kämpfen. Sie hat große Geschütze, keine Achtzehnpfünder wie wir.«

»Können wir schneller segeln als sie?«, fragte Sharpe.

»Wenn wir Glück haben.« Der Mann spuckte über Bord.

Cromwell gab dem Steuermann Befehle, und für Sharpe hatte es den Anschein, als versuche der Captain, die letzten Reserven an Schnelligkeit herauszukitzeln, doch die Matrosen auf dem Vordeck waren angewidert. »Das verlangsamt uns nur«, erklärte einer von ihnen. »Jedes Mal, wenn man am Ruder dreht, verlangsamt es einen. Er sollte das lassen.« Der Matrose sah Sharpe an. »Sie sollten dieses Fernrohr verstecken, denn das Schiff hat es auf uns abgesehen.«

Sharpe rannte abwärts. Er würde seine Juwelen aus Cromwells Kabine holen müssen, aber es gab auch andere Dinge, die er retten wollte, und so stopfte er das wertvolle Fernrohr unter sein Hemd und band seine rote Offiziersschärpe darüber, dann zog er seinen roten Rock an, schnallte seinen Degen um und schob die Pistole in den Gürtel. Andere Passagiere versuchten, ihren Besitz von einigem Wert zu verstecken, Kinder weinten, und dann hörte Sharpe, gedämpft durch die Entfernung und den Schiffsrumpf, das Donnern eines Geschützes.

Er stieg eilig wieder aufs Hauptdeck zurück und erbat Cromwells Erlaubnis, das Achterdeck zu betreten. Cromwell nickte und blickte belustigt auf Sharpes Degen. »Erwarten Sie einen Kampf, Mister Sharpe?«

»Kann ich meine Wertsachen aus Ihrer Kabine haben, Captain?«, fragte Sharpe.

Cromwell runzelte die Stirn. »Alles zu seiner Zeit, Sharpe, nur die Ruhe. Ich bin jetzt beschäftigt und wäre Ihnen dankbar, wenn Sie mich das Schiff retten lassen.«

Sharpe ging zur Reling. Das französische Schiff wirkte immer noch weit entfernt, aber jetzt konnte Sharpe sehen, wie sich die See weiß vor dem Vordersteven des Schiffs brach und eine zerfasernde Rauchwolke vor dem Bug schwebte. »Sie haben gefeuert«, sagte Major Dalton, sein schweres Breitschwert an der Hüfte, als er sich zu Sharpe an die Reling gesellte, »aber die Kugel landete viel zu kurz. Tufnell sagte, sie haben nicht versucht, uns zu treffen, sie wollen nur, dass wir beidrehen.«

Ebenezer Fairley trat an Sharpes andere Seite. »Wir hätten bei dem Konvoi bleiben sollen.« Er spuckte angewidert aus.

»Ein solches Schiff«, sagte Dalton und spähte zu der massiven Flanke des französischen Kriegsschiffs, die voller Stückpforten war, »hätte den ganzen Konvoi zusammenschießen können.«

»Wir hätten die Fregatte der Company geopfert«, sagte Fairley. »Dafür ist eine Fregatte schließlich da.« Er trommelte nervös mit den Fingern auf die Reling. »Sie ist ein schneller Segler.«

»Wir auch«, sagte Major Dalton.

»Sie ist größer«, sagte Fairley brüsk, »und größere Schiffe segeln schneller als kleine.« Er wandte sich um. »Captain!«

»Ich bin beschäftigt, Fairley, sehr beschäftigt.« Cromwell schaute nicht zu dem Händler.

»Können Sie den Franzosen abhängen?«

»Wenn man mich in Frieden meinen Job machen lässt, vielleicht.«

»Was ist mit meinem deponierten Geld?«, wollte Lord William wissen. Er hatte sich zu seiner Frau aufs Deck gesellt.

»Die Franzosen«, antwortete Cromwell, »führen keinen Krieg gegen Privatpersonen. Das Schiff und seine Fracht mag vielleicht verloren gehen, aber sie werden Privatbesitz respektieren. Wenn ich Zeit habe, Mylord, werde ich meine Kabine aufschließen. Aber im Augenblick, Gentlemen, lassen Sie mich vielleicht dieses Schiff segeln, ohne mich anzukläffen?«

Sharpe blickte zu Lady Grace, doch sie ignorierte ihn, und er schaute wieder zum französischen Kriegsschiff. Fairley hämmerte weiter nervös mit den Fingern auf die Reling. »Dieser verdammte Franzose wird einen saftigen Profit machen«, sagte der Händler bitter. »Dieses Schiff ist mit der Fracht mindestens sechzigtausend Pfund wert. Sechzigtausend! Vielleicht mehr.«

Jeweils zwanzig für die Franzosen, dachte Sharpe, für Pohlmann und für Cromwell, einen Kapitän, der inbrünstig glaubt, dass der Krieg verloren ist und dass die Franzosen siegen werden. Ein Kapitän, der erklärt hatte, dass ein Mann sein Vermögen machen müsse, bevor die Franzosen die Welt übernahmen. Und zwanzigtausend Pfund waren ein wahres Vermögen, eine Summe, bei der man sein Leben lang ausgesorgt hatte. »Sie versuchen immer noch, uns einzuholen«, versuchte Sharpe, Fairley zu beruhigen. »Und dann werden sie das Schiff und die Fracht erst nach Frankreich bringen müssen. Das wird nicht leicht sein.«

Fairley schüttelte den Kopf. »So funktioniert das nicht, Mister Sharpe. Sie werden uns nach Mauritius bringen und die Fracht dort verkaufen. Es sind viele Neutrale bereit, diese

Fracht zu kaufen. Und vermutlich werden sie auch das Schiff verkaufen. Als Nächstes könnte aus der *Calliope* die *George Washington* mit Heimathafen Boston werden.« Er spuckte über die Reling. Das Ruder knarrte, als Cromwell eine weitere Korrektur veranlasste.

»Und was wird aus uns?«, fragte Sharpe.

»Sie werden uns schließlich nach Hause schicken«, sagte Fairley. »Ich weiß nicht, ob auch Sie oder den Major, denn Sie tragen ja Uniform. Sie könnten ins Gefängnis gesteckt werden.«

»Sie entlassen uns unter Bedingungen, Sharpe«, meinte Dalton beruhigend, »und wir werden in Freiheit in Port Louis leben. Ich hörte, dass es ein angenehmer Ort ist. Und ein gut aussehender junger Mann wie Sie wird jede Menge gelangweilter junger Damen finden.«

Die *Revenant*, denn es konnte kein anderes Schiff sein, feuerte wieder. Sharpe sah eine gewaltige weiße Rauchwolke hoch über dem Bug aufsteigen, und ein paar Sekunden später grollte das Donnern der Kanone übers Wasser. Eine Fontäne von weißem Wasser sprühte eine halbe Meile vor der *Calliope* auf.

»Das ist schon näher«, meinte Dalton.

»Wir sollten zurückfeuern«, grollte Fairley.

»Sie ist zu groß für uns«, sagte Dalton traurig.

Die beiden Schiffe waren auf zusammenlaufendem Kurs, und die *Calliope* hatte immer noch einen Vorsprung, doch Cromwells ständige Kurskorrekturen verlangsamten sie. »Ein paar Schüsse in ihre Takelage würden sie langsamer machen«, sagte Fairley.

»Wir werden ihr bald unser Heck zeigen«, sagte Dalton. »Da können keine Geschütze auf sie zielen.«

»Dann bringt ein Geschütz in Stellung«, sagte Fairley ärgerlich. »Guter Gott, es muss doch etwas geben, was wir tun können!«

Die *Revenant* feuerte von Neuem, und diesmal hüpfte die Kugel über die Wellen wie ein flacher Stein, der über einen Teich hüpft, und versank schließlich eine Viertelmeile vor der *Calliope*. »Das Geschütz schießt sich ein«, sagte Dalton. »Noch ein, zwei Schüsse, und wir werden getroffen.«

Lady Grace schritt energisch über das Deck und blieb zwischen Dalton und Sharpe sehen. »Major ...«, sie sprach sehr laut, damit ihr Mann hören konnte, dass sie mit dem respektablen Dalton, nicht mit Sharpe sprach, »... meinen Sie, man wird uns einholen?«

»Ich bete, dass dies nicht der Fall sein wird, Ma'am«, sagte Dalton und zog seinen Dreispitz. »Ich bete.«

»Wir werden nicht kämpfen?«, fragte sie.

»Das können wir nicht«, sagte Dalton.

Sie trug einen weiten Rock, der sich wegen ihrer Nähe zu Sharpe an seiner Hose bauschte, und er spürte, wie sie mit der Hand über den Rock strich, wie um ihn zu glätten, und dabei sein Bein berührte. Er ließ verstohlen seine Hand sinken, und sie ergriff sie fest, was niemand sehen konnte, und drückte sie. »Aber die Franzosen werden uns gut behandeln?«, fragte sie Dalton.

»Dessen bin ich sicher, Mylady«, sagte der Major. »Und es gibt viele Gentlemen an Bord dieses Schiffs, die Sie beschützen werden.«

Grace senkte ihre Stimme zum Flüsterton und drückte Sharpes Hand fest. »Pass auf mich auf, Richard«, raunte sie. Dann wandte sie sich um und kehrte zu ihrem Mann zurück.

Major Dalton folgte ihr, offensichtlich begierig darauf, sie noch mehr zu beruhigen, und Ebenezer Fairley schenkte Sharpe ein schiefes Grinsen. »So ist das also, wie?«

»Was ist so?«, fragte Sharpe ohne zu dem Händler zu blicken.

»Meine Familie hat schon immer gute Ohren gehabt. Scharfe Ohren und gute Augen. Sie und die Lady, wie?«

»Mister Fairley...«, begann Sharpe mit einem Protest.

»Seien Sie nicht blöde, Junge. Von mir wird keiner was erfahren. Aber Sie sind ein ganz Raffinierter. Und sie auch. Gut für Sie und ebenfalls für die Lady. Sie ist also nicht so schlecht, wie ich gedacht habe, wie?« Seine Miene verfinsterte sich plötzlich, als Cromwell eine weitere Korrektur am Ruder verlangte. »Cromwell!«, rief Fairley ärgerlich zum Captain. »Hören Sie auf, am Steuer herumzufummeln, Mann!«

»Ich wäre Ihnen dankbar, wenn Sie nach unten gehen, Mister Fairley«, erwiderte Cromwell ruhig. »Dies ist mein Achterdeck.«

»Und ein Teil der Fracht gehört mir!«

»Wenn Sie nicht sofort nach unten gehen, Fairley, werde ich Sie von meinem Bootsmann begleiten lassen.«

»Verdammte Unverschämtheit«, grollte Fairley, verließ aber gehorsam das Deck.

Die *Revenant* feuerte wieder, und diesmal ließ die Kanonenkugel nur ein paar Yards von der *Calliope* entfernt das Wasser aufspritzen, nahe genug, um das Heck zu übersprühen. Cromwell hatte die Wasserfontäne über der Heckreling gesehen, und die Nähe des Einschlags brachte ihn zu einem Entschluss. »Lassen Sie die Flagge einholen, Mister Tufnell.«

»Aber, Sir...«

»Flagge einholen!«, bellte Cromwell ärgerlich. »Hart am Wind segeln«, fügte er für den Steuermann hinzu. Die Flagge senkte sich vom Besan, und gleichzeitig drehte die *Calliope* ihren Bug in den Wind, sodass all die großen Segel gegen die Masten hämmerten. »Segel aufgeien!«, rief Cromwell. »Flott jetzt!«

Das Steuerrad drehte sich von selbst hin und her, reagierte

auf die Wasserwogen, die gegen das Ruder schlugen. Cromwell blickte finster zu seinen Passagieren auf dem Achterdeck. »Ich entschuldige mich«, schnarrte er, und es klang alles andere als entschuldigend.

»Mein Bargeld!«, verlangte Lord William.

»Ist sicher!«, blaffte Cromwell. »Und ich habe Arbeit zu erledigen, bevor die Franzosen eintreffen.« Er verließ das Achterdeck.

Die *Revenant* brauchte ein paar Minuten, um die *Calliope* einzuholen, doch dann drehte das französische Kriegsschiff bei und ließ ein Boot hinab. Männer standen dicht gedrängt an der Reling des französischen Schiffs und starrten auf ihre reiche Prise. Alle französischen Seeleute träumten von einem fetten Ostindienfahrer, beladen mit Schätzen, doch Sharpe bezweifelte, dass irgendeinem Franzosen eine Beute jemals so leicht zugefallen war. Dieses Schiff war den Franzosen geschenkt worden. Er konnte es nicht beweisen, aber er war fest überzeugt davon, und er drehte sich zu Pohlmann um, der seinen Blick auffing und reumütig mit den Schultern zuckte.

Bastard, dachte Sharpe, verkommener Bastard. Aber im Augenblick hatte er andere Sorgen. Er musste nahe bei Ihrer Ladyschaft bleiben und wachsam vor Braithwaite sein, aber vor allem musste er überleben. Denn es hatte Verrat gegeben, und Sharpe wollte sich dafür rächen.

KAPITEL 5

Sharpe ging zu Cromwells Kabine, als die *Revenant* ihr erstes Beiboot abfierte. Die Tür stand einen Spalt offen, aber Cromwell war nicht in der Kabine. Sharpe versuchte, den Deckel der großen Truhe anzuheben, doch sie war verschlossen. Er kehrte zurück zum Achterdeck und sah den Captain auch dort nirgendwo. Das erste französische Beiboot wurde bereits zur *Calliope* gerudert.

Sharpe eilte zurück zur Kapitänskabine, wo Lord William unentschlossen herumstand. Seiner Lordschaft behagte es nicht, Sharpe anzusprechen, doch er zwang sich zu einem höflichen Tonfall. »Haben Sie Cromwell gesehen?«

»Er ist verschwunden«, sagte Sharpe knapp und beugte sich über die Truhe. Die Größe des Schlüssellochs ließ darauf schließen, dass das Schloss in Indien hergestellt war. Das war gut, denn indische Schlösser waren leicht zu knacken. Aber es konnte auch ein europäisches Fabrikat mit indischer Schutzplatte sein, was sich als problematisch erweisen konnte. Er kramte in seiner Tasche und fischte ein kurzes Stück gebogenen Stahls heraus, das er in das Schloss schob.

»Was ist das?«, fragte Lord William.

»Ein Dietrich«, sage Sharpe. »Ich habe immer einen bei mir. Bevor ich respektabel wurde, pflegte ich mir damit meinen Lebensunterhalt zu verdienen.«

Lord William schnaubte. »Kaum etwas, um damit zu prahlen, Sharpe.« Er verstummte, erwartete wohl eine Erwiderung Sharpes, doch das einzige Geräusch war das Kratzen des Dietrichs im Schloss. »Vielleicht sollten wir auf Cromwell warten?«, schlug Lord William vor.

»Er hat Wertsachen von mir hier drin«, sagte Sharpe und stocherte mit dem Dietrich im Schloss herum, um die Halterungen zu ertasten. »Und die verdammten Franzmänner werden bald hier sein. Beweg dich, du verdammter Bastard!« Letzteres galt der ersten Halterung, nicht Lord William.

»Sie werden einen Beutel mit Bargeld darin finden, Sharpe«, sagte Lord William. »Er war zu groß, um ihn zu verstecken, und so erlaubte ich Cromwell ...« Seine Stimme verstummte, als ihm klar wurde, dass er zu viel erklärte. Er zögerte, als die erste Halterung leicht klickte, dann schaute er zu, wie Sharpe diese mit seinem Taschenmesser zurückhielt und an der zweiten arbeitete. »Sie sagen, Sie haben Cromwell Wertvolles anvertraut?«, fragte Lord William überrascht, als könne er sich nicht vorstellen, dass Sharpe etwas von Wert besaß, für das ein solcher Schutz notwendig war.

»Das habe ich Blödmann«, sagte Sharpe. Die zweite Halterung rutschte zurück, und Sharpe hob den schweren Deckel der Truhe an.

Der Gestank von Schmutzwäsche strömte ihm entgegen. Er verzog das Gesicht, dann warf er einen verdreckten Mantel, einen Stapel schmutziger Hemden und Unterwäsche beiseite. Cromwell ließ anscheinend nichts an Bord der *Calliope* waschen, sondern sammelte alles in der Truhe, bis er wieder an Land war. Sharpe warf mehr und mehr schmutzige Kleidungsstücke zur Seite, bis er den Fuß der Truhe erreichte. Da waren keine Juwelen. Keine Diamanten, keine Rubine, keine Smaragde. Kein Beutel mit Bargeld. »Dieser verdammte Bastard!«, sagte er bitter und schob sich grob an Lord William vorbei, um Cromwell an Deck zu suchen.

Es war zu spät. Der Captain stand bereits an der Eingangsklappe zum Hauptdeck, wo er einen großen französischen Marineoffizier mit einem prachtvoll vergoldeten blauen Rock, roter Weste und Kniehose und weißen Strümpfen begrüßte. Der Franzose nahm als höfliche Geste seinen salzbefleckten Zweispitz ab. »Sie übergeben das Schiff?«, fragte er Cromwell in gutem Englisch.

»Ich habe verdammt keine Wahl, oder?«, sagte Cromwell und blickte zur *Revenant*, die vier ihrer Stückpforten geöffnet hatte, um jeden auf der *Calliope* vom Versuch sinnlosen Widerstands abzuhalten. »Wer sind Sie?«

»Ich bin Capitaine Montmorin.« Der Franzose verneigte sich. »Capitaine Louis Montmorin, und Sie haben mein Mitgefühl, Monsieur. Und Sie sind...?«

»Cromwell.«

Montmorin, der französische Captain, von dem Captain Joel Chase so bewundernd gesprochen hatte, wandte sich jetzt an seine Matrosen, die ihm auf die *Calliope* gefolgt waren, um das Mitteldeck zu füllen. Als der Offizier ihnen seine Befehle gegeben hatte, blickte er zu Cromwell zurück. »Habe ich Ihr Wort, Captain, dass weder Sie noch Ihre Offiziere irgendetwas Unbesonnenes versuchen werden?« Er wartete, bis Cromwell widerwillig genickt hatte, und lächelte. »Dann wird sich Ihre Mannschaft auf dem Vordeck versammeln. Sie und Ihre Offiziere werden sich in Ihre Quartiere zurückziehen und alle Passagiere werden in ihre Kabinen zurückkehren.« Er ließ Cromwell stehen und stieg zum Achterdeck hinauf. »Ich bitte um Verzeihung wegen der Unannehmlichkeiten, Ladies and Gentlemen«, sagte er höflich, »aber Sie müssen in Ihre Kabinen gehen. Sie, Gentlemen...«, er hatte sich umgewandt, um Sharpe und Dalton zu betrachten, die als Einzige auf dem Achterdeck militärische Uniform trugen, »... Sie sind britische Offiziere?«

»Ich bin Major Dalton.« Dalton trat vor und wies auf Sharpe. »Und dies ist mein Kollege, Mister Sharpe.«

Dalton hatte begonnen, sein schottisches Breitschwert zu einer förmlichen Kapitulation zu ziehen, doch Montmorin runzelte die Stirn und schüttelte den Kopf, wie um zu sagen, dass eine solche Geste unnötig war. »Geben Sie mir Ihr Wort, dass Sie meine Befehle befolgen werden, Major?«

»Jawohl, das tue ich«, sagte Dalton.

»Dann können Sie Ihr Schwert behalten.« Er lächelte, doch seine freundlichen Worte erhielten einen harten Beigeschmack, als drei französische Seesoldaten in blauen Röcken aufs Achterdeck stiegen und ihre Musketen auf Dalton richteten.

Der Major trat zurück und forderte Sharpe mit einer Geste auf, ihm zu folgen. »Bleiben Sie bei mir«, raunte er.

Montmorin bemerkte jetzt Lady Graces Anwesenheit und grüßte sie, indem er wieder seinen Zweispitz abnahm und sich schwungvoll verbeugte. »Es tut mir leid, dass ich Ihnen Unannehmlichkeiten machen muss.«

Lady Grace schien den Franzosen gar nicht wahrzunehmen, doch Lord William sprach zu ihm in fließendem Französisch. Was er sagte, schien den französischen Capitaine zu belustigen, und er verbeugte sich ein zweites Mal vor Lady Grace. »Niemand wird belästigt«, sagte Montmorin dann mit lauter Stimme, »solange Sie mit der Prisen-Mannschaft zusammenarbeiten. Und jetzt, Ladies and Gentlemen, bitte zu Ihren Kabinen.«

»Captain!«, rief Sharpe. Montmorin wandte sich um und blickte Sharpe fragend an. »Ich will Cromwell haben«, sagte Sharpe und ging auf den Niedergang zum Hauptdeck zu. Cromwell blickte alarmiert drein, doch dann blockierte ein französischer Seesoldat Sharpes Weg.

»In Ihre Kabine, Monsieur!«, befahl Montmorin.

»Cromwell!«, rief Sharpe und versuchte, sich an dem Seesoldaten vorbeizuzwängen, doch ein zweiter Soldat mit Muskete und aufgepflanztem Bajonett trat Sharpe entgegen und trieb ihn zurück.

Pohlmann und Mathilde, die nicht auf dem Achterdeck gewesen waren, als die Franzosen an Bord gekommen waren, tauchten jetzt auf, und bei ihnen war der Schweizer Diener, der nicht mehr in tristes Grau gekleidet war und einen Degen trug. Er begrüßte Montmorin in fließendem Französisch, und der Kapitän der *Revenant* verbeugte sich tief vor dem sogenannten Diener. Dann sah Sharpe nichts mehr, denn die französischen Seesoldaten drängten die Passagiere vom Deck. Und Sharpe folgte Dalton widerwillig zu dessen Kabine, die doppelt so groß wie Sharpes Quartier und mit Holz anstatt Segeltuch abgeteilt war. Die Kabine war mit einer Koje, einem Schreibtisch und Stuhl und einer Truhe eingerichtet. Dalton bat Sharpe mit einer Geste, auf der Koje Platz zu nehmen, hängte sein Schwert und den Gurt an den Haken an der Tür und entkorkte eine Flasche.

»Französischer Brandy«, sagte er unglücklich, »um uns über den französischen Sieg zu trösten.« Er schenkte in zwei Gläser ein. »Ich dachte mir, Sie haben es hier komfortabler als im Bauch des Schiffes, Sharpe.«

»Das ist freundlich von Ihnen, Sir.«

»Und um ehrlich zu sein«, sagte der Major, »freue ich mich über etwas Gesellschaft. Ich befürchte, die nächsten Tage werden äußerst langweilig sein.«

»Das befürchte ich auch, Sir.«

»Aber sie können uns nicht ewig hier einsperren.« Er überreichte Sharpe ein Glas Brandy. Dann spähte er durch das Kajütfenster. »Weitere Boote und mehr Männer treffen ein. Schrecklich aussehende Gauner. Ich weiß nicht, wie Sie es gesehen haben, aber ich finde, dass Cromwell nur halbherzig versucht hat, dem Feind zu entkommen. Ich bin natürlich kein

Seemann, aber Tufnell hat mir erzählt, dass wir noch andere Segel hätten setzen können. Ich glaube, er nannte sie Leesegel. Kann das stimmen?«

»Ich bezweifle, dass Peculiar es überhaupt versucht hat«, sagte Sharpe verdrossen.

Cromwell hat sich absichtlich vom Konvoi abgesondert, und dann ist er absichtlich hierhergesegelt, in dem Wissen, dass die *Revenant* ihn erwartet. Der englische Captain hat zum Schein einen Fluchtversuch gemacht und eine dürftige Schau von Widerstand geleistet, als Montmorin an Bord kam. Sharpe nahm immer noch an, dass die *Calliope* verkauft worden war, lange bevor die *Revenant* in Sicht gekommen war.

»Aber Sie und ich sind keine Seeleute«, sagte Dalton. Dann runzelte er die Stirn, als oben Stiefel über Deck trampelten, offenbar in Pohlmanns Quartier in der Achterkajüte. Etwas Schweres fiel aufs Deck, dann war ein scharrendes Geräusch zu hören. »Ach je«, stieß Dalton hervor, »jetzt plündern sie uns aus.« Er seufzte. »Der Allmächtige weiß, wann wir alle freigelassen werden. Ich hoffe, dass wir wenigstens im Herbst zu Hause sein werden.«

»Es wird in Edinburgh kalt sein, Sir«, sagte Sharpe.

Dalton lächelte. »Ich hab ganz vergessen, wie sich Kälte anfühlt. Wo sind Sie daheim, Sharpe?«

Sharpe zuckte mit den Schultern. »Ich habe in London und Yorkshire gelebt, Sir, und ich weiß nicht, ob ich das als Zuhause bezeichnen kann. Die Armee ist mein richtiges Zuhause.«

»Kein schlechtes, Sharpe. Da hätten Sie es schlimmer treffen können.«

Der Brandy machte Sharpe benebelt, und er lehnte ein zweites Glas ab. Das Schiff, bisher sonderbar ruhig auf dem Wasser, schaukelte. Sharpe ging zum Kajütfenster und sah, dass die französischen Seeleute die Ersatzspieren vom Hauptdeck mit Beibooten zur *Revenant* brachten, während andere Boote Weinfässer, Wasser und Nahrungsmittel hinüber transportierten.

Das französische Kriegsschiff war höchstens halb so lang wie die *Calliope*, aber seine Decks waren viel höher. Alle Stückpforten waren jetzt geschlossen, doch es wirkte immer noch bedrohlich, wie es sich im Ozean hob und senkte. Das Kupfer an seiner Wasserlinie glänzte und ließ darauf schließen, dass erst vor Kurzem der Rumpf sauber geschrubbt worden war.

Schritte erklangen in dem engen Durchgang, und plötzlich klopfte es an der Tür.

»Herein!«, rief Major Dalton. Er erwarte einen der anderen Passagiere, doch es war Capitaine Louis Montmorin, der sich durch die niedrige Tür duckte, gefolgt von einem noch größeren Mann, der ebenfalls in blaurot uniformiert war. Mit den beiden großen Franzosen wirkte die Kabine sehr ausgefüllt.

»Sie sind der ranghöchste englische Offizier an Bord?«, fragte Montmorin den Major.

»Ich bin Schotte«, erwiderte Dalton zornig.

»*Pardonnez-moi.*« Montmorin war belustigt. »Erlauben Sie mir, Ihnen Lieutenant Bursay vorzustellen.« Der Capitaine wies auf den großen Mann, der an der Tür aufragte. »Lieutenant Bursay wird der Kapitän der Prisenmannschaft sein, die dieses Schiff nach Mauritius segelt.«

Der Lieutenant war ein grob aussehender Mann mit einem ausdruckslosen Gesicht, das zuerst von Pocken und dann von Waffen Narben bekommen hatte. Seine rechte Wange war bläulich von verbranntem Pulver gezeichnet, und seine Uniform wies Flecken von getrocknetem Blut auf. Er hatte enorm große Hände mit geschwärzten Handflächen, was darauf schließen ließ, dass er einst in der Takelage gearbeitet hatte, und an seiner Seite hingen ein Entermesser mit breiter Klinge und eine langläufige Pistole. Montmorin sprach auf Französisch mit dem Lieutenant, dann wandte er sich an Dalton. »Ich habe ihm gesagt, dass er sich bei allem, was die Passagiere betrifft, an Sie wenden soll.«

»*Merci, Capitaine*«, sagte Dalton und blickte zu dem riesigen Bursay. »*Parlez-vous anglais?*«

Bursay starrte Dalton einen Moment ausdruckslos an. »Nein«, grunzte er schließlich.

»Sprechen Sie Französisch?«, fragte Montmorin Dalton.

»Einigermaßen.«

»Das ist gut. Und ich versichere Ihnen, Monsieur, dass keinem Passagier etwas geschehen wird, solange Sie alle Lieutenant Bursays Befehle befolgen. Diese Befehle sind sehr einfach. Sie müssen unter Deck bleiben. Sie dürfen auf dem Schiff überallhin gehen, nur nicht an Deck. Bewaffnete Männer werden jedes Luk bewachen, und diese Männer haben den Befehl zu schießen, wenn jemand diese einfachen Befehle missachtet.« Er lächelte. »Es wird drei, vielleicht vier Tage bis Mauritius dauern. Länger, befürchte ich, wenn sich der Wind nicht bessert. Und, Monsieur, lassen Sie mich noch einmal sagen, wie sehr ich Ihre Unannehmlichkeiten bedaure. *C'est la guerre.*«

Montmorin und Bursay gingen, und Dalton schüttelte den Kopf. »Dies ist eine traurige Sache, Sharpe, wirklich traurig.«

Die Geräusche aus Pohlmanns Kabine über ihnen waren verstummt, und Sharpe blickte zur Decke. »Macht es Ihnen was aus, wenn ich auf Erkundung gehe, Sir?«

»Sie wollen erkunden? Hoffentlich nicht an Deck! Guter Gott, Sharpe, meinen Sie, die schießen wirklich auf uns? Das ist sehr unzivilisiert, finden Sie nicht auch?«

Sharpe gab keine Antwort, sondern ging hinaus in den Durchgang und stieg, gefolgt von Dalton, die schmale Treppe zur Kapitänskajüte hinauf. Die Tür stand offen, und Sharpe traf einen untröstlichen Leutnant Tufnell an, der in einen fast leeren Raum starrte. Die Stühle waren ebenso entfernt wie die Vorhänge aus Chintz und der Kronleuchter. Der Tisch, der am Boden befestigt war, stand noch, weil er zu schwer gewesen war, um auf die Schnelle abtransportiert zu werden. »Die Möbel haben dem Captain gehört«, sagte Tufnell, »und sie haben sie gestohlen.«

»Was ist sonst noch gestohlen worden?«, fragte Dalton.

»Nichts von mir«, sagte Tufnell. »Sie haben Tauwerk, Spieren und einige Nahrungsmittel – die Sachen, die sie auf Mauritius verkaufen können – mitgenommen, aber die Fracht nicht angerührt.«

Sharpe ging in den Durchgang zurück und zur Tür von Pohlmanns Kabine, die zwar geschlossen, jedoch nicht abgeschlossen war. All seine argwöhnischen Vermutungen wurden bestätigt, als er die Tür aufschob, denn die Kabine war leer. Die beiden mit Seide bezogenen Sofas waren verschwunden, ebenso Mathildes Harfe und der niedrige Tisch. Nur das Sideboard und die Koje, beides ungeheuer schwer, waren noch auf den Boden genagelt. Sharpe schritt zum Sideboard, zog die Türen auf und stellte fest, dass alles außer ein paar leeren Flaschen ausgeräumt war. Die Laken, Decken und Kissen waren von der Koje verschwunden, nur die Matratze war noch da.

»Zur Hölle mit ihm«, sagte Sharpe.

»Wen meinen Sie?«, fragte Dalton, der Sharpe in die Kabine gefolgt war.

»Den Baron von Dornberg, Sir.« Sharpe entschloss sich, Pohlmanns wahre Identität nicht preiszugeben, denn Dalton würde zweifellos wissen wollen, weshalb er, Sharpe, den Betrüger nicht zuvor entlarvt hatte, und Sharpe glaubte nicht, dass er diese Frage zufriedenstellend beantworten konnte. Er wusste auch nicht, ob dies das Schiff gerettet hätte, denn Cromwell war genauso schuldig wie Pohlmann.

Sharpe ging dem Major und Tufnell voran die Treppe hinunter zu Cromwells Quartier und stellte fest, dass es ebenso leer geräumt war wie Pohlmanns Kabine. Die schmutzige Kleidung war verschwunden, die Bücher waren aus den Regalen geräumt worden und Chronometer und Barometer befanden sich nicht mehr in dem kleinen Schrank. Die große Truhe war weg.

»Der gottverdammte Cromwell!«, fluchte Sharpe. Er machte sich nicht die Mühe, in die Kabine zu blicken, die von Pohlmanns »Diener« benutzt wurde, denn er war überzeugt, dass sie ebenso leer wie diese war. »Sie haben das Schiff verkauft, Sir«, sagte er zu Dalton.

»Sie haben – was?«, fragte der Major entsetzt.

»Sie haben das Schiff verkauft. Der Baron und Cromwell. Zum Teufel mit ihnen.« Er trat gegen das Tischbein. »Ich kann es nicht beweisen, Sir, aber es war kein unglücklicher Zufall, dass wir den Konvoi verloren haben, und kein Zufall, dass wir der *Revenant* begegnet sind.« Er rieb sich müde übers Gesicht. »Cromwell glaubt, dass der Krieg verloren ist. Er denkt, dass wir unter französischer Duldung, wenn nicht gar Herrschaft leben werden, deshalb hat er an die Gewinner verkauft.«

»Nein!«, protestierte Leutnant Tufnell.

»Ich kann es nicht glauben, Sharpe«, sagte der Major, doch seine Miene drückte das Gegenteil aus. »Ich meine, der Baron, ja! Er ist ein Ausländer. Aber Cromwell?«

»Ich habe keinen Zweifel, dass es die Idee des Barons war. Er hat vermutlich mit allen Kapitänen des Konvois gesprochen, als sie in Bombay gewartet haben, und seinen Mann in Cromwell gefunden. Jetzt haben sie die Schmucksachen der Passagiere gestohlen, das Schiff verkauft und sind desertiert. Warum sonst ist der Baron auf die *Revenant* verschwunden? Warum ist er nicht bei den übrigen Passagieren geblieben?« Er hätte fast nicht »Baron«, sondern »Pohlmann« gesagt, sich jedoch rechtzeitig besonnen.

Dalton setzte sich auf den leeren Tisch. »Cromwell hat eine Uhr für mich aufbewahrt«, sagte er traurig. »Eine wertvolle, die meinem lieben Vater gehört hat. Sie ging nicht ganz genau, aber sie war sehr wertvoll für mich.«

»Das tut mir leid, Sir.«

»Wir können nichts daran ändern«, sagte Dalton bekümmert. »Wir sind ausgeplündert worden, Sharpe!«

»Gewiss nicht von Cromwell!«, sagte Tufnell verwundert. »Er war so stolz, Engländer zu sein!«

»Leider liebt er Geld mehr als sein Land«, sagte Sharpe bitter.

»Und Sie haben mir selbst gesagt, dass er ernsthafter hätte versuchen können, der *Revenant* zu entkommen«, sagte Dalton zu Tufnell.

»Das hätte er gekonnt, das wäre gar nicht so schwierig gewesen«, gab Tufnell zu, entsetzt über Cromwells Verrat.

Sie gingen zu Ebenezer Fairleys Kabine, und der Händler stieß einen Grunzlaut aus, als er Sharpes Geschichte gehört hatte, wirkte jedoch nicht sonderlich überrascht. »Ich habe schon erlebt, dass Leute ihre eigene Familie für eine Scheibe vom Profit verkauft haben. Und Peculiar war immer schon ein gieriger Mann. Kommt rein, ihr drei. Ich habe Brandy, Wein, Rum und Arrak, was getrunken werden muss, bevor diese französischen Scheißer es finden.«

»Ich hoffe, Cromwell hat keine Ihrer Wertsachen veruntreut?«, fragte Dalton besorgt.

»Sehe ich aus wie ein Blödmann?«, fragte Fairley. »Er hat es versucht! Er hat mir sogar gesagt, dass ich ihm meine Wertsachen nach den Vorschriften der Company übergeben müsste, doch ich erwiderte, dass ich kein Narr sein werde!«

»Das war richtig«, sagte Dalton und dachte an die Uhr seines Vaters. Sharpe sagte nichts.

Fairleys Frau, eine mollige und mütterliche Dame, sprach die Hoffnung aus, dass die Franzosen das Abendessen auftischen würden. »Es wird nichts Besonderes sein, Mutter«, sagte Fairley zu seiner Frau. »Kein Essen, wie man es in der Kapitänskajüte bekommen hat, es wird *burgoo* sein, meinen Sie nicht auch, Sharpe?«

»Ich kann es mir vorstellen, Sir.«

»Gott weiß, wie das Seiner Lordschaft gefallen wird«, sagte Fairley und nickte zu Lord Williams Kabine hin, bevor er verschlagen zu Sharpe blickte. »Sieht aus, als ob Ihre Ladyschaft es nicht mit ihm zu teilen scheint.«

»Ich bezweifle, dass ihr *burgoo* schmecken wird«, sagte Dalton ernst.

Es war fast Nacht, als die Franzosen alles von der *Calliope* mitgenommen hatten, was sie gebrauchen konnten. Sie nahmen Pulver, Tauwerk, Spieren, Nahrungsmittel, Wasser und alle Beiboote. Von der Fracht nahmen sie nichts mit. Sie würde wie das Schiff auf Mauritius verkauft werden. Das letzte beladene Boot ruderte zum Kriegsschiff zurück, als singende Matrosen bereits die Focksegel in den Wind drehten. Männer winkten vom Achterdeck der *Calliope*, als das schwarzgelbe Schiff abdrehte.

»Es segelt zum Kap der guten Hoffnung. Sucht bestimmt nach chinesischen Handelsschiffen.«

Die *Calliope*, jetzt mit der Trikolore über der Flagge der Company, setzte sich in Bewegung, zuerst langsam, denn ihre Prisencrew war klein, und sie brauchte über eine halbe Stunde, um alle Segel zu setzen, doch in der Abenddämmerung segelte das große Schiff glatt im leichten Wind ostwärts.

Zwei der eigenen Seeleute der *Calliope* durften den Passagieren Abendessen bringen, und Fairley lud den Major, Tufnell und Sharpe zum Essen in seiner Kabine ein. Die Mahlzeit war ein Topf Eintopf aus gekochtem Hafermehl mit Salzfleischfett und Trockenfisch, und Fairley erklärte, es sei das beste Essen, das er jemals an Bord gehabt hatte. Er sah seiner Frau an, dass sie angewidert war. »Du hast Schlimmeres gegessen, als wir gerade erst verheiratet waren.«

»Ich habe für dich gekocht, als wir geheiratet haben«, gab sie empört zurück.

»Meinst du, das hätte ich vergessen?«, sagte Fairley und schob sich einen weiteren Löffel mit *burgoo* in den Mund.

Das Licht verblasste in der Kabine, während sie zu Abend aßen, aber keiner aus der Prisencrew hatte erklärt, ob die Passagiere Lampen benutzen durften oder nicht, und so zündete Fairley jede Lampe an, die er finden konnte, und hängte sie in die Heckfenster. »Es sollen britische Schiffe in diesem Ozean sein«, sagte er. »Sie sollen uns sehen.«

»Geben Sie mir einige Laternen«, sagte Sharpe. »Und ich werde sie ins Fenster der Kabine des Barons hängen.«

»Guter Mann«, sagte Fairley.

»Und Sie könnten auch dort schlafen, Sharpe«, sagte der Major. »Ich kann Ihnen eine Decke geben.«

»Wir werden Ihnen eine Decke und Laken geben, Junge«, sagte Fairley, und seine Frau öffnete eine Reisetruhe und nahm einen Haufen Bettzeug heraus, das sie Sharpe überreichte, während Fairley zwei Laternen aus dem Durchgang zu seiner Kabine holte. »Brauchen Sie eine Zunderbüchse?«

»Ich habe eine«, sagte Sharpe.

»Jedenfalls bekommen Sie für ein, zwei Tage eine gute Kabine«, meinte Fairley, »denn nur Gott weiß, wie es uns auf Mauritius ergehen wird. Bettwanzen und französische Läuse, nehme ich an. Ich habe mal in Calais übernachtet. Und ich habe nie ein so dreckiges Quartier gehabt. Erinnerst du dich daran? Du hattest noch eine Woche danach Verstopfung.«

»Henry!«, protestierte Mrs. Fairley.

Sharpe stieg die Treppe zu Pohlmanns großer leerer Kabine hinauf und belegte sie. Er zündete die beiden Laternen an, stellte sie auf den Sitz im Heck und machte dann das Bett. Das Ruder knarrte. Er öffnete eines der Fenster, klopfte gegen den Rahmen, um das angeschwollene Holz zu lockern, und starrte hinab auf das ruhige Kielwasser der *Calliope*. Eine Mondsichel erhellte die See und versilberte einige kleine Wolken, doch keine Schiffe waren zu sehen. Über ihm auf dem Achterdeck lachte ein Franzose.

Sharpe entledigte sich seines Degens und des Rocks, war jedoch zu angespannt, um zu schlafen, und so legte er sich nur auf das Bett, starrte auf die weiß angestrichenen Planken über sich und dachte an Grace. Er nahm an, dass sie und ihr Mann getrennt schlafen würden wie in jeder anderen Nacht, und er fragte sich, wie er sie wissen lassen konnte, dass er es sich jetzt im Luxus bequem machte.

Dann hörte er, dass sich im benachbarten Quartier Stimmen erhoben. Er schwang sich vom Bett und presste sein Ohr an die dünne hölzerne Trennwand. In der vornehmsten Kabine mussten sich mindestens drei Männer aufhalten, und sie sprachen Französisch. Sharpe konnte Lord Williams Stimme erkennen, die ärgerlich klang, aber er hatte keine Ahnung, was gesagt wurde. Vielleicht beschwerte sich Seine Lordschaft über das Essen, und dieser Gedanke ließ Sharpe lächeln. Er kehrte zum Bett zurück.

In diesem Augenblick schrie Lord William auf. Es war ein sonderbarer Laut, wie der eines Hundes. Sharpe stand wieder auf und stemmte sich gegen das langsame Rollen des Schiffes. Jetzt herrschte wieder Stille. Sharpe presste abermals sein Ohr an die dünne Trennwand und hörte, wie ein Franzose wieder und wieder ein Wort sagte, dass wie *Bi-juu* klang. Dann sprach Lord William mit gedämpfter Stimme und grunzte, als hätte ihm jemand in den Bauch geschlagen und alle Luft aus ihm getrieben.

Sharpe hörte, wie die Tür zwischen Lord Williams beiden Kabinen geöffnet und geschlossen wurde. Es klickte, als der Riegel vorgeschoben wurde. Ein Mann sagte etwas auf Französisch, diesmal von der Heckkabine, die das breite Fenster mit Sharpes behelfsmäßigem Quartier teilte. Lady Grace antwortete ihm auf Französisch, offenbar protestierte sie, und dann schrie sie.

Sharpe richtete sich ruckartig auf. Er erwartete, dass Lord William eingriff, doch es blieb still, und dann stieß Grace einen zweiten Schrei aus, der abrupt erstickt wurde.

Sharpe warf sich gegen die Trennwand. Er hätte durch den Durchgang und durch die Tür der benachbarten Kabine gehen können, aber er gelangte am schnellsten zu Grace, wenn er die dünne Trennwand durchbrach, und so prallte er wuchtig mit der Schulter dagegen, sodass das dünne Holz splitterte. Mit einem Kriegsschrei sprang Sharpe durch das entstandene Loch.

Lieutenant Bursay hockte auf dem Bett und drückte Lady Grace nieder. Der große Lieutenant hatte ihr Kleid am Ausschnitt aufgerissen und versuchte nun, es ihr ganz von den Brüsten zu zerren, während er ihr gleichzeitig mit einer Hand den Mund zuhielt.

Er fuhr herum und sah Sharpe, doch er reagierte viel zu langsam, denn Sharpe packte den Lieutenant bereits am breiten Rücken und krallte die Linke in sein fettiges Haar. Er riss den Kopf des Franzosen zurück und schlug mit der Handkante auf seinen Nacken. Er traf ihn nicht richtig und schlug ein zweites Mal zu, doch Bursay gelang es, Sharpe abzuwerfen, sich umzudrehen und ihn mit den Fäusten anzugreifen. In diesem Augenblick hämmerte jemand an die Kabinentür, die Bursay abgeschlossen hatte.

Bursay hatte seinen Rock ausgezogen und den Degengurt abgelegt, aber jetzt packte er den Griff des Entermessers, zog die Klinge aus der Scheide und hackte damit nach Sharpe.

Lady Grace kauerte am Kopfende des Bettes und raffte die Fetzen ihres Kleides am Hals zusammen. Auf dem Bett waren Perlen verstreut. Bursay war offenbar gekommen, um Lord Williams Besitz zu plündern, und hatte Grace am begehrenswertesten davon gefunden.

Sharpe warf sich durch die zertrümmerte Trennwand zurück in Pohlmanns ehemalige Kabine. Sein eigener Degen lag auf dem Bett, er zog ihn aus der Scheide und schwang ihn, als der große Franzose durch das zersplitterte dünne Holz stieg. Bursay parierte den Hieb, und während das Klirren der Klingen noch durch die Kabine hallte, griff er Sharpe an.

Sharpe versuchte den Degen in Bursays Bauch zu spießen, doch Bursay schlug den Stahl verächtlich zur Seite und stieß den Griff des Entermessers nach Sharpes Kopf. Der Hieb ließ Sharpe taumeln. Er sah Sterne und dann Dunkelheit, als er rückwärts fiel. Er rollte sich verzweifelt nach rechts, als das Entermesser in den Boden rammte, dann schwang er den Degen in einem wilden und unbeholfenen Rückhandschlag, der keinen Schaden anrichtete, Bursay jedoch veranlasste, zurückzuweichen.

Sharpe rappelte sich auf. Noch benommen nahm er wahr, dass die verriegelte Tür zwischen Lord Williams beiden Kabinen aufgebrochen wurde. Bursay grinste. Er war so groß, dass er sich unter den Deckenbalken ducken musste, aber er war siegessicher, denn nach seinem Treffer torkelte Sharpe immer noch leicht. Der Griff des Enterhakens hatte seine Stirn aufgerissen, aus der Blut auf seine Wange hinablief.

Er schüttelte den Kopf, versuchte, eine klare Sicht zu bekommen. Er wusste, dass dieser Hüne so wild und schnell war wie er selbst. Der Lieutenant duckte sich unter einem Deckenbalken und griff Sharpe mit dem Entermesser an. Sharpe parierte. Bursay stieß einen grollenden Laut aus und schwang das Entermesser wie eine Sense.

Sharpe warf sich gegen die Kajütenwand zurück, und der Franzose glaubte, dass er gewonnen hatte, doch Sharpe schnellte zurück, den Degen wie einen Speer nach vorn gereckt, und stieß ihn in Bursays Hals. Geistesgegenwärtig wich er dem Entermesser aus. Es kam ihm vor, als ob sein Stoß nichts bewirkt hätte, denn er hatte keinen Widerstand gespürt, doch Bursay wankte, und Blut lief auf seinen Rock. Der rechte Arm des Franzosen sackte herab, sodass die Spitze des Entermessers den Boden berührte. Bursay starrte Sharpe verwirrt an und presste die linke Hand auf seinen Hals, aus dem das Blut pulsierte, und dann taumelte er, fiel auf die Knie und stieß einen gurgelnden Laut aus.

Ein Seesoldat trat durch die zersplitterte Trennwand und starrte entsetzt auf den großen Lieutenant, der fassungslos zu Sharpe aufblickte. Dann fiel Bursay vorwärts, prallte mit dem Kopf hart auf, und ein Schwall Blut spritzte über den Boden und versickerte in den Ritzen zwischen den Planken.

Der Seesoldat hob seine Muskete an, doch in diesem Augenblick blaffte eine befehlsgewohnte Stimme etwas auf Französisch, und der Mann ließ die Waffe sinken. Major Dalton stieß den Seesoldaten zur Seite und sah Bursay, zuckend im Todeskampf, am Boden.

»Haben Sie das gemacht, Sharpe?«, fragte der Major, kniete sich nieder und hob den Kopf des Lieutenant an, ließ ihn jedoch schnell wieder sinken, als Blut aus der Wunde in seinem Hals sprudelte.

»Ja, er wollte mich mit seinem Entermesser bestimmt nicht streicheln«, erwiderte Sharpe. Er wischte die Spitze der Degenklinge am Saum seines Rocks ab, schob sich an dem Seesoldaten vorbei und spähte durch die beschädigte Trennwand. Lady Grace kauerte immer noch zitternd auf dem Bett. Sie starrte ihn an.

Dalton sprach auf Französisch mit dem Seesoldaten, befahl ihm offenbar, sich auf dem Achterdeck zu melden, dann spähte Lord William um die zerschmetterte Trennwand herum, sah Bursays Leiche und blickte zu Sharpes blutigem Gesicht auf.

»Was ...«, begann er, doch dann fehlten ihm die Worte. Auf Lord Williams Wange war eine blutige Schramme, die ihm Bursay zugefügt hatte. Der Franzose lag jetzt reglos da. Lady Grace schluchzte immer noch, rang um Atem und stieß einen wimmernden Laut aus.

Sharpe warf seinen Degen auf Pohlmanns Bett und schob sich an Lord William vorbei. »Es ist alles in Ordnung, Mylady«, sagte er, »er ist tot.«

»Tot?«

»Ja, er ist tot.«

Ein seidener, bestickter Morgenrock, vermutlich der von Lord William, hing über dem Fuß des Bettes, und Sharpe zog ihn herab und warf ihn Lady Grace zu. Sie legte ihn um ihre Schultern. Dann begann sie wieder zu zittern. »Es tut mir leid«, schluchzte sie. »Es tut mir leid.«

»Es braucht Ihnen nichts leidzutun, Mylady«, sagte Sharpe.

»Sie werden diese Kabine verlassen, Sharpe«, sagte Lord William kalt. Er zitterte leicht, und Blut aus der Schramme an seiner Wange sickerte auf sein Kinn.

Lady Grace wandte sich zu ihrem Mann. »Du hast nichts getan!«, fuhr sie ihn an. »Gar nichts!«

»Du bist hysterisch, Grace, nimm dich zusammen. Der

Mann hat mich fast erschlagen!«, protestierte er. »Ich versuchte ihn aufzuhalten, und er schlug mich!«

»Du hast nichts getan!«, sagte Lady Grace von Neuem.

Lord William rief Lady Graces Mädchen, das wie er unter der Bewachung des Seesoldaten in der Kabine gewesen war. »Beruhige sie, um Himmels willen«, sagte er zu dem Mädchen. Dann ruckte sein Kopf zu Sharpe herum, und sein zorniger Blick wies ihn aus der Kabine.

Sharpe trat durch die ruinierte Trennwand und stellte fest, dass die meisten Passagiere der großen Kabine unter ihnen nach oben gekommen waren und jetzt auf Bursays Leiche starrten.

Ebenezer Fairley schüttelte staunend den Kopf. »Wenn Sie einen Job machen, Junge, dann machen Sie ihn richtig«, sagte der Händler. »Es kann kein Tropfen Blut mehr in ihm sein! Das meiste davon ist auf unser Bett gespritzt.«

»Es tut mir leid«, sagte Sharpe.

»Es ist nicht das erste Blut, das ich gesehen habe, Junge. Und ich hörte, dass schlimmere Dinge auf See passieren.«

»Sie sollten alle gehen!« Lord William war in Pohlmanns Quartier gekommen. »Gehen Sie!«, blaffte er gereizt.

»Dies ist nicht Ihre Kabine«, grollte Fairley. »Und wenn Sie ein richtiger Mann wären, Mylord, wären weder Sharpe noch diese Leiche hier.«

Lord William starrte Fairley offenen Mundes an, und in diesem Augenblick trat Lady Grace, ihr Haar zerzaust, über die Splitter der Trennwand. Ihr Mann versuchte, sie zurückzuschieben, doch sie schüttelte ihn ab und starrte auf die Leiche hinab. Dann blickte sie zu Sharpe auf. »Danke, Mister Sharpe«, sagte sie.

»Es war mir eine Freude, Ihnen helfen zu können, Mylady«, erwiderte Sharpe, dann blickte er zu Major Dalton, der einen Franzosen in die überfüllte Kabine führte. »Dies ist der neue

Kapitän des Schiffs«, sagte Dalton. »Er ist ein *officier marinier*, ich glaube, das ist gleichbedeutend mit unserem Maat.«

Der Franzose war ein älterer Mann, fast kahlköpfig, mit wettergegerbtem und gebräuntem Gesicht von langem Dienst auf See. Er trug keine Uniform. Bursays Tod ließ ihn ziemlich unberührt. Anscheinend hatte man ihm bereits die Umstände erklärt, denn er stellte keine Fragen, machte eine ungeschickte und verlegene Verbeugung vor Lady Grace und murmelte eine Entschuldigung.

Lady Grace nahm die Entschuldigung mit einer Stimme zur Kenntnis, die immer noch vor Furcht bebte. »*Merci, Monsieur.*«

Der *officier marinier* sprach zu Dalton, der für Sharpe übersetzte. »Er bedauert Bursays Aktionen, Sharpe. Er sagt, der Mann war ein Tier. Bis vor einem Monat war er ein Maat, dann hat Montmorin ihn befördert. Er sagte ihm, es sei eine Ehre, sich wie ein Gentleman zu benehmen, aber Bursay hatte keine Ehre.«

»Hat man mir verziehen?«, fragte Sharpe belustigt.

»Sie haben eine Lady gerettet, Sharpe«, sagte Dalton und furchte die Stirn bei Sharpes scherzhaftem Tonfall. »Wie könnte ein ehrbarer Mann was dagegen haben?«

Der Franzose bestand darauf, dass die Laternen aus den Fenstern entfernt wurden.

Sharpe stellte sie auf das leere Sideboard. »Ich schlafe hier«, erklärte er. »Nur für den Fall, dass ein anderer verdammter Franzmann auf dumme Gedanken kommt.«

Lord William öffnete den Mund, um zu protestieren, doch dann besann er sich anders. Als die Leiche fortgebracht und die Trennwand mit einem Tuch abgedeckt war, legte sich Sharpe in Pohlmanns Bett und versuchte einzuschlafen, während das Schiff weitersegelte und ihn in die Gefangenschaft brachte.

Die nächsten beiden Tage waren langweilig. Der Wind wehte nur schwach, und so rollte das Schiff und kam nur langsam voran, so langsam, dass Tufnell annahm, sie würden fast sechs Tage brauchen, um Mauritius zu erreichen, und das war gut, denn es bedeutete, dass mehr Zeit für ein britisches Kriegsschiff blieb, um den gekaperten Ostindienfahrer zu entdecken.

Keiner der Passagiere durfte an Deck gehen, und die Hitze in den Kabinen war erstickend. Sharpe verbrachte die Zeit so gut, wie er konnte. Major Dalton lieh ihm ein Buch, das ihm wenig Lesevergnügen bot. Nur auf dem Bett zu liegen und zur Decke zu starren war lohnender.

Der Anwalt versuchte Sharpe für Backgammon zu begeistern, doch Sharpe war nicht am Spielen interessiert, und so gab Fazackerly Ruhe und machte sich auf die Suche nach willigeren Opfern.

Leutnant Tufnell zeigte ihm, wie man Krawatten band, und damit verging viel Zeit zwischen den Mahlzeiten, die allesamt aus *burgoo* mit Erbsen bestanden. Mrs. Fairley bestickte einen Schal, und ihr Mann grollte und ging gereizt auf und ab. Major Dalton versuchte einen genauen Bericht über die Schlacht von Assaye zu schreiben, was Sharpes ständigen Rat erforderte. Das Schiff segelte langsam weiter, und Sharpe bekam während der Tage nichts von Lady Grace zu sehen.

Sie kam in der zweiten Nacht zu ihm in die Kabine, während er schlief, und weckte ihn, indem sie ihm eine Hand auf den Mund legte, damit kein Laut sie verraten konnte. »Das Mädchen schläft«, flüsterte sie, und in der Stille, die folgte, hörte Sharpe Lord Williams Schnarchen jenseits der behelfsmäßig reparierten Trennwand.

Sie legte sich neben Sharpe, ein Bein über seinem, und sprach lange nichts. »Als er in die Kabine kam«, wisperte sie schließlich, »sagte er, er wolle meine Juwelen. Das war alles.

Meine Juwelen. Dann sagte er mir, er schneidet William die Kehle durch, wenn ich nicht tue, was er will.«

»Es ist alles in Ordnung«, versuchte Sharpe sie zu beruhigen.

Sie schüttelte heftig den Kopf. »Und dann sagte er mir, er hasst alle Aristos. Das hat er gesagt, ›Aristos‹, nicht Aristokraten, und sie sollten alle unter die Guillotine kommen. Er sagte, er würde uns beide töten und behaupten, dass William ihn angegriffen hätte und ich an Fieber gestorben wäre.«

»Er füttert jetzt die Fische«, sagte Sharpe. Er hatte das Platschen gehört und gewusst, dass Bursays Leiche in die See geworfen worden war.

»Du hasst keine Aristos, oder?«, fragte Grace nach einer langen Pause.

»Ich habe nur dich kennen gelernt, deinen Mann und Sir Arthur. Ist der ein Aristo?«

Sie nickte. »Sein Vater ist der Earl of Mornington.«

»Dann mag ich zwei von dreien«, sagte Sharpe. »Das ist nicht schlecht.«

»Du magst Arthur?«

Sharpe zuckte mit den Schultern. »Ich weiß nicht, ob ich ihn mag, aber es würde mir gefallen, wenn er mich mag. Ich bewundere ihn.«

»Aber du magst nicht William?«

»Magst du ihn?«

Sie zögerte kurz. »Nein. Mein Vater verheiratete mich mit ihm. Er ist reich, sehr reich, und meine Familie ist arm. Er wurde für eine sehr gute Partie gehalten. Ich mochte ihn einst, aber jetzt nicht mehr.«

»Er hasst mich«, sagte Sharpe.

»Er hat Angst vor dir.«

Sharpe lächelte. »Er ist ein Lord, nicht wahr? Und ich bin ein Nichts.«

»Aber du bist hier«, sagte Grace und küsste ihn auf die Wange, »und er nicht.« Sie küsste ihn wieder. »Und wenn er mich hier findet, wäre das mein Ende. Mein Name würde eine Schande sein. Ich würde mich nie wieder in der Gesellschaft blicken lassen können. Ich könnte niemanden mehr wiedersehen.«

Sharpe dachte an Malachi Braithwaite und war dankbar, dass der Sekretär im Zwischendeck einquartiert war, wo er keine Beweise für seine Verdächtigungen gegen Sharpe und Lady Grace sammeln konnte. »Du meinst, dein Mann würde dich umbringen?«, fragte Sharpe.

»Ja, er würde es tun. Er könnte es.« Sie dachte darüber nach. »Aber vielleicht lässt er mich auch für verrückt erklären. Das ist nicht schwierig. Er könnte teure Ärzte bestechen, die mich als hysterische Irre bezeichnen, und ein Richter würde mich wegsperren lassen. Ich würde den Rest meines Lebens in einem Flügel im Irrenhaus von Lincolnshire weggeschlossen sein und mit Medizin gefüttert werden. Die Medizin würde leicht vergiftet sein, sodass ich gnädigerweise nicht lange leben würde.«

Sharpe drehte sich, um sie anzusehen, obwohl es dunkel war und ihr Gesicht kaum mehr als erahnen konnte. »Könnte er das wirklich tun?«, fragte er.

»Natürlich könnte er das tun«, sagte sie, »aber ich bin vor William sicher, wenn ich mich sehr korrekt verhalte und so tue, als ob ich nicht wüsste, dass er es mit Huren und Mätressen treibt. Und natürlich will er einen Erben. Er war überglücklich, als unser Sohn geboren wurde, und hasst mich, seit er gestorben ist, was ihn nicht daran hindert, zu versuchen, mir einen neuen zu machen.« Sie legte eine Pause ein. »So ist meine größte Hoffnung, am Leben zu bleiben, ihm einen Sohn zu schenken und mich wie ein Engel zu verhalten, und ich hatte geschworen, beides zu tun, doch dann sah ich dich und dachte, warum nicht den Verstand verlieren?«

»Ich werde mich um dich kümmern«, versprach Sharpe.

»Wenn wir erst dieses Schiff verlassen haben«, sagte sie ruhig, »werden wir uns wohl nie wieder treffen.«

»Nein«, widersprach Sharpe, »nein.«

»Pst«, flüsterte sie und küsste ihn.

Im Morgengrauen war sie fort. Die Aussicht aus dem Heckfenster war unverändert. Kein britisches Kriegsschiff verfolgte die *Calliope*, nur der Indische Ozean erstreckte sich scheinbar endlos bis zum Horizont. Der Wind war aufgefrischt, sodass das Schiff rollte und stampfte und die Schachfiguren verrutschten, die Major Dalton aufgestellt hatte, um Szenen aus der Schlacht von Assaye nachzuspielen. »Sie müssen mir erzählen, was geschah, als Sir Arthur ohne Pferd war.«

»Ich glaube, das müssen Sie ihn selbst fragen, Major.«

»Aber Sie wissen es bestimmt genauso wie er?«

»Ja, ich weiß es«, stimmte Sharpe zu, »aber ich bezweifle, dass er es gern hat, wenn die Geschichte erzählt wird. Es wird besser sein, wenn Sie in Ihrer Schilderung sagen, dass er gegen eine Gruppe von Feinden kämpfte und von seinen Adjutanten gerettet wurde.«

»Ist das wahr?«

»Da ist etwas Wahres dran«, sagte Sharpe und wollte nicht mehr darüber sprechen. Außerdem konnte er sich nicht mehr so genau erinnern, was geschehen war. Er hatte noch in Erinnerung, wie er von seinem Pferd geglitten war und seinen Degen wie ein Schnitter geschwungen hatte, wie Sir Arthur im Schutz einer Kanone gestanden hatte, und er erinnerte sich ans Töten. Am klarsten glaubte er noch, den indischen Kämpfer zu sehen, der es verdient hatte, getötet zu werden, denn der Mann hatte mit seinem *tulwar*, dem Krummsäbel, zu einem mörderischen Hieb ausgeholt. Dieser Schlag hätte Sharpe enthauptet, doch Sharpe hatte sein Haar in einem Soldatenzopf getragen, gebunden um einen Lederbeutel, der normalerweise mit Sand gefüllt war. Stattdessen hatte Sharpe darin den großen Rubin des Tippu Sultan versteckt, und der Edelstein hatte den *tulwar* gestoppt. Bei dem Schlag war der Rubin aus dem aufgetrennten Lederbeutel gefallen. Als der schreckliche Kampf vorbei gewesen war, hatte Sir Arthur den Stein aufgehoben und ihm verwundert hingehalten. Der General war zu verwirrt gewesen, um zu erkennen, dass es ein echter Rubin war. Vermutlich hatte er ihn für einen schön gefärbten Stein gehalten, den Sharpe irgendwo aufgesammelt hatte. Der gottverdammte Cromwell hatte jetzt diesen schönen Stein.

»Und wie hieß Sir Arthurs Pferd?«, fragte Dalton.

»Diomed«, sagte Sharpe. »Er hat dieses Pferd sehr geliebt.« Er erinnerte sich an den Blutschwall, der sich auf den ausgedörrten Boden ergossen hatte, als der Langspieß aus Diomeds Brust gezogen worden war.

Dalton befragte Sharpe bis zum späten Nachmittag und machte sich Notizen für das Werk, das er schreiben wollte. »Da werde ich in meinem Ruhestand viel zu tun haben, Sharpe, wenn ich Edinburgh jemals wiedersehen werde.«

»Sind Sie verheiratet, Sir?«

»Ich war es. Mit einer lieben Frau. Sie ist gestorben.« Der Major starrte wehmütig durch das Heckfenster. »Wir hatten keine Kinder«, sagte er leise und zuckte zusammen, als plötzlich eilige Schritte vom Achterdeck zu hören waren. Eine harte Stimme rief etwas, und nur Sekunden später drehte die *Calliope* nach backbord ab, und die Segel hämmerten in der Takelage, dass es fast wie das Feuern von Geschützen klang. Eines der Segel nach dem anderen wurde eingeholt, und das Schiff, das vorübergehend in den Wellen geschaukelt hatte, segelte wieder ruhig, doch diesmal auf einem nördlichen Kurs.

»Irgendetwas hat die Franzosen aufgeregt«, bemerkte der Major.

Niemand wusste, was die Kursänderung nach Norden veranlasst hatte, denn kein anderes Schiff war durch die Fenster der Kabinen sichtbar, doch vielleicht hatte ein Ausguck hoch oben in der Takelage einige Segel am südlichen Horizont gesehen.

Das Schiff lag jetzt ruhiger in der See. Als das Abendessen zu den Passagieren gebracht wurde, befahl der *officier marinier*, dass keine Lampen angezündet werden durften. Wer sich dem Befehl widersetzte, würde in den Laderaum des Schiffes geworfen werden, in dem Ratten im fauligen Gestank herumkrochen.

»Es gibt also ein anderes Schiff«, sagte Dalton.

»Aber hat man uns gesehen?«, überlegte Sharpe.

»Selbst wenn das der Fall wäre, ändert das nichts«, sagte Dalton düster. »Was können wir schon tun?«

Sharpe betete insgeheim, dass es die *Pucelle*, Captain Chases in Frankreich gebautes Kriegsschiff, war, das ein so schneller Segler wie die *Revenant* war. »Ich wüsste da etwas«, sagte er.

»Was?«

»Ich brauche Tufnell.«

Sharpe ging hinab ins Offiziersquartier in der großen Kabine und hämmerte an die Tür des Leutnants, und nach kurzer Unterhaltung brachte er den Leutnant und Dalton zu Ebenezer Fairleys Kabine.

Der Händler war im Nachthemd und mit Nachtmütze, aber er hörte sich an, was Sharpe zu sagen hatte, und grinste dann.

»Komm rein, Junge. Liebling! Du wirst wieder aufstehen müssen. Wir müssen was Verbotenes tun.«

Das Problem war der Mangel an Werkzeugen, doch Sharpe hatte sein Taschenmesser, Tufnell und der Major verfügten über einen Dolch. Die drei Männer rollten den Segeltuchteppich in Fairleys Schlafkabine auf und machten sich an einer Bodenplanke zu schaffen.

Die Planke war aus alter Eiche, abgelagert und hart, doch Sharpe sah keine andere Möglichkeit, als ein Loch in den Boden zu machen und zu hoffen, dass es an der richtigen Stelle war. Die Männer wechselten sich ab, um zu hacken, zu kratzen und zu schnitzen, während Mrs. Fairley einen Wetzstahl für die Küche aus einer Reisetruhe holte und von Zeit zu Zeit die drei Klingen schärfte, die langsam, sehr langsam durch die Planke drangen.

Sie machten zwei Schnitte, etwa dreißig Zentimeter auseinander, und es dauerte bis nach Mitternacht, bis sie fertig waren und das Stück heraushoben. Fairley zündete eine Laterne an, die sie mit einem Mantel seiner Frau abschirmten. Die drei Männer spähten in die Dunkelheit unterhalb des Loches. Zuerst konnte Sharpe nichts sehen. Er hörte das Steuerreep, sah es jedoch nicht, und dann, als Fairley die Laterne ins Loch hielt, sah er das starke Hanfseil, das sich alle paar Sekunden einen Zoll oder mehr bewegte, und das Knarren hallte durch das Heck.

Das Hanfseil war an der Ruderpinne befestigt, mit der das große Ruder der *Calliope* bewegt wurde. Von der Ruderpinne verlief das Seil nach beiden Seiten des Schiffes durch Seilrollen, bevor es in die Mitte des Schiffs zurückkehrte, wo zwei weitere Rollen das Seil hinauf zum Steuerrad des Schiffes führten, das eigentlich aus zwei Steuerrädern bestand, eines vor dem anderen, sodass so viele Männer wie möglich sich bei schwerer See und starken Winden gegen die Radspeichen stemmen konnten. Die Zwillingsräder waren durch eine schwere Holztrommel verbunden, um die das Seil von der Ruderpinne straff gewunden war, sodass ein Drehen am Steuerrad an dem Seil zog und die Bewegung an die Ruderpinne weitergab. Wenn man dieses Seil durchschnitt, würde die *Calliope* eine Weile steuerlos sein.

»Aber wann sollen wir es durchschneiden?«, fragte Fairley.

»Warten wir auf das Tageslicht«, schlug Dalton vor.

»Es wird einiges an Zeit und Kraft erfordern«, sagte Sharpe, denn das Seil war dick. Es verlief zwischen dem Haupt- und Unterdeck. Fairley rollte den Segeltuchteppich wieder an seinen vorherigen Platz, nicht nur, um das Loch zu tarnen, sondern auch, um zu verhindern, dass die Ratten hinauf in seine Kabine kamen.

»Wie lange wird es dauern, um dieses Seil zu ersetzen?«, fragte der Händler Tufnell.

»Eine gute Mannschaft könnte das in einer Stunde schaffen.«

»Sie haben einige gute Seeleute in der Mannschaft«, sagte der Händler, »also sollten wir sie am besten jetzt noch nicht bemühen, sondern abwarten, was der Morgen bringt.«

In dieser Nacht gab es keinen Besuch von Lady Grace. Sharpe sagte sich, dass sie vielleicht in Pohlmanns Kabine geschaut hatte, als er, Sharpe, nicht da gewesen war. Oder vielleicht war Lord William wach und fragte sich, ob die Rettung für die *Calliope* in dieser Nacht erfolgen würde. So hüllte sich Sharpe in eine Decke und schlief, bis eine Faust an seine Tür hämmerte, die Ankündigung für das *burgoo* zum Frühstück. »Sie können es von hier aus nicht sehen, aber da ist ein Schiff steuerbord vor dem Bug, Sir«, sagte der Matrose, der das *burgoo* gebracht hatte. »Eines von unseren.«

»Marine?«

»Wir nehmen es an, Sir. So wird es jetzt ein Wettrennen nach Mauritius.«

»Wie nahe ist das Schiff?«

»Sieben, acht Meilen. Und es schneidet uns den Weg ab und

nähert sich uns, Sir.« Er senkte seine Stimme noch mehr. »Die Froschfresser haben ihre Flagge eingeholt, sodass wir unter unserer alten Flagge segeln, aber das wird ihnen nicht helfen, wenn es ein Kriegsschiff ist. Es wird kommen und uns in Augenschein nehmen. Flaggen bedeuten nichts, wenn Prise zu machen ist.«

Die Nachricht breitete sich auf dem Schiff aus, versetzte die Passagiere in Hochstimmung und alarmierte die französische Mannschaft, die ihre Beute zu behalten versuchte, indem sie das Tempo forcierte, doch für die Passagiere im Heck, die weder das andere Schiff noch das Geschehen an Deck der *Calliope* sehen konnten, war es ein Morgen, der quälend langsam verging. Leutnant Tufnell sagte, die beiden Schiffe würden auf zusammenlaufenden Kursen segeln und die *Calliope* hatte den Vorteil des Windes, doch es war frustrierend, es nicht genau zu wissen. Sie alle warteten darauf, das Seil der Ruderpinne durchzuschneiden, wussten jedoch, dass die Franzosen genügend Zeit haben würden, es zu reparieren, wenn sie zu früh handelten.

Am Mittag wurde kein Essen serviert, und vielleicht war es diese kleine Schikane, die Sharpe überzeugte, dass das Seil am besten jetzt durchgeschnitten wurde. »Wir wissen nicht, wann der beste Moment ist«, sagte er, »also lasst uns den Scheißern jetzt Kopfschmerzen bereiten.«

Niemand äußerte Bedenken. Fairley zog den Teppich zurück, und Sharpe stieß seinen Degen in das Loch und sägte mit der Klinge am Seil. Es bewegte sich nicht viel, doch genug, sodass es schwierig war, den Degen an derselben Stelle zu halten. Sharpe keuchte und schwitzte, als er all seine Kraft einsetzte.

»Soll ich Sie ablösen?«, fragte Tufnell.

»Ich schaffe es schon«, sagte Sharpe. Er konnte das Seil nicht sehen, aber er wusste, dass er die Klinge jetzt tief in den Fasern des Seils hatte, denn sie wurde mit den Bewegungen des Ruders hin und her gerissen. Sein rechter Arm brannte und schmerzte jetzt vom Handgelenk bis zur Schulter, doch er säbelte weiter, und plötzlich fühlte er, wie die Spannung verschwand und das durchgescheuerte Hanfseil riss. Sharpe zog den Degen durch das Loch zurück und sank erschöpft gegen das Fußbrett von Fairleys Bett.

Das Steuerrad der *Calliope* hatte keinen Kontakt mehr mit der Ruderpinne, und das Schiff lief steuerlos vor dem Wind. An Deck war hektisches Geschrei zu hören, dann das Schlagen der Segel.

»Bedeckt das Loch«, befahl Fairley. »Schnell, bevor die Scheißer es sehen.«

Sharpe hob die Füße an, damit sie den Teppich an Ort und Stelle legen konnten. Das Schiff ruckte, als die Franzosen die Vorsegel nutzten, um es zu drehen, doch ohne die Wirkung des Ruders reagierte es nicht, und die Segel hämmerten gegen den Mast. Der Steuermann drehte das Steuerrad, das plötzlich keine Belastung mehr hatte, und dann waren eilige Schritte den Niedergang hinab zu hören, und Sharpe wusste, dass die Franzosen nachschauten, was mit dem Seil der Ruderpinne los war.

Es klopfte an Fairleys Tür, und ohne um Einlass gebeten zu werden, betrat Lord William die Kabine. »Weiß jemand, was genau los ist?«, fragte er.

»Wir haben das Seil der Ruderpinne durchgeschnitten«, sagte Fairley, »und ich wäre dankbar, wenn Eure Lordschaft darüber schweigt.«

Lord William blinzelte bei der brüsken Antwort, doch bevor er etwas sagen konnte, war das Donnern eines fernen Geschützes zu hören.

»Ich nehme an, das war's dann«, sagte Fairley glücklich. »Kommen Sie, Sharpe, gehen wir und sehen uns an, was Sie bewirkt haben.« Er streckte Sharpe seine große Hand hin und zog ihn auf die Füße.

Keiner aus der Prisenmannschaft versuchte sie daran zu hindern, an Deck zu gehen. Die Franzosen hissten bereits die Originalflagge der *Calliope*, um ihrem Verfolger weiszumachen, dass der Ostindienfahrer noch unter britischem Kommando segelte.

Und jetzt waren sie tatsächlich unter britischem Kommando, denn was langsam immer näher an die *Calliope* heransegelte, war ein anderes großes, gelb und schwarz angestrichenes Kriegsschiff, dessen Galionsfigur aus vergoldetem Holz eine Frau mit ekstatischem Gesicht mit Heiligenschein und Schwert in einer silbernen Rüstung war, deren Brustharnisch sonderbarerweise beschnitten war, um ihren nackten Busen zu zeigen.

»Die *Pucelle*«, sagte Sharpe erfreut.

Jeanne d'Arc war gekommen, um die Briten zu retten.

Und die *Calliope* wurde zum zweiten Mal in fünf Tagen gekapert.

KAPITEL 6

Der erste Mann der Besatzung der *Pucelle*, der unter dem Jubel der Passagiere an Bord der *Calliope* stieg, war Captain Joel Chase persönlich. Der *officier marinier* führte resigniert seine Männer in die Gefangenschaft unter Deck, während Chase seinen Hut lüftete, Passagieren auf dem Hauptdeck die Hände schüttelte und versuchte, ein Dutzend Fragen auf einmal zu beantworten.

Malachi Braithwaite stand abseits von den glücklichen Passagieren und starrte verdrießlich auf Sharpe auf dem Achterdeck. Seit die Franzosen das Schiff übernommen hatten, hatte sich der Sekretär abgesondert. Er musste eifersüchtig beobachtet haben, dass sich Sharpe mit Lady Grace im Heck des Schiffes aufhielt.

»Da haben wir einen glücklichen Captain der Marine«, sagte Ebenezer Fairley. Er hatte sich zu Sharpe aufs Achterdeck gesellt und schaute auf die Menge der Passagiere, die Chase umgab. »Er hat gerade ein Vermögen an Prisengeld verdient, aber dafür wird er jetzt richtig kämpfen müssen.«

»Wie meinen Sie das?«

»Meinen Sie, die Anwälte wollen nicht ihren Anteil?«, fragte Fairley mürrisch. »Die East India Company wird Anwälte aufbieten, die erklären, dass die Franzmänner das Schiff nie richtig aufgebracht haben, und so kann es keine Prise sein, und Chases Prisen-Agent wird ein anderes Aufgebot von Anwälten aufbieten, die das Gegenteil behaupten. Das Gericht wird jahrelang beschäftigt sein, und sie werden sich reich und jeden sonst arm machen. Ich nehme an, ich könnte selbst ein oder zwei Anwälte anheuern, die geltend machen, dass ein Teil der Fracht mein Besitz ist, aber ich werde mir nicht die Mühe machen. Dem Kapitän gönne ich die Prise. Mir ist es lieber, er sahnt ab als irgendein Blutsauger von Anwalt.« Fairley verzog das Gesicht. »Ich hatte einst eine gute Idee, wie wir den Wohlstand in Britannien mächtig verbessern können, Sharpe. Mein Gedanke war, dass jeder Mann mit Besitz pro Jahr einen Anwalt killen kann, ohne Angst vor Strafe zu haben. Das Parlament war an diesem Vorschlag nicht interessiert, aber da sitzen ja auch viele dieser Blutsauger.«

Captain Chase löste sich von der Menge auf dem Hauptdeck und stieg zum Achterdeck empor. Die erste Person, die er dort sah, war Sharpe.

»Mein lieber Sharpe!«, rief Chase, und sein Gesicht hellte sich auf. »Mein lieber Sharpe, jetzt sind wir quitt. Sie haben mich gerettet, jetzt rette ich Sie. Wie geht es Ihnen?« Er nahm Sharpes Hand in seine beiden Hände, wurde mit Fairley bekannt gemacht und sah dann Lord William Hale. »O Gott, ich hatte vergessen, dass Sie an Bord sind. Wie geht es Ihnen, Mylord? Alles in Ordnung? Gut, gut!« Eigentlich hatte Lord William Captain Chase nicht geantwortet, obwohl er begierig darauf war, ihn privat zu sprechen, doch Chase wandte sich ab, ergriff Tufnell am Arm, und Chase befragte Tufnell ausführlich darüber, wie die *Calliope* zuerst von der *Revenant* gekapert worden war.

Ein Trupp Matrosen der *Calliope* ging nach unten, um die Seile der Ruderpinne zu ersetzen, während einige Matrosen der *Pucelle*, angeführt von Hopper, dem großen Mann, der das Kommando über Captain Chases Barkasse hatte, eine britische Flagge über der französischen hissten.

Lord William, sichtlich irritiert, weil er von Chase ignoriert wurde, wartete darauf, dass der Captain ihm seine Aufmerksamkeit schenkte, doch etwas, das Tufnell sagte, veranlasste Chase, Seine Lordschaft weiterhin zu ignorieren und sich wieder an die anderen Passagiere zu wenden. »Ich möchte alles wissen, was Sie mir über den Mann, der sich als Diener von Baron von Dornberg ausgegeben hat, erzählen können«, sagte Chase eindringlich.

Die meisten der Passagiere blickten verwirrt drein. Major Dalton sagte, dass der Baron ein anständiger Kerl gewesen sei, vielleicht ein bisschen großtuerisch, aber sonst in Ordnung, doch von seinem Diener habe eigentlich keiner etwas bemerkt. »Er hielt sich ziemlich für sich«, sagte Dalton.

»Er sprach Französisch zu mir«, sagte Sharpe.

»Tatsächlich?« Chase wandte sich begierig zu ihm um und musterte ihn.

»Nur ein Mal«, sagte Sharpe. »Aber er sprach auch Englisch und Deutsch. Behauptete, er sei Schweizer. Aber ich weiß nicht, ob er überhaupt ein Diener war.«

»Wie meinen Sie das?«

»Er trug einen Degen, Sir, als er das Schiff verließ. Nicht viele Diener tragen Degen.«

»Hannoveranische Diener vielleicht«, sagte Fairley. »Andere Länder, andere Sitten.«

»Was wissen wir über den Baron?«, fragte Chase.

»Er war ein Witzbold«, grollte Fairley.

»Er war ein netter Kerl«, protestierte Dalton. »Und großzügig.«

Sharpe hätte weitaus mehr Einzelheiten beisteuern können, doch es widerstrebte ihm immer noch, zuzugeben, dass er die *Calliope* so lange getäuscht und den falschen Baron nicht entlarvt hatte. »Es ist sonderbar, Sir«, sagte er stattdessen zu Chase, »dass es mir erst einfiel, als der Baron das Schiff verlassen hatte. Er erinnerte mich an einen Bekannten namens Anton Pohlmann.«

»Tatsächlich, Sharpe?«, fragte Dalton überrascht.

»Das gleiche Aussehen«, sagte Sharpe. »Ich hatte ihn jedoch nur durch das Fernrohr gesehen.« Was nicht stimmte, aber das konnte ja kein Uneingeweihter ahnen.

»Wer ist Anton Pohlmann?«, unterbrach Chase.

»Ein hannoveranischer Soldat, der die Armeen der Marathen in Assaye führte.«

»Sharpe«, sagte Chase ernst, »sind Sie dessen sicher?«

»Er ähnelte ihm sehr«, erwiderte Sharpe und bekam heiße Wangen. »Wie ein Zwilling.«

»Gott steh mir bei«, sagte Chase in seinem Devonshire-Akzent, dann furchte er nachdenklich die Stirn.

Lord William näherte sich ihm wieder, doch Chase wies ihn geistesabwesend von sich. Lord William, bereits wegen der Missachtung des Captains verärgert, wirkte jetzt noch beleidigter.

»Aber der springende Punkt ist«, fuhr Chase fort, »dass von Dornberg und sein Diener, wenn er einer ist, jetzt auf der *Revenant* sind. Hopper!«

»Sir?«, rief der Bootsmann vom Hauptdeck.

»Ich will alle Männer von der *Pucelle* wieder schnell an Bord haben, aber Sie warten mit meiner Barkasse. Mister Horrocks! Bitte hierhin!« Horrocks war der Leutnant, der die kleine Prisenmannschaft, nur drei Männer, befehligte, die Chase an Bord der *Calliope* lassen würde. Die Männer wurden zum Segeln des Schiffes nicht benötigt, das konnten Tufnell und die eigenen Matrosen der *Calliope* allein erledigen, doch sie sollten an Bord des Ostindienfahrers bleiben, um Chases Anspruch auf das Schiff zu dokumentieren, das jetzt nach Kapstadt segeln würde, wo die französischen Gefangenen in die Obhut der britischen Garnison gegeben werden konnten, und das Schiff konnte dann für seine Reise nach Britannien mit Lebensmitteln versorgt werden. Chase gab Horrocks seine Befehle, betonte, dass er Leutnant Tufnell in allen Dingen beim Segeln der *Calliope* unterstützen sollte, und wies Horrocks an, zwanzig der besten Seeleute der *Calliope* auszuwählen und in den Dienst der *Pucelle* zu pressen. »Ich tue das nicht gerne«, sagte er zu Sharpe, »aber wir leiden an Personalmangel. Die armen Jungs werden nicht glücklich sein, aber wer weiß? Einige könnten sich sogar freiwillig melden.« Er klang nicht hoffnungsvoll. »Was ist mit Ihnen, Sharpe? Werden Sie mit uns segeln?«

»Ich, Sir?«

»Als Passagier«, erklärte Chase hastig. »Sie werden mit mir schneller in England sein. Natürlich wollen Sie mitkommen. Clouter!« Damit meinte er einen Mann aus der Barkassenmannschaft auf dem Mitteldeck. »Sie werden Mister Sharpes Gepäck an Deck holen. Schnell jetzt! Er wird Ihnen zeigen, wo es ist.«

Sharpe protestierte. »Ich sollte auf der *Calliope* bleiben, Sir«, sagte er. »Ich möchte Ihnen nicht im Weg sein.«

»Ich habe jetzt keine Zeit zum Diskutieren, Sharpe«, sagte Chase. »Natürlich kommen Sie mit mir.« Der Captain wandte sich jetzt Lord William Hale zu, der immer ärgerlicher über Chases Mangel an Aufmerksamkeit geworden war. Chase ging mit Seiner Lordschaft davon, als Clouter, der große Schwarze, der in der Nacht, als Sharpe Chase kennen gelernt hatte, so hart gekämpft hatte, zum Achterdeck hinaufstieg. »Wohin gehen wir, Sir?«, fragte Clouter.

»Das Gepäck wird eine Weile warten müssen«, antwortete Sharpe. Er wollte die *Calliope* nicht verlassen, solange Lady Grace an Bord war, aber zuerst musste er eine triftige Entschuldigung finden, um Chases Einladung abzulehnen. Auf

Anhieb fiel ihm keine ein, und der Gedanke, Lady Grace zu verlassen, war unerträglich. Im schlimmsten Fall, sagte er sich, würde er es riskieren, Chase zu beleidigen, indem er sich einfach weigerte, auf das andere Schiff zu wechseln.

Chase ging jetzt auf dem Achterdeck auf und ab und hörte Lord William zu, der die meiste Zeit sprach. Chase nickte, aber schließlich schien der Captain resigniert mit den Schultern zu zucken und wandte sich abrupt ab, um zu Sharpe zurückzukehren.

»Verdammt!«, murmelte er bitter. »Dreimal verdammt! Was stehen Sie hier noch herum, Clouter? Gehen Sie und holen Sie Mister Sharpes Gepäck. Nichts zu Schweres. Kein Klavier und kein Himmelbett.«

»Ich habe ihn gebeten, zu warten«, sagte Sharpe.

Chase runzelte die Stirn. »Sie wollen keinen Streit mit mir, oder, Sharpe? Ich habe im Augenblick genug Ärger. Seine verdammte Lordschaft behauptet, schnell in Britannien sein zu müssen, und ich konnte nicht leugnen, dass wir auf dem Weg in den Atlantik sind.«

»In den Atlantik?«, fragte Sharpe erstaunt.

»Natürlich! Ich sagte Ihnen doch, dass Sie mit mir schneller in Britannien sein werden. Und außerdem ist die *Revenant* dorthin verschwunden. Das schwöre ich. Ich riskiere sogar meinen Ruf dafür. Und Lord William sagt mir, dass er wichtige Dokumente der Regierung befördert. Aber stimmt das? Ich weiß es nicht. Ich nehme an, dass er nur auf einem größeren und sicheren Schiff sein will, aber ich kann ihm die Mitfahrt nicht verweigern, so gern ich das auch möchte. Verdammt, wenn die Regierung – he, Clouter, Sie hören doch nicht zu, oder? Diese Worte sind für Ihre Vorgesetzten und Höherstehende bestimmt. Verdammt noch mal! Jetzt bin ich also mit dem verdammten Lord William Hale und seiner verdammten

Frau, seinen verdammten Dienern und seinem verdammten Sekretär belastet. Dreimal verdammt, nein, das ist noch zu wenig, verdammt!«

»Clouter«, sagte Sharpe entschieden. »Unterdeck, Steuerraum, Backbordseite. Beeilung!« Er hätte fast gejubelt, als er die Treppe hinabsprang. Grace reiste mit ihm!

Sharpe verbarg seine Hochstimmung, als er sich verabschiedete. Er bedauerte, sich von Ebenezer Fairley und von Major Dalton zu trennen. Von beiden erhielt er Einladungen, sie in der Heimat in ihren Häusern zu besuchen. Mrs. Fairley drückte Sharpe an ihren gewaltigen Busen und bestand darauf, dass er eine Flasche Brandy und eine mit Rum mitnahm. »Um Sie warm zu halten, mein Lieber«, sagte sie, »und damit sich Ebenezer nicht damit besäuft.«

Eine Barkasse von der *Pucelle* brachte die in den Dienst gepressten Männer von der *Calliope* fort. Es waren hauptsächlich die jüngsten Matrosen, die diejenigen aus der Mannschaft der *Pucelle* ersetzen würden, die während ihrer langen Fahrt Krankheiten erlitten hatten. Sie wirkten verdrossen, denn sie tauschten guten Lohn gegen ärmlichen. »Aber wir werden sie aufheitern«, sagte Chase unbekümmert. »Nichts hilft dabei so gut wie eine Dosis Siegesgefühl.«

Lord William hatte darauf bestanden, seine teuren Möbel auf die *Pucelle* mitzunehmen. Doch Chase explodierte vor Ärger, sagte, dass Seine Lordschaft entweder ohne Möbel oder überhaupt nicht reisen würde, und Seine Lordschaft gab eisig nach, überzeugte Chase jedoch, dass seine Regierungsdokumente unbedingt mitgenommen werden mussten. Sie wurden aus der Kabine geholt und zur *Pucelle* gebracht, und dann verließen Lord William und seine Frau die *Calliope*, ohne sich von jemandem zu verabschieden.

Lady Grace wirkte beim Verlassen des Schiffs völlig durcheinander. Sie hatte geweint und bemühte sich, würdevoll zu wirken, doch Sharpe entging nicht ihr verzweifelter Blick, den sie ihm zuwarf, als sie in Chases Barkasse abgeseilt wurde. Malachi Braithwaite folgte als Nächster und bedachte Sharpe mit einem triumphierenden Blick, wie um zu sagen, dass er sich jetzt an Lady Graces Gesellschaft erfreuen konnte, während Sharpe auf der *Calliope* herumhängen würde. Lady Grace klammerte sich ans Dollbord der Barkasse, als der Wind die Krempe ihres Huts anhob, und als sie den Hut auf den Kopf drückte, sah sie, dass Sharpe die *Calliope* ebenfalls verließ, und ihr Gesicht spiegelte pure Freude wider. Braithwaite sah Sharpe die Leiter herabklettern, schluckte vor Staunen und sah aus, als wolle er protestieren. Doch sein Mund öffnete und schloss sich nur wie der eines gestrandeten Fischs. »Machen Sie Platz, Braithwaite«, sagte Sharpe. »Ich leiste Ihnen Gesellschaft.«

»Leben Sie wohl, Sharpe! Schreiben Sie mir!«, rief Dalton.

»Viel Glück, Junge!«, dröhnte Fairley.

Chase stieg als Letzter in die Barkasse und nahm seinen Platz im Heck ein. »Jetzt alle zusammen!«, brüllte Hopper, und die Ruderer tauchten die rotweißen Riemen ein, und die Barkasse glitt von der *Calliope* fort.

Der Gestank der *Pucelle* war weit über das Wasser wahrzunehmen. Es war der Geruch einer riesigen Mannschaft, zusammengepfercht in einem hölzernen Schiff, mit den Ausdünstungen ungewaschener Körper, dem Geruch nach Exkrementen, Tabak, Teer, Salz und Fäulnis. Das Schiff selbst ragte mächtig auf, ein hoher, glatter Wall mit Stückpforten, voller Männer, Pulver und Geschützen.

»Auf Wiedersehen!«, rief Dalton ein letztes Mal.

Und Sharpe war auf dem Kriegsschiff, suchte Rache, segelte heim.

»Ich hasse es, Frauen an Bord zu haben«, sagte Chase wütend. »Das bringt Pech, wissen Sie das? Frauen und Kaninchen, beide bringen Pech.« Er klopfte auf das Holz des polierten Tisches in seiner Tageskabine, um das Unheil abzuwenden. »Nicht, dass bisher keine Frauen an Bord gewesen wären«, gab er zu. »Unter Deck sind mindestens sechs Huren aus Portsmouth, von denen ich nichts wissen soll, und ich habe den Verdacht, dass einer der Kanoniere seine Frau an Bord geschmuggelt und versteckt hat. Aber das ist nicht das Gleiche wie Ihre Ladyschaft und ihr Mädchen offen an Deck die schmutzige Fantasie der Mannschaft anheizen zu lassen!«

Sharpe sagte nichts. Die elegante Kabine erstreckte sich über die gesamte Breite des Schiffs. Durch das breite Heckfenster konnte er die weit entfernte *Calliope* an der Kimm sehen. Die Fenstervorhänge waren aus geblümtem Chintz und passten zu den Kissen auf dem Fensterplatz, und der Boden war mit einem Teppich mit schwarzweißem Schachbrettmuster bedeckt. Es gab zwei Tische, ein Sideboard, einen schweren ledernen Lehnsessel, eine Couch und ein drehbares Bücherregal, doch die vornehme Atmosphäre, die anheimelnd wirkte, wurde ein wenig durch die beiden 18-Pfünder-Kanonen getrübt, die auf die rot angestrichenen Stückpforten ausgerichtet waren. Auf der Steuerbordseite der Tageskabine befand sich Chases Schlafquartier. Auf der Backbordseite bot eine Speisekabine komfortabel Platz für ein Dutzend Personen. »Und ich will verdammt sein, wenn ich wegen des gottverdammten Hale ausziehen muss«, grollte Chase. »Obwohl er es zweifellos erwartet. Er kann ins Quartier des Ersten Offiziers ziehen, und seine Frau kann die Kabine des Zweiten Offiziers nehmen. So sind sie auch von Kalkutta aus gesegelt. Der Himmel weiß, warum sie getrennt schlafen, aber es ist nun mal so. Das hätte ich Ihnen nicht sagen sollen.«

»Ich habe es nicht gehört«, sagte Sharpe.

»Der verdammte Sekretär kann in Horrocks' Kabine ziehen«, entschied Chase. Horrocks war der Leutnant, der zum Prisenkapitän der *Calliope* ernannt worden war. »Und der Erste Leutnant kann die Kabine des Masters haben. Er starb vor drei Tagen. Niemand weiß, warum. Er war des Lebens müde, oder das Leben war müde von ihm. Der Zweite wird den Dritten Leutnant rausschmeißen, und der wird wohl jemand anderen rausschmeißen und so weiter, bis zur Schiffskatze, die über Bord geworfen wird, das arme Ding. Gott, ich hasse Passagiere, besonders Frauen! Sie, Sharpe, werden mein Quartier bekommen.«

»Ihr Quartier?«, fragte Sharpe erstaunt.

»Schlafkabine«, sagte Chase. »Durch diese Tür dort. Großer Gott, Sharpe, ich habe diesen verdammt großen Raum.« Er wies durch die Tageskabine mit den eleganten Möbeln, gerahmten Porträts und mit Fenstern, die mit Vorhängen versehen waren. »Mein Steward kann meine Koje hier drin aufbauen und Ihre in der kleinen Kabine.«

»Ich kann Ihre Kabine nicht nehmen«, protestierte Sharpe.

»Aber natürlich können Sie das! Sie ist ohnehin nur ein bescheidenes Loch, gerade richtig für einen unbedeutenden Ensign. Außerdem, Sharpe, bin ich ein Typ, der etwas Gesellschaft liebt, und als Captain kann ich nicht ohne Einladung in die Offiziersmesse gehen, und die Offiziere laden mich nicht oft ein. Kann ich ihnen nicht verdenken. Sie wollen sich entspannen, und so bleibe ich meistens einsam. Sie können mich stattdessen unterhalten. Spielen Sie Schach? Nein? Ich werde es Ihnen beibringen. Und werden Sie heute Abend mit mir essen? Natürlich werden Sie das.« Chase zog seinen Uniformrock aus und machte es sich in einem Sessel bequem. »Meinen Sie wirklich, dass der Baron Pohlmann gewesen sein könnte?«

»Er war es«, bestätigte Sharpe.

Chase hob eine Augenbraue. »So sicher?«

»Ich habe ihn erkannt, Sir«, gab Sharpe zu, »aber ich habe das den Offizieren der *Calliope* verschwiegen. Ich hielt es nicht für wichtig.«

Chase schüttelte den Kopf, mehr belustigt als tadelnd. »Es hätte auch nichts genutzt, wenn Sie es ihnen gesagt hätten. Peculiar hätte Sie vielleicht umbringen lassen, wenn Sie geredet hätten. Und wie hätten die anderen wissen sollen, was läuft? Ich wünschte bei Gott, ich wüsste es!« Er stand auf und suchte ein Papier auf dem größeren der beiden Tische. »Wir, das heißt die Marine Seiner britannischen Majestät, suchen einen Gentleman namens Vaillard. Michel Vaillard. Er ist ein böser Junge, unser Vaillard, und es hat den Anschein, dass er nach Europa zurückzukehren versucht. Und wie kann er das besser schaffen, als wenn er sich als Diener tarnt? Niemand achtet auf die Diener, nicht wahr?«

»Warum suchen Sie ihn, Sir?«

»Er hat anscheinend mit den Marathen verhandelt, die Angst haben, dass die Briten übernehmen, was von ihrem Territorium übrig ist. So hat Vaillard einen Vertrag mit einem ihrer Führer, mit Holkar...«, er blickte auf das Papier, »...ja, er hat also einen Vertrag mit diesem Holkar abgeschlossen, und Vaillard bringt diesen Vertrag nach Paris. Holkar stimmt Friedensgesprächen mit den Briten zu, und in der Zwischenzeit arrangiert Monsieur Vaillard, vermutlich mit der Hilfe Ihres Freundes Pohlmann, dass Holkar mit französischen Beratern, französischen Kanonen und französischen Musketen beliefert wird. Dies ist eine Kopie des Vertrags.« Er blätterte das Papier durch, und Sharpe sah, dass der Vertrag in Französisch aufgesetzt war und jemand die Übersetzung zwischen den Zeilen hinzugefügt hatte. Holkar, der fähigste der Marathenfürsten, war der Armee von Sir Arthur Wellesley ausgewichen, wurde aber jetzt von anderen britischen Streitkräften unter Druck gesetzt und hatte die Eröffnung von Friedensverhandlungen in Angriff genommen und unter diesem Deckmantel eine gewaltige Armee aufgestellt, die von seinen Verbündeten, den Franzosen, ausgerüstet werden würde. Der Vertrag listete sogar diejenigen Fürsten in britischen Territorien auf, die rebellieren würden, wenn solch eine Armee aus dem Norden angreifen würde.

»Sie sind clever gewesen, Vaillard und Pohlmann«, sagte Chase. »Benutzen britische Schiffe, um heimzukehren. Das ist die schnellste Möglichkeit, wissen Sie. Sie haben unseren Cromwell bestochen und müssen eine Botschaft nach Mauritius geschickt haben, um ein Rendezvous mit der *Revenant* zu arrangieren.«

»Wie sind wir an eine Kopie des Vertrages gelangt?«, fragte Sharpe.

»Spione«, vermutete Chase. »Alles wurde aktiv, als Sie Bombay verlassen hatten. Der Admiral schickte eine Schaluppe ins Rote Meer, falls Vaillard sich entschied, über Land zu verschwinden, und er schickte die *Porcupine* los, um den Konvoi zu überholen. Er befahl mir, die Augen offen zu halten, weil es unser wichtigster Job ist, diesen verdammten Vaillard zu stoppen. Jetzt, da wir wissen, wer der verdammte Mann ist, oder es wenigstens zu wissen glauben, werde ich ihn verfolgen. Sie kehren zurück nach Europa, und wir auch. Es geht für uns gen Heimat, Sharpe, und Sie werden erleben, wie schnell ein in Frankreich gebautes Kriegsschiff segeln kann. Das Dumme ist nur, dass die *Revenant* ebenso schnell ist und fast eine Woche Vorsprung hat.«

»Und wenn Sie sie schnappen?«

»Dann schießen wir sie natürlich in Stücke«, sagte Chase,

»und sorgen dafür, dass Monsieur Vaillard und Herr Pohlmann bei den Fischen landen.«

»Und Captain Cromwell mit ihnen«, sagte Sharpe rachsüchtig.

»Ich würde ihn lieber lebend gefangen nehmen und an der Rahnock aufhängen«, sagte Chase. »Nichts muntert einen Matrosen mehr auf, als einen Kapitän an einem soliden Stück Hanf baumeln zu sehen.«

Sharpe blickte durch das Heckfenster und sah, dass die *Calliope* nur noch ein Tupfer von Segeln an der Kimm war. Er fühlte sich wie in einen reißenden Fluss geworfen, der ihn auf ein unbekanntes Ziel zutrieb. Er hatte keine Kontrolle über diese Reise, aber er war glücklich, immer noch mit Lady Grace zusammen zu sein. Allein der Gedanke an sie erfüllte ihn mit einem warmen Glücksgefühl. Eine innere Stimme sagte ihm, dass es verrückt war, völlig verrückt, doch er konnte nichts dagegen tun. Er wollte es auch nicht.

»Hier ist Mister Harold Collier«, sagte Chase, als er dem kleinen Midshipman auf sein Klopfen hin die Tür geöffnet hatte. Collier hatte das Kommando über das Boot gehabt, das Sharpe im Hafen von Bombay zur *Calliope* gebracht hatte. Jetzt erhielt Collier den Befehl, Sharpe die *Pucelle* zu zeigen.

Der Kleine war rührend stolz auf sein Schiff, während Sharpe äußerst beeindruckt war. Es war viel größer als die *Calliope*, und der junge Collier rasselte die Daten herunter, als er Sharpe durch die Messe führte, in der ein weiterer 18-Pfünder stand. »Hundertachtundsiebzig Fuß lang, Sir, den Bugspriet natürlich nicht mitgerechnet, achtundvierzig breit, und hundertfünfundsiebzig Fuß sind es bis zum Großflaggentopp. Sir, passen Sie auf Ihren Kopf auf. Sie wurde aus zweitausend Eichenbalken in Frankreich erbaut und sie wiegt fast zweitausend Tonnen, Sir – Vorsicht, Deckenbalken! –, und sie hat vierundsiebzig Geschütze, Sir, nicht mitgezählt die sechs Karronaden, alles Zweiunddreißig-Pfünder. Und es sind sechshundertsiebzehn Mann an Bord, Sir, die Seesoldaten nicht mitgerechnet.«

»Wie viele sind das?«

»Sechsundsechzig, Sir. Hier entlang, Sir. Passen Sie auf Ihren Kopf auf, Sir.«

Collier führte Sharpe aufs Achterdeck, wo acht Geschütze hinter geschlossenen Stückpforten standen. »Achtzehnpfünder, Sir«, sagte Collier. »Die Babys auf dem Schiff. Jeweils sechs pro Seite, einschließlich der vier in den Heckquartieren.« Er glitt einen gefährlich steilen Niedergang zum Hauptdeck hinab. »Dies ist das Hauptdeck, Sir. Zweiunddreißig Geschütze, Sir, alles Vierundzwanzigpfünder.« Das Zentrum des Hauptdecks war zum Himmel offen, doch das Vordeck und Achterdeck waren überdacht.

Collier ging Sharpe voran, schlängelte sich zwischen den riesigen Geschützen und den Messetischen, die dazwischen montiert waren, hindurch und duckte sich unter Hängematten, in denen dienstfreie Männer schliefen, und dann bog er um die Ankerwinde herum und stieg eine Leiter hinab, die in die Düsternis des Unterdecks führte, auf dem die größten Geschütze des Schiffes standen, die 32-Pfünder.

»Dreißig der großen Geschütze, Sir«, sagte Collier stolz. »Auf jeder Seite fünfzehn, wir haben zum Glück so viele. Man sagte uns, dass es einen Mangel an diesen großen Geschützen gibt und bei einigen Schiffen Achtzehnpfünder auf dem Unterdeck stehen, aber nicht bei Captain Chase, das würde er niemals erlauben. Ich habe Ihnen schon gesagt, passen Sie auf Ihren Kopf auf, Sir.«

Sharpe rieb über seinen Kopf, wo er mit einem Deckenbalken in Kontakt gekommen war, und überlegte, welche Feuerkraft die *Pucelle* aufbringen konnte. Als hätte Collier seine Gedanken erraten, sagte er: »Wir können fast hundert Pfund Metall mit jeder Breitseite feuern, Sir, und wir haben zwei Seiten.«

Sharpe dachte beeindruckt: Dieses eine Schiff kann in einer einzigen Breitseite mehr Kanonen abfeuern als all die Artilleriebatterien bei der Schlacht von Assaye. Es ist eine schwimmende Bastion, eine Vernichtungsmaschine der Hochsee, und dies ist nicht einmal das größte Kriegsschiff. Sharpe wusste, dass einige der Kriegsschiffe über hundert Geschütze hatten.

Abermals wusste Collier die Antwort auf seine noch unausgesprochenen Fragen, wahrscheinlich hatte er sie für die Prüfung zum Midshipman geübt. »Die Marine hat acht der ersten Kategorie, Sir, das sind Schiffe mit hundert oder mehr Geschützen – passen Sie auf diesen niedrigen Balken auf, Sir –, vierzehn der zweiten Kategorie, die ungefähr mit neunzig oder mehr Kanonen ausgerüstet sind, und hundertdreißig von dieser dritten Kategorie.«

»Sie nennen dies eine dritte Kategorie?«, fragte Sharpe erstaunt.

»Hier entlang, Sir, achten Sie auf Ihren Kopf.« Collier verschwand in einen anderen Niedergang zum untersten Deck und stieg ihn dank seiner geringen Körpergröße aufrecht hinunter. Sharpe folgte ihm langsamer und geduckt. Sie gelangten auf ein dunkles, feuchtes Deck mit niedriger Decke, auf dem es faulig stank und das von einigen Laternen schwach erhellt wurde. »Dies ist das Orlopdeck, Sir. Achten Sie auf diese Balken, Sir. Wir sind hier unter Wasser, Sir. Der Schiffsarzt hat hier unten seine Räume, jenseits der Magazine, und wir alle beten, Sir, dass wir nie unter seinem Skalpell enden. Hier entlang, Sir. Passen Sie auf Ihren Kopf auf.«

Er zeigte Sharpe die beiden Magazine, vor deren Ledervorhängen rotberockte Seesoldaten auf Wache standen, das Reich des Schiffsarztes, wo die Wände rot angestrichen waren, damit man das Blut nicht sah, das Krankenrevier und die Quartiere der Midshipmen. Diese Räume waren kaum größer als Hundezwinger. Dann führte er Sharpe einen letzten Niedergang hinab in den Laderaum, wo große Mengen von Fässern lagerten. Darunter befand sich nur noch der Kielraum, und ein trauriges Saugen, unterbrochen von Klappern, verriet Sharpe, dass er im Augenblick trocken gepumpt wurde.

»Die sechs Pumpen sind immer in Betrieb«, sagte Collier, »denn so leistungsstark sie auch sind, die See kommt rein.« Er trat nach einer Ratte, verfehlte sie und stieg wieder den Niedergang hinauf. Er zeigte Sharpe die Kombüse unter dem Vordeck, stellte ihm den Schiffsprofos vor, der für die Handwaffen an Bord verantwortlich war, dann Köche, Bootsleute, Geschützmaate und den Zimmermann, und schließlich bot er an, mit Sharpe zum Großmast hinaufzusteigen.

»Auf diese Freude können wir heute verzichten«, sagte Sharpe.

Collier brachte ihn in die Offiziersmesse, wo er ihm ein halbes Dutzend Offiziere vorstellte, dann zurück zum Achterdeck und an dem großen doppelten Steuerrad vorbei zu einer Tür, die direkt in Captain Chases Schlafkabine führte.

Es war, wie der Captain gesagt hatte, ein kleiner Raum. Er war mit lackiertem Holz getäfelt, am Boden lag ein Segeltuchteppich, und ein Springluk ließ das Tageslicht herein. Sharpes Reisetruhe nahm eine Wand ein, und Collier half ihm jetzt, das Bett zu befestigen. »Wenn Sie getötet werden, Sir«, sagte der kleine Mann ernst, »dann wird dies hier Ihr Sarg sein.«

»Besser als der, den die Armee mir geben könnte«, sagte Sharpe und warf seine Decken auf die Koje. »Wo ist die Kabine des Ersten Leutnants?«, fragte er.

»Vor dieser, Sir.« Collier wies zum vorderen Schott. »Hinter der Tür.«

»Und die des Zweiten Leutnants?«, fragte Sharpe, der wusste, dass dort Lady Grace schlafen würde.

»Achtern. Bei der Offiziersmesse. Da ist ein Haken für Ihre Laterne, Sir, und Sie finden das Quartier der Captains-Galerie achtern durch diese Tür auf der Steuerbordseite.«

»Captains-Galerie?«, fragte Sharpe.

»Latrine, Sir. Geht direkt in die See, Sir. Sehr hygienisch. Captain Chase sagt, dass Sie sie mit ihm teilen, Sir, und sein Steward wird sich um Sie kümmern, denn Sie sind sein Gast.«

»Sie mögen Chase?«, sagte Sharpe, dem der warme Tonfall in Colliers Stimme aufgefallen war.

»Jeder mag den Captain, Sir, jeder«, sagte Collier. »Dies ist ein glückliches Schiff, und das ist mehr, als ich über viele andere sagen kann. Erlauben Sie mir, Sie daran zu erinnern, dass das Captains-Abendessen am Ende der ersten Hundewache, die von vier bis sechs Uhr nachmittags dauert, serviert wird. Das sind vier Glasen. Sir, die beiden Hundewachen dauern jeweils zwei Stunden.«

»Wie viel Glasen haben wir jetzt?«

»Erst zwei, Sir.«

»Wie lange wird es dann zu vier Glockenschlägen dauern?«

Colliers kleines Gesicht zeigte Erstaunen darüber, dass jemand eine solche Frage stellen konnte. »Eine Stunde natürlich, Sir.«

»Natürlich«, sagte Sharpe.

Chase hatte sechs andere Gäste eingeladen, ihm beim Abendessen Gesellschaft zu leisten. Er konnte kaum vermeiden, Lord William Hale und seine Frau als Gäste zu bitten, doch er vertraute Sharpe an, dass Haskell, der Erste Leutnant, ein schrecklicher Snob war, der Lord William den ganzen Weg von

Kalkutta bis Bombay geschmeichelt hatte. »So kann er das verdammt jetzt wieder tun«, sagte Chase und blickte zu seinem Ersten Leutnant, einem großen, gut aussehenden Mann, der sich nah bei Lord William hielt und sich offensichtlich kein Wort von ihm entgehen ließ. »Und dies ist Llewellyn Llewellyn«, sagte Chase und zog Sharpe zu einem rotgesichtigen Mann mit rotem Uniformrock. »Ein Mann, der keine halben Dinge macht. Er ist der Captain unserer Seesoldaten. Was heißt, dass ich mich darauf verlasse, wenn die Franzmänner uns entern, dass sie von Llewellyn Llewellyn und seinen Kerlen über Bord geworfen werden.«

»Ist Ihr Name wirklich Llewellyn Llewellyn?«, fragte Sharpe.

»Wir sind geradliniger Abstammung von alten Königen«, sagte Captain Llewellyn stolz, »im Gegensatz zur Familie Chase, die, wenn ich mich nicht sehr irre, nur Treiber bei der Jagd waren.«

»Wir haben die verdammten Waliser verjagt«, sagte Chase lächelnd. Es war klar, dass die beiden alte Freunde waren, die sich einen Spaß daraus machten, sich gegenseitig aufzuziehen. »Dies, Llewellyn, ist mein besonderer Freund Richard Sharpe.«

Der Captain schüttelte Sharpe energisch die Hand und drückte die Hoffnung aus, dass Sharpe sich ihm und seinen Männern beim Musketentraining anschließen würde. »Vielleicht können Sie uns etwas beibringen«, sagte er.

»Das bezweifle ich, Captain.«

»Ich könnte Ihre Hilfe brauchen«, sagte Llewellyn begeistert. »Ich habe natürlich einen Leutnant, aber der Junge ist erst sechzehn. Braucht sich noch nicht mal zu rasieren! Ich weiß nicht, ob er sich selbst den Hintern abwischen kann. Es ist gut, einen anderen Rotrock an Bord zu haben, Sharpe. Das hebt die Stimmung auf dem Schiff.«

Chase lachte, dann zog er Sharpe mit, um ihn mit dem letzten Gast bekannt zu machen. Es war der Schiffsarzt, ein rundlicher Mann namens Pickering. Malachi Braithwaite hatte mit ihm gesprochen und blickte unbehaglich drein, als Sharpe ihm vorgestellt wurde. Pickering, dessen Gesicht voller roter Äderchen war, schüttelte Sharpe die Hand.

»Ich hoffe, dass wir uns nie beruflich begegnen, Ensign, denn dann könnte ich nicht viel tun, außer Sie aufzuschneiden und ein Gebet zu sprechen. Letzteres mache ich sehr ergreifend, falls dies ein Trost für Sie ist. Ich finde, sie sieht besser aus.« Der Schiffsarzt hatte sich umgewandt und schaute Lady Grace an. Sie trug ein hellblaues Kleid mit besticktem Kragen und Saum, Diamanten an ihrem Hals und in ihrem schwarzen Haar, das so hoch gesteckt war, dass es über die Deckenbalken von Chases Kabine strich, wenn sie sich bewegte. »Ich habe sie kaum gesehen, seit sie an Bord ist«, sagte Pickering, »aber sie wirkt jetzt viel lebhafter. Trotzdem ist sie unwillkommen.«

»Unwillkommen?«

»Es bedeutet Pech, Frauen an Bord zu haben, sozusagen die Garantie für Unheil.« Pickering streckte sich und berührte abergläubisch einen Deckenbalken. »Aber ich muss sagen, sie ist eine Augenweide. Heute Abend wird es auf dem Vordeck wieder frivoles Gerede geben, das kann ich Ihnen sagen. Ah, nun gut, wir müssen hinnehmen, was uns der liebe Gott schickt, sogar, wenn das eine Frau ist. Unser Captain hat uns gesagt, dass Sie ein berühmter Soldat sind, Sharpe!«

»Hat er das?«, sagte Sharpe. Braithwaite war zurückgetreten, als wolle er klarmachen, dass er nicht an der Unterhaltung teilnehmen wollte.

»Als Erster in der Bresche und so«, sagte Pickering. »Was mich anbetrifft, mein lieber Freund, sobald die Geschütze zu donnern beginnen, mache ich mich ins Lazarett davon, wo kein französisches Geschoss mich erreichen kann. Kennen Sie den Trick, wie man lange lebt, Sharpe? Immer aus der Reichweite bleiben! Das ist ein guter ärztlicher Rat, obendrein noch kostenlos!«

Die Mahlzeit an Captain Chases Tisch war viel besser als das, was bei Peculiar Cromwell serviert worden war. Sie begannen mit Räucherfischscheiben, serviert mit Zitrone und frischem Brot, aßen dann Hammelfleisch – Sharpe argwöhnte, dass es Ziege war –, das mit Essigsoße angerichtet war und köstlich schmeckte, und endeten mit einem Dessert, das aus einer Mischung von Orangen, Brandy und Sirup bestand. Lord William und Lady Grace saßen links und rechts von Chase, während der Erste Leutnant neben Ihrer Ladyschaft saß und sie zu überreden versuchte, mehr Wein zu trinken, als sie wünschte. Der Rotwein aus dem Mittelmeergebiet war herb und schwer.

Sharpe saß am Ende des Tisches, wo Captain Llewellyn ihn interessiert über die Schlachten befragte, die er in Indien ausgefochten hatte. Der Waliser war fasziniert von der Nachricht, dass Sharpe sich den 95th Rifles anschließen würde. »Das Konzept einer Schützeneinheit mag an Land wirken«, sagte Llewellyn, »aber es wird niemals auf See funktionieren.«

»Warum nicht?«

»Treffsicherheit bringt nichts auf einem Schiff. Die Dinge sind im Seegang in ständigem Auf und Ab, das macht das Zielen fast unmöglich. Nein, man muss eine Menge Kugeln auf das feindliche Deck feuern und beten, dass nicht alles vergeudet ist. Was mich daran erinnert, dass wir einige neue Spielzeuge an Bord haben. Sogenannte Volley Guns, siebenläufig! Monströse Teile! Sie spucken sieben Kugeln von einem halben Zoll Durchmesser gleichzeitig aus. Sie müssen mal eines davon ausprobieren.«

»Das würde mir gefallen.«

»Ich möchte einige Volley Guns in den Masten haben«, sagte Llewellyn begierig. »Sie könnten einigen richtigen Schaden anrichten, Sharpe.«

Chase hatte Llewellyns letzte Bemerkung gehört, denn er griff von der anderen Seite des Tisches ein. »Nelson würde keine Musketen in den Masten erlauben, Llewellyn. Er sagt, sie setzen die Segel in Brand.«

»Der Mann irrt sich«, sagte Llewellyn beleidigt, »das ist völlig falsch.«

»Sie kennen Lord Nelson?«, fragte Lady Grace den Captain.

»Ich habe kurze Zeit unter ihm gedient, Mylady«, sagte Chase begeistert, »leider zu kurz. Damals hatte ich das Kommando über eine Fregatte, aber leider habe ich nie an einem Gefecht unter dem Kommando Seiner Lordschaft teilgenommen.«

»Ich bete zu Gott, dass wir kein Gefecht erleben«, sagte Lord William inbrünstig.

»Amen«, brach Braithwaite sein Schweigen. Er hatte beim Essen die meiste Zeit stumm auf Lady Grace gestarrt und war zusammengezuckt, wenn Sharpe etwas gesagt hatte.

»Bei Gott, ich hoffe, dass es der Fall sein wird!«, entgegnete Chase. »Wir müssen unseren deutschen Freund und seinen sogenannten Diener stoppen!«

»Meinen Sie, Sie können die *Revenant* einholen?«, fragte Lady Grace.

»Ich hoffe es, Mylady, aber es wird eine riskante Sache. Montmorin ist ein guter Seemann, und die *Revenant* ist ein schnelles Schiff, aber ihr Kiel wird überwucherter und verschmutzter sein als unserer.«

»Er wirkte sauber«, sagte Sharpe.

»Sauber?« Chase klang alarmiert.

»Kein Bewuchs an der Wasserlinie, Sir. Alles blank und strahlend.«

»Verdammter Kerl«, sagte Chase und meinte Montmorin. »Er hat seinen Rumpf säubern lassen. Das wird es uns noch schwerer machen, ihn zu fassen. Und ich habe mit Mister Haskell gewettet, dass wir ihn an meinem Geburtstag einholen.«

»Und wann ist das?«, fragte Lady Grace.

»Einundzwanzigster Oktober, Ma'am, und nach meiner Schätzung sollten wir bis dahin irgendwo vor Portugal sein.«

»Sie wird nicht vor Portugal sein«, sagte der Erste Leutnant, »denn sie wird nicht direkt nach Frankreich segeln, sondern in Cadiz einlaufen, und ich nehme an, dass wir sie in der zweiten Oktoberwoche einholen werden, irgendwo vor Afrika.«

»Zehn Guineen habe ich gesetzt«, sagte Chase, »und ich weiß, dass ich dem Spielen abgeschworen habe, aber ich werde mit Freuden zahlen, wenn wir sie einholen. Dann werden wir ein tolles Gefecht haben, Mylady, aber lassen Sie mich versichern, dass Sie unter der Wasserlinie sicher sein werden.«

Lady Grace lächelte. »Ich werde dort die Abwechslung an Bord vermissen, Captain.«

Das rief Gelächter hervor. Sharpe hatte Ihre Ladyschaft in Gesellschaft selten so entspannt gesehen. Der Schein der Kerzen glänzte von ihren Diamantohrringen und dem Halsband, von den Juwelen an ihren Fingern und aus ihren strahlenden Augen. Ihre Munterkeit bezauberte alle am Tisch, alle außer ihrem Ehemann, der leicht die Stirn runzelte, als befürchte er, sie hätte zu viel Wein getrunken. Sharpe dachte fast eifersüchtig, sie reagiere auf den gut aussehenden und freundlichen Chase, doch gerade als dieser Neid in ihm aufkeimte, schaute sie zu ihm, und er fing ihren Blick voller Liebe auf. Braithwaite sah diese stumme Liebeserklärung und starrte auf seinen Teller.

»Ich habe nie ganz verstanden«, sagte Lord William, »warum ihr Seeleute eure Schiffe nahe an den Feind heran segelt und euch dann gegenseitig in den Rumpf ballert. Es wäre doch leichter, die Takelage des Feindes aus einiger Entfernung zu zerstören, oder?«

»Das ist die französische Kampftechnik, Mylord«, sagte Chase. »Sie feuern mit allem, was sie haben, um unsere Masten auszuschalten, aber wenn sie uns entmastet haben und wir wie ein gefällter Baumstamm im Wasser liegen, müssen sie uns immer noch aufbringen.«

»Aber wenn sie Masten und Segel haben und ihr nicht, warum können sie nicht einfach ihre Breitseiten in euer Heck schießen?«

»Sie gehen davon aus, Mylord, dass wir nichts tun, während der Feind – in diesem Fall die Franzosen – versucht, uns zu entmasten.« Chase lächelte, um seine Worte zu mildern. »Ein Schiff, Mylord, ist nichts anderes als eine schwimmende Artilleriebatterie. Zerstören Sie die Segel, und Sie haben immer noch eine Geschützbatterie, aber schalten Sie die Kanonen aus, demolieren die Decks und töten die Kanoniere, dann haben Sie das Schiff seiner Kampfkraft beraubt. Die Franzosen versuchen, uns aus großer Distanz einen Haarschnitt zu verpassen, während wir nahe ransegeln und ihre lebenswichtigen Funktionen ausschalten.« Er wandte sich an Lady Grace. »Es muss Sie langweilen, wenn Männer von Gefechten reden.«

»Daran habe ich mich in den vergangenen Wochen gewöhnt«, sagte Grace. »Da war ein schottischer Major auf der *Calliope*, der immer versucht hat, Mister Sharpe zu überreden, solche Geschichten zu erzählen.« Sie wandte sich an Sharpe. »Sie haben uns nie erzählt, was geschah, als Sie meinem Cousin das Leben gerettet haben.«

»Meine Frau interessiert sich übermäßig für das Schicksal

eines ihrer entfernten Cousins«, sagte Lord William, »seit er in Indien eine kleine Berühmtheit geworden ist. Ungewöhnlich, wie ein normaler Dummkopf wie Wellesley in der Armee aufsteigen kann, nicht wahr?«

»Sie haben Wellesley das Leben gerettet, Sharpe?«, fragte Chase und ignorierte den Sarkasmus Seiner Lordschaft.

»Ich kann mich nicht genau daran erinnern, Sir. Vermutlich habe ich nur verhindert, dass er gefangen genommen wurde.«

»War das der Grund der Narbe?«, fragte Llewellyn.

»Die stammt von Gawilgarh, Sir.« Sharpe hätte gern das Thema gewechselt, und er überlegte verzweifelt, wie er die Unterhaltung in eine andere Richtung lenken konnte, doch es fiel ihm nichts ein.

»Was ist also geschehen?«, fragte Chase.

»Er war vom Pferd gestürzt«, sagte Sharpe, und das Blut schoss ihm in die Wangen, »zwischen den feindlichen Reihen.«

»Er war sicherlich nicht allein?«, fragte Lord William.

»Doch, das war er. Abgesehen von mir natürlich.«

»Leichtsinnig von ihm«, bemerkte Lord William.

»Und wie viele Feinde waren dort?«, fragte Chase.

»Ein paar, Sir.«

»Und Sie haben sie niedergekämpft?«

Sharpe nickte. »Mir blieb nichts anderes übrig, Sir.«

»Außer Reichweite bleiben!«, dröhnte der Schiffsarzt. »Das ist mein Rat! Bleib aus der Reichweite!«

Lord William machte Captain Chase Komplimente wegen des Desserts, und Chase pries seinen Koch und Steward, und damit begann eine allgemeine Diskussion über zuverlässige Bedienstete, die erst endete, als Sharpe, der rangjüngste anwesende Offizier, gebeten wurde, den Toast auf den König auszubringen.

»Auf King George«, sagte Sharpe. »Gott segne ihn.«

»Und verdamme seine Feinde«, fügte Chase hinzu und prostete der Tischgesellschaft zu, »besonders Monsieur Vaillard.«

Lady Grace schob ihren Stuhl zurück. Chase versuchte vergebens, sie zum Bleiben zu bewegen.

»Sie werden nichts dagegen haben, Captain, wenn ich noch eine Weile auf Ihrem Deck spaziere?«, fragte Lady Grace.

»Ich bin erfreut, dass mir solch eine Ehre zuteil wird, Mylady.«

Brandy und Zigarren wurden gereicht, doch die Gesellschaft blieb nicht mehr lange. Lord William schlug eine Partie Whist vor, doch Chase hatte bei seiner ersten Reise mit Seiner Lordschaft zu viel verloren und erklärte, er habe das Kartenspielen ganz aufgegeben. Leutnant Haskell versprach eine aufregende Partie Whist in der Offiziersmesse, und Lord William und die anderen folgten ihm hinunter zum Hauptdeck und gingen dann nach achtern. Chase wünschte seinen Besuchern eine gute Nacht, dann lud er Sharpe in seine Tageskabine am Heck ein.

»Auf einen Absacker-Brandy, Sharpe.«

»Ich möchte Sie nicht um Ihren Schlaf bringen, Sir.«

»Wenn ich müde werde, dann schmeiße ich Sie raus. Hier.« Er ging voran in die komfortable Tageskabine. »Mein Gott, ist William Hale ein Langweiler«, sagte er. »Aber ich muss zugeben, dass ich von seiner Frau überrascht war. Habe sie nie so munter erlebt! Als sie letztes Mal an Bord war, dachte ich, sie macht schlapp und stirbt.«

»Vielleicht hat der Wein sie heute Abend angeregt«, sagte Sharpe.

»Vielleicht, aber ich habe andere Geschichten gehört.«

»Geschichten?«, fragte Sharpe vorsichtig.

»Dass Sie nicht nur ihren Cousin, sondern auch sie gerettet haben. Zum Schaden eines französischen Leutnants, der jetzt bei seinen Ahnen schläft.«

Sharpe nickte, äußerte sich jedoch nicht.

Chase lächelte. »Nach dieser Erfahrung geht es ihr anscheinend besser. Und dieser Sekretär ist ein düsterer, trauriger Vogel, nicht wahr? Verliert den ganzen Abend kaum ein Wort. Und der soll in Oxford studiert haben!« Zu Sharpes Erleichterung ließ Chase das Thema Lady Grace fallen. Stattdessen fragte er Sharpe, ob er sich vorstellen könne, unter Captain Llewellyn zu dienen und somit ehrenhalber Seesoldat zu werden.

»Wenn wir die *Revenant* schnappen«, sagte Chase, »werden wir versuchen, sie aufzubringen. Wir könnten auf sie einhämmern, bis sie zur Aufgabe gezwungen ist ...«, er klopfte abergläubisch auf das Holz des Tisches, »... aber es könnte auch sein, dass wir immer noch entern müssen. Wenn das geschieht, brauchen wir Kämpfer. Kann ich dann auf Ihre Hilfe zählen? Gut! Ich werde Llewellyn sagen, dass Sie jetzt sein Mann sind. Er ist ein erstklassiger Typ, obwohl Seesoldat und Waliser, und ich bezweifle, dass er Ihnen zu sehr auf die Nerven gehen wird. Und jetzt muss ich an Deck gehen und sicherstellen, dass man uns nicht im Kreis steuert. Kann ich mit Ihnen rechnen?«

»Jawohl, Sir.«

So war Sharpe jetzt ein Seesoldat ehrenhalber.

Die *Pucelle* hatte jedes Segel gesetzt, mit dem Chase ihre Masten versehen konnte. Er ließ sie sogar durch zusätzliche Trosse stützen, sodass noch mehr Segel gesetzt werden konnten. Es waren Leesegel, Royalsegel, Stagsegel, Außenklüver und Blinden, eine Masse von Segeltuch, von der das Kriegsschiff westwärts getrieben wurde. Chase nannte es »die Wäsche raushängen«, und Sharpe sah, wie die Mannschaft auf die Begeisterung ihres Kapitäns reagierte. Sie war so begierig wie Chase darauf, zu beweisen, dass die *Pucelle* das schnellste Segelschiff auf den Meeren war.

Und so segelten sie westwärts, bis in einer der folgenden Nächte die See unruhig wurde und das Schiff zu schlingern begann. Sharpe erwachte von hämmernden Schritten auf dem Deck. Er verzichtete darauf, sich anzuziehen, warf sich nur einen Umhang über, den Chase ihm geliehen hatte, und ging aufs Achterdeck. Er konnte fast nichts erkennen, denn Wolken verdunkelten den Mond, doch er konnte Befehle hören, die gebrüllt wurden, und hörte die Stimmen der Männer hoch über sich in der Takelage. Sharpe konnte immer noch nicht verstehen, dass Männer in dunkler Nacht hundert Fuß über einem schwankenden Deck arbeiten konnten, auf dünnen Tauen stehend und das Peitschen des Windes in den Ohren. Er nahm an, dass dies eine Tapferkeit war, die so groß wie jede war, die auf einem Schlachtfeld benötigt wurde.

»Sind Sie das, Sharpe?«, rief Chase.

»Jawohl, Sir.«

»Es ist die Agulhas-Strömung«, sagte Chase glücklich, »die uns um die Spitze von Afrika herum treibt. Wir reffen die Segel. Es wird ein, zwei Tage ziemlich rau!«

Das Tageslicht enthüllte eine aufgewühlte See. Die *Pucelle* senkte sich in die riesigen Wellentäler, Wolken von Gischt peitschten über die Focksegel und rannen in Strömen vom Segeltuch.

Chase gab immer noch Essen in seinem Quartier, denn er liebte abends die Gesellschaft, doch jede Änderung der Windrichtung trieb ihn von seinem Tisch auf das Achterdeck. Er notierte jede leichte Änderung des Kurses, nahm die Geschwindigkeit zurück, als sich die afrikanische Küste westlich vor ihnen befand, und freute sich, wenn er wieder seine volle »Wäsche« setzen und sehen konnte, wie das Schiff auf die Kraft des Windes reagierte.

»Ich glaube, wir holen sie ein«, sagte er eines Tages zu Sharpe.

»Sie kann sicher nicht so schnell segeln wie wir«, meinte Sharpe.

»Oh, das kann sie vielleicht doch. Aber ich vermute, dass Montmorin es nicht wagt, zu nahe unter Land zu segeln. Er wird gezwungen sein, weit nach Süden zu segeln, damit er nicht von unseren Schiffen vor Kapstadt entdeckt wird. So schneiden wir die Kurve vor ihm ab! Wer weiß, vielleicht sind wir nur noch zwanzig Meilen oder so hinter ihm?«

Von der *Pucelle* aus waren jetzt andere Schiffe zu sehen. Die meisten waren kleine, eingeborene Handelsschiffe. Aber sie passierten auch zwei britische Handelsschiffe, einen amerikanischen Walfänger und eine Schaluppe der Königlichen Marine, mit der es einen lebhaften Austausch von Signalen gab. Connors, der Dritte Leutnant, der für die Schiffssignale verantwortlich war, befahl einem Mann, eine Folge bunter Fahnen in die Takelage zu ziehen. Dann hielt er ein Fernrohr vors Auge und las die Antwort der Schaluppe. »Es ist die *Hirondelle*, Sir, aus Kapstadt.«

»Fragen Sie, ob sie andere Schiffe in dieser Richtung gesehen hat.«

Die Flaggen wurden gefunden, sortiert und gehisst, und die Antwort lautete »Nein«. Dann schickte Chase eine lange Botschaft, in der er dem Kapitän der *Hirondelle* erklärte, dass die *Pucelle* die *Revenant* in den Atlantik verfolgte. Diese Nachricht würde die Admiralität in Bombay erreichen, wo man sich sicher wundern würde, was in den vergangenen Wochen geschehen war.

Am nächsten Tag wurde Land gesichtet, doch es war fern, und die Sicht war durch Regenböen getrübt, die auf die Segel und Decks prasselten. Die Decks wurden jeden Morgen mit

Bimssteinen von der Größe einer Bibel und mit Schleifsand geschrubbt. »Heiliges Schrubben« nannten es die Männer. Immer noch segelte die *Pucelle*, als wäre der Teufel hinter ihr her. Der Wind blieb stark und peitschte tagelang schneidenden Regen heran. Alles unter Deck wurde feucht und rutschig. Dann, an einem weiteren von Regen und Wind gepeitschten Tag passierten sie Kapstadt. Sharpe konnte nichts davon sehen außer einem dunstigen großen Berg mit flacher Kuppe, der von einer Wolke halb verborgen war.

Captain Chase befahl, dass neue Karten auf dem Tisch in seiner Tageskabine ausgebreitet wurden. »Ich habe jetzt die Wahl«, sage er zu Sharpe. »Entweder segele ich nach Westen in den Atlantik, oder wir fahren die Handelsrouten an der afrikanischen Küste entlang nach Norden.«

Die Wahl fiel Sharpe leicht. Er wäre lieber in der Nähe der Küste geblieben. Aber er war kein Seemann.

»Ich gehe ein Risiko ein«, erklärte Chase, »wenn ich nahe der Küste bleibe. Dort gibt es starke Strömungen, und ich riskiere auch Nebel. Zudem könnte es einen Sturm von Westen geben. Dann liegen wir auf Legerwall.«

»Und was bedeutet Legerwall?«, fragte Sharpe.

»Dass wir so stark gegen die Küste gedrückt werden, dass wir nicht mehr freikreuzen können und stranden«, sagte Chase knapp und ließ die Karte zusammenrollen. »Deshalb sagen die Vorschriften, dass wir nach Westen segeln«, fügte er hinzu. »Doch wenn wir das tun, riskieren wir, in eine Flaute zu geraten.«

»Wo ist die *Revenant* Ihrer Meinung nach?«

»Sie ist im Westen und meidet Land. Das hoffe ich jedenfalls.« Chase starrte aus dem Heckfenster zum weiß schäumenden Kielwasser. Er wirkte jetzt müde und älter, weil seine natürliche Überschwänglichkeit in den Tagen und Nächten ohne Schlaf und ständiger Sorge verloren gegangen war. »Vielleicht bleibt sie näher an der Küste«, überlegte er. »Sie kann eine falsche Flagge gehisst haben. Oder aber die *Hirondelle* hat sie nicht gesichtet. In diesen verdammten Windböen kann eine Flotte ein paar Meilen vor uns segeln, und wir sehen nichts davon.« Er zog seinen Wettermantel an, um wieder an Deck zu gehen. »An der Küste rauf, nehme ich an«, murmelte er vor sich hin, »und Gott verhüte, dass es einen Sturm von Westen gibt.« Er nahm seinen Hut. »Gott helfe uns, wenn wir die *Revenant* nicht finden. Ihre Lordschaften der Admiralität kennen kein Erbarmen mit Kapitänen, die ihre Position aufgeben und sich auf fruchtlose Verfolgungsjagden um den halben Erdball begeben. Und Gott helfe uns, wenn wir sie finden, und dieser Typ tatsächlich ein Schweizer Diener und überhaupt nicht Vaillard ist und der Erste Leutnant recht hat und er nicht nach Frankreich, sondern Cadiz anläuft. Das ist näher. Viel näher.« Er zuckte mit den Schultern. »Tut mir leid, Sharpe, ich bin keine gute Gesellschaft für Sie.«

»Ich habe eine bessere Zeit, als ich je zu erwarten gewagt habe, als ich an Bord der *Calliope* gegangen bin.«

»Gut«, sagte Chase und ging zur Tür. »Das ist gut. Und jetzt ist es an der Zeit, nach Norden zu segeln.«

Sharpe war genügend beschäftigt. Des Morgens trat er bei den Seesoldaten an, und dann gab es scheinbar endlose Übungen, denn Captain Llewellyn befürchtete, dass seine Männer einrosteten, wenn sie nicht beschäftigt waren. Sie feuerten mit ihren Musketen bei jedem Wetter, lernten es, wie sie die Schlösser ihrer Waffen gegen den Regen abschirmten. Sie feuerten von den Decks aus der Takelage, und Sharpe schoss mit ihnen, benutzte eine der Musketen für den Seedienst, die der Waffe ähnelte, mit der er als einfacher Soldat gefeuert hatte. Die Waffen waren empfindlich gegen die Salzluft, und die Seesoldaten verbrachten Stunden damit, sie zu reinigen und zu ölen, und noch mehr Stunden damit, mit Bajonetten und Entermessern zu üben.

Llewellyn bestand auch darauf, dass Sharpe seine neuen Spielzeuge, die siebenläufigen Volley Guns, ausprobierte, und so feuerte Sharpe vom Vordeck in die See und wurde vom Rückstoß fast umgeworfen. Das Laden dieser Waffe dauerte über zwei Minuten, doch der Captain der Seesoldaten sah darin keinen Nachteil. »Feuern Sie damit auf ein Deck der Franzosen, Sharpe, und es gibt das große Heulen und Zähneklappern!« Am allermeisten freute sich Llewellyn darauf, die *Revenant* zu entern, und er konnte es kaum erwarten, seine rot berockten Männer auf den Feind loszulassen. »Deshalb müssen meine Männer flink sein, Sharpe«, sagte er wiederholt.

Dann gab er einer Gruppe den Befehl, vom Vordeck zum Achterdeck zu rennen, zurück zum Vordeck, dann von backbord nach steuerbord und hin und zurück. »Wenn die Franzmänner uns entern«, sagte er, müssen wir schnell sein. Nicht rumtrödeln, Hawkins! Beeilung, Mann! Sie sind kein Lahmarsch, sondern ein Seesoldat!«

Sharpe rüstete sich mit einem Entermesser aus, das ihm viel besser gefiel als der Kavalleriesäbel, den er bei der Schlacht von Assaye getragen hatte. Das Entermesser hatte eine gerade Klinge, war schwer und plump, aber man konnte es wirkungsvoll einsetzen. »Sie fechten nicht mit ihnen«, mahnte Llewellyn, »denn es ist keine Waffe für das Handgelenk. Hacken Sie damit auf den Feind ein! Kräftigen Sie Ihre Arme, Sharpe. Klettern Sie jeden Tag die Masten hinauf, üben Sie mit dem Entermesser!«

Sharpe kletterte auf die Masten. Er fand es Furcht erregend, denn jede kleine Bewegung an Deck wurde verstärkt, je höher er stieg. Zuerst verzichtete er darauf, den obersten Teil der

Takelage zu erreichen, doch er wurde geübt beim Hinaufklettern auf den Großmars, der eine breite Plattform hatte, wo der untere Mast mit dem oberen verbunden war. Die Matrosen erreichten die Mastspitze, indem sie die Wanten benutzten, die zum Rand der Plattformen führten, doch Sharpe zwängte sich immer durch das enge Loch neben dem Mast, statt über die Wanten zu klettern.

Lady Grace war den größten Teil der Woche nicht mehr in Sharpes Nähe gewesen, und es beunruhigte ihn, dass sie Distanz hielt. Ein-, zweimal hatte sie mit ihm Blicke getauscht, und diese stummen Zwiesprachen waren ihm wie eine Bitte vorgekommen. Es hatte keine Möglichkeit gegeben, mit ihr zu sprechen, und sie war nicht das Risiko eingegangen, ihn in der Nacht in seiner Kabine aufzusuchen. Jetzt stand sie an der Leeseite des Achterdecks, nahe bei ihrem Mann, der mit Malachi Braithwaite sprach, und sie schien zu zögern, bevor sie sich Sharpe und Captain Chase näherte, doch dann entschloss sie sich mit sichtlicher Mühe, das Deck zu überqueren. Malachi Braithwaite beobachtete sie, während ihr Mann stirnrunzelnd in Papieren blätterte.

»Wir kommen heute langsam voran, Captain Chase«, sagte sie steif.

»Wir haben eine Strömung, Mylady, die uns unsichtbar hilft, aber ich wünschte, der Wind würde auffrischen.« Chase blickte mit gerunzelter Stirn zu den Segeln hinauf. »Einige Leute glauben, man könnte den Wind mit Pfeifen ermuntern, doch es wirkt anscheinend nicht.« Er pfiff den Anfang eines Seemannsliedes, doch dem sehr leichten Wind war das gleichgültig. »Sehen Sie?«

Lady Grace starrte Chase anscheinend sprachlos an, und der Captain spürte plötzlich, dass sie etwas auf dem Herzen hatte. »Mylady?«, fragte er mit betroffener Miene.

»Könnten Sie mir auf einer Karte zeigen, wo wir sind, Captain?«, platzte es aus ihr heraus.

Chase zögerte, verwirrt von der plötzlichen Bitte. »Es wäre mir ein Vergnügen, Mylady«, sagte er dann. »Die Karten sind in meiner Tageskabine. Wird Seine Lordschaft ...«

»Ich werde gewiss in Ihrer Kabine sicher sein, Captain«, sagte Lady Grace.

»Sie haben das Kommando, Mister Peel«, sagte Chase zum Zweiten Leutnant, dann führte er Lady Grace vom Achterdeck durch einen Durchgang zur Backbordseite, von wo aus es zu Chases Tageskabine ging. Lord William sah sie und runzelte die Stirn, was Chase verharren ließ. »Möchten Sie auch die Karten sehen, Mylord?«, fragte der Captain.

»Nein, nein«, antwortete Lord William und las weiter in seinen Papieren.

Braithwaite beobachtete Sharpe, und Sharpe wusste, dass er alles vermeiden sollte, was den Verdacht des Sekretärs erregen konnte, aber er glaubte nicht, dass Lady Grace wirklich die Karten sehen wollte. So ignorierte er Braithwaites feindseligen Blick und ging zu seiner Schlafkabine, die sich jenseits der Steuerbordtür unter dem Achterdeck befand. Er klopfte an die Tür, die von der Schlafkabine in die Tageskabine führte, erhielt jedoch keine Antwort und trat unaufgefordert in die große Heckkabine.

»Sharpe!« Chase zeigte eine Spur von Ärger, denn so freundlich er auch war, sein Quartier war ihm heilig, und außerdem hatte er nicht auf das Klopfen an der Tür reagiert.

»Captain«, sagte Lady Grace und legte eine Hand auf seinen Arm, »bitte.«

Chase, der im Begriff gewesen war, eine Karte zu entrollen, blickte von Grace zu Sharpe und wieder zurück zu ihr. Dann rollte er die Karte zusammen. »Ich habe heute Morgen tatsächlich vergessen, die Chronometer aufzuziehen«, sagte er. »Würden Sie mich entschuldigen?« Er ging an Sharpe vorbei in die Speisekabine und schloss die Tür ostentativ mit einem absichtlich lauten Klicken.

»O Gott, Richard.« Lady Grace lief zu ihm und umarmte ihn.

»Was ist los?«

Sekundenlang sagte sie nichts, doch dann erkannte sie, dass ihr wenig Zeit blieb, wenn sie und der Captain nicht ins Gerede kommen wollten. »Es geht um den Sekretär meines Mannes«, hauchte sie.

»Ich weiß über ihn Bescheid.«

»So?« Sie starrte ihn überrascht an.

»Erpresst er dich?«, riet Sharpe.

Sie nickte. »Und er beobachtet mich.«

Sharpe küsste sie. »Überlass ihn mir. Und jetzt geh, bevor Gerüchte entstehen.«

Sie küsste ihn leidenschaftlich. Dann kehrte sie zurück aufs Deck, das sie vor gerade mal zwei Minuten verlassen hatte.

Sharpe wartete, bis Chase seine Chronometer aufgezogen hatte und in die Tageskabine zurückkehrte. Chase rieb sich müde übers Gesicht und musterte dann Sharpe. »Nein so was«, sagte er und ließ sich in seinen tiefen Lehnsessel sinken. »Das nennt man mit dem Feuer spielen, Sharpe.«

»Ich weiß, Sir.« Sharpe stieg das Blut in die Wangen.

»Nicht, dass ich Ihnen das verdenken könnte«, sagte Chase. »Guter Gott, glauben Sie das nicht. Ich war selbst ein scharfer Hund, bis ich Florence kennen lernte. Eine liebe Frau! Eine gute Ehe neigt dazu, einen Mann solide zu machen, Sharpe.«

»Ist das ein Rat, Sir?«

»Nein.« Chase lächelte. »Es ist Prahlerei.« Er schwieg kurz und sagte dann: »Dies wird doch nicht eskalieren, oder?«

»Nein«, sagte Sharpe.

»Es ist nur, dass Schiffe sonderbar anfällig sind, Sharpe. Die Leute können zufrieden sein und hart arbeiten, aber es fehlt nicht viel, und es gibt Streit.«

»Es wird nicht eskalieren, Sir.«

»Natürlich nicht. Wenn Sie es sagen. Nun gut. Sie haben mich überrascht. Oder vielleicht auch nicht. Sie ist eine Schönheit, und Sir William ist ein sehr kalter Fisch. Ich glaube, wenn ich nicht so glücklich verheiratet wäre, wäre ich neidisch auf Sie. Positiv neidisch.«

»Wir sind nur gute Bekannte«, sagte Sharpe.

»Natürlich sind Sie das, mein lieber Freund, natürlich sind Sie das.« Chase lächelte. »Aber ihr Ehemann könnte etwas mehr als eine – Bekanntschaft darin sehen.«

»Ich glaube, das könnte man sagen, Sir.«

»Dann sorgen Sie dafür, dass nichts passiert, denn es fällt unter meine Verantwortung.« Chase sprach diese Worte mit harter Stimme und lächelte dann. »Aber sonst wünsche ich Ihnen viel Spaß. Und leise, ich bitte darum, heimlich, still und leise.« Letzteres flüsterte Chase. Dann stand er auf und ging zurück aufs Achterdeck.

Sharpe wartete eine halbe Stunde, bevor er die Heckkabine verließ. Er tat sein Bestes, um jeden Verdacht zu zerstreuen, den Braithwaite zwangsläufig haben musste, doch als Sharpe das Achterdeck wieder betrat, hatte der Sekretär es verlassen, und das war vielleicht gut so, denn Sharpe war von kaltem Zorn erfüllt.

Und Malachi Braithwaite hatte sich einen Todfeind gemacht.

KAPITEL 7

Am nächsten Morgen war der Wind immer noch mäßig, und die *Pucelle* schien kaum durch die ruhige See mit den langen flachen Wellen zu gleiten. Es war wieder heiß, sodass die Seeleute mit nacktem Oberkörper arbeiteten. Bei einigen waren auf dem Rücken Narben vom Auspeitschen zu sehen. »Einige tragen sie wie Abzeichen von Stolz«, sagte Chase, »obwohl ich hoffe, nicht auf diesem Schiff.«

»Sie lassen nicht auspeitschen?«

»Doch, das muss ich«, sagte Chase, »aber sehr selten. Erst zweimal, seit ich vor drei Jahren das Kommando übernommen habe. Das erste Mal war es wegen Diebstahls, und beim zweiten Mal, weil einer aus der Mannschaft einen Maat geschlagen hatte, der es wahrscheinlich verdient hatte, aber Disziplin ist Disziplin. Leutnant Haskell möchte, dass ich mehr auspeitschen lasse. Er denkt, dass es für die Einhaltung der Disziplin unbedingt nötig ist, doch ich sehe das anders.« Er starrte verdrossen zu den Segeln empor. »Kein verdammter Wind. Allmächtiger, wo bleibt der Wind?«

Wenn es windstill blieb, würde Chase mit den Geschützen üben lassen. Wie viele Captains hatte er zusätzliches Pulver und Munition auf eigene Kosten gekauft, sodass seine Mannschaft üben konnte. Den ganzen Morgen donnerten die Geschütze, alle Stückpforten waren geöffnet, sogar die in seiner großen Kabine, und das Schiff war ständig von weißgrauem Rauch umgeben, durch den es mit quälender Langsamkeit glitt.

»Das könnte Pech bedeuten«, sagte Peel, der Zweite Leutnant, zu Sharpe. Peel war ein freundlicher, molliger Mann, mit rundem Gesicht und heiterem Gemüt. Er war auch unordentlich, was den Ersten Leutnant ärgerte, und das böse Blut zwischen Peel und Haskell machte die Atmosphäre in der Offiziersmesse angespannt und unbehaglich. Sharpe spürte die Anspannung, wusste, dass Chase sich darüber aufregte, und konnte verstehen, dass Peel, weitaus unbeschwerter als der große, selten lächelnde Haskell, auf dem Schiff beliebt war.

»Warum Pech?«, fragte Sharpe.

»Geschütze lullen den Wind ein«, erklärte Peel ernsthaft. Er trug eine blaue Uniform, die noch weitaus abgetragener war als Sharpes roter Rock, obwohl es hieß, dass der Zweite Leutnant wohlhabend sein sollte. »Es ist ein unerklärliches Phänomen«, sagte Peel, »dass Geschützfeuer den Wind beeinflusst.« Wie als Beweis wies er auf eine große rote Flagge, und sie hing tatsächlich schlaff herab. Die Flagge wurde nicht jeden Tag gehisst, aber wenn Windflaute herrschte, diente sie dazu, kleinere Veränderungen in der Brise anzuzeigen.

»Warum ist sie rot?«, fragte Sharpe. »Diese Schaluppe, die wir sahen, hatte eine blaue.«

»Das hängt davon ab, welchem Admiral sie dienen«, erklärte Peel. »Wir bekommen Befehle von einem Rear Admiral der roten Flagge, aber wenn er von der blauen wäre, hätten wir eine blaue Flagge, und wenn er weiß wäre, eine weiße.«

Die rote Flagge bewegte sich schlaff, als ein Windstoß in ihre Falten fuhr. Im Osten, woher die Windböe kam, ballten sich Wolken. Peel meinte, dass sie über Afrika hingen. »Und Sie werden bemerkt haben, dass sich das Wasser verfärbt hat«, sagte er und wies zur Seite auf die bräunlich wirkende See. »Was bedeutet, dass wir vor einer Flussmündung stehen.«

Chase legte einen Zeitplan für die Geschütz-Mannschaften fest und versprach den schnellsten Männern eine Extraration

Rum. Der Lärm der Geschütze war erstaunlich. Er zerrte an den Trommelfellen und ließ das Schiff erzittern, bevor er sich langsam in der Weite der See und des Himmels verlor. Die Kanoniere banden sich Tücher um die Ohren, um den Krach zu mindern, doch viele von ihnen waren vorübergehend wie taub.

Sharpe stieg aus Neugier hinab zum Unterdeck zu den großen 32-Pfündern und beobachtete, wie sie abgefeuert wurden. Er steckte sich die Finger in die Ohren, doch trotzdem hallte jeder Schuss darin nach, als die Geschütze zurückruckten. Jedes Rohr war fast zehn Fuß lang, und jedes Geschütz wog fast drei Tonnen. Halb nackte, schweißglänzende Kanoniere wischten die Rohre mit Schwämmen aus, während der Geschützführer das Zündloch mit lederumhülltem Mittelfinger zuhielt.

»Ihr zielt ja auf nichts!«, rief Sharpe einem Leutnant zu, der eine Gruppe von Kanonieren befehligte.

»Wir sind keine Scharfschützen«, gab der Leutnant, er hieß Holderby, zurück. »Wenn es zum Gefecht kommt, sind wir so nahe bei den Bastarden, dass wir gar nicht danebenschießen können! Zwanzig Schritt höchstens, für gewöhnlich weniger.« Holderby schritt über das Geschützdeck, duckte sich unter Deckenbalken und berührte Männer an den Schultern. »Sie sind tot!«, rief er. »Sie sind tot!« Die Auserwählten grinsten und setzten sich dankbar auf die Gräting. Holderby verringerte die Zahl der Mannschaft, simulierte die Ausfälle, die es beim Gefecht geben würde, und beobachtete, wie die Überlebenden ihre großen Geschütze bemannten.

Sharpe stieg aufs Hauptdeck und von dort auf den Großmars, denn nur von dort konnte er über die dichte Rauchwand sehen, wohin die Schüsse gingen. Einige Kanonenkugeln schienen fast eine Meile zu fliegen, bevor sie in die See klatschten, andere ließen das Wasser hundert Yards vom Schiff entfernt aufgischten. Wie der Leutnant gesagt hatte, ließ Chase seine Männer nicht üben, um sie zu Scharfschützen auszubilden, sondern um schnell zu sein. Da waren Kanoniere an Bord, die damit prahlten, dass sie eine Kugel auf ein fliegendes Ziel in einer Distanz von einer halben Meile schießen konnten, doch Chase sah das Geheimnis der Schlacht darin, nahe an den Feind heranzukommen und einen Hagel von Schüssen loszulassen. »Es braucht nicht gezielt zu werden«, hatte er Sharpe gesagt. »Ich benutze das Schiff, um mit den Geschützen zu zielen. Ich lege die Geschütze längsseits des Feindes und lasse sie die Bastarde massakrieren. Nichts geht über Schnelligkeit, Sharpe. Schnelligkeit gewinnt Gefechte.«

Das ist genauso beim Musketenschießen, dachte Sharpe. An Land stießen die Armeen aufeinander, und meistens war die Seite, die am schnellsten mit ihren Musketen schoss, der Gewinner. Die Männer zielten nicht mit den Musketen, denn die schossen ungenau. Sie legten ihre Musketen an und feuerten, sodass ihre Kugel nur eine in einem Hagel von Kugeln war. Mit genügend Kugeln den Feind schwächen, das war die Devise. Und so war es auch auf See. Bring zwei Schiffe nahe aneinander, und dasjenige, das am schnellsten schießt, wird gewinnen. Und so trieb Chase seine Kanoniere an, lobte die Schnellsten und machte die Bummler zur Sau, und den ganzen Morgen erbebte die See rings um das Schiff beim Donnern der Geschütze. Eine lange Spur von zerfaserndem Pulverrauch lag hinter dem Schiff, ein Anzeichen darauf, dass es – wenn auch quälend langsam – vorangekommen war.

Sharpe hatte sein Fernrohr auf den Mast mitgenommen und richtete es jetzt nach Osten, in der Hoffnung, Land zu sehen, aber alles, was er entdecken konnte, war ein dunkler Schatten unter der Wolkendecke. Er richtete das Fernrohr nach unten und sah Malachi Braithwaite auf dem Achterdeck auf und ab gehen und jedes Mal beim Krachen eines Geschützes zusammenzucken.

Was sollte er wegen des Problems Braithwaite unternehmen? Eigentlich wusste er das genau, doch wie sollte er es auf einem Schiff erledigen, auf dem sich fast siebenhundert Leute befanden? Er schob das Fernrohr zusammen und steckte es in das Futteral. Dann kletterte er zum ersten Mal am Großmast von der Marssaling zur Bramsaling hinauf, wo er sich unter dem Bramsegel niederließ. Noch ein anderes Segel erhob sich darüber in den Himmel, jedoch nicht so hoch, dass man nicht hinaufklettern konnte, denn da war ein Ausguck, der Tabak kaute und westwärts spähte. Das Deck sah von dort oben winzig aus, doch die Luft war frisch, und der ständige Geruch des Schiffes und der nach verfaulten Eiern riechende Gestank des Pulverrauchs war nicht wahrzunehmen.

Der hohe Mast erzitterte, als zwei Geschütze gleichzeitig feuerten. Ein Windhauch blies den Rauch fort, und Sharpe sah, dass sich die See um den Einschlag der Kugeln kräuselte.

»Segel!«, brüllte der Ausguck über Sharpe aufs Deck hinab. Sein Schrei ertönte so plötzlich und laut, dass Sharpe zusammenzuckte. »Segel querab backbord!«

Sharpe musste überlegen, welche Seite des Schiffs Backbord und welche Steuerbord war, doch er erinnerte sich, zog sein Fernrohr aus und richtete es nach Westen. Er konnte nur eine verschwommene Linie sehen, wo sich die See mit dem Himmel traf.

»Was sehen Sie?«, rief Haskell, der Erste Leutnant, durch ein Sprachrohr.

»Bram- und Royalsegel!«, brüllte der Mann. »Gleicher Kurs wie wir, Sir!«

Das Geschützfeuer verstummte, denn Chase hatte jetzt andere Sorgen. Die Stückpforten wurden geschlossen, die großen Geschütze sicher verzurrt, und ein halbes Dutzend Männer eilte in die Takelage hinauf, um zusätzlich zu dem Ausguck Ausschau zu halten. Sharpe konnte auch mithilfe des Fernrohrs immer noch nichts anderes sehen als den westlichen Horizont. Er war stolz auf sein scharfes Sehvermögen, doch auf See braucht man einen anderen Weitblick, um die Feinde zu entdecken, als an Land. Er schwenkte das Fernrohr nach links und rechts, fand immer noch kein fremdes Schiff und entdeckte dann einen winzigen, verschwommenen weißen Fleck an der Kimm. Er verlor ihn wieder, richtete das Fernrohr neu aus, und da war es. Nur ein verschwommener Fleck, doch der Mann über Sharpe, ohne Fernrohr, hatte ihn gesehen und konnte ein Segel von dem anderen unterscheiden.

Ein Mann ließ sich neben Sharpe auf der Bramsaling nieder. »Es ist ein Franzose«, sagte er.

Sharpe erkannte den Mann als John Hopper, den großen Bootsmann, den er auf der Barkasse des Kapitäns gesehen hatte. »Können Sie das auf diese Entfernung mit Sicherheit sagen?«, fragte Sharpe.

»Glaube ich schon«, sagte Hopper selbstsicher. »Da gibt es kein Vertun.«

»Was ist es, Hopper?« Chase hievte sich auf die Plattform.

»Das könnte sie sein, Sir, das könnte sie wirklich sein«, sagte Hopper. »Sie ist auf alle Fälle französisch.«

»Verdammte Flaute«, sagte Chase. »Darf ich, Sharpe?« Er streckte die Hand nach Sharpes Fernrohr aus, und als der es ihm gegeben hatte, richtete er es nach Westen. »Verdammt, Hopper, Sie haben recht. Wer hat das entdeckt?«

»Pearson, Sir.«

»Verdreifachen Sie seine Rum-Ration«, sagte Chase, schob das Fernrohr zusammen, gab es Sharpe zurück und glitt geschmeidig hinunter und aufs Deck zurück. »Boote!«, rief Chase, als er auf das Achterdeck rannte. »Boote!«

Hopper folgte seinem Captain, und Sharpe beobachtete, wie die Beiboote an der Seite zu Wasser gelassen und mit Ruderern besetzt wurden. Sie würden das Schiff ziehen, nicht westwärts auf den fremden Segler zu, sondern nach Norden, um zu versuchen, vor ihn zu gelangen.

Die Männer ruderten den ganzen Nachmittag hindurch. Sie schwitzten und plackten sich ab, bis ihre Arme schmerzten. Sehr kleine Wellen an der Flanke der *Pucelle* zeigten, dass sie vorankamen, und Sharpe hatte dennoch den Eindruck, dass der Abstand zum fernen Segel nicht kleiner wurde. Die leichte Brise, die ein wenig die Hitze des Tages gemildert hatte, hatte völlig aufgehört, sodass die Segel schlaff von den Rahen hingen und das Schiff in seltsame Stille gehüllt war. Die lautesten Geräusche waren die Schritte der Offiziere auf dem Achterdeck, die Rufe der Männer, mit denen die müden Ruderer angetrieben wurden, und das Knarren des Ruders in der schwachen Dünung.

Lady Grace, begleitet von ihrem Mädchen, erschien mit einem Schirm als Schutz gegen die heiße Sonne auf dem Achterdeck und starrte nach Westen. Captain Chase behauptete, dass der fremde Segler jetzt von Deck aus sichtbar war, doch sie konnte ihn nicht sehen, auch nicht mit einem Fernrohr. »Sie haben uns vermutlich nicht gesichtet«, meinte Chase.

»Warum nicht?«, fragte sie.

»Unsere Segel haben Wolken hinter sich ...«, er wies zu der großen Wolkenbank über Afrika, »... und mit etwas Glück geht die Farbe unseres Segeltuchs in den Himmel über.«

»Sie glauben, es ist die *Revenant*?«

»Ich weiß es nicht, Mylady. Es könnte auch ein neutrales Handelsschiff sein.« Chase bemühte sich, unbeteiligt zu klingen, doch seine unterdrückte Aufregung machte klar, dass er das ferne Schiff tatsächlich für die *Revenant* hielt.

Braithwaite stand an der Treppe zum Achterdeck und beobachtete, ob Sharpe sich zu Ihrer Ladyschaft gesellte, doch Sharpe rührte sich nicht von der Stelle und spähte nach Osten. Er sah, wie sich die Wasseroberfläche leicht kräuselte, die ersten Anzeichen auf auffrischenden Wind. Schwache Böen jagten über das Wasser, schienen sich hartnäckig zu weigern, der *Pucelle* näher zu kommen, doch dann schienen sie sich zu sammeln und über die See zu gleiten, und plötzlich füllten sich die Segel, die Takelage knarrte und die Trossen, die das Schiff mit den Beibooten verbanden, tauchten ins Wasser.

»Der Landwind«, sagte Chase, »Gott sei Dank!« Er ging zum Steuermann. »Können Sie es spüren?«

»Aye, aye, Sir.« Der Steuermann nickte. »Es ist jedoch nicht viel«, fügte er hinzu. »Nicht mehr, als ob 'ne alte Dame in die Segel bläst, Sir.«

Der Wind stockte, wie um Luft zu holen, dann setzte er zögernd wieder ein, und Chase wandte sich ab, um die See zu beobachten. »Holen Sie die Boote ein, Mister Haskell.«

»Aye, aye, Sir!«

»Eine Ration Rum für die Ruderer!«

»Aye, aye, Sir.« Haskell, der glaubte, Chase verwöhne seine Männer zu sehr, klang missbilligend.

»Eine doppelte Ration für die Ruderer«, sagte Chase, um Haskell zu ärgern. »Und Wind für uns und den Tod für die Franzosen!« Seine Stimmung hatte sich gehoben, weil er glaubte, sein Wild gefunden zu haben. Jetzt musste er sich nur noch heranpirschen. »Wir schließen heute Nacht den Winkel auf sie«, sagte er zu Haskell. »Jeder Zoll Segeltuch! Und kein Licht an Bord. Und wir befeuchten die Segel.«

Ein Schlauch wurde an eine Pumpe angeschlossen, und die

Segel wurden mit Seewasser besprüht. Chase erklärte Sharpe, dass feuchte Segel mehr von leichtem Wind einfingen als trockene, und es hatte tatsächlich den Anschein, als ob das funktionierte. Das Schiff bewegte sich merklich, obwohl auf den unteren Decks, wo der Pulverrauch hing, kein Wind die Luft reinigte.

In der Abenddämmerung frischte der Wind auf. Die Dunkelheit brach herein, und die Offiziere gingen übers Schiff, um sicherzustellen, dass nirgendwo eine Laterne brannte, ausgenommen die abgeschirmte Kompassleuchte, die dem Steuermann einen Blick auf den Kompass erlaubte. Der Kurs wurde ein wenig westwärts verändert, der Wind nahm noch mehr zu, und dann konnte man die See gegen die schwarzgelben Seiten schlagen hören.

Sharpe schlief, wachte auf und schlief wieder ein, niemand störte seine Nacht. Vor der Morgendämmerung war er auf und stellte fest, dass sich der Rest der Schiffsoffiziere, selbst diejenigen, die hätten schlafen sollen, auf dem Achterdeck befand. »Sie wird uns sehen, bevor wir sie sehen«, sagte Chase. Er meinte, dass die Royalsegel der *Pucelle* vor der aufgehenden Sonne als Silhouette an der Kimm zu sehen sein würden, und eine Weile spielte er mit dem Gedanken, den Befehl zu geben, die obersten Segel einholen zu lassen, doch dann sagte er sich, dass der Verlust an Geschwindigkeit das größere Übel war, und so ließ er alle Segel gesetzt. Die Männer mit dem besten Sehvermögen waren alle hoch oben in der Takelage. »Wenn wir Glück haben, könnten wir sie bei Einbruch der Nacht erreichen«, vertraute Chase Sharpe an.

»So schnell?«

»Wenn wir Glück haben«, wiederholte Chase und klopfte auf das Holz der Reling.

Der östliche Himmel war jetzt grau, getupft mit Wolken,

doch bald wurde er rötlich, als verlaufe das Rot einer Uniformjacke im Regen und durchtränke das Grau. Das Schiff wurde schneller und hinterließ weißes Kielwasser, das rötlich wie der Himmel wurde und dann tiefrot glühte wie ein Ofen über Afrika.

»Inzwischen werden sie uns entdeckt haben«, sagte Chase und nahm ein Sprachrohr von der Reling. »Haltet scharf die Augen auf!«, rief er zum Ausguck hinauf. Dann zuckte er zusammen. »Das war unnötig«, tadelte er sich selbst und korrigierte sein Verhalten. Er hob das Sprachrohr wieder an und versprach dem Mann, der als Erster den Feind sichtete, eine Wochenration Rum. »Er verdient es, sich zu besaufen«, murmelte Chase vor sich hin.

Der Osten entflammte in strahlender Helligkeit, als die Sonne über den Horizont stieg und die Nacht vertrieb. Die See breitete sich nackt unter dem brennenden Himmel aus, und die *Pucelle* war allein.

Denn das ferne Segelschiff war verschwunden.

Captain Llewellyn war ärgerlich. Jeder an Bord war gereizt. Dadurch, dass sie das andere Schiff verloren hatten, war die Moral auf der *Pucelle* so sehr in Mitleidenschaft gezogen, dass ständig kleine Fehler begangen wurden. Den Bootsmännern rutschte die Hand aus, die Offiziere schnauzten die Mannschaft an, die Mannschaft war verdrossen, aber Captain Llewellyn Llewellyn war echt ärgerlich und besorgt.

Bevor das Schiff in England losgesegelt war, hatte es eine Kiste mit Granaten an Bord genommen. »Es sind französische«, sagte Llewellyn zu Sharpe, »und so habe ich keine Ahnung, was darin ist, Pulver natürlich und etwas Explodierendes. Sie sind aus Glas gemacht. Man zündet sie an, wirft sie weg und betet, dass sie jemanden töten. Teuflische Dinger sind das, wirklich teuflisch.«

Und jetzt waren die Granaten verschwunden. Sie sollten im vorderen Magazin auf dem Orlopdeck sein, doch eine Suche von Llewellyns Leutnant und zwei Sergeants war erfolglos gewesen. Für Sharpe war der Verlust der Granaten nur Pech, ein weiterer Schicksalsschlag an einem Tag, der für die *Pucelle* unter schlechten Sternen stand, doch Llewellyn befürchtete, dass das Problem viel ernster war. »Irgendein Narr könnte sie in den Laderaum gebracht haben«, sagte er. »Wir haben sie von der *Viper* gekauft, als sie neu ausgerüstet wurde. Sie haben sie vor Antigua erbeutet, und ihr Kapitän wollte sie nicht. Er hielt sie für zu gefährlich. Wenn Chase erfährt, dass sie im Laderaum sind, kreuzigt er mich, und ich kann es ihm nicht verdenken. Ihr richtiger Aufbewahrungsort ist das Magazin.«

Ein Dutzend Seesoldaten wurde zu einem Suchtrupp zusammengestellt, und Sharpe ging mit ihm in den Laderaum, wo die Ratten herrschten und sich der faulige Gestank des Schiffes konzentrierte. Sharpe brauchte nicht dort zu sein, Llewellyn hatte ihn nicht mal um Mithilfe gebeten, doch er zog es vor, etwas Nützliches zu tun, anstatt unter der schlechten Atmosphäre zu leiden, die seit Tagesanbruch an Deck herrschte.

Die Suche dauerte drei Stunden, bis ein Sergeant die Granaten schließlich in einer Kiste fand, auf deren Deckel das Wort »Biskuits« gestanzt war. »Nur Gott weiß, was im Magazin ist«, sagte Llewellyn sarkastisch. »Sie sind vermutlich voller Pökelfleisch. Dieser verdammte Cowper!« Cowper war der Proviantmeister des Schiffes, verantwortlich für den Nachschub an Verpflegung. Der Proviantmeister war kein richtiger Offizier, wurde aber allgemein als solcher behandelt, und er war äußerst unbeliebt. »Das ist das Schicksal von Proviantmeistern«, sagte

Llewellyn, »sie werden gehasst. Deshalb hat Gott sie auf die Erde geschickt. Sie sollen für den Nachschub von Dingen sorgen, was sie selten können, und wenn, dann sind diese Dinge für gewöhnlich von der falschen Größe oder von falscher Farbe oder Form.« Proviantmeister, wie die Marketender der Armee, konnten auf eigene Rechnung handeln, und ihre Bestechlichkeit war berüchtigt. »Cowper hat sie vermutlich versteckt und gedacht, er könnte sie irgendeinem unbedarften Wilden verhökern. Verdammter Mann!« Nachdem der Waliser den Proviantmeister verflucht hatte, nahm er eine der Granaten aus der Kiste und reichte sie Sharpe. »Mit gehacktem Eisen gefüllt, sehen Sie? Dieses Ding könnte wirken wie Schrapnell!«

Sharpe hatte noch nie mit einer Granate hantiert. Die alten britischen, lange ausrangiert wegen Unwirksamkeit, waren aus Ton, doch diese französischen waren aus dunkelgrünem Glas hergestellt.

Das Licht im Laderaum war schwach. Sharpe hielt die Granate nahe an eine Laterne der Seesoldaten und sah, dass das Innere der Glaskugel mit Pulver und Metallstücken gefüllt war. Eine Lunte ragte an einer Seite hervor, versiegelt mit einem Ring aus geschmolzenem Wachs.

»Sie zünden die Lunte an«, sagte Llewellyn, »und werfen das verdammte Ding, wenn die Lunte fast heruntergebrannt ist. Die Explosion zerstört das Glas und verstreut die Metallsplitter, und das ist das Ende eines Franzmanns.« Er blickte mit gefurchter Stirn auf die Glaskugel. »Hoffe ich jedenfalls.« Dann nahm er die Granate zurück und hielt sie wie ein Baby im Arm. »Wenn es zu einem Gefecht kommt, werde ich den Jungs auf den Masten einige von diesen Dingern geben, und sie können sie auf die feindlichen Decks schleudern, damit sie wenigstens für etwas nützlich sind.«

»Werfen Sie sie über Bord«, riet Sharpe.

»Guter Gott, nein! Das will ich den Fischen nicht antun, Sharpe!«

Llewellyn, ungemein erleichtert, weil die Granaten gefunden worden waren, ließ sie in das vordere Magazin bringen, und Sharpe folgte den Seesoldaten die Leiter zum Orlopdeck hinauf. Es war unter der Wasserlinie und fast so dunkel wie im Laderaum. Die Seesoldaten gingen nach vorn und Sharpe nach achtern, denn er wollte zum Mittagessen Chases Speisekabine aufsuchen, doch er konnte nicht die Treppe zum Unterdeck hinaufsteigen, denn ein Mann im schwarzen Mantel stieg sie unsicher herab. Sharpe wartete, und dann sah er, dass es Malachi Braithwaite war.

Sharpe trat schnell zurück in die Kabine des Schiffsarztes, deren rot gestrichene Wände und Tische nach Gefechten auf Patienten warteten, und von dort aus beobachtete er, wie Braithwaite eine Laterne von einem Haken neben dem Niedergang nahm. Der Sekretär zündete die Öllampe an. Er stellte die Lampe aufs Deck, dann öffnete er eine Luke zum Laderaum, und Sharpe nahm den Gestank nach Bilgenwasser und Fäulnis wahr. Braithwaite nahm die Laterne und stieg in die Tiefen des Schiffs hinab.

Sharpe folge ihm. Es gibt Momente im Leben, in denen das Schicksal in meine Hände spielt, dachte er. Es waren solche Momente gewesen, als er Sergeant Hakeswill kennen gelernt und sich der Armee angeschlossen hatte, und ein anderer auf dem Schlachtfeld bei Assaye, als ein General aus dem Sattel geworfen worden war. Und jetzt war Braithwaite allein im Laderaum.

Sharpe blieb bei der Luke stehen und beobachtete den Lichtschein von Braithwaites Laterne, als der Sekretär langsam die Leiter hinabstieg und im Laderaum nach achtern ging, wo sich das Gepäck der Offiziere befand.

Sharpe folgte Braithwaite und zog vorsichtig die Luke hinter sich zu.

Braithwaite bahnte sich seinen Weg zwischen Fässern hindurch und ging zu Regalen ganz hinten im Laderaum, die einen kleinen Platz im Heck abschirmten, der als Damenversteck bekannt war, weil es der sicherste Platz an Bord während einer Schlacht war. Da befand sich nichts Wertvolles in den Regalen, nur das überflüssige Gepäck der Offiziere, doch Lord William hatte so viel Gepäck auf die *Pucelle* gebracht, dass einiges davon hier gelagert werden musste.

Sharpe, geduckt im Schatten einiger Fässer mit Salzfleisch, beobachtete, dass der Sekretär auf eine Trittleiter stieg, eine lederne Aktentasche vom obersten Regal nahm und damit von der Leiter hinabstieg. Er nahm einen Schlüssel aus der Hosentasche und schloss die Aktentasche auf, die mit Papieren vollgestopft war.

Da ist nichts drin, was ein Langfinger unter den Seeleuten klauen würde, dachte Sharpe. Er bezweifelte, dass jemand die Aktentasche schon in der Hoffnung auf Beute durchsucht hatte. Braithwaite blätterte die Papiere durch, fand, was er suchte, verschloss die Aktentasche, stieg eilig die Trittleiter wieder hinauf und schob die Aktentasche an den Buchstützen vorbei, die verhinderten, dass der Inhalt des Regals bei hoher See herunterfiel. Der Sekretär schimpfte vor sich hin, und Sharpe konnte einiges von seinen Worten verstehen.

»Ich bin ein Oxford-Mann, kein Sklave! Das hätte warten können, bis wir in England sind. Verdammt, rein mit dir, blöde Tasche!«

Die Aktentasche war schließlich verstaut, Braithwaite stieg die Trittleiter herab, schob das Blatt Papier in die Rocktasche, nahm seine Laterne und ging zurück zu der großen Leiter, die zu der geschlossenen Luke führte. Sharpe entdeckte er nicht.

Er wähnte sich allein, bis ihn plötzlich eine Hand am Kragen packte. »Hallo, Oxford-Mann«, sagte Sharpe.

Braithwaite erschrak und fluchte. Sharpe nahm ihm die Laterne aus der Hand und stellte sie auf ein Fass, dann zerrte er Braithwaite herum und gab ihm einen so harten Stoß, dass er zu Boden fiel.

»Ich hatte gestern ein interessantes Gespräch mit Ihrer Ladyschaft«, sagte Sharpe. »Sie wird anscheinend von Ihnen erpresst.«

»Blödsinn, Sharpe, das ist ja lachhaft.« Braithwaite kroch rückwärts, bis er nicht mehr weiterkam, weil er mit dem Rücken gegen die Wasserfässer stieß. Er lehnte sich dagegen und klopfte den Staub von seiner Hose und dem Jackett.

»Lehrt man in Oxford Erpressung?«, fragte Sharpe. »Ich habe gedacht, da lernt man nur nutzloses Zeug wie Latein und Griechisch, aber das war ein Irrtum, wie? Wahrscheinlich hält man auch Vorlesungen über Erpressung und Diebstahl.«

»Ich weiß nicht, wovon Sie reden.«

»Das wissen Sie genau, Braithwaite«, widersprach Sharpe. Er nahm die Laterne und ging langsam auf den verängstigten Sekretär zu. »Sie erpressen Lady Grace. Sie wollen ihre Juwelen, nicht wahr, und vielleicht mehr? Sie möchten Sie in Ihrem Bett haben, nicht wahr? Sie möchten da rein, wo ich drin gewesen bin, Braithwaite.«

Der Sekretär starrte Sharpe mit weit aufgerissenen Augen an. Er hatte Angst, aber er war nicht so dumm, um die Bedeutung von Sharpes Worten misszuverstehen. Sharpe hatte die Affäre zugegeben, und das bedeutete Braithwaites Tod, denn Sharpe konnte ihn als Mitwisser nicht am Leben lassen.

»Ich bin nur hergekommen, um eine Aktennotiz zu holen, Sharpe«, stieß der Sekretär in offensichtlicher Panik hervor. »Nur eine Aktennotiz für Lord Williams Bericht, Sharpe, die kann ich Ihnen zeigen.« Er steckte eine Hand in seine Jackettasche, um das Papier herauszuziehen, doch als seine Hand wieder sichtbar wurde, hielt sie keine Aktennotiz, sondern eine kleine Taschenpistole. »Ich habe diesen kleinen Knaller getragen, seit Sie mir gedroht haben, Sharpe.« Seine Hand zitterte nicht mehr so stark, und seine Stimme klang plötzlich selbstsicher, als er die Pistole hob.

Sharpe ließ die Laterne fallen.

Glas zerklirrte, und dann war es plötzlich stockdunkel. Sharpe drehte sich zur Seite, erwartete fast, es knallen zu hören, doch Braithwaite behielt die Nerven und feuerte nicht.

»Du hast nur einen Schuss, Oxford-Mann«, sagte Sharpe. »Einen Schuss, und dann bin ich an dir dran.«

Stille bis auf das Klappern der Pumpen, das Ächzen der Masten und das Trippeln von Rattenfüßen in der Bilge.

»Ich bin an solche Situationen gewöhnt«, sagte Sharpe. »Ich bin schon durch die Dunkelheit gekrochen, Braithwaite, und habe Männern die Kehle durchgeschnitten. In einer dunklen Nacht bei Gawilgarh habe ich zwei Männer umgebracht, Braithwaite.« Er duckte sich hinter ein Fass, sodass der Sekretär nur Pökelfleisch treffen konnte, wenn er feuerte. Sharpe blieb mit dem Körper hinter dem Fass und kratzte mit den Fingernägeln über den Plankenboden. »Ich habe sie aufgeschlitzt, Oxford-Mann.«

»Wir können zu einer Einigung kommen, Sharpe«, sagte Braithwaite nervös. Er hatte sich nicht von der Stelle gerührt, seit es im Laderaum dunkel geworden war. Sharpe wusste das, weil er sonst etwas gehört hätte. Er nahm an, dass Braithwaite abwartete, bis er näher kam, und dann würde er schießen.

»Welche Art Einigung, Oxford-Mann?«, fragte Sharpe, dann kratzte er wieder über den Boden, machte leise Geräusche, durch die die Furcht des Sekretärs verstärkt werden würde. Er ertastete eine Scherbe des zerbrochenen Laternenglases und schabte damit über den Boden.

»Sie und ich, wir sollten Freunde sein, Sharpe«, sagte Braithwaite. »Wir sind nicht wie die anderen. Mein Vater ist Pfarrer. Er verdient nicht viel. Gerade mal dreihundert pro Jahr. Das mag gar nicht so schlecht für Sie klingen, aber es ist nichts, Sharpe, nichts. Doch Leute wie William Hale sind im Reichtum geboren. Sie missbrauchen uns, Sharpe, sie benutzen uns und halten uns für Dreck.«

Sharpe schlug mit der Glasscherbe leicht gegen das Metall der Laterne und schabte sie dann über Holz, um Geräusche wie von Rattenpfoten zu verursachen. Der Sekretär würde versuchen, die leisen Geräusche zu deuten und immer nervöser und ängstlicher werden.

»Mit welcher Berechtigung kann allein die Geburt einem Mann so viel Reichtum bescheren und ihn anderen verweigern?«, fragte Braithwaite, und seine Stimme wurde schriller. »Sind wir weniger wert, weil unsere Eltern arm waren? Müssen wir ewig warten, bis auch wir eine Chance bekommen, und das nur, weil ihre Ahnen Bestien in Rüstungen waren, als sie ein Vermögen raubten und stahlen? Wir sollten uns zusammenschließen, Sharpe. Ich bitte Sie, denken Sie darüber nach.«

Sharpe lag jetzt flach auf dem Deck, zog die Glasscherbe über die rauen Planken immer näher an den Sekretär, der etwas in der Finsternis zu erkennen versuchte.

»Ich habe nie an Colonel Wallace geschrieben, als ich den Befehl dazu erhielt«, sagte Braithwaite, und es klang verzweifelt. »Damit habe ich Ihnen einen Gefallen getan, Sharpe. Können Sie nicht verstehen, dass wir auf derselben Seite stehen?« Er schwieg einen Augenblick, wartete auf Antwort aus der Dunkelheit, doch da war nur ein unheimliches Scharren auf dem Boden vor ihm. »Reden Sie, Sharpe!« Braithwaite klang flehend. »Oder töten Sie Lord William.« Er schluchzte jetzt fast vor Angst. »Ihre Ladyschaft wird es Ihnen danken, Sharpe. Das würde Ihnen gefallen, nicht wahr? Antworten Sie mir, Sharpe, um Himmels willen, antworten Sie mir!«

Sharpe schabte mit der Glasscherbe über den Boden. Er konnte Braithwaites keuchendes Atmen hören. Der Sekretär trat mit einem Fuß aus, hoffte, Sharpe zu treffen, doch sein Fuß stieß ins Leere. »Ich bitte Sie, Sharpe, betrachten Sie mich als Freund! Ich meine es nicht schlecht mit Ihnen. Wie könnte ich auch? Ich bewundere Ihre Leistungen. Ihre Ladyschaft hat meine Worte missverstanden, glauben Sie mir. Sie ist zu empfindlich, und ich bin Ihr Freund, Sharpe, Ihr Freund!«

Sharpe warf die Glasscherbe so, dass sie zwischen den Fässern irgendwo auf der Steuerbordseite des Laderaums klirrte. Braithwaite schrie entsetzt auf, feuerte jedoch nicht. Dann schluchzte er, als er weitere leise Geräusche hörte. »Reden Sie mit mir, Sharpe. Wir sind doch vernünftige Menschen, wir beide. Wir haben doch Gemeinsamkeiten und sollten miteinander auskommen. Reden Sie mit mir!«

Sharpe sammelte eine Hand voll Scherben und warf sie in Richtung des Sekretärs. Als Braithwaite von einer der kleinen Scherben getroffen wurde, schrie er auf, stieß die Pistole blindlings vor und drückte ab. Die kleine Waffe blitzte in der Dunkelheit auf, und die Kugel zackte harmlos in einen Stützbalken. Sharpe erhob sich und ging vorwärts, wartete, bis das Echo des Schusses verhallt war.

»Eine Kugel, Oxford-Mann«, sagte er. »Jetzt bin ich an der Reihe.«

»Nein!« Braithwaite fuchtelte wild mit den Armen in der Dunkelheit, doch dann trat Sharpe ihn hart, warf sich auf ihn, packte ihn, drückte ihn auf den Bauch und hockte sich auf seinen Rücken.

»Und jetzt, Oxford-Mann, sagst du mir, was du genau von Lady Grace willst«, sagte Sharpe ruhig.

»Ich habe alles aufgeschrieben, Sharpe.«

»Was hast du aufgeschrieben, Oxford-Mann?« Sharpe hielt Braithwaites Arme eisern fest.

»Alles! Über Sie und Lady Grace. Ich habe den Brief zwischen Lord Williams Papieren gelassen und Anweisung gegeben, dass er geöffnet werden soll, wenn mir etwas zustoßen sollte.«

»Das glaube ich dir nicht, Oxford-Mann.«

Braithwaite bäumte sich plötzlich auf und versuchte, seine Arme aus Sharpes Griff zu befreien. »Ich bin kein Dummkopf, Sharpe. Meinen Sie, ich hätte keine Vorsichtsmaßnahmen ergriffen? Natürlich habe ich einen Brief hinterlegt.« Er legte schnaufend eine Pause ein. »Lassen Sie mich los«, fuhr er dann fort, »und wir können über alles reden.«

»Und wenn ich loslasse«, sagte Sharpe, hielt Braithwaites Arme jedoch weiterhin fest, »werden Sie den Brief von Lord William holen?«

»Selbstverständlich werde ich das tun. Ich verspreche es.«

»Und Sie werden sich bei Lady Grace entschuldigen? Ihr sagen, dass Sie sich mit Ihren Verdächtigungen geirrt haben?«

»Natürlich werde ich das tun. Bereitwillig! Freudig!«

»Aber Sie haben sich nicht geirrt, Oxford-Mann«, sagte Sharpe und neigte sich dicht an Braithwaites Kopf. »Sie und ich sind Geliebte. Nackt und verschwitzt in der Dunkelheit, Oxford-Mann. Jetzt kennen Sie mein Geheimnis, und ich bin mir nicht sicher, ob ich Sie überhaupt gehen lassen kann. Ich weiß nicht, wie die verdammten *jettis* es geschafft haben, aber ich habe genau zugesehen, wie sie ohne Waffen getötet haben ...«

Bald darauf regte sich der Sekretär nicht mehr. Sharpe tastete über den Boden, bis er die Pistole entdeckte. Er steckte sie ein, dann bückte er sich, hob die Leiche auf seine Schulter und schleppte sie schwankend davon. Vor der Leiter legte er sie ab, kletterte hinauf und stemmte die Luke auf, sehr zum Erstaunen eines Seemanns, der vorüberging. Sharpe nickte dem Mann grüßend zu, stieg durch die Luke hinaus und schloss sie über der Leiche und den Ratten und der Dunkelheit. Die Pistole warf er unbemerkt aus dem Fenster seiner Kabine.

Zum Abendessen gab es Salzfleisch, Erbsen und Brötchen. Sharpe aß mit Appetit.

Captain Chase nahm an, dass die *Revenant*, wenn sie es tatsächlich gewesen war, die man an der Kimm erspäht hatte, die Royalsegel der *Pucelle* am Vortag trotz der Wolkenbank gesehen hatte und in der Nacht westwärts abgedreht hatte. »Das wird sie verlangsamen«, sagte er und zeigte wieder etwas von seinem Optimismus. Der Wind stand günstig. Sie waren jetzt weit genug von der Küste entfernt und hatten zwar den Vorteil der Strömung verloren, doch jetzt waren sie in den Breiten, wo die Südost-Passatwinde bliesen. »Der Wind kann nur stärker werden«, sagte Chase. »Und das Barometer steigt, was gut ist.«

Fliegende Fische prallten gegen den Rumpf der *Pucelle*. Die schlechte Stimmung, die den ganzen Morgen auf dem Schiff geherrscht hatte, verschwand unter der warmen Sonne und dem erneuten Optimismus des Kapitäns. »Wir wissen jetzt, dass sie nicht schneller ist als wir«, sagte Chase, »und wir sind von jetzt auf dem kürzeren Kurs nach Cadiz.«

»Wie weit ist es noch bis dorthin?«, fragte Sharpe. Er schöpfte frische Luft auf dem Achterdeck, nachdem er das Dinner mit Chase geteilt hatte.

»Noch einen Monat«, sagte Chase, »aber wir sind noch nicht aus den Schwierigkeiten heraus. Bis zum Äquator sollte es gut gehen, doch danach könnten wir in eine Flaute geraten.« Er trommelte mit den Fingern auf die Reling. »Aber mit Gottes Hilfe schnappen wir sie vorher.«

»Haben Sie meinen Sekretär gesehen, Chase?«, unterbrach Lord William, der an Deck erschienen war, die Unterhaltung.

»Nein, leider nicht«, antwortete Chase.

»Ich brauche ihn«, sagte Lord William gereizt.

Lord William hatte Chase überredet, ihm zu erlauben, seine Speisekabine als Büro zu benutzen. Es hatte Chase widerstrebt, den Raum mit dem großen Tisch abzutreten, doch er hatte sich gesagt, dass es besser sei, Lord William bei Laune zu halten, anstatt ihn mürrisch auf dem Schiff herumlaufen zu lassen.

Chase wandte sich an Leutnant Holderby. »Hat der Sekretär Seiner Lordschaft das Dinner vielleicht in der Offiziersmesse eingenommen?«

»Nein, Sir«, sagte Holderby. »Ich habe ihn seit dem Frühstück nicht mehr gesehen.«

»Haben Sie ihn gesehen, Sharpe?«, fragte Seine Lordschaft kühl. Er sprach nicht gern mit Sharpe, ließ sich jedoch dazu herab, die Frage zu stellen.

»Nein, Mylord.«

»Ich habe ihn gebeten, eine Aktennotiz über unsere Vereinbarung mit Holkar zu holen. Zum Teufel, ich brauche sie!«

»Vielleicht sucht er noch danach«, meinte Chase.

»Oder er ist vielleicht seekrank, Mylord«, fügte Sharpe hinzu. »Der Wind hat aufgefrischt.«

»Ich habe in seine Kabine geschaut, aber er war nicht da«, sagte Lord William.

»Mister Collier!«, rief Chase den Midshipman, der auf dem

Hauptdeck auf und ab ging. »Es geht um Mister Braithwaite. Der große, traurige Typ, der sich in Schwarz kleidet. Schauen Sie unter den Decks nach ihm, ja? Sagen Sie ihm, dass er in meiner Speisekabine erwartet wird.«

»Aye, aye, Sir«, sagte Collier und machte sich auf die Suche.

Lady Grace, begleitet von ihrem Dienstmädchen, schritt auf Deck und blieb in einiger Entfernung von Sharpe stehen. Lord William wandte sich ihr zu. »Hast du Braithwaite gesehen?«

»Seit heute Morgen nicht mehr«, sagte Lady Grace.

»Der verdammte Kerl ist verschwunden.«

Lady Grace zuckte gleichgültig mit den Schultern, dann wandte sie sich um und betrachtete die fliegenden Fische über den Wellen.

»Ich hoffe, er ist nicht über Bord gefallen«, sagte Chase. »Dann müsste er lange schwimmen.«

»Er hatte nichts an Deck zu suchen«, sagte Lord William ärgerlich.

»Ich bezweifle auch, dass er ertrunken ist, Mylord«, sagte Chase beruhigend. »Wenn er über Bord gegangen wäre, hätte ihn jemand gesehen.«

»Und was werden Sie jetzt unternehmen?«, fragte Sharpe.

»Das Schiff stoppen und eine Rettungsaktion einleiten«, sagte Chase, »wenn wir das können. Habe ich Ihnen schon von Nelson auf der *Minerva* erzählt?«

»Selbst wenn Sie das getan hätten, würden Sie es mir noch mal erzählen.«

Chase lachte. »1797 hatte Nelson das Kommando über die *Minerva*, Sharpe. Eine feine Fregatte! Er wurde von zwei spanischen Schiffen und einer Fregatte verfolgt, als ein Schwachkopf über Bord fiel. Tom Hardy war an Bord, ein wunderbarer Mann, jetzt der Kapitän der *Victory*, und Hardy ließ ein Boot zu Wasser, um den Typen zu retten. Können Sie sich das vorstellen, Sharpe? Die *Minerva*, dicht verfolgt von drei Spaniern, flieht um ihr Leben, und seine Bootscrew mit dem geretteten nassen Typen an Bord kann nicht hart genug rudern, um das Schiff einzuholen. Und was macht Nelson? Er fährt mit dem Schiff zurück. Bei Gott, sagt er, ich werde Hardy nicht verlieren. Die Spanier können sich keinen Reim darauf machen. Warum flüchtet die *Minerva* nicht weiter? Sie denken, dass er auf Verstärkung wartet, die jeden Augenblick auftauchen muss. Die blöden Scheißer drehen ab. Hardy steigt an Bord und die *Minerva* haut ab wie 'ne Katze, die sich den Schwanz verbrüht hat! Da sehen Sie, welch großartiger Mann Nelson ist.«

Lord William blickte finster drein und starrte nach Westen. Sharpe blickte zum Großsegel hinauf. Ein einsamer Seevogel, weiß und mit großen Schwingen, flog dicht am Schiff vorbei und drehte ab, bevor er im Blau des Himmels verschwand. Chase, der offenbar immer noch an Nelson dachte, lächelte.

»Captain! Sir! Captain!« Es war Harry Collier, der von unterhalb des Achterdecks auf dem Hauptdeck auftauchte.

»Beruhigen Sie sich, Mister Collier«, sagte Chase. »Auf dem Schiff ist kein Feuer ausgebrochen, oder?«

»Nein, Sir. Mister Braithwaite, Sir, er ist tot, Sir!« Jeder auf dem Achterdeck starrte auf den kleinen Jungen hinab.

»Fahren Sie fort, Mister Collier«, sagte Chase. »Er kann nicht einfach so gestorben sein. Ein junger Mann. Ist er gestürzt? Wurde er erwürgt? Hat er sich selbst umgebracht? Machen Sie mich schlau.«

»Er stürzte in den Laderaum, Sir! Sieht so aus, als hätte er sich das Genick gebrochen. Fiel von der Leiter runter, Sir.«

»Unvorsichtig«, sagte Chase und wandte sich ab.

Lord William runzelte die Stirn. Er wusste nicht, was er sagen sollte, und so machte er auf dem Absatz kehrt und ging auf die Speisekabine zu, dann besann er sich anders und eilte zur Reling zurück. »Midshipman?«

»Sir?« Collier nahm seinen Zweispitz ab. »Mylord?«

»Hatte er Papiere in der Hand?«

»Ich habe keine gesehen, Sir.«

»Dann schauen Sie bitte nach, Mister Collier, schauen Sie nach, und wenn Sie sie finden, bringen Sie sie mir in meine Kabine.« Er ging wieder fort.

Lady Grace sah zu Sharpe, der ihren Blick mit neutraler Miene erwiderte und sich dann abwandte, um zum Hauptmast hinaufzuschauen.

Die Leiche wurde aufs Deck gebracht. Es war für alle klar, dass der arme Braithwaite von der Leiter abgerutscht und gestürzt war und sich dabei das Genick gebrochen hatte. Der Schiffsarzt bemerkte mit einem Stirnrunzeln, dass er sich dabei beide Arme ausgekugelt hatte.

»Vielleicht hat er sich an den Leitersprossen verfangen?«, sagte Sharpe.

»Das könnte sein«, meinte Pickering. Der Schiffsarzt wirkte nicht so überzeugt, schien jedoch nicht daran interessiert, das Geheimnis zu ergründen. »Jedenfalls war es ein schneller Tod.«

»Hoffen wir's«, meinte Sharpe.

»Vielleicht hat er sich den Kopf an einem Fass gestoßen.« Pickering drehte den Kopf der Leiche, suchte nach Anzeichen darauf, fand jedoch keine. Er richtete sich auf. »So was passiert auf jeder Reise«, sagte er fast heiter. »Wir haben Witzbolde, die manchmal die Sprossen mit Seife glitschig machen. Für gewöhnlich, wenn sie meinen, der Proviantmeister könnte eine Leiter benutzen. Meistens endet es mit einem verstauchten Bein und viel Schadenfreude, doch unser Mister Braithwaite hatte weniger Glück. Was für ein komischer Typ, nicht wahr?«

Braithwaites Leiche wurde entkleidet und dann in seine Schlafkoje gelegt, und der Segelmacher schnitt ein Stück altes Segeltuch zurecht, in das er den Leichnam einnähen konnte. Der letzte Stich wurde durch die Nase des Leichnams geführt, wie es üblich war, um sicherzustellen, dass er wirklich tot war. Drei 18-Pfünder-Kanonenkugeln wurden mit in die Leinenhülle gelegt.

Chase hielt die Andacht für den Toten. Die Offiziere der *Pucelle* standen mit abgenommenen Hüten respektvoll neben dem Toten, der mit einer britischen Flagge bedeckt worden war. Lord William und Lady Grace standen auf der anderen Seite.

»So übergeben wir seinen Leichnam den Tiefen der See und hoffen auf seine Auferstehung durch unseren Herrn Jesus Christus...« Chase schloss das Gebetbuch und schaute zu Lord William, der seinen Dank nickte und dann einige gut gewählte Worte sprach, die Braithwaites ausgezeichneten Charakter beschrieben, seinen Fleiß als tüchtiger Privatsekretär und Lord Williams inbrünstige Hoffnung, dass der allmächtige Gott die Seele des Sekretärs in ein Leben aus weniger Mühsal aufnehmen würde. »Sein Verlust«, sagte Lord William zum Abschluss, »ist ein äußerst trauriger Schicksalsschlag.«

»So ist es«, sagte Chase und nickte dann zwei Seeleuten zu, und sie ließen den eingenähten Leichnam unter der Flagge hervor über eine Planke in die See gleiten.

Sharpe blickte zu Lady Grace, die seinen Blick ausdruckslos erwiderte.

»Hüte auf!«, sagte Chase.

Die Offiziere gingen davon, um ihren jeweiligen Aufgaben nachzugehen, und die Matrosen trugen die Flagge und die Planke fort. Lady Grace wandte sich zur Treppe des Achterdecks, und Sharpe, allein gelassen, ging zur Reling und starrte auf die See hinab.

Plötzlich war Lord William Hale neben Sharpe. »Der Herr gibt es«, sagte er, »und der Herr nimmt es. Gesegnet sei der Name des Herrn.«

Sharpe, erstaunt, dass Seine Lordschaft sich herabließ, mit ihm zu sprechen, schwieg einen Moment. Dann sagte er: »Das mit Ihrem Sekretär tut mir leid, Mylord.«

Lord William sah Sharpe an, der wiederum verblüfft über die Ähnlichkeit mit Sir Arthur Wellesley war. Die gleichen kalten Augen und die Hakennase, aber etwas in Lord Williams Gesicht verriet jetzt Belustigung, als habe er Informationen, die Sharpe nicht kannte.

»Tut es Ihnen wirklich leid, Sharpe?«, fragte Lord William. »Das ist anständig von Ihnen. Ich habe vorhin Gutes über ihn gesprochen, aber was konnte ich sonst sagen? In Wahrheit war er ein engstirniger Mann, missgünstig, unfähig und unzureichend in der Erfüllung seiner Pflichten, und ich bezweifle, dass die Welt sein Ableben sehr bedauern wird.« Lord William zog seinen Hut wie zum Abschiedsgruß. Doch dann wandte er sich Sharpe wieder zu. »Mir kommt in den Sinn, Sharpe, dass ich mich nie für den Dienst bedankt habe, den Sie meiner Frau auf der *Calliope* erwiesen haben. Das war ein dummes Versäumnis von mir, und ich entschuldige mich dafür. Ich danke Ihnen auch für diesen Dienst, und ich wäre Ihnen weiterhin dankbar, wenn wir nicht mehr darüber sprechen würden.«

»Selbstverständlich, Mylord.«

Lord William ging davon, Sharpe schaute ihm nach und fragte sich, ob Hale ein Spiel mit ihm spielte, von dem er keine Ahnung hatte. Er erinnerte sich an Braithwaites Behauptung, dass er einen Brief unter Lord Williams Papieren deponiert habe, doch dann tat er das als Lüge ab. Er zuckte mit den Schultern, stieg zum Achterdeck hinauf und ging dann zum Heck, wo er an der Heckreling aufs Kielwasser starrte.

Schließlich hörte er Schritte hinter sich und wusste, wer da kam, bevor sie an die Reling trat und wie er auf die See schaute. »Du hast mir gefehlt«, sagte sie leise.

»Und du mir«, sagte Sharpe. Er starrte aufs Kielwasser und dachte daran, wie die Leiche Braithwaites in unendliche Tiefen versunken war.

»Er ist gestürzt?«, fragte Lady Grace.

»So hat es den Anschein«, sagte Sharpe. »Aber es muss ein sehr schneller Tod gewesen sein, was ein Segen ist.«

»Das ist es in der Tat«, sagte sie. Dann wandte sie sich Sharpe zu. »Ich finde die Sonne unangenehm heiß.«

»Vielleicht solltest du nach unten gehen. In meiner Kabine ist es kühler.«

Sie nickte, sah ihm einen Moment in die Augen, wandte sich dann abrupt um und ging.

Sharpe wartete fünf Minuten und folgte ihr dann.

Hätte man die *Pucelle* an diesem Nachmittag aus der Sicht der fliegenden Fische gesehen, wäre es ein schöner Anblick gewesen. Kriegsschiffe sind selten elegant. Ihre Rümpfe sind massiv, lassen ihre Masten unproportional kurz wirken, aber Captain Chase hatte jedes Segel in den Wind hängen lassen, und diese Royalsegel, Stagsegel und Leesegel bildeten genug Masse, um ein harmonisches Gegengewicht zu dem großen gelbschwarzen Rumpf zu bilden. Die Vergoldung am Heck und die silberne Farbe auf ihrer Galionsfigur spiegelten die Sonne wider, das Gelb an ihren Flanken war leuchtend, ihr Deck blank und sauber, während sich das Wasser an ihrem Bug brach und in ihrem Kielwasser schäumte.

Die Fäulnis und Feuchtigkeit, der Rost und Gestank waren von draußen nicht wahrzunehmen, aber auch im Schiff wurde der Gestank nicht mehr bemerkt. Auf dem Vordeck des Schiffs wurden die letzten verbliebenen drei Ziegen für das Abendessen des Kapitäns gemolken. Im Kielraum schwappte das Wasser. Ratten wurden geboren, kämpften und starben in der tiefen Finsternis des Laderaums. Im Magazin nähte ein Kanonier Pulverbeutel für die Geschütze, ohne eine Hure zu beachten, die ihr Gewerbe zwischen den ledernen Schutzschirmen abwickelte, die die Tür des Magazins vor Funken schützten. In der Kombüse erschauerte der Koch, einäugig und syphilitisch, bei dem Geruch von schlecht gepökeltem Fleisch, warf es jedoch trotzdem in den Kessel, während Captain Llewellyn in seiner Kabine davon träumte, dass er seine Seesoldaten in einen gloriosen Angriff führte, bei dem die *Revenant* geentert wurde. Vier Glockenschläge der Nachmittags-Wache erklangen. Auf dem Achterdeck warf ein Seemann das Log aus und ließ die Leine schnell von seiner Rolle abspulen. Er zählte die Knoten in der Leine laut, als sie über der Reling verschwand, während ein Offizier auf eine Taschenuhr spähte.

Captain Chase ging in seine Tageskabine und klopfte an sein Barometer. Immer noch steigend. Die Wachleute, die Freiwache hatten, schliefen in ihren Hängematten. Der Zimmermann besserte eine Geschützlafette aus, während sich in Chases Schlafkabine Sharpe und Ihre Ladyschaft in den Armen lagen.

»Hast du ihn umgebracht?«, fragte Lady Grace im Flüsterton.

»Würde es dir etwas ausmachen, wenn ich es getan hätte?«

Sie streichelte über die Narbe auf seinem Gesicht. »Ich habe ihn gehasst«, wisperte sie. »Von dem Tag an, an dem er für William arbeitet, hat er mich ständig beobachtet und mit den Blicken ausgezogen, dieser Spanner.« Sie erschauerte plötzlich. »Er hat mir gesagt, wenn ich in seine Kabine komme, würde er schweigen. Ich wollte ihn schlagen. Fast hätte ich es auch getan, aber dann sagte ich mir, dann rächt er sich, indem er William alles erzählt, und so ging ich einfach davon. Ich habe ihn gehasst.«

»Und ich habe ihn getötet«, sagte Sharpe leise.

Sie schwieg eine Weile, dann küsste sie ihn auf die Nase. »Ich wusste es. In dem Moment, als William mich fragte, ob ich wüsste, wo er war, ahnte ich, dass du ihn getötet hast. Ist er wirklich schnell gestorben?«

»Nicht sehr schnell«, gab Sharpe zu. »Ich wollte ihn wissen lassen, warum er stirbt.«

Sie dachte eine Weile darüber nach, dann sagte sie sich, dass es nichts änderte, ob Braithwaite schnell oder langsam gestorben war. »Niemand hat bisher für mich getötet«, sagte sie.

»Für dich würde ich mich durch eine verdammte Armee kämpfen«, sagte Sharpe. Dann erinnerte er sich wieder an Braithwaites Behauptung, dass er einen Brief für Lord William hinterlassen hatte, und von Neuem verbannte er die Gedanken an die Gefahr und sagte sich, dass die Behauptung nichts anderes als ein verzweifelter Bluff gewesen war. Er, Sharpe, würde Lady Grace nichts davon erzählen.

Die Sonne stand jetzt tief im Westen und warf die Schatten von Segeln und Masten auf die grüne See. Die Schiffsglocke schlug die halbe Stunde. Drei Matrosen wurden vor Captain Chase geführt und verschiedener Vergehen beschuldigt, und allen dreien strich er die Rumrationen für eine Woche. Ein Trommlerjunge hatte sich beim Spiel mit einem Entermesser in die Hand geschnitten und wurde vom Schiffsarzt verbunden, der ihm anschließend eine Ohrfeige gab, weil er so ein verdammter Narr war. Die Katzen des Schiffs schliefen beim Ofen in der Kombüse.

Und kurz nach dem Sonnenuntergang, als der Westen rot

erglühte, wurde ein letzter Sonnenstrahl von einem fernen Segel reflektiert.

»Segel backbord voraus!«, rief der Ausguck. »Segel backbord voraus!«

Sharpe hörte den Ruf nicht. In diesem Moment hätte er keine Trompetenstöße gehört, aber der Rest des Schiffes hörte die Nachricht und geriet in Aufregung. Denn die Jagd war nicht verloren, sie war immer noch im Gang, und das Opfer war abermals in Sicht.

KAPITEL 8

Glückliche Tage folgten.

Das ferne Schiff war tatsächlich die *Revenant*. Chase hatte das französische Kriegsschiff nie aus der Nähe gesehen, und er konnte die *Pucelle* nicht nahe genug heranbringen, um ihren Namen zu sehen, doch einige der in den Dienst gepressten Matrosen von der *Calliope* erkannten den Schnitt am Besansegel des Franzosen. Sharpe starrte durch sein Fernrohr und konnte nichts Sonderbares außer diesem großen Segel am Heck des feindlichen Schiffes erkennen, doch die Matrosen waren sicher, dass es schlecht geflickt war und folglich ungleichmäßig hing. Jetzt fuhr der Franzose mit der *Pucelle* um die Wette heimwärts. Die Schiffe waren fast wie Zwillinge, und keines konnte ohne die Hilfe des Wetters und des Gottes der Winde einen Vorteil vor dem anderen gewinnen.

Die *Revenant* befand sich westlich der *Pucelle*, und die beiden Schiffe segelten nach Nordwest, um die große Ausbuchtung Afrikas hinter sich zu bringen. Chase nahm an, dass dies der *Pucelle* einen Vorteil bringen würde, wenn sie erst nördlich des Äquators waren, denn dann musste der Franzose ostwärts segeln, um wieder näher an die Küste zu gelangen. Des Nachts sorgte sich Chase, dass er sein Opfer verlieren würde, doch Morgen um Morgen war sie da, sogar in derselben Position, manchmal weiter entfernt, manchmal näher. Wenn Chase westwärts segelte, um die Distanz zwischen ihnen zu verringern, ging der Franzose auf den gleichen Kurs, und Chase kehrte auf seinen vorherigen zurück und verfluchte die verlorene Zeit. Er betete ständig, dass Montmorin sich ostwärts wenden würde, um ein Gefecht anzubieten, doch Montmorin widerstand der Versuchung. Er wollte sein Schiff nach Frankreich bringen oder zumindest zu einem Hafen, der Frankreichs Verbündetem, Spanien, gehörte, und die Männer, die er transportierte, würden Frankreich zu einem weiteren Versuch anspornen, Indien in einen britischen Friedhof zu verwandeln.

»Er wird immer noch unsere Blockade durchbrechen müssen«, sagte Chase eines Abends nach dem Abendessen, als sie beim Schachspielen waren. Dann zuckte er mit den Schultern und dämpfte seinen Optimismus. »Obwohl das nicht schwierig sein dürfte.«

»Warum nicht?«, fragte Sharpe.

»Es ist keine enge Blockade vor Cadiz«, erklärte Chase. »Die großen Schiffe bleiben weit draußen auf See, jenseits der Kimm. Nahe der Küste sind nur ein paar Fregatten, und Montmorin wird sie zur Seite fegen. Nein, wir müssen ihn vorher schnappen.« Der Captain runzelte die Stirn. »Sie können mit dem Bauern nicht seitwärts gehen, Sharpe!«

»Oh, pardon.« Das Gespräch fand während der ersten Wache statt, die von acht Uhr am Abend bis Mitternacht ging, eine Zeit, in der sich Chase nach Gesellschaft sehnte, und Sharpe hatte sich daran gewöhnt, mit dem Kapitän Brandy zu trinken und Schach zu spielen. Lord William und Lady Grace waren ständig als Gäste dabei, und Lady Grace spielte gern Schach und war offensichtlich gut darin, denn Chase runzelte oft die Stirn und wurde nervös, wenn er nach ihrem Zug auf das Brett starrte.

Lord William zog es vor, nach dem Abendessen zu lesen, doch er ließ sich einmal herab, gegen Chase zu spielen, und stellte ihn binnen einer Viertelstunde schachmatt. Holderby, der Fünfte Leutnant, war ein leidenschaftlicher Schachspieler, und wenn er zum Abendessen eingeladen wurde, half er gern Sharpe gegen Chase. Sharpe und Lady Grace achteten an diesen Abenden peinlich genau darauf, einander zu ignorieren.

Der Passatwind blies sie nordwärts, die Sonne schien, und Sharpe würde diese Wochen immer als Segen in Erinnerung behalten. Braithwaite war tot, Lord William Hale vertiefte sich in den Bericht, den er für die britische Regierung schrieb, und Sharpe und Lady Grace waren frei. Es blieb ihnen nichts anderes übrig, als diese Freiheit mit Vorsicht zu genießen, denn Sharpe hatte immer noch den Verdacht, dass die Schiffscrew von ihren Treffen wusste. Er wagte es nicht, ihre Kabine zu benutzen, aus Furcht, Lord William könnte dort auftauchen, doch sie ging zu Sharpes Kabine, schlich in einem schwarzen Mantel über das dunkle Achterdeck und wartete auf die kurze Unruhe beim Wachwechsel, um durch Sharpes unverschlossene Tür zu schlüpfen. Seine Kabine lag nahe genug beim Quartier des Ersten Leutnants, wo Lord William schlief, und so konnten die Leute annehmen, dass sie dorthin ging, aber trotzdem war es schwierig, ungesehen vom Steuermann zu bleiben.

John Hopper, der Bootsmann, grinste Sharpe wissend an, und Sharpe gab vor, es nicht zu bemerken, obwohl er annahm, dass das Geheimnis bei der Mannschaft sicher war, denn sie mochte ihn, und die Männer konnten allesamt den arroganten Lord William nicht leiden. Sharpe und Grace nahmen sich vor, diskret zu sein, doch Nacht für Nacht und manchmal bei Tag riskierten sie die Entdeckung ihrer Affäre. Es war leichtsinnig, doch sie kamen nicht dagegen an. Sharpe war wie berauscht im Liebesglück, und er liebte Grace umso mehr, weil sie Licht in den finsteren Abgrund brachte, der sie getrennt hatte. Eines Nachmittags lag sie neben ihm, als sie an ihr Haus in Lincolnshire dachte. »Sechsunddreißig Zimmer«, murmelte sie, »und das schließt nicht die Eingangshalle und die Quartiere für die Diener ein.«

»Wir haben sie zu Hause auch nie gezählt«, sagte Sharpe und stöhnte auf, als sie ihm mit dem Ellbogen gegen die Rippen stupste. Sie lagen auf Decken, die sie am Boden ausgebreitet hatten, denn die Koje war zu schmal, um darauf nebeneinander zu liegen. »Wie viele Diener hast du gehabt?«, fragte er.

»Auf dem Land? Dreiundzwanzig, glaube ich, aber das war nur im Haus. Und in London? Vierzehn, und dann waren da die Kutscher und Stalljungen. Ich habe keine Ahnung, wie viele das sind. Vielleicht sechs oder sieben.«

»Ich habe es ebenfalls aufgegeben, meine zu zählen«, sagte Sharpe. Dann zuckte er zusammen, als sie ihn abermals knuffte. »Das tut weh!«

»Pst«, wisperte sie. »Chase könnte dich hören. Hast du jemals einen Diener gehabt?«

»Einen kleinen Araberjungen«, sagte er und erschauerte unter der Berührung ihrer nackten Haut auf seiner. »Er wollte mit mir nach England kommen. Aber er starb.« Er schwieg einen Augenblick. »Was denkt dein Mädchen, was du jetzt machst?«

»Sie denkt, ich habe mich in der dunklen Kabine hingelegt und will nicht gestört werden, weil ich von der Sonne Kopfschmerzen bekommen habe.«

Er lächelte. »Was wirst du tun, wenn es regnet?«

»Dann sage ich natürlich, dass ich vom Regen Kopfschmerzen bekomme. Nicht, dass sich Mary dafür interessiert. Sie ist in Chases Steward verliebt, so ist sie froh, dass ich sie nicht brauche. Sie besucht ihn in seiner Kammer.« Grace strich zärtlich mit einem Finger über Sharpes Leib. »Vielleicht brennen die beiden durch, um gemeinsam zur See zu fahren.«

Manchmal kam es Sharpe vor, als seien er und Grace zur See

durchgebrannt und vergnügten sich mit einem Spiel, bei dem sie so taten, als sei die *Pucelle* ihr privates Schiff und die Besatzung ihre Diener, und sie würden für immer unter der Sonne im Glück segeln. Sie sprachen nie darüber, was sie am Ende der Reise erwarten würde, denn dann musste Grace in ihr Luxusleben zurückkehren und Sharpe an seinen Platz in der Welt, und er wusste nicht, ob er sie jemals wiedersehen würde.

»Wir sind wie Kinder, du und ich«, sagte Grace in staunendem Tonfall, »verantwortungslose, sorglose Kinder.«

Des Morgens übte Sharpe mit den Seesoldaten, an den Nachmittagen schlief er, und des Abends speiste er mit Chase. Danach wartete er ungeduldig, bis Lord William in seinen Laudanum-Schlaf fiel und Grace zu ihm kommen konnte. Dann redeten sie miteinander, liebten sich und unterhielten sich angeregt. »Ich habe seit Bombay nicht mehr gebadet«, sagte sie eines Nachts mit Schaudern.

»Ich auch nicht.«

»Aber ich bin an Bäder gewöhnt«, beklagte sie sich.

»Du duftest herrlich für mich.«

»Ich stinke«, sagte sie. »Und das ganze Schiff stinkt. Und mir fehlen die Spaziergänge. Ich liebe es, spazieren zu gehen. Wenn es nach mir ginge, würde ich London nie wiedersehen.«

»Dir würde die Armee gefallen«, sagte Sharpe. »Wir machen immer lange Märsche.«

Sie lag eine Weile schweigend da, dann streichelte sie über sein Haar. »Ich träume manchmal von Williams Tod«, sagte sie leise. »Nicht im Schlaf, sondern wenn ich wach bin. Das ist schrecklich.«

»Das ist menschlich«, sagte Sharpe. »Ich denke ebenfalls daran.«

»Ich wünschte, er würde über Bord fallen«, sagte sie. »Oder von einer Leiter stürzen. Das wird jedoch nicht passieren.«

Nur wenn man nachhilft, dachte Sharpe, doch dann schob er den Gedanken beiseite. Braithwaite zu töten war die eine Sache – der Privatsekretär war ein Erpresser gewesen –, aber Lord William hatte nichts getan, er war nur arrogant und verheiratet mit der Frau, die Sharpe liebte. Dennoch spielte Sharpe mit dem Gedanken, wie es wäre, wenn Lord William nicht mehr zwischen ihrem Glück stehen würde, aber das war nicht leicht zu bewerkstelligen. Lord William war nicht der Typ, der in den Laderaum hinabstieg, und er hielt sich nie im Dunkel der Nacht an Deck auf, wo er über die Reling gestoßen werden konnte.

»Wenn er stirbt«, sagte Grace, »dann wäre ich reich. Ich würde das Londoner Haus verkaufen und auf dem Land leben. Ich würde eine große Bibliothek mit einem Kamin haben, die Hunde ausführen, und du könntest mit mir leben. Ich wäre Mrs. Richard Sharpe.«

Für einen Moment glaubte Sharpe, sich verhört zu haben, dann lächelte er. »Dir würde die Gesellschaft fehlen.«

»Ich hasse die Gesellschaft«, sagte sie heftig. »Seichte Unterhaltungen, blöde Leute, endloses Konkurrenzdenken. Ich werde eine Einsiedlerin sein, Richard, mit Büchern vom Boden bis zur Decke.«

»Und was werde ich tun?«

»Mich lieben«, sagte sie, »und die Nachbarn finster anblicken.«

»Ich nehme an, das wäre zu schaffen«, sagte Sharpe in dem Wissen, dass es ein Traum war, der nur durch den Tod eines Mannes wahr werden würde. »Gibt es eine Stückpforte in der Kabine deines Mannes?«, fragte er und wusste, dass er besser geschwiegen hätte.

»Ja, warum?«

»Nichts«, murmelte er. Doch er hatte sich gefragt, ob er des Nachts in die Kabine eindringen, Lord William überwältigen und durch die Stückpforte verschwinden lassen konnte, aber dann verbannte er die Idee. Lord Williams Kabine befand sich wie die von Sharpe unter dem Achterdeck und nahe beim Steuerrad des Schiffes, und Sharpe bezweifelte, dass er einen Mord begehen und die Leiche verschwinden lassen konnte, ohne den Wachoffizier zu alarmieren. Selbst das Knarren beim Öffnen der Stückpforte würde zu laut sein.

»Er ist niemals krank«, sagte Grace an einem anderen Nachmittag, als sie es riskiert hatte, in Sharpes Kabine zu kommen. »Er ist nie krank.«

Sharpe wusste, was sie dachte, und er dachte es selbst, doch er bezweifelte, dass Lord William an irgendeiner Krankheit sterben würde. »Vielleicht wird er beim Kampf mit der *Revenant* getötet«, sagte Sharpe.

Grace lächelte. »Da wird er unten sein, mein Liebling, sicher unter der Wasserlinie.«

»Er ist ein Mann«, sagte Sharpe überrascht, »und er wird kämpfen müssen.«

»Er ist ein Politiker, mein Liebling. Er lässt von anderen töten. Er kämpft nicht selbst. Er wird mir sagen, dass sein Leben zu kostbar ist, um es aufs Spiel zu setzen, und das wird er wirklich glauben. Und wenn wir dann in London sind, wird er erklären, welch heldenhafte Rolle er beim Sieg über die *Revenant* gespielt hat, und ich werde wie eine loyale Frau dabeisitzen und lächeln, während die Gesellschaft ihn bewundert. Er ist ein Politiker.«

Draußen vor der Kabine erklangen Schritte. Sharpe lauschte besorgt, erwartete, dass die Schritte verklangen wie gewöhnlich, doch diesmal kamen sie genau auf die Tür zu. Grace umklammerte seine Hand, dann erschauerte sie, als es an die Tür klopfte. Sharpe stockte der Atem, als jemand versuchte, die abgeschlossene Tür zu öffnen.

»Wer ist da?«, rief Sharpe und tat, als sei er gerade aus dem Schlaf geschreckt worden.

»Midshipman Collier, Sir.«

»Was wollen Sie?«

»Sie werden im Quartier des Captains erwünscht, Sir.«

»Sagen Sie ihm, dass ich in einer Minute dort sein werde, Harry«, antwortete Sharpe. Sein Puls raste.

»Du solltest gehen«, flüsterte Grace.

Sharpe kleidete sich an, schnallte seinen Degen um, neigte sich über Grace und küsste sie. Dann schlüpfte er durch die Tür hinaus.

Chase stand an der Backbordreling und starrte auf den Punkt an der Kimm, der die *Revenant* war. »Sie wollen mich sprechen, Sir?«, fragte Sharpe.

»Nicht ich, Sharpe, nicht ich«, sagte Chase. »Es ist Lord William, der mit Ihnen reden will.«

»Lord William?« Sharpe konnte seine Überraschung nicht verbergen.

Chase hob eine Augenbraue, wie um zu sagen, dass Sharpe sich diese Probleme selbst eingebrockt hätte, dann nickte er zur Speisekabine hin. In Sharpe stieg Panik auf, und während er sich sagte, dass Braithwaite keinen belastenden Brief hinterlassen hatte, zog er seinen roten Rock zurecht und ging zur Kabinentür unter dem Achterdeck.

Lord William bat ihn, einzutreten. Sharpe tat es und wurde lässig zu einem Stuhl gewinkt. Lord William saß allein in der Kabine an dem langen Tisch, der mit Büchern und Papieren bedeckt war. Er schrieb, und das Kratzen seines Federhalters hatte etwas Unheilvolles. Er schrieb lange und ignorierte Sharpe. Das Oberlicht über dem Tisch war geöffnet, und der Wind ließ die Papiere auf dem Tisch rascheln. Sharpe starrte auf das sorgfältig gekämmte graue Haar Seiner Lordschaft.

»Ich schreibe einen Bericht«, brach Lord William das Schweigen und ließ Sharpe schuldbewusst zusammenzucken, »über die politische Situation in Indien.« Er tauchte die Feder in ein Tintenfässchen und schrieb einen weiteren Satz, bevor er den Federhalter ablegte. Seine kalten Augen blickten müde, vermutlich vom Laudanum, das er jeden Abend nahm, doch dahinter war sein üblicher Abscheu für Sharpe zu erkennen. »Normalerweise würde ich mich um die Assistenz eines jüngeren Offiziers bemühen, doch ich habe unter den gegebenen Umständen wenig Auswahl. Ich möchte Ihre Meinung hören, Sharpe, über die Kampfqualitäten der Marathen.«

Sharpe fiel ein Stein vom Herzen. Die Marathen! Seit dem Betreten der Kabine hatte er an Braithwaite und die Behauptung, dass er einen verdammten Brief hinterlegt hätte, gedacht, und Lord William wollte nur seine Meinung über die Marathen hören! »Tapfere Männer, Mylord«, sagte Sharpe.

Lord William schauderte es. »Ich nehme an, ich verdiene diese einfältige Meinung, da ich sie von Ihnen erbeten habe«, sagte er spöttisch, hielt die Fingerspitzen aneinander und sah Sharpe über tadellos manikürte Fingernägel hinweg an. »Mir ist klar, Sharpe, dass wir schließlich die Administration des gesamten indischen Kontinents übernehmen werden müssen. Und das wird ebenfalls der Regierung klar werden. Die Haupthindernisse dabei sind die verbliebenen Marathen-Staaten, besonders diejenigen, die von Holkar regiert werden. Lassen Sie mich konkret werden. Können diese Staaten verhindern, dass wir ihr Territorium annektieren?«

»Nein, Mylord.«

»Seien Sie bitte deutlich.« Lord William hatte ein unbeschriebenes Blatt vor sich gezogen und nahm jetzt den Federhalter auf.

Sharpe holte tief Luft. »Sie sind tapfere Männer, Mylord«,

sagte er und riskierte einen gereizten Blick. »Aber das reicht nicht. Sie verstehen es nicht, auf unsere Weise zu kämpfen. Sie meinen, das Geheimnis sei die Artillerie. So stellen sie ihre Geschütze in einer großen Reihe auf und lassen die Infanterie dahinter antreten.«

»Tun wir das nicht?« Lord Williams Frage klang überrascht.

»Wir bringen die Geschütze zu beiden Seiten der Infanterie in Stellung, Sir. Auf diese Weise, wenn die andere Infanterie angreift, können wir sie ins Kreuzfeuer nehmen, auf diese Weise mehr Männer töten, Mylord.«

»Und Sie«, sagte Lord William beißend, während er schnell schrieb, »sind ein Experte im Töten. Fahren Sie fort, Sharpe.«

»Indem sie ihre Geschütze vor ihrer eigenen Infanterie aufstellen, geben sie ihr das Gefühl, dass sie geschützt ist. Und wenn die Geschütze ausfallen, was fast immer der Fall ist, verliert die Infanterie ihren Kampfgeist. Außerdem, Sir, feuern unsere Jungs ihre Musketen schneller ab, also ist es leicht, sie zu töten, wenn wir an ihren Geschützen vorbei sind.«

Sharpe beobachtete, wie Lord William schrieb, und wartete, bis er die Feder wieder ins Tintenfässchen eintauchte. »Wir gehen nahe heran, Mylord. Sie schießen Salven aus der Ferne, und das ist nicht gut. Man muss nahe an sie heranmarschieren, sehr nahe, bis man sie riechen kann, und erst dann mit dem Feuern anfangen.«

»Wollen Sie damit sagen, das es ihrer Infanterie an unserer Disziplin mangelt?«

»Es mangelt ihr an Übung, Sir.« Sharpe dachte kurz nach. »Und ja, sie sind nicht so diszipliniert.«

»Und zweifellos benutzen sie nicht die Peitsche«, sagte Lord William. »Aber was ist, wenn ihre Infanterie richtig geführt wird? Von Europäern?«

»Dann kann sie gut sein, Sir. Unsere Sepoys sind so gut, aber die Marathen halten nicht viel von Disziplin. Sie sind Plünderer. Piraten. Sie heuern Infanterie aus anderen Staaten an, und ein Mann kämpft nie so gut, wenn er nicht für sein eigenes Land kämpft. Und es braucht Zeit, um sie auf unsere Standards zu bringen, Mylord. Wenn Sie mir eine Kompanie Marathen geben würden, Sir, bräuchte ich ein ganzes Jahr, um sie auf Vordermann zu bringen. Ich könnte das schaffen, aber es würde ihnen nicht gefallen. Sie sind lieber Reiter, Mylord. Irreguläre Kavallerie.«

»Sie meinen also, wir brauchen Monsieur Vaillards Botschaft an Paris nicht allzu ernst zu nehmen?«

»Das weiß ich nicht, Mylord.«

»Nein, das wissen Sie nicht. Haben Sie Pohlmann wiedererkannt, Sharpe?«

Die Frage kam völlig überraschend. »Nein«, platzte er mit zu viel Empörung heraus.

»Aber Sie müssen ihn gesehen haben...«, Lord William legte eine Pause ein, blätterte in den Papieren und fand den Namen, »... bei Assaye.«

»Nur durch ein Fernrohr, Mylord.«

»Nur durch ein Fernrohr«, wiederholte Lord William langsam. »Aber Chase hat mir versichert, dass Sie ihn sehr sicher identifiziert haben. Warum sonst sollte dieses Kriegsschiff durch den Atlantik segeln?«

»Es erschien mir offensichtlich, Mylord«, sagte Sharpe lahm.

»Es ist ein ständiges Geheimnis für mich, wie Ihr Gehirn arbeitet, Sharpe«, sagte Lord William, während er schrieb. »Ich werde natürlich noch in London mit erfahrenen Männern reden, die in Indien gedient haben, aber Ihre naiven Gedanken werden einen ersten Entwurf ermöglichen. Vielleicht sollte ich mit dem entfernten Cousin meiner Frau, Sir Arthur, sprechen.« Die Schreibfeder kratzte übers Papier. »Wissen

Sie, wo sich meine Frau heute Nachmittag aufhält, Mister Sharpe?«

»Nein, Mylord«, sagte Sharpe. Fast hätte er gefragt, wie man erwarten konnte, dass er das wusste, doch er verkniff es sich.

»Sie hat die Angewohnheit, zu verschwinden«, sagte Lord William, die grauen Augen auf Sharpe gerichtet.

Sharpe sagte nichts. Er fühlte sich wie eine Maus unter dem Blick einer Katze.

Lord William wandte sich um und schaute auf das Schott, das die Speisekabine von Sharpes Kabine abtrennte. Es sah so aus, als würde er das Bild von Chases alter Fregatte, der *Spritely*, betrachten, das dort hing. »Ich danke Ihnen, Sharpe«, sagte er und blickte über die Schulter. »Schließen Sie die Tür fest, ja? Das Schloss rastet manchmal nicht richtig ein.«

Sharpe verließ die Speisekabine. Er schwitzte. Wusste Lord William Bescheid? Hatte Braithwaite tatsächlich einen Brief geschrieben? Allmächtiger, dachte er, das ist ein Spiel mit dem Feuer!

»Nun?« Captain Chase war plötzlich neben ihm aufgetaucht, und seine Miene wirkte amüsiert.

»Er wollte etwas über die Marathen wissen, Sir.«

»Wollen wir das nicht alle?«, fragte Chase freundlich. Er blickte zu den Segeln hinauf und lächelte. »Die Schiffskapelle gibt heute Abend ein Konzert auf dem Vordeck«, sagte er, »und wir sind alle eingeladen, nach dem Abendessen daran teilzunehmen. Können Sie singen, Sharpe?«

»Nicht richtig, Sir.«

»Leutnant Peel singt. Es ist ein Vergnügen, ihm zuzuhören. Captain Llewellyn sollte singen, als Waliser, aber er tut es nicht, und die Backbord-Geschützcrew tritt als hervorragender Chor auf, obwohl ich ihr befohlen habe, kein schlüpfriges Liedchen über die Frau des Admirals zu singen, weil ich befürchte, sie könnten Lady Grace beleidigen, doch trotzdem sollte es ein wunderbarer Abend werden.«

Grace hatte seine Kabine verlassen. Sharpe schloss die Tür. Er schloss die Augen und spürte, wie ihm unter dem Hemd Schweiß über die Brust sickerte. Ja, es war ein Spiel mit dem Feuer.

Zwei Morgen später war im Südwesten eine Insel zu sehen. Die *Revenant* musste in der Nacht die Insel ziemlich nahe passiert haben, denn im Morgengrauen befand sie sich im Norden davon. Wolken hingen über dem schmalen Tupfer Grau, der alles war, was Sharpe durch sein Fernglas von der Insel erkennen konnte.

»Sie heißt St. Helena«, sagte Chase, »und gehört der East India Company. Wenn wir nichts anderes zu tun hätten, würden wir dort einen Stopp einlegen und Wasser und Gemüse kaufen.«

Sharpe blickte zu dem Landflecken in der Unermesslichkeit des Ozeans. »Wer lebt dort?«

»Einige unglückliche Männer der Company, eine Hand voll verdrossener Familien und ein paar schwarze Sklaven. Clouter, der Schläger, war als Sklave dort. Sie sollten ihn darüber befragen.«

»Sie haben ihn befreit?«

»Er hat sich selbst befreit. Schwamm eines Nachts zu uns raus, kletterte an der Ankertrosse hoch und versteckte sich, bis wir wieder auf See waren. Ich habe keinen Zweifel, dass die East India Company ihn gern wieder zurück hätte, aber da kann sie in den Wind pfeifen. Er ist ein viel zu guter Seemann.«

Es war eine Hand voll schwarzer Seeleute wie Clouter an

Bord, ein Dutzend ostindische Matrosen und ein paar Amerikaner, Holländer, Schweden, Dänen und sogar zwei Franzosen. »Warum nennen Sie Clouter einen Schläger?«, fragte Sharpe.

»Weil er jemanden so hart schlug, dass der Mann eine Woche lang nicht aufwachte«, sagte Chase belustigt. Dann nahm er das Sprachrohr von der Reling und rief Clouter, der sich unter den Männern befand, die sich auf dem Vordeck aufhielten.

»Möchtest du nach St. Helena fahren, Clouter? Du kannst deine alten Freunde besuchen.«

Clouter machte die Geste des Halsabschneidens, und Chase lachte. Es waren solche kleinen Gesten, fand Sharpe, die darauf schließen ließen, dass die *Pucelle* ein glückliches Schiff war. Chase führte ein unbeschwertes Kommando, doch diese Entspanntheit minderte nicht seine Autorität, sondern ließ die Männer nur noch härter arbeiten. Sie waren stolz auf ihr Schiff, stolz auf ihren Kapitän, und Sharpe nahm an, dass sie wie die Teufel für ihn kämpfen würden.

Aber Capitaine Louis Montmorin stand in dem gleichen Ruf, und wenn die beiden Schiffe aufeinandertreffen würden, dann würde es zweifellos eine erbitterte, blutige Konfrontation werden.

Sharpe beobachtete Chase, denn er nahm an, dass er noch viel über die Feinheiten der Menschenführung lernen konnte. Er bemerkte, dass der Captain seine Autorität nicht unterstrich, indem er auf Strafen zurückgriff, sondern dass er hohe Leistungen erwartete und sie belohnte.

Chase verbarg seine Zweifel. Er konnte nicht sicher sein, dass Pohlmanns Diener wirklich Michel Vaillard war. Er wusste nicht mit Sicherheit, ob er die *Revenant* stellen konnte und ob der Franzose an Bord war, und wenn er scheiterte, würden die Lords der Admiralität bemängeln, dass die *Pucelle* so weit von ihrer richtigen Position abgewichen war. Sharpe wusste, dass Chase sich wegen solcher Dinge Sorgen machte, doch die Mannschaft hatte keine Ahnung von den Sorgen des Captains. Für die Mannschaft war er selbstsicher, entschlossen und zuversichtlich, und sie vertraute ihm.

Sharpe registrierte es und nahm sich vor, es ihm nachzumachen, und er fragte sich, ob er wirklich in der Armee bleiben würde. Vielleicht würde Lord William sterben? Vielleicht würde er eine schlaflose Nacht haben und in der Dunkelheit über das Achterdeck schlendern und durch einen Unfall für immer verschwinden?

Und dann?, fragte sich Sharpe. Was dann? Eine Bibliothek mit Kamin? Grace glücklich mit Büchern, und er – womit? Und als er sich diese Fragen stellte, schreckte er vor den Antworten zurück, denn sie schlossen einen Mord mit ein, vor dem er sich fürchtete. Der Tod eines Sekretärs konnte als Sturz von der Leiter erklärt werden, aber bei dem eines Adligen war das nicht so einfach. Und Sharpe hatte keinerlei Recht, Lord William umzubringen. Er würde es vielleicht tun, wenn sich die Chance ergab, aber er wusste, dass es falsch war, ein Verbrechen, das einen Makel auf seiner Zukunft hinterlassen würde. Oftmals überraschte er sich, indem er erkannte, dass er ein Gewissen hatte. Sharpe kannte viele Männer, Dutzende, die für den Preis eines Glases Ale killen würden, doch er zählte nicht dazu. Es musste einen Grund geben, und Egoismus war keine Entschuldigung. Selbst Liebe nicht.

Ob er versuchen sollte, Lord William zu einem Duell zu provozieren? Er dachte darüber nach und gelangte zu dem Schluss, dass Lord William sich niemals dazu herablassen würde, mit einem popeligen Ensign zu kämpfen. Lord Williams Waffen waren subtiler: Aktennotizen an das Kriegsministerium, Briefe an ranghohe Offiziere, Flüstertöne in die richtigen Ohren, und

Sharpe würde erledigt sein, lebendig gestorben. Also vergiss es, dachte Sharpe, lass den Traum sausen.

Er versuchte, seine Anspannung durch die Arbeit auf dem Schiff zu lockern. Er und Llewellyn hielten einen Wettstreit unter den Seesoldaten ab, um festzustellen, wer die meisten Musketenschüsse in drei Minuten abfeuern und am besten treffen konnte, und die Schießleistungen der Männer verbesserten sich.

Keiner konnte es jedoch mit Sharpe aufnehmen. Er übte mit ihnen, ermunterte sie und fluchte über sie, und Morgen um Morgen war das Vordeck des Schiffes mit Pulverrauch erfüllt, bis Sharpe glaubte, dass die Männer so gut wie jede Kompanie Rotröcke waren. Er übte mit dem Entermesser, kämpfte mit Llewellyn auf dem Hauptdeck, schlitzte und hackte, parierte und schnitt, bis der Schweiß über sein Gesicht und die Brust rann.

Einige der Seesoldaten übten mit Piken. Llewellyn behauptete, dass sie äußerst wirkungsvoll zum Räumen enger Durchgänge auf feindlichen Schiffen waren. Der Waliser hatte auch zur Benutzung von Äxten mit scharfen Klingen auf kurzen Griffen ermuntert. »Sie sind unhandlich«, gab Llewellyn zu, »aber bei Gott, sie jagen den Froschfressern eine heilige Furcht ein. Ein Mann kämpft nicht mehr mit diesen Dingern im Schädel, Sharpe, das kann ich Ihnen sagen.«

Sie überquerten den Äquator, und weil jeder an Bord das schon einmal hinter sich hatte, war keine Äquatortaufe nötig, bei der die Männer Frauenkleider anzogen, sich mit einem Entermesser rasierten und mit Seewasser getauft wurden. Dennoch verkleideten sich einige der Matrosen als Neptun und gingen mit einem improvisierten Dreizack über das Schiff und forderten Tribut von Passagieren und Offizieren gleichermaßen. Chase gab eine doppelte Rum-Ration aus, ließ ein größeres

Leesegel setzen, das der Segelmacher genäht hatte, und beobachtete die *Revenant* an der nordwestlichen Kimm.

Dann kamen die Flauten. Für eine Woche schafften die beiden Schiffe kaum vierzig Meilen und lagen nur auf einer glasigen See, die ihre Spiegelbilder fast perfekt wiedergaben. Die Segel hingen schlaff herab, und der Pulverrauch der Schießübungen bildete eine Wolke über jedem Schiff, die sich nicht verzog, sodass die *Revenant* aus der Ferne wie eine Nebelbank mit Masten und Segeln wirkte. Leutnant Haskell versuchte, die Zeit der französischen Salven abzuschätzen, indem er die Wolke durch sein Fernrohr betrachtete. »Nur ein Schuss alle drei Minuten und zwanzig Sekunden«, sagte er schließlich.

»Sie zeigen nicht ihr Bestes«, sagte Chase. »Montmorin will mich nicht wissen lassen, wie gut seine Männer ausgebildet sind. Sie können sicher sein, dass sie viel besser sind, als es den Anschein hat.«

»Wie schnell sind wir?«, fragte Sharpe Llewellyn.

Der Waliser zuckte mit den Schultern. »An einem guten Tag, Sharpe? Drei Breitseiten in fünf Minuten. Nicht, dass wir immer eine richtige Breitseite schießen. Wenn alle Geschütze gleichzeitig feuern, würde es das verdammte Schiff auseinanderreißen! Aber wir feuern in Intervallen, ein Geschütz nach dem anderen, und danach feuern alle so schnell, wie sie wieder geladen haben. Die schnelleren Mannschaften werden leicht drei Schüsse in fünf Minuten schaffen, aber die größeren Geschütze sind langsamer. Doch unsere Jungs sind gut. Es gibt nicht viele Franzosen, die drei Schüsse in fünf Minuten schaffen.«

An einigen Tagen versuchte Chase das Schiff mit den Beibooten näher an die *Revenant* heranzubringen, doch der Franzose benutzte ebenfalls seine Boote zum Schleppen, und so behielten die Feinde ihre Positionen.

An einem Tag brachte eine verrückte Brise die *Revenant* fast bis hinter die Kimm, doch am nächsten Tag wehte der Wind das britische Schiff nordwärts, während die *Revenant* in einer Flaute lag. Die *Pucelle* schob sich immer näher an den Feind heran, und die kleinen Wellen ihrer Fahrt kräuselten kaum die glasartige See, und Fuß um Fuß, Yard um Yard gewann sie gegenüber der *Revenant*, trotz der größten Bemühungen der französischen Ruderer in ihren großen Beibooten.

Schließlich schloss die *Pucelle* die Lücke, bis Captain Chase den Mündungspfropfen aus dem Rohr seines vorderen 24-Pfünders an Backbord herausziehen ließ. Das Geschütz war bereits geladen. Der Kapitän war zum vorderen Ende des Hauptdecks gegangen und duckte sich neben der geöffneten Stückpforte. »Nach dem ersten Schuss werden wir mit Kettenkugeln laden«, entschied er.

Kettenmunition sah auf den ersten Blick wie normale Kanonenkugeln aus, doch die Kugel war in zwei Hälften geteilt, die sich trennten, wenn sie aus dem Rohr flogen. Sie waren mit einem kurzen Stück Kette verbunden, und die beiden Halbkugeln wirbelten durch die Luft, die Kette zwischen ihnen, um das Takelwerk des Feindes zu zerschneiden und zu zerreißen. »Eine große Distanz für Kettenschüsse«, sagte der Kanonier zu Chase.

»Wir werden näher rankommen«, sagte Chase. Er hoffte, die Segel der *Revenant* in Fetzen schießen zu können, dann näher heranzukommen und sie mit normalen Kanonenkugeln zu erledigen. »Wir werden näher herankommen«, wiederholte er, bückte sich zum Geschütz und starrte zum Feind, der jetzt fast in Reichweite war. Die Vergoldung an ihrem Heck reflektierte den Sonnenschein, die Trikolore hing schlaff herab, und auf ihrem Heck drängten sich Männer, die sich wohl fragten, warum der Wind so launisch war, die Briten zu begünstigen.

Sharpe spähte angespannt durch das Fernrohr, hoffte einen Blick auf Peculiar Cromwells langes Haar und blauen Rock oder auf Pohlmann und seinen Diener zu erhaschen, aber er konnte die Personen nicht erkennen, die im Heck standen und beobachteten, wie die *Pucelle* näher heranglitt. Er konnte den Namen des Schiffes auf dem Heck lesen, sah das Wasser, das aus den Bilgen gepumpt wurde.

Dann wurden die großen Beiboote, die die *Revenant* schleppten, plötzlich zurückgerudert. Chase stieß einen Grunzlaut aus. »Sie wollen vermutlich ihren Bug herumziehen«, sagte er, »um uns ihre Breitseite zu zeigen. Trommler!«

Ein junger Seesoldat trat vor. »Sir?«

»Trommeln zum Sammeln!«, sagte Chase. Dann hob er eine Hand. »Nein, lass das.«

Der Wind war nicht mehr so launisch, und die Boote der *Revenant* waren nicht zum Schiff zurückgerufen worden, um das Schiff zu drehen, sondern weil Montmorin an seinem Heck gesehen hatte, wie sich das Wasser kräuselte, als sei es von Katzenpfoten gestreichelt worden. Jetzt waren ihre Segel straff, und der Franzose glitt außer Kanonenreichweite.

»Verfluchtes Glück des Franzosen!«

Die Stückpforte wurde geschlossen und das 24-Pfünder-Geschütz gesichert.

Am nächsten Tag setzte sich die *Revenant* wieder ab, dank einer unfairen Brise, und am Ende einer Woche der Flauten waren die beiden Schiffe wieder fast bis zur Kimm getrennt, doch jetzt war das französische Schiff direkt vor der *Pucelle*.

»Weit genug«, sage Chase bitter, »dass sie sicher ihren Hafen erreicht.«

In den nächsten beiden Tagen gab es gegensätzliche Strömungen und steife Winde von Nordosten, sodass beide Schiffe kreuzen mussten und sich dabei näherten. Die *Pucelle* erwies sich als der bessere Segler, und langsam, sehr langsam machte sie die verlorene Distanz wett. Das Schiff pflügte hart durch die Wellen, und die See spülte über die Decks. Regenschleier nahmen der *Pucelle* oftmals die Sicht auf die *Revenant*, doch sie tauchte immer wieder auf. Einmal sah er Streifen von Segeltuch an ihrem Bug flattern, doch ein paar Herzschläge später hatte der Franzose das alte Segel, das der Wind zerfetzt hatte, durch ein neues ersetzt. »Verschlissenes Segeltuch«, bemerkte der Erste Leutnant. »Ich nehme an, wir sind schneller am Wind. Seine Focksegel sind nur noch Fetzen.«

»Oder seine Stage sind nicht fest genug«, murmelte Chase und beobachtete, dass die *Revenant* ihren vorherigen Kurs wieder aufnahm. »Aber er hat dieses Segel schnell ausgewechselt.«

»Vermutlich hatte er das neue Segel einsatzbereit, Sir«, meinte Haskell.

»Wie auch immer«, sagte Chase, »er ist gut, unser Louis, nicht wahr?«

»Vielleicht hat er englisches Blut«, sagte Haskell in aller Ernsthaftigkeit.

Sie passierten die Kapverdischen Inseln in strömendem Regen, und eine Woche später, in einem weiteren heftigen Regenguss, erhaschten sie einen Blick auf die Kanarischen Inseln. Es gab viel örtlichen Schiffsverkehr, aber der Anblick von zwei Kriegsschiffen verscheuchte ihn schnell.

Es war nur noch eine Woche, vielleicht einen Tag weniger, bis nach Cadiz.

»Sie wird an meinem Geburtstag in den Hafen einlaufen«, sagte Chase, schob das Fernrohr zusammen und wandte sich ab, um seine Bitterkeit zu verbergen, denn er wusste, wenn kein Wunder geschah, würde er scheitern. Im blieb noch eine Woche, um den Franzosen einzuholen, doch der Wind war zurückgekehrt, und in den nächsten Tagen behielt die *Revenant* ihren Vorsprung, sodass die in der Sonne verblichene Trikolore an ihrem Heck die Verfolger ständig zu verspotten schien.

»Was wird Chase tun, wenn wir sie nicht schnappen?«, wollte Grace in dieser Nacht von Sharpe wissen.

»Er wird nach England segeln«, sagte er. Vermutlich nach Plymouth, dachte er, und er versuchte sich vorzustellen, wie er an einem feuchten Herbstnachmittag auf einem Kai gezwungen sein würde, zuzusehen, wie Lady Grace in einem gemieteten Kutschwagen davonfuhr.

»Ich würde dir schreiben«, sagte sie, als hätte sie seine Gedanken gelesen, »wenn ich die Adresse wüsste.«

»Shorncliffe, in Kent. Die Kasernen.« Er konnte seine melancholischen Gefühle nicht verbergen. Die stupiden Träume einer lächerlichen Liebe verblassten zur grimmigen Realität, genauso wie Chases Hoffnungen, die *Revenant* zu schnappen.

Grace lag neben ihm, blickte zur Decke und lauschte dem Prasseln des Regens gegen das Oberlicht der Kabine. Sie war bekleidet, denn es war fast an der Zeit, aus seiner Kabine zu schlüpfen und zu ihrer eigenen zu gehen, und Sharpe sah die alte Traurigkeit in ihren Augen. »Da ist etwas«, sagte sie leise, »das ist dir noch nicht gesagt habe.«

»Das heißt, dass du es mir jetzt sagen wirst?«

»Ich habe es dir bisher verschwiegen, weil du ohnehin nichts daran ändern kannst.«

Er wartete.

»Ich bin schwanger«, sagte sie schließlich.

Er drückte ihre Hand und schwieg. Er hatte eine Ahnung gehabt, das zu hören, doch jetzt überraschte es ihn.

»Bist du ärgerlich?«, fragte sie nervös.

»Ich bin glücklich«, sagte er und legte eine Hand auf ihren Bauch. Es stimmte, er war mit Freude erfüllt, obwohl er wusste, dass dieses Glück keine Zukunft hatte.

»Das Kind ist deins«, sagte sie.

»Bist du dir sicher?«

»Ich weiß es. Vielleicht liegt es am Laudanum, aber...« Sie verstummte und zuckte mit den Schultern. »Es ist deins. Aber William wird annehmen, es sei von ihm.«

»Nicht, wenn er nicht kann...«

»Er wird das denken, was ich ihm sage«, unterbrach sie ihn heftig, dann schmiegte sie den Kopf an Sharpes Schulter und begann zu weinen. »Es ist deins, Richard, und ich würde alles dafür geben, damit das Kind dich kennen lernt.«

Aber sie würden bald zu Hause sein und ihrer Wege gehen, und Sharpe würde das Kind nie sehen, denn es war unehelich, und es würde keine Zukunft für ihn mit Grace geben. Ihre Liebe war dem Untergang geweiht.

Und am nächsten Morgen änderte sich alles.

Es war ein kühler, feuchter Tag. Der Wind wehte aus Nordnordwest, sodass die *Pucelle* hart am Wind segelte. Regenschleier peitschten über die See, Regen sprühte übers Deck und tropfte von den Segeln. Das Wasser war grün und grau, vom Wind gepeitscht und von Schaum gekrönt. Die Offiziere auf dem Achterdeck trugen dickes Ölzeug, und Sharpe fror zum ersten Mal, seit er in Indien war. Das Schiff kämpfte, bockte und schlingerte in der See und dem Wind, und manchmal krängte es. Sieben Seeleute bemannten das doppelte Steuerrad, und es bedurfte all ihrer Kraft, um den Naturgewalten zu trotzen.

»Ein Hauch von Herbst in der Luft«, sagte Chase zu Sharpes

Begrüßung. Chase hatte seinen Zweispitz mit einem Überzug aus geteertem Segeltuch bedeckt und mit einem Riemen unter dem Kinn befestigt. »Haben Sie gefrühstückt?«

»Das habe ich, Sir.« Es war kein großes Frühstück gewesen, denn die Lebensmittelvorräte auf der *Pucelle* wurden knapp und die Offiziere wie die Männer erhielten nur knappe Rationen von Rindfleisch, Biskuits und schottischem Kaffee, der wie eine schale Mischung aus geröstetem Brot und heißem Wasser, gesüßt mit Zucker, schmeckte.

»Wir holen auf«, sagte Chase und nickte zu der fernen *Revenant* hin, die offensichtlich ebenso schwer gegen die See kämpfte wie die *Pucelle* und so weit nordwärts stieß, wie ihr Steuermann es schaffen konnte. Die *Pucelle* versuchte die Lücke zu schließen wie immer, wenn die Schiffe kreuzten, doch kurz nach dem zweiten Glasen der Vormittagswache drehte der Wind nach Südsüdwest, und die *Revenant* musste nicht länger gegen den Wind ankämpfen, sondern konnte den rauen Wind nutzen und ihre Führung halten. Dann, eine halbe Stunde später, drehte sie unerwartet nach Osten ab, was bedeutete, dass sie Kurs auf die Straße von Gibraltar statt auf Cadiz nahm.

»Steuerbord! Steuerbord!«, brüllte Chase dem Steuermann zu.

Haskell rannte aufs Achterdeck, als die sieben Männer am Steuerrad drehten. Matrosen versuchten hastig, die Rahen zu brassen. Die Segel flatterten, und Regen spritzte übers Deck.

»Hat es ihnen wieder die Focksegel weggeblasen?«, schrie Haskell gegen den Lärm der schlagenden Segel an.

»Nein«, rief Chase. Der Franzose segelte jetzt schneller und leichter, glitt durch die Wellen und hinterließ eine Spur von weiß schäumendem Kielwasser. »Er will nach Toulon!«, vermutete Chase, aber er hatte kaum ausgesprochen, als die *Revenant* wieder zu ihrem alten Kurs zurückkehrte, und die Wache der *Pucelle*, die gerade erst die Rahen gebrasst hatten, mussten wieder an die Brassen.

»Folgt ihm!«, rief Chase dem Quartiermeister zu, nahm sein Fernrohr, entfernte die Schutzkappe vor der Linse und starrte zum Franzosen. »Was, zum Teufel, macht er? Verhöhnt er uns? Weiß er, dass er vor uns in Sicherheit ist, und will uns verspotten?«

Die Antwort kam zehn Minuten später, als ein Ausguck meldete, dass ein Segel in Sicht war. Weitere zwanzig Minuten später waren am nördlichen Horizont schon zwei Segel zu sehen, und das nähere der beiden wurde als britische Fregatte identifiziert. »Die können nicht vom Blockade-Geschwader sein«, sagte Chase verwirrt, »dafür sind sie zu weit südlich.« Einen Augenblick später war die Sicht auf das zweite Schiff klarer. Es war ebenfalls eine Fregatte der Königlichen Marine.

Die *Revenant* hatte offenbar den Kurs geändert, um den beiden Schiffen auszuweichen, weil man auf den ersten Blick auf ihre Royalsegel befürchtet hatte, dass es britische Linienschiffe sein könnten, doch dann, als man erkannt hatte, dass es sich nur um zwei Fregatten handelte, hatte man sich entschieden, sich nach Cadiz durchzukämpfen.

»Montmorin wird keine Mühe haben, sie abzuschütteln«, sagte Chase düster. »Ihre einzige Hoffnung, den Franzosen zu stoppen, besteht darin, dass sie sich genau auf ihren Kurs legen.«

Signalflaggen flatterten plötzlich in der Brise. Sharpe konnte die fernen Fregatten nicht sehen, doch Hopper, der Bootsmann aus Chases Barkassenmannschaft, konnte sie nicht nur sehen, sondern das nähere Schiff sogar identifizieren. »Es ist die *Euryalus*, Sir.«

»Henry Blackwood ist der Captain«, sagte Chase. »Ein guter Mann!«

Tom Connors, der Signal-Leutnant, spähte durch ein Fernglas zur *Euryalus* mit den Signalflaggen. »Die Flotte ist draußen, Sir!«, rief Connors aufgeregt, dann fügte er hinzu: »Die *Euryalus* möchte, dass wir uns identifizieren, Sir. Aber sie sagt auch, dass die französischen und spanischen Flotten draußen sind.«

»Mein Gott!« Chase, dessen Gesicht plötzlich alle Müdigkeit und Enttäuschung verloren hatte, wandte sich Sharpe zu. »Die Flotte ist draußen!« Er klang ungläubig und jubelnd zugleich. »Sind Sie sicher, Tom?«, fragte er Connors, der jetzt den Flaggenkasten aufs Achterdeck rollte. »Natürlich sind Sie sicher. Sie sind draußen!« Chase konnte nicht widerstehen, mit ein paar Tanzschritten zu feiern, die in seinem schweren Ölzeug unbeholfen wirkten. »Die Froschfresser und Dons sind draußen. Bei Gott, sie sind draußen!«

Auch Haskell, normalerweise ernst, blickte erfreut drein. Die Nachricht machte rasend schnell die Runde auf dem Schiff und brachte alle dienstfreien Männer aufs Deck. Selbst Cowper, der Proviantmeister, der normalerweise in den unteren Bereichen des Schiffs blieb, kam aufs Achterdeck, grüßte hastig Chase und starrte dann nordwärts und hoffte, die feindliche Flotte am Horizont zu sehen. Pickering, der Schiffsarzt, der sich normalerweise nicht vor dem Mittag von seiner Koje rührte, schlenderte an Deck, blickte kurz zu den fernen Fregatten und kehrte zurück nach unten.

Sharpe verstand die Aufregung und freudige Erwartung der Mannschaft nicht ganz, er hielt die Nachricht sogar für schlecht. Leutnant Peel schlug Sharpe vor Freude auf den Rücken, und dann sah er ihm die Verwirrung an. »Teilen Sie nicht unsere Freude, Sharpe?«

»Ist es keine schlechte Nachricht, Sir, dass die Flotte draußen ist?«

»Schlechte Nachricht? Guter Gott im Himmel, nein! Sie ist nicht ohne unsere Erlaubnis draußen, Sharpe. Wir halten sie in einer Blockade eingeschlossen, und wenn sie draußen sind, heißt das, dass unsere eigene Flotte irgendwo in der Nähe ist. Monsieur Crapaud und Señor Don tanzen nach unserer Pfeife, Sharpe. Nach unserer Melodie. Und es wird ein heißer Tanz werden.«

Es hatte den Anschein, dass Peel recht hatte, denn als die *Pucelle* eine Reihe Signalflaggen gehisst und ihre Mission beschrieben hatte, folgte langes Warten, während die Botschaft von den britischen Fregatten an die anderen Schiffe, die offensichtlich hinter der Kimm lagen, übermittelt wurde. Und wenn sich andere Schiffe hinter der grauen Kimm befanden, konnte das nur bedeuten, dass die britische Flotte ebenfalls draußen war. Alle Flotten waren draußen. Die Linienschiffe Europas.

Alle auf Chases Achterdeck freuten sich. Die *Revenant* segelte weiter, ignoriert von den beiden Fregatten, die größere Fische zu braten hatten als einen einsamen Franzosen. Die *Pucelle* verfolgte ihn immer noch pflichtschuldig, doch dann tauchten wieder bunte Signalflaggen zwischen den Segeln der *Euryalus* auf, und jeder auf dem Achterdeck schaute zum Signal-Leutnant, der durch ein Fernrohr zur Fregatte spähte.

»Beeilung!«, murmelte Chase angespannt.

»Vizeadmiral Nelson lässt grüßen, Sir«, sagte Leutnant Connors und konnte kaum seine Aufregung verbergen. »Und wir sollen uns Nordnordwest halten und seiner Flotte anschließen.«

»Nelson!«, sagte Chase in andächtiger Ehrfurcht. »Nelson! Bei Gott, Nelson!«

Die Offiziere brachen in Jubel aus. Sharpe schaute erstaunt zu ihnen. Seit über zwei Monaten hatten sie die *Revenant* verfolgt und alles darangesetzt, sie einzuholen, und jetzt, nachdem ihnen befohlen worden war, die Jagd aufzugeben, jubelten sie? Das feindliche Schiff sollte einfach davonsegeln?

»Wir sind ein Geschenk des Himmels, Sharpe«, erklärte Chase. »In der Gefechtslinie. Natürlich will Nelson uns haben. Wir bedeuten für ihn zusätzliche Geschütze. Wir segeln in ein Gefecht, bei Gott. Nelson gegen die Franzosen und Spanier, dies muss der Himmel sein!«

»Und die *Revenant*?«

»Was macht es schon, wenn wir sie nicht schnappen?«

»Es könnte etwas für Indien ausmachen.«

»Das wird das Problem der Armee sein«, sagte Chase. »Verstehen Sie nicht, Sharpe? Die Flotte des Feindes ist draußen. Wir werden sie in Fetzen schießen! Keiner kann uns ankreiden, dass wir eine Verfolgungsjagd aufgeben, um uns einer Schlacht anzuschließen. Außerdem ist es Nelsons Entscheidung, nicht meine. Nelson, bei Gott! Jetzt sind wir in guter Gesellschaft!« Er drehte sich abermals kurz und ungeschickt wie im Tanz, bevor er sein Sprachrohr nahm, um die Befehle zu rufen, die die *Pucelle* zur britischen Flotte bringen würde, die jenseits der Kimm lag, doch bevor er auch nur Atem holen konnte, ertönte der Ruf eines Ausgucks, dass eine andere Flotte am nördlichen Horizont zu sehen war.

Chase rannte, gefolgt von einem halben Dutzend Offizieren, zu den Wanten des Großmastes. Sharpe kletterte langsamer zum Großmars hinauf. Oben angelangt, richtete er sein Fernrohr nach Norden, aber er sah nur die See und eine Masse von Wolken an der Kimm.

»Der Feind.« Captain Llewellyn der Seesoldaten war neben Sharpe auf dem Großmars eingetroffen. Ehrfürchtig stieß er hervor: »Mein Gott, es ist der Feind!«

»Und die *Revenant* wird sich ihnen anschließen!«, sagte Chase. »Das nehme ich jedenfalls an. Sie werden so froh über

Montmorins Anwesenheit sein, wie Nelson über unsere ist.« Er wandte sich um und grinste Sharpe an. »Verstehen Sie? Vielleicht haben wir sie überhaupt nicht verloren!«

Der Feind? Sharpe konnte immer noch nichts außer der See und den Wolken sehen, aber dann wurde ihm klar, dass das, was er irrtümlich für einen Streifen schmutzig weißer Wolken am Horizont gehalten hatte, in Wirklichkeit eine Masse von Segeln war. An der Kimm segelte eine Schiffsflotte, deren Segel ineinander zu verschmelzen schienen. Gott allein wusste, wie viele Schiffe das waren. Chase hatte gesagt, dass die vereinigte Flotte von Frankreich und Spanien dort draußen war.

»Ich sehe dreißig«, sagte Leutnant Haskell unsicher, »vielleicht mehr.«

»Und die laufen Kurs nach Süden«, sagte Chase verwirrt. »Ich dachte, die Bastarde segeln nach Norden, um mit der Invasion zu beginnen?«

»Es sind französische Navigatoren«, sagte Leutnant Peel, der rundliche Mann, der beim Konzert so schön gesungen hatte. »Sie denken, Britannien liege vor Afrika.«

»Sie können meinetwegen nach China segeln, solange wir sie schnappen«, sagte Chase, schob sein Fernrohr zusammen und eilte die Püttingswanten hinab. Sharpe blieb auf dem Großmars, bis ihm eine Sturmbö mit Regenschleiern die Sicht auf die ferne Flotte nahm.

Die *Pucelle* ging auf westlichen Kurs, und die feindliche Flotte war bald außer Sicht. Chases Kurs brachte die *Pucelle* an zwei weiteren Fregatten vorbei, welche die schwache Kette von Nelsons Flotte mit dem Feind verband. Die Fregatten waren die Scouts, die Kavallerie, und nachdem sie den Feind gefunden hatten, blieben sie bei ihm und schickten Botschaften zu den Linienschiffen. Connors las die bunten Signalflaggen und gab die Nachrichten weiter. Der Feind, meldete er, segelte immer noch südwärts, und die *Euryalus* hatte dreiunddreißig Schiffe und fünf Fregatten gezählt, aber zwei Stunden später wurde die Zahl um ein Schiff vergrößert, weil die *Revenant*, wie Chase vorausgesehen hatte, den Befehl erhalten hatte, sich der feindlichen Flotte anzuschließen.

»Vierunddreißig Prisen!«, sagte Chase begeistert. »Mein Gott, wir werden sie vernichtend schlagen!«

Das letzte Glied der Kette war keine Fregatte, sondern ein Schiff, das zur Sharpes Erstaunen identifiziert wurde, bevor sich sein Rumpf am Horizont zeigte. »Es ist die *Mars*«, sagte Leutnant Haskell, der durch sein Fernrohr spähte. »Ich würde das Royalsegel überall erkennen.«

»Die *Mars*?« Chases Stimmung wurde immer besser. »Georgie Duff ist der Captain, Sharpe! Er ist ein Schotte«, fügte er hinzu, als erkläre das alles. »Riesenkerl, groß und bullig genug, um Preiskämpfer zu sein! Ich erinnere mich noch an seinen dauernden Kohldampf. Konnte nie genug zu essen bekommen, der arme Hungerleider.«

Signalflaggen erschienen am Besan der *Mars*. »Unsere Nummer, Sir«, meldete Connors. Er wartete ein paar Sekunden, bevor er die Botschaft meldete: »Was bringt euch in solcher Eile nach Hause?«

»Grüßen Sie Captain Duff von mir«, sagte Chase glücklich, »und sagen Sie ihm, dass ich wusste, dass er einige Hilfe braucht.« Der Leutnant zog Signalflaggen aus dem Kasten und ließ damit die Botschaft übermitteln.

Nach einer Weile meldete er die Antwort: »Captain Duff versichert Ihnen, er wird nicht zulassen, dass bei uns irgendein Schaden entsteht.«

»Oh, er ist ein lieber Freund«, sagte Chase. »Ein Pfundskerl.«

Eine Stunde später war eine andere Wolke zu sehen, diesmal

am westlichen Horizont, und sie entpuppte sich vor einem dunklen Schleier zu den massierten Segeln einer Flotte. Sechsundzwanzig Schiffe, die *Mars* oder *Pucelle* nicht mitgezählt, segelten nordwärts, und Chase hielt auf die Spitze der Linie zu, während sich seine Offiziere an der Leereling drängten und zu den fernen Schiffen schauten. Lord William und Lady Grace, beide in schweren Mänteln, waren auf Deck erschienen, um die Britische Flotte zu sehen.

»Da ist die *Tonnant!*«, jubelte Chase. »Seht ihr? Ein hübsches Schiff, einfach schön! Es wurde am Nil aufgebracht. Mein Gott, ich erinnere mich, wie es danach nach Gibraltar kam, all die Stengen weg und verkrustetes Blut am Speigatt. Aber sieht sie jetzt nicht wundervoll aus? Wer hat sie?«

»Charles Tyler«, sagte Haskell.

»Das ist ein guter Kerl! Und ist das die *Swiftsure?*«

»Das ist sie, Sir.«

»Mein Gott, die war auch auf dem Nil. Da hatte Ben Hallowell das Kommando. Der liebe Ben. Jetzt hat Willy Rutherford das Kommando«, sagte er zu Sharpe, als kenne dieser den Namen, »und er ist ein guter Freund, ein famoser Bursche! Sehen Sie sich das Kupfer an der *Royal Sovereign* an! Nagelneu, was? Und sie kann teuflisch schnell segeln.« Er wies auf eines der größeren Kriegsschiffe mit drei Geschützdecks, und Sharpe, der durch sein Fernrohr spähte, sah den Kupferglanz auf ihrem Rumpf, wann immer sie sich zum Wind neigte. Die anderen Schiffe zeigten ein Band von Kupfer, das durch die See grün geworden war, doch der Rumpf der *Royal Sovereign* glänzte wie Gold. »Sie ist Admiral Collingwoods Flaggschiff«, sagte Chase zu Sharpe, »und das ist ein guter Kerl. Nicht so nett wie sein Hund, aber ein guter Kerl.«

Für Chase waren alle gute Kerle. Da war Bill Hargood, der die *Belleisle* segelte, ein ehemals französisches Schiff, und

Jimmy Morris von der *Colossus* und Bob Moorsom von der *Revenge*. »Das ist ein Teufelskerl, der weiß, wie man auf einem Schiff ausbildet«, sagte Chase begeistert. »Warten Sie, bis Sie die *Revenge* in der Schlacht sehen, Sharpe! Sie kann einmalig schnell Breitseiten feuern.«

»Die *Dreadnought* ist schneller«, meinte Peel.

»Die *Revenge* ist viel schneller«, sagte Haskell, irritiert über Peels Bemerkung.

Chase versuchte zwischen seinen Leutnants zu vermitteln. »Die *Dreadnought* ist zweifellos schnell, das muss man sagen.« Er wies für Sharpe hin, und Sharpe sah ein weiteres Kriegsschiff mit drei Geschützdecks. »Ihre Geschütze sind schnell«, sagte Chase, »aber sie ist jämmerlich langsam im Wind. John Conn hat das Kommando, oder?«

»So ist es, Sir«, sagte Peel.

»Welch ein feiner Kerl! Ich möchte keinen Furz wetten, ob Conn oder Moorsom mit ihren Geschützen schneller sind. Ein Jammer für die feindlichen Schiffe, die sie als Tanzpartner kriegen. Sehen Sie, die *Orion*, die war auch auf dem Nil. Edward Codrington hat sie jetzt. Ein prima Kerl! Und seine Frau Jane ist eine Schönheit. Sehen Sie da! Ist das die *Prince*? Ja, das muss sie sein. Segelt wie eine Heumiete!« Er wies auf einen weiteren Dreidecker, der seinen Weg nordwärts kämpfte. »Dick Grindall. Welch ein erstklassiger Typ das ist.«

Hinter der *Prince* segelte ein anderes Schiff, das für Sharpes ungeübtes Auge wie die *Revenant* oder *Pucelle* aussah. »Ist das ein Franzose?«, fragte er und wies hin.

»Stimmt. Das ist die *Spartiate*, und sie ist verzaubert, Sharpe.«

»Verzaubert?«

»Segelt schneller bei Nacht als am Tag.«

»Weil sie aus geklautem Holz gebaut ist«, bemerkte Leutnant Holderby.

»Sir Francis Lavory hat das Kommando«, sagte Chase, »und er ist ein Pfundskerl. Und da, welches ist das?«

»Die *Africa*«, antwortete Peel.

»Nur vierundsechzig Geschütze«, sagte Chase, »aber sie steht unter dem Kommando von Harry Digby, und es gibt keinen feineren Kerl in der Flotte!«

»Oder keinen reicheren«, warf Haskell trocken ein. Dann erklärte er Sharpe, dass Captain Harry Digby gewaltiges Glück in Sachen Prisengeld gehabt hatte.

»Ein leuchtendes Beispiel für uns alle«, sagte Chase andächtig. »Ist das da die *Defiance*? Bei Gott, das ist sie! Wer ist jetzt ihr Captain?«

»Philip Durham«, sagte Peel, dann sprach er unhörbar Chases nächsten vier Worte nach.

»Welch ein feiner Kerl!«, rief der Captain. »Und sehen Sie da! Die *Soßenschüssel!*«

»Die *Soßenschüssel?*«, fragte Sharpe.

»Die *Temeraire.*« Chase nannte Sharpe den richtigen Namen des Schiffes. »Neunundachtzig Kanonen. Wer befehligt sie?«

»Eliab Harvey«, erwiderte Haskell.

»Ja, das stimmt. Komischer Name, wie? Eliab! Ich bin ihm nie begegnet, aber ich bin sicher, dass er ein feiner Kerl ist. Und sehen Sie da! Die *Achille!* Dick ist ihr Captain, und er ist ein toller Bursche. Und da, Sharpe, die *Billy Raufbold!* Alles wird gut, wenn die *Billy Raufbold* dabei ist!«

»Die *Billy Raufbold?*« Sharpe fragte sich, was dieser seltsamer Name für diesen im Gegensatz zu den anderen etwas unscheinbar aussehenden 74ern zu bedeuten hatte.

»Die *Bellerophon*, Sharpe. Sie war Howes Flaggschiff am Glorreichen Ersten Juni, und sie war ebenfalls am Nil, bei Gott. Der arme Henry Darby verlor dort sein Leben, Gott sei seiner Seele gnädig. Er war Ire und ein famoser Kerl, wirklich famos! John Cook hat sie nun, und er ist einer der tapfersten Burschen, die je aus Essex kamen.«

»Er kam zu Geld und ist nach Wiltshire gegangen«, sagte Haskell.

»So? Gut für ihn«, sagte Chase, dann richtete er sein Fernrohr wieder auf die *Bellerophon*. »Ein schönes, schnelles Schiff. Wann wurde es auf Kiel gelegt?«

»Achtundsechzig«, antwortete Haskell.

»Und sie kostete 30.232 Pfund, 14 Schillinge und 3 Pennys«, fügte Midshipman Collier hinzu, senkte aber sofort beschämt den Kopf, weil er sich in das Gespräch der Offiziere eingemischt hatte. »Sorry, Sir«, sagte er zu Chase.

»Schon gut. Sind Sie sicher, Mister Collier? Gewiss sind Sie das, denn Ihr Vater war ja in der Geschäftsführung der Sheerness-Werft, nicht wahr? Also, wofür wurden die drei Pennys ausgegeben?«

»Das weiß ich nicht, Sir.«

»Für einen mehrfach in Rechnung gestellten Nagel vermutlich«, sagte Lord William ätzend. »Die Unterschlagungen in den Werften Seiner Majestät sind eine endlose Aneinanderreihung von Skandalen.«

»Skandalös ist«, entgegnete Chase scharf, gekränkt von dem Einwand, »dass die Regierung es erlaubt, dass man guten Männern schlecht gewartete und ausgerüstete Schiffe gibt.« Er wandte sich finster blickend von Sir William ab, aber seine Laune hob sich sofort wieder, als sein Blick auf die britischen Schiffe mit ihren Schwarzgelben Rümpfen fiel.

Sharpe betrachtete tief beeindruckt die Flotte. Er bezweifelte, dass er jemals wieder so etwas sehen würde. Dies war die Hochseeflotte Britanniens, eine Prozession von majestätischen Geschützbatterien, riesengroß, massiv und schrecklich.

Die Schiffe bewegten sich so langsam wie voll beladene Erntewagen, ihre breiten Bugs teilten die See, und die schwarzen und gelben Flanken verbargen die Geschütze in ihren dunklen Bäuchen. Ihre Hecks waren vergoldet und ihre Galionsfiguren Orgien mit Schilden, Abbildungen von Dreizacks und nackten Brüsten. Ihre Segel, gelb, cremefarben und weiß, wirkten wie eine Wolkenbank, und ihre Namen waren wie ein triumphaler Anwesenheitsappell: *Conqueror* und *Agamemnon*, *Dreadnought* und *Revenge*, *Leviathan* und *Thunderer*, *Mars*, *Ajax* und *Colossus*. Diese Schiffe beherrschten die Meere, doch jetzt forderte eine feindliche Flotte sie heraus, und sie segelten in die Schlacht.

Sharpe beobachtete Lady Grace, die an den Wanten des Besanmastes stand. Ihre Augen strahlten und ihre Wangen zeigten Farbe, während sie andächtig auf die imposante Linie von Schiffen schaute. Sie sieht glücklich aus, dachte Sharpe, glücklich und schön. Dann sah Sharpe, dass Lord William sie ebenfalls beobachtete, mit sardonischem Gesichtsausdruck, und dann schaute er zu Sharpe, der hastig wieder zur britischen Flotte blickte.

Die meisten der Schiffe hatten zwei Decks. Sechzehn davon waren wie die *Pucelle* mit vierundsiebzig Geschützen bewaffnet, während drei wie die *Africa* nur jeweils vierundsechzig Geschütze hatten. Ein Schiff mit zwei Decks, die gekaperte *Tonnant*, verfügte über vierundachtzig Geschütze, während die anderen sieben Schiffe der Flotte drei Decks mit achtundneunzig oder hundert Geschützen hatten. Diese Schiffe waren die brutalen Killer der See, mit Geschützbatterien, die ein mörderisches Gewicht an Metall auf den Feind schießen konnten, doch Chase, ohne Besorgnis über diese Aussicht zu zeigen, erzählte Sharpe von einem berühmten spanischen Schiff mit vier Decks, dem größten Schiff der Welt, das über hundertdreißig Geschütze hatte. »Hoffen wir, dass sie bei ihrer Flotte ist«, sagte Chase, »und dass wir daneben liegen können. Denken Sie an das Prisengeld!«

»Denken Sie an das Blutbad«, sagte Lady Grace leise.

»Den Gedanken daran kann man kaum ertragen, Mylady«, sagte Chase, »aber ich garantiere, dass wir unsere Pflicht tun werden.« Er schaute durchs Fernrohr. »Ah«, rief er aus und starrte auf das führende britische Schiff, eines mit drei Decks und reichhaltiger Vergoldung am Heck. »Und da kommt der beste Kerl von allen, Mister Haskell! Ein Salut von siebzehn Geschützen, wenn ich bitten darf.«

Das führende Schiff war die *Victory*, eines der drei Schiffe mit hundert Geschützen in der britischen Flotte und Nelsons Flaggschiff, und Chase traten beim Anblick der *Victory* Tränen in die Augen. »Was würde ich nicht alles für diesen Mann tun«, rief er aus. »Ich habe nie für ihn persönlich gekämpft, und ich dachte, ich bekäme niemals die Chance dazu.« Chase wischte sich über die Augen, als das erste der Geschütze der *Pucelle* vom Hauptdeck donnerte. Salut für Lord Horatio Nelson, Viscount und Baron Nelson vom Nil und von Burnham Thorpe, Baron Nelson vom Nil und von Hilborough, Ritter des Bathordens und Vice Admiral of the White. »Ich sage Ihnen, Sharpe ...«, Chase hatte immer noch Tränen in den Augen, »... für diesen Mann würde ich durch den Höllenschlund segeln.«

Die *Victory* hatte zur *Mars* signalisiert, die ihrerseits die Botschaften an die Kette der Fregatten weitergab bis hin zur *Euryalus*, die am nächsten beim Feind lag, aber jetzt waren die Signalflaggen des Flaggschiffs zu sehen. Die Geschütze der *Pucelle* feuerten noch den Salut.

»Unsere Zahl, Sir!«, rief Leutnant Connors zu Captain Chase. »Er heißt uns willkommen, Sir, und sagt, wir sollen unsere Mastbänder gelb anstreichen. Gelb?« Er klang verwundert. »Gelb, Sir, es heißt gelb, und wir sollen hinter der *Conqueror* Position einnehmen.«

»Bestätigen«, sagte Chase und drehte sich, um zur *Conqueror* zu starren, die in einiger Entfernung vor der *Britannia* segelte. »Sie ist langsam«, murmelte er über das Schiff mit den drei Decks. Dann wartete er, bis der letzte der siebzehn Salutschüsse verklang und er das Sprachrohr nahm. »Bereitmachen zum Wenden!«

Sie wussten ein schwieriges Manöver vor sich und sie mussten es unter den Augen erfahrener Seemänner durchführen. Sie durften sich nicht blamieren. Die *Pucelle* war auf dem Steuerbordkurs und musste so manövrieren, dass sie sich der Kolonne der Schiffe anschließen konnte, die nach Norden segelten, doch wenn sie in den Wind drehte, würde sie unweigerlich an Schnelligkeit verlieren, und wenn Chase sich verschätzte, würde ihr Manöver im Windschatten der *Conqueror* enden. Er musste sein Schiff wenden, es an Tempo gewinnen lassen und glatt in Position bringen. Wenn die *Pucelle* zu schnell gewendet wurde, konnte sie die *Conqueror* rammen, und wenn sie zu langsam war, würde sie unter den verächtlichen Blicken der Männer der *Britannia* bewegungslos dümpeln.

»Jetzt, Steuerer, jetzt!«, sagte er, und die sieben Männer drehten am großen Steuerrad, während die Leutnante den Matrosen an den Segeln Kommandos gaben. »Israel Pellew hat das Sagen auf der *Conqueror*«, erklärte Chase Sharpe, »und er ist ein feiner Kerl und ein hervorragender Seemann. Aus Cornwall. Sie scheinen mit Meersalz in den Adern geboren zu sein, die Jungs aus Cornwall. Komm schon, meine Süße, komm schon!« Er sprach mit der *Pucelle*, die ihren breiten Bug in den Wind gedreht hatte. Für eine Sekunde hatte es den Anschein, dass sie hilflos verharrte, doch dann sah Sharpe, dass sich der Bugspriet auf die britischen Schiffe zu bewegte. Männer rannten übers Deck, holten Taue ein. Die Segel schlugen wie verrückt, dann blähten sie sich. Das Schiff neigte sich, nahm Geschwindigkeit auf und schob sich fügsam in die freie Fläche hinter der *Conqueror*. Das Manöver war wunderbar gelungen.

»Gut gemacht, Steuerer«, sagte Chase überschwänglich, und niemand merkte ihm an, wie stressig das gewesen war und welche Bedenken er bei dem Manöver gehabt hatte. »Mister Holderby. Stellen Sie einen Arbeitstrupp zusammen und lassen Sie etwas gelbe Farbe ausgeben.«

»Warum gelbe Farbe?«, fragte Sharpe.

»Jedes andere Schiff hat gelbe Bänder am Mast«, sagte Chase und wies an der langen Linie zurück, »während unsere wie die der Franzosen schwarz sind. In der Schlacht wird das vielleicht alles sein, was jemand von uns bemerkt. Man wird schwarze Bänder sehen und uns für ein französisches Schiff halten und mit guten britischen Geschützen auf uns feuern. Das wollen wir doch nicht, oder? Nicht wegen ein bisschen Farbe!« Er drehte sich wie im Tanz und konnte seine Hochstimmung nicht verbergen, denn sein Schiff war in der Gefechtslinie, der Feind war auf See und Horatio Nelson war sein Führer.

KAPITEL 9

Nach Einbruch der Dunkelheit änderte die britische Flotte ihren Kurs. Das Signal ging mittels Laternen, die in der Takelage hingen, von Schiff zu Schiff. Statt nordwärts zu segeln ging es jetzt südwärts, parallel zu den feindlichen Schiffen, aber außer ihrer Sichtweite. Der Wind war eingeschlafen, aber eine lange Dünung bewegte die schwerfälligen Schiffe auf und ab.

Es war eine lange Nacht. Sharpe ging einmal an Deck und sah voraus die Hecklaternen der *Conqueror*, die sich in der See spiegelten. Er blickte ostwärts, als kurz eine Flamme an der Kimm in den dunklen Himmel stieg. Leutnant Peel, warm angezogen gegen die Kälte, nahm an, dass eine der Fregatten ein Feuerwerk abschoss, um den Feind zu verwirren. »Das hält sie wach, Sharpe, macht ihnen Sorgen.«

»Warum segeln wir nach Süden?«, fragte Sharpe. Er zitterte. Er hatte vergessen, wie schneidend die Kälte sein konnte.

»Das weiß der liebe Gott allein«, sagte Peel heiter, »und Er sagt es mir nicht. Sie wollen offensichtlich nicht in den Kanal, um dort ihre Invasionsarmee zu unterstützen. Es sieht so aus, als wollten sie ins Mittelmeer, was bedeutet, dass sie sich nach Süden wenden, bis sie die Untiefen vor Kap Trafalgar hinter sich haben und dann ostwärts durch die Straße von Gibraltar segeln. Hat sich Ihr Schachspiel verbessert?«

»Nein«, sagte Sharpe, »zu viele Regeln.« Er fragte sich, ob Lady Grace es riskieren würde, in seine Kabine zu kommen, doch er bezweifelte es, denn das in Dunkelheit gehüllte Schiff war schon zu belebt, weil sich die Männer auf den Morgen vorbereiteten. Ein Matrose brachte ihm eine Tasse schottischen Kaffee, und er trank die bittere Flüssigkeit und kaute dann auf den gesüßten Brotstücken herum, die dem Kaffee einen erträglichen Geschmack gaben.

»Dies wird meine erste Schlacht sein«, sagte Peel unvermittelt.

»Meine erste auf See«, sagte Sharpe.

»Das lässt einen grübeln.«

»Es wird besser, wenn es erst angefangen hat«, meinte Sharpe. »Es ist das Warten, das schwerfällt.«

Peel lachte leise. »Irgendein Klugscheißer hat mal gesagt, dass man sich nie besser konzentrieren kann als bei der Aussicht, am Morgen aufgehängt zu werden.«

»Ich bezweifle, dass er wusste, wie das Warten auf eine Schlacht ist«, sagte Sharpe. »Und außerdem werden wir morgen die Henker sein.«

»Das werden wir«, pflichtete Peel ihm bei, konnte jedoch seine Furcht nicht verbergen. »Natürlich kann nichts schiefgehen«, sagte er. »Aber die Scheißer könnten uns entwischen.« Er ging, um auf den Kompass zu sehen, und ließ Sharpe allein in die Dunkelheit starren. Sharpe blieb an Deck, bis er die Kälte nicht länger ertragen konnte, dann ging er in seine Kabine und zitterte, als er in seiner Koje lag, in der er sich wie in einem Sarg fühlte.

Er erwachte beim Morgengrauen. Die Segel schlugen, und er steckte den Kopf aus der Kabinentür und fragte Chases Steward, was los war. »Wir drehen vor dem Wind, Sir. Segeln wieder nach Norden, Sir. Kaffee kommt gleich. Richtiger Kaffee. Ich habe eine Hand voll Kaffeebohnen übrig, weil der Captain seinen Kaffee nicht mag. Ich bringe Ihnen sofort Rasierwasser, Sir.«

Als er sich rasiert hatte, zog Sharpe sich an, hängte sich den geliehenen Mantel über die Schultern und ging an Deck. Er stellte fest, dass sich die Flotte tatsächlich wieder nach Norden gewandt hatte.

Leutnant Haskell hatte jetzt Wache, und er nahm an, dass Nelson südwärts gesegelt war, um außer Sicht des Feindes zu bleiben, sodass der nicht seine Anwesenheit zum Anlass nahm, nach Cadiz zurückzukehren. Aber beim ersten grauen Licht an der östlichen Kimm hatte der Admiral sein Flotte gewendet, um zwischen den Feind und den spanischen Hafen zu gelangen.

Der Wind war immer noch leicht, sodass sich die großen Schiffe langsam nordwärts bewegten. Der Himmel hellte sich auf, und die ersten Sonnenstrahlen färbten die Dünung silbern und rosafarben.

Die Fregatte *Euryalus* hatte die feindliche Flotte beharrlich verfolgt, seit sie den Hafen verlassen hatte. Jetzt war sie zurück bei der Flotte, und im Osten, fast in einer Linie mit dem rötlich glühenden Himmel, wo die Sonne aufging, hob sich ein grauweißes Wolkenband vom Horizont ab. Dieses Band waren die Royalsegel des Feindes, verschwommen durch die Entfernung.

»Guter Gott.« Captain Chase war an Deck aufgetaucht und entdeckte die fernen Segel. Er sah müde aus, als ob er schlecht geschlafen hätte, aber er war für die Schlacht gekleidet, hatte zu Ehren des Feindes seine feinste Uniform angezogen, die normalerweise tief unten in einer Schiffstruhe lagerte. Das Gold auf den Epauletten glänzte. Sein Hut war mit Quasten geschmückt. Seine weißen Strümpfe waren aus Seide, sein Rock war entweder in der Sonne verblichen oder vom Salz gebleicht, während seine Degenscheide poliert worden war, ebenso wie die silbernen Schnallen auf seinen sauberen Schuhen. »Guter Gott«, wiederholte er. »Diese armen Männer.«

Die Decks der britischen Schiffe waren voll von Männern, die alle ostwärts starrten. Die *Pucelle* hatte die französische und spanische Flotte am Vortag gesehen, doch dies war für die anderen Mannschaften der erste Blick auf die feindlichen Schiffe. Sie hatten auf der Suche nach diesem Feind den Atlantik überquert, dann waren sie von den Westindischen Inseln zurückgesegelt, und in den letzten paar Tagen waren sie nach Osten und Westen, nach Norden und Süden gesegelt, und einige hatten sich gefragt, ob der Feind überhaupt auf See war, doch jetzt endlich zeigten sich vierunddreißig feindliche Schiffe am Horizont.

»Einen solchen Anblick werden Sie nie wieder erleben«, sagte Chase zu Sharpe und nickte zur feindlichen Flotte hin.

Sein Steward hatte ein Tablett mit Tassen richtigem Kaffee aufs Achterdeck gebracht. Chase wies ihn an, die Offiziere zuerst zu bedienen, und nahm sich dann die letzte Tasse. Er trank einen Schluck und blickte zu den Segeln, die sich unter launenhaften Böen spannten und erschlafften. »Es wird Stunden dauern, um an sie heranzukommen«, sagte er übellaunig.

»Vielleicht kommen sie zu uns«, sagte Sharpe und versuchte Chase, dessen Stimmung durch das Morgengrauen und den jämmerlichen Wind gedämpft war, zu ermutigen.

»Bei diesem Trauerspiel von Brise? Da habe ich Zweifel.« Chase lächelte. »Außerdem wollen sie keine Schlacht. Sie haben im Hafen gelegen, Sharpe. Ihre Segelhandhabung ist dürftig, ihre Geschütze sind rostig, ihre Moral unter aller Sau. Sie würden lieber wegsegeln.«

»Und warum tun sie das nicht?«

»Wenn sie von hier aus nach Osten segeln, werden sie in den Untiefen von Kap Trafalgar enden, und wenn sie nach Norden oder Süden segeln, wissen sie, dass wir sie abfangen und fertigmachen. Sie können nirgendwohin, Sharpe. Wir haben den

Vorteil des Windes, das ist, als wenn Sie sich an Land auf höherem Gelände befinden. Ich bete nur, dass wir sie schnappen, bevor die Dunkelheit anbricht. Nelson hat auf dem Nil in der Dunkelheit gekämpft, und das war ein Triumph, aber ich kämpfe lieber bei Tageslicht.« Er trank seinen Kaffee. »Sind das wirklich die letzten Bohnen?«, fragte er den Steward.

»Ja, leider, Sir, abgesehen von denen, die in Kalkutta feucht wurden und jetzt pelzig schmecken.«

Die *Victory* hatte eine Signalflagge gesetzt, die den Schiffen befahl, ihre Positionen einzunehmen, was nichts anderes als die Anweisung für langsamere Schiffe war, mehr Segel zu setzen und aufzuschließen, doch jetzt wurde diese Signalflagge eingeholt und eine andere an ihre Stelle gesetzt.

»Auf die Schlacht vorbereiten, Sir«, meldete Leutnant Connors, doch das war kaum nötig, denn jeder an Bord, abgesehen von den Landratten wie Sharpe, hatte das Signal erkannt. Und die *Pucelle* war wie die anderen Kriegsschiffe bereits vorbereitet, denn die Besatzungen hatten ihr Schiff bereits die ganze Nacht über kampfbereit gemacht.

Sand wurde auf die Decks gestreut, um den barfüßigen Kanonieren besseren Halt zu bieten. Die Hängematten der Männer wurden wie jeden Morgen fest zusammengerollt und auf Deck gebracht, wo sie in Netzen aufgestapelt wurden. Die verpackten Hängematten, gesichert durch das Netz und unter einem Segeltuch vor Regen geschützt, würden als Schutzwall gegen feindliches Musketenfeuer dienen. Oben in der Takelage sicherte ein Bootsmann mit einem Dutzend Matrosen die großen Rahen des Schiffs. Andere Männer zogen Taue und Segel fest.

»Sie lieben es, unser Takelwerk zu zerschlitzen«, sagte Captain Llewellyn zu Sharpe. »Die Dons und Froschfresser schießen mit Vorliebe auf die Masten. Die Ersatzsegel liegen bereit, falls ein Segel durchschossen wird. Es geht bestimmt einiges zu Bruch. Es regnet Holz und zerfetzte Spieren in der Schlacht!« Llewellyn schien diesen gefährlichen Niederschlag mit Wonne zu erwarten. »Ist Ihr Entermesser scharf, Sharpe?«

»Die Klinge könnte etwas schärfer sein«, gab Sharpe zu.

»Nichts wie aufs Hauptdeck«, sagte Llewellyn, »da ist ein Mann mit einem Schleifstein. Er wird sie Ihnen gern schärfen.«

Sharpe schloss sich der Schlange von Männern an. Einige hatten Entermesser, andere Äxte, und viele hatten sich Piken geholt, die in Gestellen auf den oberen Decks standen. Die Ziegen, die spürten, dass sich ihr Alltagsleben geändert hatte, meckerten kläglich. Sie waren zum letzten Mal gemolken worden, und jetzt rollte ein Seemann die Ärmel hoch, bevor er sie mit einem langen Messer schlachtete. Bald erfüllte der Geruch von frischem Blut das Deck und vermischte sich mit dem üblichen Gestank des Schiffs.

Einige der Männer forderten Sharpe dazu auf, sich an die Spitze der Schlange zu stellen, doch er wartete, bis er an der Reihe war. Die Kanoniere in der Nähe frotzelten. »Gekommen, um mal eine richtige Schlacht zu erleben, Sir?«

»Ihr würdet keine Schlacht ohne einen richtigen Soldaten gewinnen, Jungs.«

»Der hier wird für uns gewinnen, Sir«, sagte ein Mann und klopfte auf seinen 24-Pfünder, auf den jemand mit Kreide die Botschaft »Eine Pille für Boney« geschrieben hatte.

Ein Maat schärfte das Entermesser und prüfte die Schärfe der Klinge mit dem Daumen, dann grinste er Sharpe zahnlos an. »Damit können Sie den Scheißern eine Rasur verpassen, die sie nie vergessen werden, Sir.«

Sharpe gab dem Mann einen halben Schilling und ging dann wieder zum Achterdeck.

Connors, der die Signale des Flaggschiffs beobachtete, die

von der Fregatte *Euryalus* weitergegeben wurden, rief Chase zu: »Wir sollen auf dem Kurs des Flaggschiffs bleiben, Sir.« Chase nickte nur und beobachtete, wie die *Victory*, das führende Schiff der Flotte, nach steuerbord schwang, sodass sie nun geradewegs auf den Feind zu segelte.

Neun Schiffe hinter der *Pucelle* schwang ein anderer Dreidecker nach steuerbord. Dies war die *Royal Sovereign*, das Flaggschiff von Admiral Collingwood, Nelsons Stellvertreter. Ihr leuchtendes Kupfer glänzte im Morgenlicht, als die Schiffe dahinter ihr ostwärts folgten.

Chase blickte von der *Victory* zur *Royal Sovereign* und dann wieder zur *Victory* zurück. »Zwei Linien«, sagte er laut. »Er formiert zwei Linien.«

Das leuchtete Sharpe ein. Die feindliche Flotte bildete eine weit auseinandergezogene Linie, die sich über ungefähr vier Meilen am östlichen Horizont erstreckte.

Die *Conqueror*, das fünfte Schiff in Nelsons Linie und direkt vor der *Pucelle*, drehte sich zum Feind und zeigte Sharpe ihre lange Flanke, die in Streifen von Schwarz und Gelb gestrichen war. Die Stückpforten der *Conqueror*, alle in dem gelben Streifen, waren schwarz angemalt.

»Ihr folgen, Steuermann«, sagte Chase. Dann ging er zu dem Tisch hinter dem Steuerrad, auf dem das Logbuch lag. Er tauchte die Feder in Tinte und machte eine neue Eintragung. »6 Uhr 49. Nach Osten gedreht, auf den Feind zu.« Chase legte die Feder ab und nahm ein kleines Notizbuch und einen Bleistift aus seiner Tasche. »Mister Collier!«

»Sir?« Der Midshipman sah blass aus.

»Sie werden dieses Notizbuch und den Bleistift nehmen und jedes Signal aufschreiben, das Sie heute sehen.«

»Aye, aye, Sir«, sagte Collier und nahm Notizbuch und Bleistift von Chase entgegen.

Leutnant Connors, der Signaloffizier, hörte den Befehl von seinem Platz aus. Er wirkte beleidigt. Er war ein intelligenter junger Mann, ruhig, rothaarig und gewissenhaft, und Chase, der seine beleidigte Miene sah, stieg zu ihm hinauf. »Ich weiß, dass das Eintragen der Signale ins Logbuch Ihre Verantwortung ist, Tom«, sagte er ruhig, »aber ich möchte nicht, dass der junge Collier ins Grübeln kommt. Halten Sie ihn beschäftigt. Lassen Sie ihn denken, dass er etwas Nützliches tut, dann wird er sich nicht so viele Sorgen machen, dass er getötet werden könnte.«

»Selbstverständlich, Sir«, sagte Connors. »Verzeihung, Sir.«

»Guter Kerl«, sagte Chase und klopfte Connors auf den Rücken. Dann schaute er zur *Conqueror*, die gerade ihr Wendemanöver beendet hatte. »Da segelt Pellew!«, rief er. »Seht ihr, wie seine Mannschaft die Schwingen ausbreitet?« Die Leesegel der *Conqueror* fielen an beiden Seiten der riesigen Segel herunter, um den schwachen Wind einzufangen.

»Es ist jetzt ein Wettlauf«, sagte Chase, »und der Teufel holt die Ersten. Flott jetzt! Flott!«

Zweifellos dachte Chase, dass Israel Pellew, der Mann aus Cornwall und Kommandant der *Conqueror*, ihn kritisch beobachtete. Der Feind war noch weit entfernt und der Wind kaum mehr als ein Flüstern. Chase fragte den Steward: »Sind Sie sicher, das keine Kaffeebohnen mehr da sind?«

»Nur die pelzigen, Sir.«

»Nehmen Sie die.«

Die britischen Flaggen flatterten am Heck der Schiffe. Heute wurde Nelsons Wunsch respektiert, und jedes Schiff hatte die weiße Admiralsflagge. Sogar Collingwood, Vizeadmiral der Blauen, hatte Nelsons geliebte weiße Fahne am Besanmast der riesigen *Royal Sovereign* hissen lassen. Die Unionsflaggen wehten an allen drei Masten. Zwei Masten mochten weggeschossen werden, doch die britische Flagge würde weiterhin flattern.

Die Seesoldaten rollten die Leinen der Enterhaken zusammen, die sie ans Netzwerk über den Hängematten gehängt hatten. Die Enterhaken waren Widerhaken mit Stacheln, die hinter die Bordwand und in die Wanten des Feindes geschleudert wurden, um das Schiff zum Entern näher zu ziehen. Die hölzernen Kästen auf dem Deck, in denen für gewöhnlich Segeltuch zusammengerollt war, wurden nach unten getragen. Bei einigen Schiffen waren sie über Bord geworfen worden, doch Chase hielt das für Geldverschwendung. »Bei Sonnenuntergang, so Gott will, werden wir die Besitzer von genug Material sein, um ein paar Kriegsschiffe auszustatten.« Er drehte sich um und zog seinen Hut, um Lady Grace zu grüßen, die mit ihrem Mann auf dem Deck aufgetaucht war. Er nickte zur feindlichen Flotte hin und sagte: »Sobald wir in Schussweite sind, Mylady, muss ich darauf bestehen, dass Sie unter die Wasserlinie gehen.«

»Ich würde es vorziehen, meine Dienste dem Schiffsarzt anzubieten«, sagte Lady Grace.

»Wir werden hier unter Beschuss kommen, Ma'am«, sagte Chase, »und ich würde meine Pflicht vernachlässigen, wenn ich nicht darauf bestehe, dass Sie im Laderaum Schutz suchen. Ich werde eine Unterkunft für Sie herrichten lassen.«

»Du wirst, wie es der Captain befiehlt, in den Laderaum gehen, Grace«, sagte Lord William.

»Das werden Sie ebenfalls tun, Mylord«, sagte Chase.

Lord William zuckte mit den Schultern. »Ich kann mit einer Muskete feuern, Chase.«

»Zweifellos können Sie das, Mylord, aber wir müssen abschätzen, ob Sie lebend oder tot wertvoller für Britannien sind.«

Lord William nickte. »Wenn Sie es sagen, Chase, wenn Sie es sagen.« War er erleichtert? Sharpe wusste es nicht zu sagen, aber Lord William gab sich keine große Mühe, Chase zu überreden, ihn an Deck zu lassen. »Wie lange, bis Sie in Schussweite sind?«, fragte Lord William.

»Fünf Stunden mindestens«, sagte Chase, »vermutlich sechs.« Ein Seemann warf das Log, das bei jedem Wurf schlechte Nachrichten brachte. Zwei Knoten rutschten ihm durch die Finger, manchmal drei, doch sie segelten nur langsam, obwohl Chase alle Segel gesetzt hatte. Sharpe stand zehn Schritte von Lady Grace entfernt und wagte nicht, sie anzusehen. Schwanger! Er empfand ein nicht gekanntes Glücksgefühl, dann zuckte er zusammen, als ihm klar wurde, dass sie sich bald trennen mussten. Was würde dann aus seinem Kind werden? Er starrte aufs Hauptdeck hinab, wo die Kanoniere die Geschütze feuerbereit machten. Einer der Kanoniere erhielt die Erlaubnis, zum Achterdeck zu kommen und die zwölf 18-Pfünder-Kanonen und die vier 32-Pfünder-Karronaden vorzubereiten. Zwei weitere der mächtigen Geschütze standen auf dem Vordeck. Sie hatten kurze Rohre und breite Mündungen und konnten einen furchtbaren Schauer von Kartätschen und Kanonenkugeln auf ein feindliches Deck schleudern.

Ein Dutzend Kanoniere war jetzt in Chases Quartier und staunte über die vergoldeten Balken und die feinen Schnitzereien an den Fensterrahmen. Kleine Kübel mit Wasser zum Auswischen der Geschütze standen neben jeder Kanone, während andere Männer Wasser auf die Decks und Seiten des Schiffs schütteten, sodass das feuchte Holz nicht so schnell Feuer fing.

Unten auf dem Orlopdeck legten Männer eine Ankertrosse aus, die ein gigantisches Bett bildete, auf das die Verwundeten gelegt werden würden. Pickering, der Schiffsarzt, legte singend seine Messer, Sägen, Sonden und Pinzetten aus. Der Zimmermann verteilte Spunde rund um das Orlopdeck. Die Spunde, große Kegel aus Holz, dick eingeschmiert mit Talg, die in ein Loch gerammt werden konnten, das dicht an der Wasserlinie in den Rumpf geschossen wurde. Ersatztaue wurden am Ruder angebracht. Falls das Steuerrad weggeschossen oder das Steuerreep durch eine Kanonenkugel abgetrennt wurde, konnte das Schiff vom Hauptdeck aus gesteuert werden. Lederne Feuereimer, die meisten mit Sand gefüllt, standen bereit. Die Pulveraffen, zehn- bis elfjährige Jungen, brachten die ersten Ladungen aus den Magazinen. Chase hatte befohlen, dass für mittelgroße Ladungen blaue Beutel genommen wurden. Die größten Pulverladungen, in den schwarzen Beuteln, wurden verwendet, wenn auf große Distanz gefeuert wurde, die blauen waren für den Nahkampf, während die Pulverladungen in den roten Beuteln, die normalerweise für Signalschüsse benutzt wurden, geeignet waren, auf kürzeste Entfernung ein Loch in eine Schiffsseite zu schießen.

»Am Ende des Tages«, sagte Chase nachdenklich, »werden wir die roten Beutel vielleicht doppelt laden.« Sein Gesicht hellte sich plötzlich auf. »Mein Gott, es ist mein Geburtstag! Mister Haskell! Sie schulden mir zehn Guineen! Erinnern Sie sich an unsere Wette? Ich habe gesagt, dass wir die *Revenant* an meinem Geburtstag vor unseren Kanonen haben werden, nicht wahr?«

»Ich werde mit Vergnügen zahlen, Sir.«

»Sie zahlen nichts, Mister Haskell, gar nichts. Wenn Nelson nicht hier gewesen wäre, dann wäre uns die *Revenant* entkommen. Es ist nicht fair, dass ein Captain eine Wette mit der Hilfe eines Admirals gewinnt. Dieser Kaffee schmeckt gut! Die pelzige Note ist delikat, finden Sie nicht?«

In der Kombüse wurde ein letztes *burgoo* gekocht, und im

fettigen Hafer schwammen große Stücke Ziegen- und Rindfleisch. Es würde die letzte Mahlzeit sein, die die Männer vor der Schlacht genießen konnten. Dann mussten die Feuer in den Herden der Kombüse gelöscht werden, für den Fall, dass ein feindlicher Schuss den Ofen traf und die Glut über das Geschützdeck verstreute, wo die Pulverbeutel mit den Ladungen bereitlagen. Die Männer verzehrten die Mahlzeit im Sitzen auf dem Deck, während vom Bootsmann eine doppelte Ration Rum ausgegeben wurde. Auf der *Conqueror* begann eine Kapelle zu spielen.

»Wo ist unsere Kapelle?«, fragte Chase. »Sie soll spielen. Ich möchte etwas Musik hören!«

Doch bevor die Kapelle versammelt war, empfingen sie ein Signal von der *Victory*, das von der *Euryalus* weitergegeben wurde. »Unsere Nummer, Sir!«, rief Leutnant Connors, dann beobachtete er die Fregatte, die weit draußen auf der Backbordseite von Nelsons Linie segelte. »Sie sind zum Frühstück mit dem Admiral eingeladen, Sir.«

»Ich bin eingeladen?« Chase klang erfreut. »Informieren Sie Seine Lordschaft, dass ich auf dem Weg bin.«

Die Barkassen-Mannschaft wurde zusammengerufen, während die Barkasse, die bereits im Schlepptau hinter dem Schiff war, zur Steuerbordseite geholt wurde. Lord William trat vor, erwartete offenbar, dass er Chase zur *Victory* begleiten könne, doch der Captain wandte sich stattdessen an Sharpe. »Kommen Sie mit, Sharpe?«

»Ich?« Sharpe blinzelte erstaunt. »Ich bin nicht gekleidet, um einem Admiral gegenüberzutreten, Sir!«

»Sie sehen prima aus, Sharpe. Abgerissen vielleicht, aber gut.« Chase, der Lord Williams schlecht verhohlene Empörung völlig ignorierte, senkte die Stimme. »Außerdem wird er erwarten, dass ich einen Leutnant mitbringe, aber wenn ich mich von

Haskell begleiten lasse, wird Peel mir nie verzeihen, und wenn ich Peel nehme, wird Haskell sich übergangen fühlen. Also fällt die Wahl auf Sie.« Chase grinste, erfreut bei dem Gedanken, Sharpe seinem geliebten Nelson vorzustellen. »Und Sie werden ihn gut unterhalten, Sharpe. Er ist ein perverser Mann – er liebt Soldaten.« Chase zog Sharpe zur Barkassenmannschaft, die von dem hünenhaften Hopper angeführt wurde. »Sie gehen als Erster, Sharpe«, sagte Chase. »Die Jungs werden dafür sorgen, dass Sie nicht baden gehen.«

Die Seite eines Kriegsschiffs wölbt sich nahe der Wasserlinie nach außen, und je näher Sharpe der Wasserlinie kam, desto steiler wurden die engen Stufen, und obwohl kein nennenswerter Wind herrschte, hob und senkte sich die *Pucelle* in der Dünung, und die Barkasse schaukelte auf und ab. Sharpe spürte, wie seine Schuhe auf den unteren hölzernen Stufen abrutschten, weil sie glitschig waren.

»Bleiben Sie, wo Sie sind, Sir«, rief Hopper grollend, dann kommandierte er: »Jetzt!«, und zwei Paar Hände packten Sharpe grob an Hose und Rock und hoben ihn sicher in die Barkasse. Clouter, der entkommene Sklave, war einer der Helfer, und er grinste, als Sharpe wieder festen Stand hatte.

Chase stieg gewandt die Treppe hinab, blickte einmal zur schaukelnden Barkasse und trat dann geschickt auf die hintere Ducht. »Es wird ein steifes Rudern, Hopper.«

»Wird leicht genug sein, Sir.«

Chase nahm den Platz an der Ruderpinne ein, während Hopper sich an einen der Riemen setzte. Es wurde tatsächlich ein hartes Rudern und ein langes, doch die Barkasse kroch zwischen den Schiffen vorbei, und Sharpe konnte zu deren gewaltigen gestreiften Seiten emporblicken. Von der rotweißen Barkasse aus sahen die Schiffe riesig, schwerfällig und unzerstörbar aus.

»Ich habe Sie auch mitgenommen, weil das Lord William ärgern wird.« Chase grinste Sharpe an. »Er hat zweifellos gedacht, er sollte eingeladen werden, aber er würde Nelson schrecklich langweilen!« Chase wies auf einen Offizier hoch oben auf dem Achterdeck eines Schiffes. »Das ist die *Leviathan*, unter Harry Bayntun. Das ist ein erstklassiger Kerl. Ich habe mit ihm auf der alten *Bellona* gedient. Da war ich noch ein junger Kerl, aber es war eine äußerst glückliche Zeit.« Die Dünung hob das Heck der *Leviathan* und enthüllte einen Streifen Kupfer und daran haftenden Tang. »Außerdem«, fuhr Chase fort, »kann Nelson nützlich für Sie sein.«

»Nützlich?«

»Lord William mag Sie nicht«, sagte Chase und machte sich nichts daraus, dass Hopper und Clouter, die ihnen am nächsten saßen, mithören konnten. »Das heißt, dass er versuchen wird, Ihre Karriere zu behindern. Aber ich weiß, dass Nelson ein Freund von Colonel Stewart und Stewart einer Ihrer seltsamen Schützen ist. Vielleicht wird Seine Lordschaft ein gutes Wort für Sie einlegen? Natürlich wird er das tun, er ist eine großzügige Seele.«

Es dauerte bis zum Flaggschiff eine halbe Stunde, und schließlich steuerte Chase die Barkasse an die Steuerbordflanke der *Victory*. Einer seiner Männer machte das kleine Boot an der Bordwand fest, sodass es unter einer Leiter gehalten wurde, die genau so steil und gefährlich war wie diejenige, die Sharpe an der *Pucelle* hinabgestiegen war. Auf halbem Weg auf der Leiter befand sich ein vergoldeter Einstieg, doch die Tür war geschlossen, was bedeutete, dass Sharpe ganz nach oben steigen musste.

»Sie zuerst, Sharpe«, sagte Chase. »Springen Sie rüber und halten Sie sich fest!«

»O Gott«, murmelte Sharpe. Er stand auf der Ducht, schob

das Entermesser, das ihn behinderte, zurück und sprang zur Leiter hinüber, als sich die Barkasse auf einer Welle hob. Er klammerte sich verzweifelt fest und kletterte dann am vergoldeten Rahmen der verschlossenen Eingangstür vorbei hinauf. Eine Hand griff vom Hauptdeck hinab und zog ihn durch eine Luke hinauf, wo eine Reihe von Bootsleuten wartete, um für Chase Seite zu pfeifen. Chase grinste, als er an der Seite des Schiffes hinaufstieg. Ein Leutnant, tadellos uniformiert, salutierte vor ihm und neigte dann den Kopf, als Sharpe ihm vorgestellt wurde. »Sie sind äußerst willkommen, Sir«, sagte der Leutnant zu Chase. »Ein weiterer 74er ist wie ein Segen vom Himmel.«

»Es ist schön, dass Sie mich an den Feiern teilnehmen lassen«, sagte Chase und nahm seinen Hut ab, um vor dem Achterdeck zu salutieren. Sharpe folgte ihm sofort, als die Pfeifen der Bootsleute ertönten. Die oberen Decks der *Victory* waren voller Kanoniere, Segelleute und Seesoldaten, die alle die Besucher ignorierten bis auf einen älteren Mann – einen Segelmacher, nach den großen Nadeln zu urteilen, die er in seinen grauen Haarknoten gesteckt hatte –, der Chase anstarrte und stutzte, als er auf das Achterdeck geführt wurde. Chase blieb stehen und schnippte mit den Fingern, »Prout, nicht wahr? Sie waren mit mir auf der *Bellona*.«

»Ich erinnere mich an Sie, Sir«, sagte Prout und strich sich eine Haarsträhne aus der Stirn, »und Sie waren erst ein Jüngling, Sir.«

»Wir werden alt, Prout«, sagte Chase, »verdammt alt! Aber nicht zu alt, um den Dons und Franzmännern eine Abreibung zu verpassen, wie?«

»Wir werden sie vernichtend schlagen, Sir«, sagte Prout.

Chase strahlte seinen alten Schiffskameraden an. Dann ging er zum Achterdeck, das mit Offizieren überfüllt war, die höflich die Hüte abnahmen, als Chase und Sharpe am großen Steuerrad vorbei zum Admiralsquartier geführt wurden, das von einem Seesoldaten im roten Rock, über dem sich zwei weiße Gurte kreuzten, bewacht wurde. Der Leutnant öffnete die Tür ohne anzuklopfen und führte Chase und Sharpe durch eine kleine Schlafkabine, aus der die Möbel entfernt waren, und dann, wieder ohne anzuklopfen, in eine große Kabine, die sich über die gesamte Breite des Schiffs erstreckte und in die durch zahlreiche Heckfenster Licht hereinfiel. Aus dieser Kabine waren ebenfalls die Möbel entfernt worden – bis auf einen einzigen Tisch. Zwei massive Geschütze standen auf jeder Seite des Tisches.

Sharpe sah zwei Männer als Silhouette vor dem Heckfenster, aber er konnte nicht sagen, wer von beiden der Admiral war, bis Chase seinen Hut unter den Arm nahm und sich vor dem kleineren Mann verneigte, der am Tisch saß. Das Licht, das hinter dem Admiral durchs Fenster fiel, war hell, und Sharpe konnte ihn immer noch nicht deutlich erkennen, und er hielt sich zurück, wollte nicht stören, doch Chase wandte sich zu ihm um und winkte ihn heran.

»Erlauben Sie mir, einen besonderen Freund vorzustellen, Mylord. Mister Richard Sharpe. Er war auf dem Weg, sich den 95th Rifles anzuschließen, doch er wartete lange genug, um mich in Bombay vor einer Peinlichkeit zu bewahren, und ich bin ihm dafür gewaltig dankbar.«

»Sie, Chase? Eine Peinlichkeit? Das soll gewiss ein Scherz sein, oder?« Nelson lachte und lächelte Sharpe an. »Ich bin Ihnen äußerst dankbar, Sharpe. Ich hätte meine Freunde auch nicht hängen lassen und vor Peinlichkeiten bewahrt. Wie lange ist es her, Chase?«

»Vier Jahre, Mylord.«

»Er war einer meiner Fregattenkapitäne«, sagte Nelson zu

dem Captain, der neben ihm stand. »Er hatte das Kommando über die *Spritely* und übernahm die *Bouvines* eine Woche, nachdem ich das Kommando abgab. Ich hatte nie die Gelegenheit, Ihnen zu gratulieren, Chase, aber ich hole das jetzt nach. Es war eine anerkennenswerte Tat. Sie kennen Blackwood?«

»Ich hatte die Ehre, Ihre Bekanntschaft zu machen«, sagte Chase und verbeugte sich vor dem Ehrenwerten Henry Blackwood, dem Kommandanten der Fregatte *Euryalus*.

»Captain Blackwood hat an der Schürze des Feindes gehangen, seit er Cadiz verlassen hat«, sagte Nelson herzlich, »und Sie haben uns jetzt zusammengebracht, Blackwood. Also ist Ihr Werk vollendet.«

»Es wäre mir eine Ehre, mehr zu tun, Mylord.«

»Zweifellos werden Sie das tun, Blackwood«, sagte Nelson. Dann wies er auf die Stühle. »Nehmen Sie Platz, Chase, Mister Sharpe. Lauwarmen Kaffee, hartes Brot, kaltes Rindfleisch und frische Orangen, nicht viel für ein Frühstück, befürchte ich, aber man sagte mir, dass die Kombüse streikt.« Der Tisch war mit Tellern und Messern gedeckt, zwischen denen der Degen des Admirals in seiner goldbeschlagenen Scheide lag. »Wie steht es mit Ihren Vorräten, Chase?«

»Knapp, Mylord. Wasser und Rindfleisch für vielleicht zwei Wochen.«

»Das wird bestimmt reichen. Und die Mannschaft?«

»Ich habe ein Dutzend gute Männer von einem Indienfahrer in meinen Dienst gepresst, Mylord, und habe genügend Leute.«

»Gut, gut«, sagte der Admiral. Nachdem sein Steward Kaffee und Essen serviert hatte, erkundigte sich Nelson bei Chase über dessen Reise und die Verfolgung der *Revenant*. Sharpe saß zur Linken des Admirals und beobachtete ihn. Er wusste, dass Nelson ein Auge verloren hatte, aber es war schwer zu sagen, welches. Nach einer Weile sah Sharpe, dass Nelsons rechtes Auge unnatürlich groß und dunkel war. Sein weißes, zerzaustes Haar umrahmte ein schmales und außerordentlich lebhaftes Gesicht, das auf Chases Geschichte mit Vergnügen, Belustigung und Überraschung reagierte. Er unterbrach Chase nur einmal, als er Sharpe bat, das Fleisch zu schneiden. »Und vielleicht schneiden Sie mir ebenfalls etwas Brot, wenn Sie so freundlich sind? Meine Flosse, verstehen Sie?« Er berührte seinen leeren rechten Ärmel, der an einen mit Edelsteinen und Sternen besetzten Rock geheftet war. »Sie sind sehr freundlich«, sagte er, als Sharpe ihm den Dienst erwiesen hatte. »Fahren Sie fort, Chase.«

Sharpe hatte erwartet, in Gegenwart des Admirals vor Ehrfurcht sprachlos und eingeschüchtert zu sein, doch stattdessen weckte der kleine Mann, der so zerbrechlich wirkte, eine Art Beschützerinstinkt in ihm. Obwohl er saß, wirkte er klein und sehr dünn, und sein blasses, zerfurchtes Gesicht ließ darauf schließen, dass er anfällig für Krankheiten war. Sharpe musste sich in Erinnerung rufen, dass dieser Mann seine Flotten von Sieg zu Sieg geführt hatte und in jeder Schlacht im dichtesten Kampfgetümmel gewesen war, und trotzdem erweckte er den Eindruck, dass ihn die kleinste Brise umpusten konnte.

Das offensichtliche zerbrechliche Äußere war Sharpes erste Wahrnehmung, doch es waren die Augen des Admirals, die den stärksten Eindruck auf ihn machten. Wann immer er Sharpe ansah, wenn er auch nur die Bitte um einen kleinen Dienst äußerte – wie zum Beispiel ein weiteres Stück Brot für ihn mit Butter zu streichen –, hatte es für Sharpe den Anschein, als sei er in diesem Moment die wichtigste Person der Welt. Der Blick schien alles und jeden sonst auszuschließen, als seien Sharpe und der Admiral in geheimem Einverständnis.

Nelson hatte nichts von Sir Arthur Wellesleys Kälte, kein

herablassendes Wesen, und er kehrte nicht den Vorgesetzten heraus. In diesem Moment, als sich die Flotte dem Feind näherte, schien Horatio Nelson nichts vom Leben zu verlangen, außer dass er mit seinen guten Freunden Chase und Blackwood und Richard Sharpe zusammensaß. Einmal berührte er Sharpes Ellbogen. »Dieses Geplauder muss langweilig für einen Soldaten sein, oder, Sharpe?«

»Nein, Mylord«, sagte Sharpe. Die Diskussion hatte sich auf die Taktik des Admirals an diesem Tag verlagert, und obwohl Sharpe vieles davon nicht verstand, machte es ihm nichts aus. Es reichte ihm Nelsons Anwesenheit, und die Begeisterung des kleinen Mannes war ansteckend auf ihn. Bei Gott, dachte Sharpe, es geht heute nicht nur darum, die feindliche Flotte zu besiegen, sondern sie muss hart geschlagen, zerschmettert werden, sodass kein französisches oder spanisches Schiff es jemals wieder wagen wird, auf den Weltmeeren zu segeln. Chase reagierte auf die gleiche Weise, wie Sharpe sah, fast als befürchtete er, Nelson würde weinen, wenn er nicht härter kämpfte als jemals zuvor.

»Schicken Sie Ihre Männer in die Takelage?«, fragte Nelson und versuchte ungeschickt, eine Orange zu schälen.

»Das tue ich, Mylord.«

»Ich befürchte, dass das Musketenfeuer die Segel in Brand steckt«, sagte der Admiral, »so würde ich an Ihrer Stelle lieber darauf verzichten.«

»Ich werde Ihre Wünsche respektieren, Mylord.«

»Und Sie verstehen mein größeres Ziel?«, fragte der Admiral und bezog sich auf sein früheres Gespräch über Taktiken.

»Das tue ich, Mylord, und ich spende Beifall.«

»Ich werde nicht mit weniger als zwanzig Prisen glücklich sein, Chase«, sagte Nelson ernst.

»Mit so wenigen, Mylord?«

Der Admiral lachte, und dann, als ein anderer Offizier die Kabine betrat, erhob er sich. Nelson war fast zwei Köpfe kleiner als Sharpe, der sich jetzt, als er stand, wie die anderen unter den Deckenbalken ducken musste, doch der Neuankömmling, der als Thomas Hardy, Kapitän der *Victory*, vorgestellt wurde, war noch etwas größer als Sharpe, und als er mit Nelson sprach, neigte er sich vor und überragte den kleinen Admiral wie ein beschützender Gigant.

»Natürlich, Hardy, natürlich«, sagte der Admiral und lächelte seine Gäste an. »Hardy sagt mir, das es an der Zeit ist, diese Schotten abzubauen. Wir werden vertrieben, Gentlemen. Sollen wir uns aufs Achterdeck zurückziehen?« Er ging seinen Gästen voran, und als er sah, dass Sharpe zurückblieb, drehte er sich um und ergriff Sharpe am Ellbogen. »Haben Sie in Indien unter Sir Arthur Wellesley gedient, Sharpe?«

»Das habe ich, Mylord.«

»Ich traf ihn nach seiner Rückkehr und genoss eine bemerkenswerte Unterhaltung mit ihm, doch ich muss zugeben, dass ich ihn ziemlich erschreckend fand.« Der Tonfall des Admirals ließ Sharpe lachen, was Nelson gefiel. »Sie gehen also zu den 95th Rifles, nicht wahr?«

»So ist es, Mylord.«

»Das ist wunderbar!« Der Admiral schien aus irgendeinem Grund besonders erfreut über diese Information zu sein. Er führte Sharpe durch die Tür und ging dann mit ihm am Netzwerk mit den Hängematten vorbei an die Backbordseite des Achterdecks. »Sie haben tatsächlich Glück, Mister Sharpe. Ich kenne William Stewart und zähle ihn zu meinen teuersten und engsten Freunden. Sie wissen, warum sein Schützenregiment so gut ist?«

»Nein, Mylord«, sagte Sharpe. Er hatte stets gedacht, das 95. Schützenregiment sei aus dem Ausschuss der Armee gebildet und grün eingekleidet worden, weil keiner gutes rotes Tuch für solche Soldaten verschwenden wollte.

»Weil es intelligent ist«, sagte der Admiral begeistert. »Intelligent! Das ist eine Qualität, die leider vom Militär verabscheut wird, aber Intelligenz hat seinen Nutzen.« Er blickte in Sharpes Gesicht, musterte die winzigen blauen Male auf Sharpes vernarbter Wange. »Pulverrauchnarben, Sharpe, und ich stelle fest, dass Sie immer noch Ensign sind. Wären Sie beleidigt, wenn ich vermute, dass Sie einst in den Mannschaften gedient haben?«

»Das habe ich, Mylord.«

»Dann bewundere ich Sie von Herzen«, sagte Nelson nachdrücklich, und seine Bewunderung schien völlig echt zu sein. »Sie müssen ein bemerkenswerter Mann sein«, fügte der Admiral hinzu.

»Nein, Mylord«, sagte Sharpe, und er wollte sagen, dass Nelson der Mann war, den es zu bewundern galt, aber er wusste nicht, wie er das Kompliment in Worte kleiden konnte.

»Sie sind bescheiden, Mister Sharpe, und das ist nicht gut«, sagte Nelson ernst.

Sharpe stellte zu seiner Überraschung fest, dass er mit dem Admiral allein war. Chase, Blackwood und andere Offiziere standen auf der Steuerbordseite, während Nelson und Sharpe an Backbord auf und ab schlenderten.

Ein Dutzend Seeleute, die ihren Admiral angrinsten, hatten begonnen, die Schotten abzumontieren, sodass sie nicht bei feindlichem Beschuss zu tödlichen Splittern werden konnten, die übers Achterdeck wirbelten.

»Ich halte nicht viel von Bescheidenheit«, sagte Nelson. »Bestimmt finden Sie das überraschend. Es heißt, dass Bescheidenheit zu den Tugenden zählt, aber Bescheidenheit ist keine Tugend eines Kriegers. Sie und ich, Sharpe, sind gezwungen gewesen, von unten aufzusteigen, und das haben wir nicht erreicht, indem wir unsere Talente versteckt haben. Ich bin der Sohn eines Landpfarrers – und jetzt?« Er schwenkte seine Hand zur fernen feindlichen Flotte und berührte dann unbewusst die vier glänzenden Orden, die auf der linken Brustseite seines Rockes glitzerten. »Sei stolz auf das, was du geschafft hast«, sagte er, »und dann geh und mach es besser.«

»Wie es heute wieder der Fall sein wird, Mylord.«

»Nein«, sagte Nelson abrupt, und für einen Moment sah er wieder schwach und verletzlich aus. »Nein«, wiederholte er. »Indem ich diese beiden Flotten zusammenbringe, Sharpe, werde ich mein Lebenswerk geschafft haben.« Er wirkte jetzt so verloren, dass Sharpe den Drang verspürte, ihn zu trösten. »Erledige diese Schiffe«, fuhr Nelson fort und wies zur feindlichen Flotte an der östlichen Kimm, »und Bonaparte und seine Verbündeten können niemals wieder eine Invasion Englands planen. Wir werden die Bestie im Käfig haben, und das wird einem einfachen Seemann überlassen, wie?« Er lächelte. »Aber es wird Arbeit für Soldaten geben, und Sie, das weiß ich, sind ein guter Soldat. Doch denken Sie daran, Sie müssen den Franzmann abgrundtief hassen wie den Satan!« Der Admiral sagte dies mit giftiger Überzeugung. »Vergessen Sie nie dieses Gefühl, Mister Sharpe«, fügte er hinzu, »niemals!« Er wandte sich wieder zu den wartenden Offizieren. »Ich halte Captain Chase von seinem Schiff ab, und es wird auch Zeit für Sie sein, bald zu gehen, Blackwood.«

»Ich werde noch eine Weile länger bleiben, wenn ich darf, Mylord«, sagte Blackwood.

»Selbstverständlich. Danke für Ihr Kommen, Chase. Bestimmt haben Sie Wichtigeres zu tun, um das Sie sich kümmern müssen, aber Sie waren sehr freundlich. Werden Sie einige Orangen als Geschenk akzeptieren? Sie sind frisch aus Gibraltar.«

»Es ist mir eine Ehre, Mylord.«

»Sie erweisen mir eine Ehre, indem Sie sich uns anschließen, Chase. Bleiben Sie längsseits und schießen Sie die Feinde zusammen. Wir werden sie wünschen lassen, dass sie unsere Schiffe nie gesehen hätten!«

Chase stieg wie in Trance in seine Barkasse. Ein Netz voll Orangen, genug, um ein halbes Regiment zu erfreuen, lag auf den Bodenplanken der Barkasse. Eine Zeitlang, während Hopper an den anderen Kriegsschiffen vorbeiruderte, saß Chase nur schweigend da. Doch dann konnte er sich nicht länger zurückhalten. »Welch ein Mann!«, rief er aus. »Welch ein Mann! Mein Gott, das wird heute ein Gemetzel geben! Wir werden sie abschlachten!«

»Amen«, sagte Hopper.

»Lobet den Herrn!«, rief Clouter.

»Wie denken Sie über ihn, Sharpe?«, fragte Chase.

Sharpe fehlten fast die Worte. »Wie haben Sie gesagt, Sir? Dass Sie ihm in den Höllenschlund folgen würden? Bei Gott, Sir, ich würde diesem Mann bis in den Bauch und die Gedärme des Teufels folgen.«

»Und wenn er uns führt«, sagte Chase ehrfurchtsvoll, »werden wir die Hölle vernichten, genauso wie wir heute siegen werden.«

Wenn sie jemals in die Schlacht kamen. Denn der Wind war immer noch schwach, hoffnungslos schwach, und die Flotte segelte so langsam, dass Sharpe bezweifelte, dass sie jemals den Feind erreichen könnte. Und dann war er sich dessen sicher, denn eine Stunde, nachdem Chase wieder an Bord der *Pucelle* war, änderte die kombinierte feindliche Flotte den Kurs, um nordwärts zurückzusegeln. Sie segelte jetzt auf Cadiz zu – in einem letzten Versuch, Nelson zu entkommen, dessen Schiffe sie in einem Wind verfolgten, der so schwach war, dass es den Anschein hatte, der Himmel halte den Atem an.

Die Kapelle der *Pucelle* spielte mehr begeistert als erfahren »Hearts of Oak«, »Nancy Dawson«, »Hail Britannia«, »Drops of Brandy« und ein Dutzend anderer Melodien, von denen Sharpe die meisten nicht kannte. Er kannte auch nur Bruchstücke vom Text, doch die Seeleute grölten dazu und bemühten sich nicht, die anstößigsten Verse abzuändern, obwohl sich Lady Grace auf dem Achterdeck aufhielt.

Lord William protestierte bei Captain Chase, als ein besonders obszöner Song vom Hauptdeck heraufhallte, doch Chase wies darauf hin, dass einige seiner Männer wohl für immer zum Schweigen gebracht werden würden und er jetzt nicht in der Stimmung war, ihrer Zügellosigkeit Einhalt zu gebieten. »Eure Ladyschaft kann ja schon in den Laderaum gehen«, schlug er vor.

»Mir macht das nichts aus, Captain«, sagte Lady Grace. »Ich weiß, wann ich taub sein muss.«

Lord William, der sich entschieden hatte, einen Degen und eine Pistole zu tragen, schritt zur Steuerbordreling und starrte auf Admiral Collingwoods Linie, die etwas mehr als eine Meile südwärts lag. Collingwoods großer Dreidecker *Royal Sovereign* war vor Kurzem mit dem frisch mit Kupfer beschlagenen Rumpf aus England gekommen und segelte schneller als die anderen Schiffe, sodass sich zwischen ihr und dem Rest von Collingwoods Linie eine Lücke geöffnet hatte.

Die Franzosen und Spanier schienen nicht näher zu kommen. Als Sharpe durch sein Fernrohr zur feindlichen Flotte blickte, erkannte er, dass ihre Rümpfe jetzt über der Kimm zu sehen waren. Ihre Stückpforten waren noch geschlossen, denn bis zur Schlacht, wenn jemals eine stattfand, würde es immer noch zwei oder drei Stunden dauern. Einige der Schiffe waren schwarz und gelb angestrichen wie die der britischen Flotte, andere waren schwarz und weiß, zwei waren ganz schwarz, während einige rote Streifen hatten. Leutnant Haskell hatte mitgeteilt, dass sie versuchten, eine Schlachtlinie zu bilden, doch ihre Versuche waren ungeschickt, denn Sharpe konnte große Lücken in der Linie erkennen. Ein Schiff hob sich deutlich ab, ragte mit vier Geschützdecks auf.

»Die *Santisima Trinidad*«, sagte Haskell zu Sharpe, »mit mindestens hundertdreißig Geschützen. Das ist das größte Schiff der Welt.« Selbst auf die weite Entfernung wirkte der Rumpf des Spaniers wie ein Fels mit Schießscharten. Sharpe suchte die französische Linie nach der *Revenant* ab, aber da gab es so viele schwarzgelbe Zweidecker, dass er sie nicht herausfinden konnte.

Einige der Männer schrieben Briefe, benutzten ihre Geschütze als Schreibtische. Andere schrieben ihr Testament. Nur wenige konnte schreiben, sie diktierten anderen, und die Briefe wurden in die Sicherheit des Orlopdecks gebracht.

Der Wind blieb schwach. Sharpe hatte das Gefühl, dass die großen Wellen, die von Westen kamen, mehr Wirkung auf die Schiffe hatten als der Wind. Diese Wellen waren ungeheuer lang, wirkten wie große glatte Hügel, die lautlos und grünlich auf den Feind zuliefen.

»Ich befürchte«, sagte Chase, der sich zu Sharpe gesellte, »dass wir in einen Sturm geraten.«

»Sie können das voraussagen?«

»Ich hasse diese glasige Dünung«, sagte Chase, »und der Himmel hat einen unheilvollen Farbton.« Er blickte zurück, wo sich der Himmel verdunkelte, während er über dem Schiff blau und mit weißen Wolkenstreifen durchsetzt war. »Dennoch sollte das gute Wetter lange genug für die Arbeit des Tages anhalten.«

Die Kapelle auf dem Vordeck hörte auf zu spielen, und Chase ging zur Reling des Achterdecks und hob eine Hand, um die Männer zum Verstummen zu bringen. Die meisten Männer von den unteren Decks befanden sich nun auf dem Hauptdeck. Und diese Männer blickten erwartungsvoll zu Chase auf, als er seinen Hut zog.

»Wir werden die Franzmänner und Dons heute verprügeln, Männer«, sagte Chase, »und ich weiß, dass ihr mich stolz machen werdet!« Gemurmelte Zustimmung brandete von den Männern auf, die sich bei den Geschützen drängten. »Aber bevor wir an unsere Arbeit gehen«, fuhr Chase fort, »möchte ich all unsere Seelen dem Allmächtigen anvertrauen.« Er nahm ein Gebetbuch aus der Tasche und blätterte darin. Er war kein sehr religiöser Mann, aber er hatte einen unbekümmerten Glauben an Gott, der fast so stark war wie sein Vertrauen in Nelson. Er las das Gebet mit starker Stimme vor, und der leichte Wind spielte in seinem Haar. »O Herr, hilf uns und erlöse uns...«, endete er. Die Männer riefen »Amen«, und einige bekreuzigten sich. Chase setzte seinen Hut wieder auf. »Wir werden glorreich siegen. Hört auf eure Offiziere und vergeudet keinen Schuss! Ich garantiere euch, ich werde uns längsseits vor einen Feind legen, und dann hängt es von euch ab. Ich weiß, dass der Feind den Tag bereuen wird, an dem er die *Pucelle* gesehen hat!« Er lächelte, dann nickte er zur Kapelle. »Ich glaube, wir könnten es ertragen, noch einmal ›Hearts of Oak‹ zu hören, oder?«

Die Männer jubelten ihm zu, und die Kapelle spielte von Neuem. Einige der Kanoniere tanzten den Hornpipe, den alten Matrosentanz. Eine junge dralle Frau erschien auf dem Hauptdeck mit einer Kanne Wasser für eine der Geschützcrews. Sie war blass, weil sie so lange unter Deck gewesen war, und zerlumpt gekleidet mit einem langen Rock und einem schäbigen Umhängetuch. Sie hatte rotes Haar, das glatt und schmutzig herabhing, und die Männer, die erfreut waren, sie zu sehen, scherzten mit ihr, als sie sich ihren Weg über das Deck bahnte. Die Offiziere taten, als würden sie sie nicht bemerken.

»Wie viele Frauen sind an Bord?«, fragte Lady Grace, die neben Sharpe stehen blieb. Sie trug ein blaues Kleid, einen breitkrempigen Hut und einen langen schwarzen Schiffsmantel.

Sharpe warf einen schuldbewussten Blick zu Lord William, aber seine Lordschaft war in eine Unterhaltung mit Leutnant Haskell vertieft. »Chase sagte mir, es seien mindestens ein halbes Dutzend«, sagte Sharpe. »Sie werden von der Mannschaft versteckt.«

»Und wo finden sie Schutz während der Schlacht?«

»Nicht bei dir.«

»Das ist nicht fair.«

»Das Leben ist nicht fair«, sagte Sharpe. »Wie fühlst du dich?«

»Gesund«, sagte sie, und sie sah tatsächlich blühend aus. Ihre Augen glänzten, und ihre Wangen, die so blass gewesen waren, als Sharpe sie zum ersten Mal in Bombay gesehen hatte, zeigten jetzt eine gesunde Farbe. Sie berührte kurz seinen Arm. »Du wirst auf dich Acht geben, Richard?«

»Das werde ich«, versprach er, obwohl er bezweifelte, dass sein Leben oder der Tod heute in seiner Hand lagen.

»Wenn das Schiff geentert wird ...«, sagte Grace zögernd.

»Das wird nicht passieren«, unterbrach er sie.

»Aber wenn«, sagte sie ernst, »dann möchte ich nicht noch einmal, dass ein Typ wie dieser Leutnant auf der *Calliope* über mich herfällt. Ich kann mit einer Pistole umgehen.«

»Aber du hast keine?«, fragte Sharpe. Grace schüttelte den Kopf. Sharpe zog seine Pistole und hielt sie ihr hin. Sie standen nahe beieinander an der Reling, und niemand konnte das Geschenk sehen, das Lady Grace annahm und in eine Tasche ihres Mantels schob. »Sie ist geladen«, warnte Sharpe.

»Ich werde aufpassen«, versprach sie ihm, »und ich bezweifle, dass ich sie brauchen werde, aber sie gibt mir ein gutes, beruhigendes Gefühl. Es ist etwas von dir, Richard.«

»Du hast bereits etwas von mir«, sagte er.

»Was ich beschützen werde. Alles Gute, Richard.«

»Dir auch, mein Schatz.«

Sie schritt von ihm fort, beobachtet von ihrem Ehemann. Sharpe schaute stur über die Reling. Er würde sich eine andere Pistole von Captain Llewellyn leihen, dessen Seesoldaten an der Reling des Vordecks aufgereiht standen und manchmal nach dem entfernten Feind Ausschau hielten.

Chase hatte seine Offiziere versammelt, und Sharpe ging neugierig hin, um zuzuhören, wie der Captain schilderte, was Nelson ihm an Bord der *Victory* gesagt hatte. Die britische Flotte, sagte Chase, würde keine Linie parallel zum Feind bilden, was die normale Taktik bei einer Seeschlacht war, sondern wollte in zwei in Kiellinie fahrenden Säulen direkt in die feindliche Linie segeln. »Wir werden ihre Linie in drei Stücke hacken«, sagte Chase, »und sie dann stückchenweise zerstören. Wenn ich falle, Gentlemen, wird es Ihre Pflicht sein, weiterzumachen, durch ihre Linie zu stoßen und dann das Schiff längsseits eines Feindes zu legen.«

Captain Llewellyn erschauerte und zog Sharpe zur Seite. »Das gefällt mir nicht«, sagte der Waliser. »Es geht mich natürlich nichts an, ich bin nur ein Seesoldat, aber Sie werden gewiss bemerkt haben, Sharpe, dass wir keine nennenswerten Geschütze im Bug des Schiffes haben.«

»Ja, das habe ich bemerkt«, sagte Sharpe.

»Die vorderen Geschütze können nicht direkt nach vorn feuern, und der Admiral schlägt vor, dass wir geradewegs auf den Feind zu segeln, der uns seine Breitseiten zeigt!« Llewellyn schüttelte traurig den Kopf. »Ich brauche Ihnen nicht zu erklären, was ich damit meine, oder?«

»Natürlich nicht.«

Llewellyn sprach es trotzdem aus. »Sie können auf uns feuern, und wir können das Feuer nicht erwidern! Sie wissen, was das bedeutet? Sie beharken uns mit ihren Breitseiten und werden aus uns Brennholz machen. Und für wie lange werden wir wehrlos unter ihrem Beschuss sein? Bei dieser Geschwindigkeit mindestens zwanzig Minuten. Zwanzig Minuten, Sharpe! Sie können uns mit Kanonenkugeln beharken, sie können unsere Takelage zerfetzen und uns entmasten, und was können wir dagegen tun?«

»Nichts, Sir.«

»Sie haben es begriffen, Sharpe«, sagte Llewellyn. »Wie schon gesagt, es geht mich nichts an. Aber die Takelage, Sharpe, die geht mich etwas an. Und wissen Sie, was der Captain befohlen hat?«

»Keine Männer in die Takelage«, sagte Sharpe.

»Wie kann man so etwas befehlen?«, fragte Llewellyn empört. »Die Froschfresser werden Männer in der Takelage haben wie Spinnen im Netz, und sie werden uns mit Gemeinheiten überschütten, und was machen wir? Wir ducken uns feige aufs Deck. Das ist nicht richtig, Sharpe, das ist einfach nicht richtig. Und wenn ich keine Männer auf die Masten bringen darf, kann ich meine Granaten nicht einsetzen!« Er klang gekränkt. »Sie sind zu gefährlich, um sie auf dem Deck zu belassen, und so habe ich sie im vorderen Magazin deponiert.« Er starrte zur feindlichen Flotte, die jetzt weniger als zwei Meilen entfernt war. »Trotzdem werden wir sie schlagen!«

Die *Britannia*, die der *Pucelle* folgte, war ein langsames Schiff, und so war eine große Lücke zwischen den beiden Säulen entstanden. Es gab ähnliche Lücken in beiden Säulen, aber keine war so groß wie die zwischen Collingwoods *Royal Sovereign* und dem Rest der Schiffe. »Er wird eine Zeitlang allein kämpfen«, sagte Llewellyn, dann wandte er sich um, weil Connors, der Signaloffizier, gerufen hatte, dass das Flaggschiff etwas signalisierte.

Es war ein enorm langes Signal, so lang, dass die Signalflaggen an allen drei Masten der Fregatte wehten, als die *Euryalus* die Botschaft weiterleitete. »Nun?«, wollte Chase von Connors wissen.

Der Leutnant wartete, bis der launische Wind einige der Flaggen ausbreitete, dann versuchte er sich an den Flaggencode zu erinnern. Es war ein Code jüngeren Datums und ein leichter, denn jede Flagge entsprach einem Buchstaben, aber einige Flaggen-Kombinationen wurden benutzt, um ganze Wörter oder manchmal Sätze zu übermitteln, und es gab über dreitausend solcher Kombinationen, die man sich merken musste. Es war offensichtlich, dass dieses lange Signal, das nicht weniger als zweiunddreißig Flaggen benötigte, einige Wörter benutzte, die buchstabiert werden mussten. Connors runzelte die Stirn, dann verstand er plötzlich den Sinn. »Vom Admiral, Sir. England erwartet, dass jedermann seine Pflicht tun wird.«

»Das erwarte ich verdammt auch«, sagte Chase trocken.

»Und was ist mit den Walisern?«, fragte Llewellyn mit gleicher Empörung. Dann lächelte er. »Ah, die Waliser brauchen nicht ermuntert zu werden, ihre Pflicht zu tun. Es sind die verdammten Engländer, denen man Feuer unter dem Hintern machen muss.«

»Geben Sie die Botschaft an die Männer weiter«, befahl Chase seinen Offizieren, und im Gegensatz zu der ärgerlichen Reaktion auf die Botschaft auf dem Achterdeck rief sie bei der Mannschaft Jubel hervor.

»Er muss gelangweilt sein«, sagte Chase, »wenn er solche Botschaften schickt. Steht das in Ihrem Notizbuch, Mister Collier?«

Der Midshipman nickte eifrig. »Es ist notiert, Sir.«

»Sie haben auch die Zeit aufgeschrieben?«

Collier wurde rot. »Das werde ich noch tun, Sir.«

Chase zückte eine Taschenuhr und sagte nach einem Blick auf das Zifferblatt: »Sechsunddreißig Minuten nach elf, Mister Collier. Und wenn Sie bei einer Botschaft unsicher sind, wie spät es ist, sehen Sie nach der Uhr in der Offiziersmesse. Sie befindet sich unter dem Achterdeck an der Backbordseite. Und indem Sie die Uhr konsultieren, Mister Collier, werden Sie vor dem Feind verborgen sein, und das wird verhindern, dass man Ihnen mit einer gut gezielten Kugel den Kopf abschießt.«

»Es ist kein sehr großer Kopf, Sir«, sagte Collier tapfer, »und mein Platz ist in Ihrer Nähe, Sir.«

»Ihr Platz, Mister Collier, ist da, wo Sie die Signale und die Uhr sehen können, und ich schlage vor, Sie stellen sich unter das Achterdeck.«

»Jawohl, Sir«, sagte Collier und fragte sich, wie er irgendein Signal in der Deckung durch das Achterdeck sehen konnte.

Chase starrte zum Feind und trommelte mit den Fingern auf die Reling. Er war nervös, aber nicht mehr als jeder andere auf der *Pucelle*. »Sieh mal an, die *Soßenschüssel*«, sagte Chase und wies voraus, wo die *Temeraire* versuchte, die *Victory* zu überholen, doch die *Victory* hatte ihre Bramleesegel gesetzt und behielt so ihre Führung. »Sie sollte wirklich nicht als Erste durch ihre Linie segeln.« Chase runzelte die Stirn und wandte sich dann um. »Captain Llewellyn!«

»Sir?«

»Ihr Trommler kann die Mannschaft auf ihre Posten rufen, nehme ich an.«

»Aye, aye, Sir«, erwiderte Llewellyn, dann nickte er einem Trommlerjungen zu, der seine Stöcke hob und den Rhythmus des Liedes »Hearts of Oak« trommelte.

»Und Gott schütze uns alle«, sagte Chase, als die Männer das Hauptdeck verließen, um die Geschütze auf dem Unterdeck zu bemannen. Der Junge trommelte weiter, während er die Treppe vom Achterdeck hinabstieg. Er würde auf dem ganzen Schiff die Männer zu den Waffen rufen, obwohl keiner an Bord aufgefordert werden musste. Sie waren längst bereit.

»Stückpforten öffnen, Sir?«, fragte Haskell.

»Nein, wir warten«, sagte Chase. »Sagen Sie den Kanonieren, sie sollen nach dem ersten Schuss Kartätschenmunition laden.«

»Aye, aye, Sir.«

Die Geschütze der *Pucelle* würden so nach den großen Kanonenkugeln eine Ladung von neun kleineren Kugel streuen. Chase erklärte Sharpe, dass auf kurze Distanz solch eine Ladung absolut tödlich war. »Aber wir können nicht feuern, bis wir mitten zwischen ihnen sind, so könnten wir Sie genauso gut schlimm mit unserer eröffnenden Breitseite verwunden.« Der Captain wandte sich an Lord William. »Mylord, ich meine, Sie sollten jetzt nach unten gehen.«

»Aber doch jetzt noch nicht?« Es war Lady Grace, die antwortete. »Noch hat niemand gefeuert.«

»Bald«, sagte Chase, »bald.«

Lord William blickte finster drein, als tadele er, dass seine Frau die Anweisungen des Kapitäns in Frage stellte, doch

Lady Grace starrte nur auf den Feind, als präge sie sich den außergewöhnlichen Anblick eines Horizonts voller Schiffe der feindlichen Linie ein. Leutnant Peel skizzierte sie verstohlen, versuchte ihr Profil und ihre angespannte Faszination festzuhalten. »Welches ist das Schiff des feindlichen Admirals?«, fragte sie Chase.

»Das kann ich nicht sagen, Mylady. Sie haben keine Flaggen gehisst.«

»Wer ist der feindliche Admiral?«, fragte Lord William.

»Villeneuve«, antwortete Chase. »Das meint jedenfalls Lord Nelson.«

»Ist er ein fähiger Mann?«

»Verglichen mit Nelson, Mylord, ist keiner fähig, aber man hat mir gesagt, Villeneuve soll kein Dummkopf sein.«

Es war seltsam still auf dem Schiff. Der Wind füllte gerade die Segel, doch bei jeder Abschwächung oder wenn die Wellen das Schiff schneller trieben, erschlaffte das Segeltuch, bevor es sich wieder träge blähte. Chase starrte südwärts auf die *Royal Sovereign*, die jetzt weit voraus von Collingwoods anderen Schiffen war. »Wie weit ist sie noch vom Feind entfernt?«, fragte er.

»Tausend Yards?«, schätzte Haskell.

»Würde ich auch sagen«, meinte Chase. »Der Feind wird bald das Feuer auf sie eröffnen.«

»Das wird Bounce aber gar nicht gefallen«, sagte Leutnant Peel grinsend.

»Bounce?«, fragte Chase. »Oh! Collingwoods Hund.« Er lächelte. »Er hasst Geschützfeuer, nicht wahr? Der arme Köter.« Er wandte sich um und spähte über den Bug hinaus. Es war jetzt möglich, zu schätzen, wo die *Pucelle* auf die feindliche Linie treffen würde, und Chase versuchte herauszufinden, wie viele Schiffe ihn beschießen konnten, während er schutzlos auf sie zu segelte. »Wenn wir unter Feuer geraten, Mister Haskell, sollten wir der Mannschaft befehlen, sich hinzulegen.«

»Aye, aye, Sir.«

»Es wird nicht vor einer Dreiviertelstunde sein«, sagte Chase. Dann runzelte er die Stirn. »Ich hasse das Warten, Schickt mir Wind! Ich brauche Wind! Wie spät ist es, Mister Collier?«

»Zehn Minuten vor zwölf, Sir!«, rief Collier.

»Dann sollten wir ihr Feuer um halb eins erwarten«, sagte Chase, »und um ein Uhr werden wir zwischen ihnen sein.«

»Sie haben das Feuer eröffnet!« Es war Connors, der das schrie. Er wies auf den südlichen Teil der feindlichen Linie, wo ein Schiff von grauweißem Rauch umkränzt war, der den Rumpf fast ganz verhüllte.

»Machen Sie eine Notiz im Logbuch!«, befahl Chase, und in diesem Augenblick hallte das Donnern der Breitseite über die See. Weiße Spritzer schossen aus den Wellen vor dem Bug der *Royal Sovereign*, zeigten, dass die Eröffnungssalve des Feindes zu kurz gewesen war, doch im nächsten Moment eröffnete ein halbes Dutzend Schiffe das Feuer.

»Es klingt genau wie Donner«, sagte Lady Grace erstaunt.

Die *Victory* war noch zu weit vom nördlichen Teil der feindlichen Flotte entfernt, um auf sie zu schießen, und so blieb es bei der großen Mehrheit der französischen und spanischen Schiffe still. Nur die sechs Schiffe feuerten weiter, und ihre Kugeln peitschten die See und schäumten vor Collingwoods Flaggschiff.

Vielleicht war es das Krachen dieser Geschütze, das den Feind veranlasst hatte, seine Flaggen zu zeigen, und schließlich waren ihre Flaggen eine nach der anderen zu sehen, sodass die sich nähernden Briten zwischen ihren Feinden unterscheiden konnten. Die französische Trikolore wirkte leuchtender als die königliche spanische Flagge, die dunkelrot und weiß war.

»Dort, Mylady«, sagte Chase und wies hin, »können Sie die französische Admiralsflagge sehen? Auf dem Masttopp des Schiffes gleich hinter der *Santisima Trinidad*.«

Die *Royal Sovereign* musste einen Treffer hingenommen haben, denn sie feuerte plötzlich mit zweien ihrer Geschütze, sodass der Rauch ihren Rumpf einhüllte und sich langsam im schwachen Wind auflöste. Sharpe nahm sein Fernrohr und richtete es auf Collingwoods Flaggschiff. Er sah, dass ein Segel von einer Kanonenkugel getroffen wurde, und dann erkannte er andere Löcher in den Segeln und wusste, dass der Feind auf die Takelage feuerte, um den Angriff der britischen Schiffe zu stoppen. Doch sie segelte weiter, die Leesegel gesetzt, und vergrößerte die Lücke zwischen sich und der *Belleisle*, der *Mars* und der *Tonnant*, den nächsten drei Schiffen in der Kiellinie. Die Spritzer des feindlichen Geschützfeuers zeugten jetzt von Einschlägen in ihrer Nähe. Kein Schiff konnte zurückfeuern, und keines konnte erwarten, vor mindestens zwanzig Minuten das Feuer zu eröffnen. Sie mussten den Beschuss einfach ertragen und hoffen, ihn zurückzahlen zu können, wenn sie die feindliche Linie erreichten.

Chase wandte sich um. »Mister Collier?«

»Sir?«

»Sie werden Lord William und Lady Grace unter Deck führen. Ihr Mädchen wird Sie begleiten, Mylady.«

»Wir sind nicht unter Beschuss, Captain«, wandte Lady Grace ein.

»Sie werden tun, was ich sage, Mylady«, beharrte Chase.

»Komm, Grace«, sagte Lord William. Er trug immer noch Degen und Pistole, versuchte jedoch nicht, Chase überreden zu wollen, dass er an Deck bleiben durfte. »Ich darf Ihnen alles Gute wünschen, Captain.«

»Ich bedanke mich für Ihre Wünsche, Mylord.«

Lady Grace bedachte Sharpe mit einem letzten Blick, und er wagte nicht, mit einem Lächeln zu antworten, denn Lord William würde es sehen, doch er erwiderte ihren Blick und sah sie an, bis sie sich abwandte. Dann stieg sie die Treppe vom Achterdeck hinunter, und Sharpe empfand einen schrecklichen Verlust.

Die *Pucelle* holte jetzt die *Conqueror* ein und Chase manövrierte sie an deren Steuerbordseite. Er starrte durch sein Fernrohr zum Feind und rief plötzlich nach Sharpe. »Unser alter Freund, Sharpe!«

»Sir?«

»Da, sehen Sie nur.« Er wies hin. »Sehen Sie die *Santisima Trinidad*? Das große Schiff?«

»Jawohl, Sir.«

»Sechs Schiffe dahinter. Es ist die *Revenant*.«

Sharpe spähte durch das Fernrohr und zählte die Schiffe hinter dem spanischen Vierdecker, und dann entdeckte er den vertrauten schwarzen und gelben Rumpf. Die Stückpforten waren geöffnet und die Geschützrohre ausgerannt. Dann verschwand die *Revenant* in einer Rauchwolke.

Jetzt war auch die *Victory* unter Beschuss, und der Feind konnte nicht hoffen, nach Cadiz zu entkommen, trotz des launischen Winds nicht, denn es würde eine Schlacht stattfinden. Vierunddreißig feindliche Schiffe gegen achtundzwanzig britische, 2568 feindliche Geschütze, bemannt von 30 000 französischen und spanischen Seeleuten würden 2148 Geschützen, bemannt von 17 000 britischen Matrosen, gegenüberliegen.

»Auf Ihre Positionen, Gentlemen«, sagte Chase zu seinen

Offizieren auf dem Achterdeck. »Auf Ihre Plätze, bitte.« Er berührte das Gebetbuch in seiner Tasche. »Und möge Gott uns beistehen, Gentlemen, uns und alle an Bord.«

Denn der Kampf hatte begonnen.

KAPITEL 10

Sharpes Platz war auf dem Vordeck. Captain Llewellyn und sein junger Leutnant befehligten vierzig der Seesoldaten, die auf dem Heck und Achterdeck positioniert waren, und Sharpe zwanzig, obwohl in Wahrheit die Hand voll der Männer auf dem Vordeck von einem Sergeant namens Armstrong geführt wurden. Der Sergeant war untersetzt und störrisch wie ein Maultier. Er stammte aus Northumberland, wo jeder von tiefem Misstrauen gegenüber den Schotten erfüllt war. »Sie sind durchweg Diebsgesindel, Sir«, vertraute er Sharpe an, hatte es jedoch geschafft, alle Schotten unter Llewellyns Seesoldaten unter sein Kommando zu bringen. »Damit ich ein Auge auf die diebischen Bastarde haben kann, Sir.«

Die Schotten waren zufrieden unter Sergeant Armstrongs Befehl, denn wenn er ihnen auch misstraute, so hasste er jeden, der von südlich des Flusses Tyne kam. Für Armstrong waren nur Männer aus Northumberland selbst wahre Krieger, während der Rest der Menschheit aus diebischen Bastarden, feigen Ausländern und Beamten bestand. Frankreich, das volkreiche Land jenseits des Kanals, galt für ihn als abscheulich, und Spanien musste seiner Meinung nach die Hölle sein.

Der Sergeant verfügte über eine von Captain Llewellyns kostbaren Volley Guns mit sieben Läufen, die er an den Fockmast gelehnt hatte. »Sie brauchen sich nicht dafür zu interessieren, Sir«, sagte er zu Sharpe, als er dessen Interesse bemerkte, »denn ich benutze sie erst, wenn wir einen der Bastarde entern. Es gibt nichts Besseres als so ein Ding, um ein feindliches Deck zu räumen.« Armstrong hegte instinktiv Misstrauen gegen Sharpe, weil er kein Seesoldat war, nicht aus Northumberland stammte und nicht in die Offiziersklasse geboren worden war. Armstrong war, kurz gesagt, hässlich, unwissend und voller Vorurteile, und als Soldat einer der Besten, die Sharpe je kennen gelernt hatte.

Das Vordeck war mit Seesoldaten bemannt. Hier befanden sich zwei der sechs 32-Pfünder-Karronaden. Eine, die an Backbord, stand unter dem Kommando von Clouter, dem entkommenen Sklaven aus Chases Barkassenmannschaft. Der riesige Schwarze war wie seine Kanoniere nackt bis zu den Hüften und hatte einen Schal um die Ohren gebunden.

»Es wird lebhaft werden, Sir«, begrüßte er Sharpe und nickte zur feindlichen Linie, die jetzt kaum eine halbe Meile entfernt war. Ein halbes Dutzend Schiffe feuerte auf die *Victory*, ein halbes Dutzend auf die *Royal Sovereign*, die sich etwas mehr als eine Meile südwärts befand. Dieses Schiff, bei Weitem am nächsten der französisch-spanischen Linie, sah ziemlich mitgenommen aus, denn die Leesegel waren zerschossen worden und hingen wie zerbrochene Schwingen in der Takelage. Sie konnte das feindliche Feuer nicht erwidern, aber in wenigen Minuten würde sie unter dem Feind sein, und ihre Geschütze auf den drei Decks konnten beginnen, den erlittenen Schaden heimzuzahlen.

Die See vor der *Pucelle* war pockennarbig und schäumte von Einschlägen, doch bis jetzt war keine Kugel dem Schiff selbst nahe gekommen. Die *Temeraire*, die sich nicht an der *Victory* hatte vorbeischieben können, segelte jetzt steuerbord von ihr und war dem feindlichen Beschuss ausgesetzt. Sharpe sah wie durch Zauberei Löcher in den Segeln auftauchen und das ganze Segeltuch erzittern. Ein gebrochenes Tau flog fort. Für Sharpe hatte es den Anschein, als segelten *Victory* und *Teme-*

raire direkt auf die *Santisima Trinidad* mit ihren vier vom Rauch umhüllten Decks des Todes zu. Das Krachen der feindlichen Geschütze hallte jetzt laut über das Wasser, manchmal als Breitseite, öfter jedoch als Einzelfeuer.

»In zehn- bis fünfzehn Minuten sind wir in Reichweite, Sir«, sagte Clouter und beantwortete Sharpes unausgesprochene Frage.

»Viel Glück, Clouter.«

Der große Mann grinste. »Kein weißer Mann kann mich killen, Sir. Nein, Sir, sie haben mir alles angetan, was sie nur konnten, aber jetzt bin ich mit meinem Vernichter an der Reihe.« Er klopfte auf seinen »Vernichter«, das hässlichste Geschütz, das Sharpe je gesehen hatte. Es ähnelte einem Mörser der Armee, hatte jedoch ein etwas längeres Rohr und kauerte wie ein deformierter Kochtopf auf seiner kurzen Lafette. Die Lafette hatte keine Räder, sondern Schlitten, mit dem es zurückrutscht, Holz auf gefettetem Holz. Die Mündung war sehr groß, und aus seinem Rohr wurden eine 32-Pfund-Kanonenkugel oder ein Sack von Musketenkugeln abgefeuert. Es war kein schönes Ding und nicht treffgenau, aber wenn man es auf wenige Yards an ein feindliches Schiff heranbrachte, konnte es verheerende Wirkung beim Feind erzielen.

»Ein Schotte hat das Ding erfunden«, sagte Sergeant Armstrong, der neben Sharpe erschien. Der Sergeant grinste und legte die Hand auf die Karronade. »Ein heidnisches Geschütz, Sir. Ebenfalls heidnische Kanoniere«, fügte er hinzu und blickte zu Clouter. »Wenn wir einen Feind entern, Clouter«, sagte er ernst, »dann bleiben Sie nahe bei mir.«

»Jawohl, Sergeant.«

»Warum nahe bei Ihnen?«, fragte Sharpe Armstrong, als sie von der Karronade weggingen.

»Wenn dieser schwarze Heide zu kämpfen beginnt, wagt es

keiner, sich ihm entgegenzustellen, Sir. Er ist ein Teufel, ein Satan, der rot sieht.« Es klang missbilligend von Armstrong, denn Clouter stammte augenfällig nicht aus Northumberland. »Und Sie, Sir?«, fragte er misstrauisch. »Werden Sie mit uns an Bord gehen?« In Wirklichkeit wollte der Sergeant wissen, ob Sharpe vorhatte, ihm seine Befehlsgewalt streitig zu machen.

Sharpe hätte darauf bestehen können, die Seesoldaten zu befehligen, doch er nahm an, dass sie besser kämpfen würden, wenn Armstrong ihnen die Befehle gab. Was bedeutete, dass Sharpe wenig auf dem Vordeck zu tun hatte, außer ein Beispiel zu geben, was die meisten rangniedrigen Offiziere taten, bevor sie in der Schlacht getötet wurden. Armstrong wusste, was er tun musste, die Seesoldaten waren hervorragend von Llewellyn ausgebildet, und Sharpe hatte nicht vor, wie manche Gentlemen tatenlos über das Vordeck zu marschieren und so zu tun, als würden sie nur Verachtung für das feindliche Feuer übrig haben. Er würde lieber kämpfen.

»Ich gehe nach unten«, sagte er zu Armstrong, »um mir eine Muskete aus dem Magazin zu holen.«

Der feindliche Beschuss schlug immer noch zu kurz vor der *Pucelle* ein, als Sharpe zum Hauptdeck hinab und weiter zur Küche ging – für gewöhnlich ein Ort, an dem sich Männer versammelten. Jetzt war die Küche leer, kalt und verlassen. Alle Feuer in dem großen Herd waren gelöscht, und zwei der Schiffskatzen rieben sich an dem geschwärzten Metall, als rätselten sie, weshalb die Quelle der Wärme verschwunden war.

Die Kanoniere saßen bei ihren Geschützen. Dann und wann hob ein Mann den Verschluss einer Stückpforte an, ließ Helligkeit herein und lehnte sich hinaus, um zum Feind zu spähen.

Sharpe ging weiter auf das untere Deck, auf dem es so dunkel wie in einem Keller war, obwohl ein wenig Licht durch die breiten Fenster der leer geräumten Offiziersmesse im Heck fiel. Die größten Geschütze des Schiffes standen hier wie zahnlose Bestien hinter geschlossenen Stückpforten. Die Kanonen waren normalerweise mit voll erhobenen Rohren an der Schiffsseite festgezurrt, doch jetzt waren sie in Schussposition gesenkt und standen auf ihren Lafetten, bereit, nach dem Öffnen der Stückpforten ausgerannt zu werden.

Das Geräusch des feindlichen Geschützfeuers war gedämpft, kaum mehr als ein dumpfes Grollen. Sharpe ging einen weiteren Niedergang hinab zum Orlopdeck, das durch abgeschirmte Laternen erhellt war. Er war jetzt unter der Wasserlinie, und hier wurden die Magazine des Schiffes von Seesoldaten bewacht, auf deren Musketen Bajonette aufgepflanzt waren und die den Befehl hatten, jede unbefugte Person zu stoppen, die durch den doppelten Ledervorhang trat, von dem Seewasser tropfte.

Pulveraffen, einige in Filzpantoffeln, aber die meisten barfuß, warteten am äußeren Vorhang mit ihren Beuteln, und Sharpe bat einen der Jungen, ihm eine Patronentasche mit Musketenmunition zu holen, während er zum kleinen Waffenlager ging und eine Muskete und Pistole nahm. Er überprüfte beide Feuersteine und fand sie in Ordnung.

Er nahm die Patronentasche, dankte dem Jungen und stieg aufs Unterdeck hinauf, wo er kurz innehielt, um sich die Patronentasche umzuhängen. Das Schiff wurde von einer langen Welle erfasst und ließ ihn leicht schwanken, und als es sich wieder in ein Wellental senkte, gab es ein schreckliches Krachen und der Boden unter Sharpes Füßen erzitterte. Er war sich klar darüber, dass eine Kanonenkugel den Rumpf der *Pucelle* getroffen hatte.

»Die Franzmänner haben unsere Reichweite«, sagte ein Mann aus dem Dunkel.

»Wir danken dir für das, was wir empfangen werden«, meinte ein anderer Mann, doch bevor er sein Gebet beenden konnte, unterbrach ihn Leutnant Holderbys Stimme. Holderby war auf seiner Position am Niedergang achtern.

»Öffnet die Stückpforten!«, rief der Leutnant, und Maate wiederholten den Befehl für den vorderen Teil des Decks.

Die dreißig Stückpforten des unteren Decks wurden allesamt geöffnet, und im hereinströmenden Tageslicht wirkten die durch das Deck gehenden Schiffsmasten wie drei gigantische Säulen, um die sich eine brodelnde Masse halbnackter Männer bewegte. Die Geschütze befanden sich noch in der Rückstoßposition, gehalten von den starken Brooktauen.

»Rennt sie aus!«, befahl Holderby.

Kanoniere befolgten den Befehl, und das Deck erbebte, als die großen Geschütze an die Stückpforten gezogen wurden, sodass ihre Rohre aus der Schiffsseite hervorragten. Holderby, elegant in seinen Seidenstrümpfen und goldbetresstem Rock, duckte sich unter den Deckenbalken. »Kniet euch zwischen die Geschütze! Kniet euch hin! Ruhen Sie sich aus, Gentlemen, bevor es weitergeht. Hinknien, Männer!«

Chase hatte befohlen, dass sich die Mannschaft hinknien sollte, weil der feindliche Beschuss, wenn er direkt von vorne kam, durch die Decks rasen würde und leicht eine Hand voll treffen konnte, aber wenn die Männer zwischen den schweren Kanonen lagen, würden sie geschützt sein.

Oben auf dem Achterdeck erschauerte Chase, und als Haskell eine Augenbraue hob, lächelte der Captain. »Sie werden uns in Stücke schießen, nicht wahr?«

Haskell klopfte mit dem Knöchel auf die Achterdeckreling. »Französisch gebaut, Sir, gut gebaut.«

»Ja, sie bauen gute Schiffe.« Chase stellte sich auf die Zehenspitzen, um einen Blick über die Barriere der Hängemattennetze zu werfen. Er sah, dass die *Royal Sovereign* fast die feindliche Linie erreicht hatte. »Sie hat überlebt«, sagte er bewundernd, »und sie ist dreiundzwanzig Minuten unter Feuer gewesen! Furchtbarer Beschuss, finden Sie nicht auch?«

Die Spitze der britischen rechten Kolonne war im Begriff, in die Linie des Feindes zu stoßen, doch die *Pucelle* lief in der linken Kolonne, und die war noch kurz vor der feindlichen Linie. Der Feind konnte immer noch feuern, ohne irgendeine Erwiderung befürchten zu müssen.

Das Martyrium der *Pucelle* hatte begonnen, und Chase blieb nichts anderes übrig, als langsam in einen ständig zunehmenden Sturm von Geschützfeuer zu segeln.

Eine Fontäne stieg an der Steuerbordseite auf und bespritzte eine der Geschützmannschaften.

»Das Wasser ist kalt, wie, Jungs?«, rief Chase den Kanonieren mit den nackten Oberkörpern zu.

»Wir müssen ja nicht drin schwimmen, Sir!«

Ein Royalsegel flatterte kurz, als eine Kugel hindurchgesetzt war. Die Schiffe vor der *Pucelle* nahmen ernsthaftere Treffer hin, doch sie näherten sich wie die *Pucelle* unaufhaltsam den Geschützen. Chase wusste, dass er bald unter einer viel stärkeren Kanonade sein würde. Plötzlich wurde ihm bewusst, dass er mit den Fingern nervös gegen seinen rechten Oberschenkel trommelte, und er zwang seine Hand zur Ruhe. Sein Vater, der vor dreißig Jahren gegen die Franzosen gekämpft hatte, wäre von dieser Taktik entsetzt gewesen. Zur Zeit seines Vaters hatten die Schiffe in Linien eng nebeneinander gelegen, Breitseite an Breitseite, und hatten besondere Sorgfalt darauf verwandt, nie Bug oder Heck ungeschützt dem Feuer auszusetzen, doch diese britische Flotte segelte starrköpfig mitten in die Breitseiten des Feindes hinein. Chase fragte sich, ob der Gedenkstein seines Vaters schon vom Steinmetz ausgeliefert und auf der

Chorempore der Kirche angebracht worden war, und dann berührte er das Gebetbuch in seiner Tasche. »Höre uns, Herr, und errette uns vor dem Untergang«, betete er leise.

Haskell hatte es mitgehört und sagte: »Amen.«

Sharpe kehrte zurück zum Vordeck, wo er die Seesoldaten beim Hängemattennetzwerk und die Geschützmannschaften hinter ihren Geschützen kauern sah. Sergeant Armstrong stand beim Fockmast und blickte finster zur feindlichen Linie, die plötzlich viel näher zu sein schien. Sharpe schaute nach rechts und sah, dass die *Royal Sovereign* die feindliche Linie erreicht hatte. Ihre Mannschaft hatte die zerfetzten Leesegel eingeholt, und ihre Geschütze feuerten endlich, als das große Schiff durch die Linie des Feindes brach. Rauch wallte vom Bug bis zum Heck, als sie ihre Backbordbreitseite in das Heck eines spanischen Schiffs und mit ihren Steuerbordgeschützen in den Bug eines Franzosen feuerte. Eine Marsstenge war gefallen, doch das Schiff hatte die feindliche Linie durchbrochen und würde jetzt von ihr verschluckt werden.

Das nächste Schiff in Collingwoods Kolonne, der Zweidecker *Belleisle*, war noch weit hinter der *Royal Sovereign*, was bedeutete, dass sie den Feind allein bekämpfen musste, bis Hilfe eintraf.

Ein Klatschen über ihm ließ Sharpe aufblicken. Er sah, dass das Focksegel der *Pucelle* ein Loch hatte. Die Kugel hatte alle unteren Segel durchlöchert, eines nach dem anderen, bevor sie achtern verschwunden war. Ein weiteres Krachen und ein Erzittern der Planken unter seinen Füßen ließ ihn herumfahren.

»Unten am Bug, Sir«, sagte Armstrong. »Sie haben vorhin den Kranbalken getroffen.«

Das musste das erste Krachen gewesen sein, das Sharpe gehört hatte, und jetzt sah er, dass an Steuerbord der Kranbalken, der aus dem Bug ragte und von dem der Anker herabgelassen und gehoben wurde, fast halb zersplittert worden war.

Sein Herz hämmerte, sein Mund war trocken und an seiner linken Wange zuckte ein Muskel. Er presste die Kiefer zusammen, damit der Muskel Ruhe gab, doch das Zucken hörte nicht auf.

Eine Kugel schlug dicht beim Bug der *Pucelle* ins Wasser und spritzte Wasser über das Vordeck. Die Rah der Topblinde brach, dann flog ein Ende durch die Luft, fiel hinab und blieb dicht über dem Wasser hängen.

Dies ist schlimmer als die Schlacht bei Assaye, dachte Sharpe, denn an Land hatte ein Soldat zumindest die Illusion, sich nach links oder rechts wenden zu können, um dem tödlichen Beschuss des Feindes zu entgehen, doch hier war man dazu verdammt, auf dem Schiff zu bleiben, das auf die feindliche Linie zukroch, die wie eine Reihe massiver Batterien war. Jedes Schiff trug mehr Artillerie, als in Sir Arthur Wellesleys Armee marschiert war.

Sharpe konnte die Kanonenkugeln wie kurze Bleistiftlinien am Himmel sehen, und jede Linie bedeutete eine Kugel, die mehr oder weniger geradewegs auf die *Pucelle* zuflog. Jetzt feuerte ein Dutzend Feinde auf Nelsons Schiffe. Ein weiteres Loch erschien im Focksegel der *Pucelle*, eine Leesegelrahe wurde weggeschossen, nahe der Wasserlinie an Backbord krachte es, und eine andere feindliche Kugel hüpfte über die Wellen und hinterließ eine Spur von Schaum an der Steuerbordseite. Ein sonderbar pfeifendes Geräusch, fast ein Stöhnen, aber mit komisch scharfem Rhythmus erklang aus der Nähe des Schiffes, dann herrschte plötzlich Stille.

»Kettenschuss, Sir«, sagte Sergeant Armstrong. »Klingt, als schlügen die Satansschwingen.«

Die *Royal Sovereign* war verschwunden, ihre Position nur

durch eine große Rauchwolke zu erahnen, aus der sich die Takelage und Segel von einem halben Dutzend Schiffen vor dem bewölkten Himmel abzeichneten. Ein ständiges Donnern war zu hören, während die französischen und spanischen Mannschaften die Chance ergriffen, Breitseite um Breitseite auf einen Feind zu feuern, der nicht zurückschießen konnte. Zwei Kugeln trafen die *Pucelle* dicht über der Wasserlinie, ein anderes Geschoss prallte von der Backbordseite ab, riss einen langen Splitter heraus, ein viertes traf den Großmast und ein fünftes raste an den vorderen Steuerbordgeschützen vorbei, enthauptete einen Seesoldaten und warf zwei andere in einem Schwall von Blut zurück, bevor es der Länge nach über Bord raste, um eine Spur von roten Tröpfchen zu hinterlassen, die in der plötzlich warmen Luft glänzten.

»Werft ihn über Bord!«, schrie Armstrong seine Seesoldaten an, die wie gelähmt ihren toten Kameraden anstarrten. Zwei von ihnen packten die kopflose Leiche und trugen sie zur Reling neben den Geschützen, doch bevor sie ihn über die Reling werfen konnten, befahl Armstrong ihnen, die Munition der Leiche an sich zu nehmen. »Und seht nach, was in seinen Taschen ist, Jungs! Haben eure Mütter euch nicht gesagt, was ihr vergeuden könnt und was nicht?« Der Sergeant schritt über das Deck, hob den abgetrennten Kopf an den blutigen Haaren auf und warf ihn ins Meer. Er blickte zu den beiden Männern, die wie Stoffpuppen in einer Blutlache lagen, die fast ein Viertel des Decks bedeckte. »Was ist mit ihnen?«

»Mackay ist tot, Sergeant.«

»Dann entfernt ihn!«

Der dritte Seesoldat hatte einen Arm verloren, und seine Brust war aufgerissen, sodass seine Rippen aus einer Masse aus zerfetztem Gewebe und Blut hervorstachen. »Er wird es nicht überleben«, sagte Armstrong und neigte sich über den Mann, der durch eine Maske von Blut blinzelte und röchelnd atmete. Eine Kanonenkugel durchschlug das Hängemattennetzwerk und verwandelte die Achterdeck-Reling in Splitter. Eine andere Kugel brach eine Royalrahe. In diesem Moment peitschten zwei Kugeln über das Hauptdeck und fetzten Splitter aus den Balken. Eine Kanonenkugel krachte in eines der Unterdeck-Geschütze, riss das Rohr von der Lafette und tötete zwei Kanoniere.

Die feindlichen Schiffe waren in Rauch gehüllt, und weil der schwache Wind von Westen blies, zerfaserte der Rauch in der Takelage und den Segeln wie eine Nebelbank in einer Seebrise, doch der Nebel erhielt ständig neue Nahrung, und Sharpe konnte den Ursprung des grauen, weißen und schwarzen Rauchs sehen. Er sah die Mündungsflammen der Kanonen, die durch den Rauch stießen und ihn kurz erhellten, bevor sie wieder verschwanden. Der Rauch zog über die feindlichen Decks, deren Geschütze donnerten und ihre Kugeln zur *Victory*, *Temeraire*, *Neptun*, *Conqueror* und *Pucelle* schickten, und nach diesen Schiffen hatte sich eine Lücke aufgetan, bevor der Dreidecker *Britannia*, der immer noch nicht unter Beschuss war, schwerfällig folgte.

»Werft ihn über die Reling!«, befahl Armstrong zweien seiner Männer und wies auf den dritten Seesoldaten, der gestorben war. Ein abgerissener Arm des Mannes mit zerfetzten Sehnen, Fleisch und Muskeln lag unbeachtet unter dem kleinen Gehäuse, das die Schiffsglocke enthielt, und Sharpe hob ihn auf, ging zur Backbordreling und warf ihn in die See.

Vom Geschützdeck konnte er Männer singen hören. Einer der Seesoldaten kniete im Gebet. »Maria, Mutter Gottes«, sagte er immer wieder und bekreuzigte sich. Clouter spuckte Tabaksaft aus und schnitt sich einen neuen Priem. Die 32-Pfünder-

Karronadenkugeln, jede so groß wie ein Männerkopf, lagerten auf einer Gräting.

Sharpe ging zurück zum Fockmast. Plötzlich fiel ihm ein, dass er vergessen hatte, seine Waffen zu laden, und er war dankbar für diesen Fehler, denn dadurch hatte er jetzt etwas zu tun. Er biss die Patrone auf und sah, wie eine Leiche vom Achterdeck der *Conqueror* geworfen wurde. Er machte die Muskete zündfertig, als eine Kanonenkugel so dicht an seinem Kopf vorbeisauste, dass er den Luftzug spürte. Die Kugel traf nichts, flog durch das Takelwerk der *Pucelle* und klatschte hinter dem Heck ins Wasser. Das Großsegel hatte jetzt sechs Löcher und erbebte, als ein siebtes dazukam.

Chase stand an der zerschmetterten Reling des Achterdecks und wirkte so ruhig, als segele er die *Pucelle* zu einer einsamen Insel. Sharpe hatte inzwischen die Muskete geladen. Er bemerkte jetzt zwischen seinen Füßen ein Rinnsal aus Blut, das aus der Lache kam, die durch den Tod der drei Seesoldaten entstanden war. Das Rinnsal sah sehr rot auf dem Weiß der geschrubbten Planken aus. Wenn sich das Schiff leicht nach backbord neigte, floss das Blut nach links, wenn sich das Heck unter einer Welle hob, nach vorn. Wenn es sich senkte, nach hinten, und wenn sich das Schiff nach steuerbord neigte, floss das rote Rinnsal nach rechts. Sharpe wischte das Blutrinnsal mit dem Absatz weg, dann schob er den Ladestock zurück in die Halterung und lud die Pistole.

Ein Schuss traf den Fockmast und ließ die Takelage erzittern, ein silbern angestrichener Splitter wirbelte in die See, als Jeanne d'Arc – die Galionsfigur – am Bauch getroffen wurde. Das Donnern der Geschütze war so laut, dass Sharpes Trommelfelle schmerzten. Blut war auf dem Hauptdeck, wo eine abprallende Kanonenkugel ein Mannschaftsmitglied getroffen hatte, und die Luft war vom schrillen Kreischen der Kettenkugeln erfüllt, die durch die Takelage peitschten, Taue zerfetzten und Segel durchlöcherten.

Ein ohrenbetäubendes Krachen ertönte, als das Achterdeck aufgerissen wurde. Sharpe konnte sehen, wie Captain Llewellyn eine Leiche zur Heckreling schleifte. Ein weiterer dumpfer Schlag von unten, ein zweiter, ein dritter, dann gellten schrille Schreie durch das Donnern der feindlichen Geschütze. Die Schiffe des Feindes voraus waren immer noch so nahe zusammen, dass sie wie mit Geschützen gespickte Inseln wirkten. Oder Inseln aus Rauch, durch die Mündungsflammen stießen.

Etwas barst auf der Steuerbordseite, und Sharpe neigte sich hinüber und sah, dass ein Holzsplitter aus einem schwarz angestrichenen Streifen des Rumpfes ragte. Eine Leiche wurde aus einer Stückpforte über Bord gestoßen. Ein zweiter Toter folgte. Die Innenseiten der Stückpforten waren rot angestrichen und eine Pforte hing nur noch an einer einzelnen Angel, bis ein Mann sie abriss und fallen ließ.

Drei der Leesegel hingen jetzt von den Rahen, und Chases Seeleute versuchten, sie einzuholen. Ein Kettengeschoss, zwei Eisenstücke, verbunden mit einer kurzen Eisenkette, knallte an den Fockmast nahe des Decks und blieb dort hängen, von der Wucht des Aufschlags tief in das Holz getrieben.

Die *Victory* war jetzt nahe bei der Rauchwolke, doch sie schien für Sharpe geradewegs in eine Wand aus Rauch, Flammen und Donnern zu segeln. Die *Royal Sovereign*, im Rauch verloren und umgeben vom Feind, kämpfte verzweifelt.

Ein Teil der Reling des Vordecks verschwand plötzlich in Splittern und wirbelnden Holzstücken. Ein Seesoldat brach zusammen, von einem der Splitter in die Lunge getroffen. »Hodgkinson! Bringt ihn nach unten!«, brüllte Armstrong.

Einem anderen Seesoldaten war durch einen Splitter ein

Arm aufgerissen worden, doch obwohl sein Ärmel blutgetränkt war und Blut von seinem Handgelenk tropfte, weigerte er sich zu gehen. »Ist nur ein Kratzer, Sergeant.«

»Beweg deine Finger, Junge!« Der Mann wackelte gehorsam mit den Fingern. »Du kannst einen Abzug betätigen«, sagte Armstrong. »Aber binde den Arm ab! Du hast in den nächsten paar Minuten nichts zu tun, also binde den Arm ab! Ich will nicht, dass du mit deinem Blut das schöne, saubere Deck versaust.«

Ein Reißen und Bersten ließ Sharpe aufblicken. Er sah, dass der höchste und schlankste Teil des Großmastes fiel und ein Gewirr des Takelwerks und das Bramsegel mitriss. Schwere Holzstücke krachten aufs Deck. Auf einigen Schiffen war ein Netz über das Achterdeck gespannt, um von solchen niedergehenden Spieren geschützt zu sein, doch Chase mochte diese Netze nicht, denn, so hatte er erklärt, sie schützten die Offiziere auf dem Achterdeck, während die Männer auf dem Haupt- und Vordeck ungeschützt blieben. »Wir müssen alle die gleichen Risiken tragen«, hatte Chase Haskell gesagt, als der Leutnant das Netz vorgeschlagen hatte.

Sharpe meinte, dass die Offiziere auf dem Achterdeck mehr Risiko trugen als die meisten, denn sie waren vom Feind durch ihre ungeschützte Position und ihre goldverzierten Uniformen deutlich zu erkennen. Dennoch sagte sich Sharpe, dass sie mehr Sold bekamen, also auch mehr riskieren mussten. Ein Stagsegeltau riss, das Segel fiel herab und hing über Bord in die See, bis einige Seeleute es einholten und ein neues Tau anbrachten. Ein, zwei, drei weitere Schläge gegen den Rumpf, die die *Pucelle* erzittern ließen. Sharpe fragte sich, wie der Feind in dem dichten Pulverrauch, der ihn umhüllte, überhaupt etwas sehen und seine Geschütze ausrichten konnte. Die Matrosen sangen, als sie das Stagsegel wieder hochzogen.

Weitere Matrosen waren auf dem Großmast und versuchten, den Schaden zu beheben. Das Großsegel hatte jetzt mindestens ein Dutzend Löcher. Die Schiffe vor der *Pucelle* waren ähnlich verwundet. Masten waren geknickt, Rahen gebrochen, Segel durchlöchert, doch es war noch genug Segeltuch vorhanden, um die Schiffe langsam weiterzutreiben. Drei Leichen schwammen neben der *Pucelle*, über Bord geworfen von der *Temeraire* oder *Conqueror*.

»Da ist Seine Majestät!«, rief Armstrong. Der Sergeant kannte anscheinend nicht Nelsons wahren Rang, vergaß seine Abneigung gegen Fremde und betrachtete den Admiral als Northumbrianer ehrenhalber, der nun sein Flaggschiff in die feindliche Linie segelte.

Sharpe hörte das Donnern der Breitseiten und sah die Mündungsblitze auf der Steuerbordseite der *Victory*, deren Geschütze aus drei Decks auf eines der französischen Schiffe feuerten, das sie so lange gepeinigt hatte. Der Fockmast des Franzosen schwankte hin und her und stürzte dann langsam um. Jetzt luden die Kanoniere an Bord der *Victory* neu.

Das Vorbramsegel der *Pucelle* fiel zusammen, als die Taue, die die Rah hielten, durchgeschossen wurden. Die *Conqueror* litt ebenso. Ihre Leesegel trieben im Wasser, obwohl Pellews Männer sich bemühten, sie wieder an Bord zu holen. Ihre Vorroyalstenge stand in einem unnatürlichen Winkel ab, und sie hatte Löcher in ihrer Flanke. Die britischen Schiffe waren jetzt, da ihre Stückpforten geöffnet waren, mit roten Quadraten besetzt, die ihre schwarzen und gelben Streifen durchbrachen. Die Luft erzitterte im Krachen der Geschütze, und der leichte Wind und die Atlantik-Dünung trieben die langsamen Schiffe geradewegs ins feindliche Feuer.

Sharpe beobachtete ein Schiff vor ihm. Es war ein spanisches, und dessen rote und gelbe Flagge am Heck war so riesig, dass sie fast durchs Wasser schleifte. Ein Windstoß vertrieb den Rauch vor ihr, und als sie rollte, konnte Sharpe durch ihre Stückpforten Tageslicht sehen, doch sie sank wieder zurück, und aus einem halben Dutzend dieser Stückpforten stießen Flammen. Die Schüsse krachten in die Takelage, fetzten in die Segel und durchtrennten Taue. Der rote und schwarze Rumpf des Spaniers war verhüllt von Rauch, der immer dichter wallte, je mehr Geschütze feuerten. Eine Kugel krachte in das Vordeck, eine andere schlug hoch in den Fockmast, und eine dritte knallte in die Wasserlinie auf der Backbordseite.

Sharpe zählte und beobachtete das Heck des Spaniers, wo die ersten Geschütze gefeuert hatten. Eine Minute verging, und der Rauch lichtete sich. Zwei Minuten verstrichen, und die Geschütze hatten immer noch nicht wieder gefeuert. Die Kanoniere sind langsam, dachte er, aber auch langsame können noch töten.

Sharpe konnte Männer mit Musketen in der Takelage des Feindes sehen. Die *Britannia*, mit breitem Bug und der Galionsfigur Britanniens, die ihren Schild und Dreizack hielt, stieß plötzlich durch einen Vorhang aus Gischt, wo die zu kurz gefeuerte Kanonenkugel ins Wasser geschlagen war. Der Seesoldat betete immer noch, bat Maria um Schutz und bekreuzigte sich immer wieder.

Die *Victory* war fast verschwunden im Rauch. Sie war jetzt durch die feindliche Linie hindurch, und der Geschützrauch schien rings um sie zu brodeln, und Sharpe konnte für einen Moment das vergoldete Heck des Flaggschiffs durch den Pulverrauch sehen.

Es hatte für Sharpe den Anschein, als ob sich die feindlichen Schiffe um Nelson versammelten, und das Krachen ihrer Geschütze war ohrenbetäubend. Die *Temeraire*, das zweite Schiff in Nelsons Kolonne, erzwang sich den Weg durch eine Lücke in der feindlichen Linie und eröffnete das Feuer, schoss eine Breitseite in das Heck eines französischen Schiffes.

Sharpe schaute nach rechts und sah, dass die ersten Schiffe hinter Collingwoods *Royal Sovereign* endlich den Feind erreicht hatten. Die See dort schien zu kochen. Ein Mast fiel in den Rauch. Eine große Lücke öffnete sich in der feindlichen Linie nördlich der Stelle, an der Collingwood angegriffen hatte, was zeigte, dass die britischen Schiffe den Feind in der Falle hatten und ihm südlich der *Royal Sovereign* harte Schläge versetzten, doch die französischen und spanischen Schiffe im Norden von Collingwoods Flaggschiff segelten weiter auf Nelsons *Victory* zu.

Alles geschah so langsam. Sharpe fand das schwer zu ertragen. Es war nicht wie bei einer Schlacht an Land, wo die Kavallerie über das Feld preschte und die Artillerie das Schlachtfeld beschoss. Diese Seeschlacht fand in lethargischem Tempo statt, und es gab einen sonderbaren Kontrast zwischen der stattlichen, bedächtigen Schönheit der vollgetakelten Schiffe und dem Lärm ihrer Geschütze. Sie segelten so anmutig in ihren Tod, mit der beeindruckenden Schönheit ihrer Masten und gesetzten Segeln über farbigen Rümpfen. Sie krochen auf den Tod zu. Die *Leviathan* und die *Neptune* hatten jetzt in die Schlacht eingegriffen, stießen südlich der *Victory* durch die feindliche Linie.

Eine Kugel riss eine Furche durch das Vordeck der *Pucelle*, eine andere streifte den Besanmast und erschütterte ihn, eine dritte flog über das gesamte Hauptdeck vom Bug bis zum Heck und berührte wie durch ein Wunder nichts auf ihrem Weg. Die Männer kauerten immer noch geduckt zwischen den Geschützen. Chase stand am Besanmast, die Hände hinter dem Rücken. Die *Pucelle* war drei Schiffslängen von der feindlichen Linie entfernt, und Chase wählte die Stelle, an der er hindurchsegeln wollte. Schreie gellten vom unteren Deck, als eine Kanonenkugel vom Großmast abprallte und ein hockendes Mitglied der Geschützcrew streifte.

Etwas summte an Sharpes Ohr vorbei, und er dachte, es sei ein Insekt, doch dann sah er einen kleinen Splitter aus den Decksplanken fliegen und wusste, dass aus der Takelage des Schiffs voraus Musketenfeuer kam. Er zwang sich, still stehen zu bleiben.

Das spanische Schiff war in eine Rauchwolke geraten, und an seiner Stelle segelte jetzt ein Franzose und dicht dahinter ein anderes Schiff. Sharpe wusste nicht, ob es ein Spanier oder Franzose war, denn die Flagge wurde durch die Masse der unbeschädigten Segel verdeckt. Die Segel sahen schmutzig aus. Das Schiff hatte zwei Decks und war kleiner als die *Pucelle*, seine Galionsfigur zeigte einen Mönch, der in der erhobenen Hand ein Kreuz hielt. Vermutlich ein Spanier. Sharpe hielt Ausschau nach der *Revenant*, konnte sie jedoch nicht entdecken.

Chase segelte die *Pucelle* in die schrumpfende Lücke zwischen dem kleineren Spanier und dem Franzosen davor, während der Spanier versuchte, der *Pucelle* den Weg abzuschneiden. Das kleinere Schiff legte sich quer vor ihren Bug, und es war so nahe bei dem Franzosen, dass sein Klüverbaum fast den französischen Besan berührte. Französische Geschütze schossen Kanonenkugeln gegen den Rumpf der *Pucelle*. Musketenkugeln prasselten gegen die Segel. Vor der Takelage des Franzosen wallte Pulverrauch, und ihr Rumpf war davon umhüllt.

Chase schätzte die Lücke ab. Er konnte abdrehen und es mit dem französischen Schiff Breitseite an Breitseite aufnehmen, doch seine Befehle lauteten, die Linie zu passieren. Die Lücke verengte sich gefährlich. Wenn er sich verschätzte und wenn der Spanier sich erfolgreich vor den Bug der *Pucelle* legte, dann würden die Dons sein Bugspriet packen, es an ihr eigenes Schiff zurren und ihn dort halten, während sie ihn beharkten und sein Schiff zertrümmerten.

Haskell erkannte die Gefahr und blickte mit erhobenen Augenbrauen fragend zu Chase. Eine Musketenkugel schlug ins Deck zwischen ihnen, dann zersplitterte eine Kanonenkugel den Rand des Achterdecks gerade oberhalb von Chase, bevor sie die Flaggentruhen vor der Heckreling traf, sodass die *Pucelle* plötzlich einen leuchtenden Schwanz bunter Flaggen hinter sich her zog. Eine Musketenkugel schlug ins Steuerrad, eine andere zersplitterte die Laterne des Kompasshauses.

Chase starrte auf die schrumpfende Lücke und war versucht, am Heck des Spaniers vorbeizusegeln, doch dann entschied er sich dagegen. Er würde verdammt sein, wenn er sich von dem Spanier sein Handeln vorschreiben lassen würde.

»Kurs beibehalten!«, befahl er dem Steuermann. »Kurs beibehalten!« Er würde eher den Bugspriet des Spaniers rammen, bevor er nachgab. »Die Geschütz-Mannschaften aufstehen lassen, Mister Haskell!«, sagte Chase.

Haskell rief aufs Hauptdeck hinab: »Aufstehen! Aufstehen! An die Geschütze treten!«

Die Offiziere wiederholten den Befehl zum unteren Deck. »Aufstehen! Aufstehen!« Männer versammelten sich um ihre Geschütze, spähten durch die offenen Stückpforten und betrachteten die gezackten Löcher, die bereits in die doppelten Eichenplanken des Rumpfs geschossen worden waren. Die Kanonen wurden schussbereit gemacht, und die Kanoniere kauerten sich an ihre Seiten und hielten die Abzugsleinen bereit.

Ein Seesoldat fluchte und taumelte, als eine Musketenkugel durch seine Schulter hinab in seinen Bauch schlug. »Lauf selbst zum Arzt«, sagte Armstrong, »und mach kein Theater.« Er starrte hinauf zum Besanmast des Franzosen, wo eine Gruppe Musketenschützen auf die *Pucelle* feuerte. »Zeit, um diesen Bastarden einige Manieren zu lehren«, grollte er. Der Bugspriet der *Pucelle* schob sich zwischen die beiden Schiffe. Die Kanoniere unter dem Deck konnten den Feind nicht sehen, doch sie wussten, dass sie dem Rauch der feindlichen Geschütze nahe waren, der wie Nebel über der See lag und jetzt noch dichter wurde, weil der Feind wieder feuerte. Doch jetzt war die *Pucelle* so nahe, dass der Feind auf die Schiffe hinter ihr schoss.

»Stoßt durch!«, rief Chase. »Stoßt durch!«

Denn jetzt war der glorreiche Moment der Rache gekommen. Wenn die *Pucelle* sich durch die Lücke zwingen konnte, dann würde sie ihre Breitseiten auf ungeschützte Bugs und Hecks des Feindes schießen können. Dann würde sie, nachdem sie so lange so viel hatte einstecken müssen, zwei Schiffe gleichzeitig beharken, Knochen und Holz mit ihrem eigenen Bleifeuer zerschmettern.

»Zeigt es ihnen!«, rief Chase.

Lasst diese Bastarde bluten, dachte er rachsüchtig. Lasst es die Bastarde bereuen, dass sie jemals geboren worden sind. Bestraft sie in einer feurigen Hölle für den Schaden, den sie bereits an meinem Schiff angerichtet haben.

Es gab ein Reißen und Bersten, als der Bugspriet der *Pucelle* mit dem spanischen Bugspriet aneinandergeriet, doch dann brach der Klüverbaum der Spanier ab, die *Pucelle* war in der Lücke, und die ersten Geschütze konnten loslegen.

»Nun tötet sie!«, brüllte Chase. Erleichterung durchflutete ihn, weil er endlich zurückschlagen konnte. »Tötet sie!«

Lord William Hale hatte sich geweigert, seiner Frau zu erlauben, dass ihr Mädchen bei ihr Unterschlupf finden durfte. Er hatte dem Mädchen befohlen, sie solle sich einen Platz weiter vorn im Laderaum suchen. »Es ist schon schlimm genug«, sagte er zu seiner Frau, »dass wir gezwungen sind, uns an diesem Platz zu verstecken, aber es geht wirklich nicht, dass wir ihn auch noch mit Bediensteten teilen.«

Ihr Platz befand sich in der hintersten Ecke des Laderaums, wo der Rumpf das Ruder trug. Seine vordere Seite wurde durch die Regale gebildet, in denen das Gepäck der Offiziere lagerte und wo Malachi Braithwaite an seinem Todestag die Aktennotiz gesucht hatte, und die Wände wurden von den steil abfallenden Seiten des Schiffs gebildet. Obwohl Captain Chase befohlen hatte, hier ein Stück altes Segeltuch auszulegen, damit es wenigstens einen bescheidenen Komfort gab, waren Lord William und Lady Grace gezwungen, sich unter die kleine Luke zu setzen, die zur Kadettenmesse auf dem Orlopdeck darüber führte. In der Kadettenmesse wurden normalerweise die Steinschlösser der Kanonen gelagert, und die kleinen Waffen des Schiffes konnten dort repariert werden. Die Kadettenmesse stand jetzt leer. Der Schiffsarzt konnte sie als Raum nutzen, in den er die Toten schob.

Lord William hatte auf zwei Laternen bestanden, die von rostigen Haken an der Decke hingen. Er zog seine Pistole und legte sie auf seinen Schoß, benutzte sie als improvisierte Stütze für ein Buch, das er aus seiner Rocktasche zog. »Ich lese die *Odyssee*«, sagte er zu seiner Frau. »Ich dachte mir, ich sollte auf dieser Reise die Muße haben, um mehr zu lesen, aber die Zeit ist wahnsinnig schnell vergangen, und die Muße ist auf der Strecke geblieben. Ist es bei dir auch so gewesen?«

»So ungefähr«, sagte sie dumpf. Das Krachen der Geschütze war sehr gedämpft unter der Wasserlinie.

»Aber es hat mich erfreut«, fuhr Lord William fort, »in den paar Momenten, denen ich mich Homer widmen konnte, festzustellen, das mein Griechisch noch so gut wie immer ist. Ich hatte nur ein paar Wörter vergessen, doch der junge Braithwaite rief sie mir in Erinnerung zurück. Er war nicht besonders von Nutzen, dieser Braithwaite, aber sein Griechisch war ausgezeichnet.«

»Er war ein abscheulicher Mann«, sagte Lady Grace.

»Mir war gar nicht klar, dass du ihn überhaupt bemerkt hast«, sagte Lord William und verschob das Buch so, dass der Laternenschein auf die Seite fiel. Er fuhr mit dem Finger unter den Zeilen entlang und formte unhörbar die Worte mit den Lippen.

Lady Grace lauschte den Geschützen. Dann zuckte sie zusammen, als ein Geschoss die *Pucelle* traf und sie erbeben ließ. Lord William hob nur kurz eine Augenbraue und las weiter. Weitere Schüsse krachten, gedämpft durch die Decks. Gegenüber von Grace rann Wasser durch eine Fuge, und jedes Mal, wenn die Dünung das Schiff hob, stieg das Wasser in der Fuge und lief dann hinab und verschwand im Laderaum jenseits der Gepäckregale. Sie widerstand dem Wunsch, einen Finger auf die Fuge zu pressen, in die ein schmaler Streifen Werg gestopft war, und sie erinnerte sich daran, dass Sharpe ihr erzählt hatte, wie er als Kind im Waisenheim gezwungen gewesen war, große Säcke geteerter Taue zu bearbeiten, die als Fender in Londoner Docks benutzt worden waren. Sein Job war es gewesen, die Hanfstricke zu splissen, die dann an Werften verkauft wurden. Seine Fingernägel waren immer noch rissig und geschwärzt, doch das war seiner Meinung nach das Resultat vom Feuern mit einer Steinschlossmuskete. Sie dachte an seine Hände, schloss die Augen und wunderte sich über die Verrücktheit, zu der sie sich hatte hinreißen lassen. Sie war immer noch Sklavin ihrer Leidenschaft. Das Schiff erbebte von Neuem, und sie empfand plötzlich Entsetzen bei dem Gedanken, in diesem engen Verlies gefangen zu sein, während die *Pucelle* sank.

»Ich lese über Penelope«, sagte Lord William und ignorierte den ständigen Beschuss der *Pucelle*. »Sie ist eine bemerkenswerte Frau, nicht wahr?«

»So habe ich auch immer gedacht«, sagte Lady Grace und öffnete die Augen.

»Der Inbegriff der Treue, findest du nicht auch?«, fragte Lord William.

Grace betrachtete das Gesicht ihres Mannes. Er saß links von ihr auf der anderen Seite des schmalen Raums. Er wirkte belustigt.

»Ihre Treue wird immer gelobt«, sagte sie.

»Hast du dich jemals gefragt, mein Liebling, warum ich dich nach Indien mitgenommen habe?«, fragte Lord William und schloss das Buch, nachdem er einen Brief als Lesezeichen zwischen die Seiten gelegt hatte.

»Ich hoffte, weil ich von Nutzen für dich sein könnte«, antwortete sie.

»Und so war es«, sagte Lord William. »Du hast unsere Besucher prächtig unterhalten, und ich habe keine einzige Beschwerde über deine Führung des Hauhalts gehört.«

Grace sagte nichts. Das Ruder, so nahe hinter ihnen, knarrte leise in seinen Drehbolzen. Das feindliche Geschützfeuer war eine ständige Folge von dumpfen Donnerschlägen, die manchmal zu einem Crescendo anschwollen und dann wieder zu einem stetigen dumpfen Krachen wurden.

»Aber natürlich kann ein guter Diener einen Haushalt genauso gut führen wie eine Frau, wenn nicht gar besser«, fuhr Lord William fort. »Nein, mein Liebling, ich gestehe, ich habe nicht aus diesem Grund gewünscht, dass du mich begleitest, verzeih mir, sondern weil ich befürchtete, dass es dir schwerfallen wird, so lange treu zu sein wie Penelope, wenn ich dich daheim zurücklasse.«

Grace, die beobachtet hatte, wie das Wasser in der Fuge höher stieg und überlief, schaute ihren Mann an. »Du bist beleidigend«, sagte sie kühl.

Lord William ignorierte ihre Worte. »Penelope blieb schließlich ihrem Ehemann während all der langen Jahre seines Exils treu«, fuhr er fort, »aber hätte eine moderne Frau die gleiche Geduld?« Lord William gab vor, über diese Frage zu grübeln. »Was meinst du, mein Liebling?«

»Ich meine«, sagte sie beißend, »dass ich mit Odysseus verheiratet sein müsste, um eine solche Frage beantworten zu können.«

Lord William lachte. »Würde dir das gefallen, mein Liebling? Möchtest du mit einem Krieger verheiratet sein? Aber ist Odysseus solch ein großer Krieger? Mir scheint, er wirkt manchmal eher wie ein Schwindler und Gauner, statt wie ein Soldat.«

»Er ist ein Held«, sagte Grace.

»Ich glaube, das sind alle Ehemänner für ihre Frauen«, sagte Lord William selbstgefällig. Dann blickte er zu den Deckenbalken auf, als ein Doppelschlag das Schiff erschütterte. Eine Woge hob das Heck an, und er stützte sich Halt suchend ab. Schritte hasteten über das Deck über ihnen, wo die ersten Verwundeten unter das Messer des Schiffsarztes gebracht wurden.

Ein besonders lautes Krachen in der Nähe ließ Lady Grace erschreckt aufschreien. Ein bedrohliches Rauschen von Wasser verstummte abrupt, als der Zimmermann ein Loch in der Wasserlinie des Schiffes fand und einen Holzspund in das Loch hämmerte.

Lady Grace fragte sich, wie tief unter der Wasserlinie sie sich befanden. Fünf Fuß? Captain Chase war sicher gewesen, dass kein Schuss hierher durchdringen konnte. Er hatte erklärt, dass die See die Kanonenkugeln sofort verlangsamte, doch die schrecklichen Geräusche ließen darauf schließen, dass jeder Teil der *Pucelle* verwundet werden konnte. Die Pumpen des Schiffes arbeiteten, doch wenn die *Pucelle* das Feuer eröffnete, würden die Männer zu beschäftigt sein, um sich um die Pumpen zu kümmern.

Das Schiff war voller Geräusche. Das Knarren der Mastverankerungen im Laderaum, das Gurgeln von Wasser, das Saugen der Pumpe, das Ächzen von Planken, das Kreischen des Ruders in seinen Metallaufhängungen, das Krachen der feindlichen Geschütze, das Bersten der Kugeleinschläge. Lady Grace hielt bei der Kakophonie eine Hand auf den Mund und die andere auf ihren Bauch, wo sie Sharpes Kind trug.

»Wir sind hier völlig sicher«, beruhigte Lord William seine Frau. »Captain Chase hat mir versichert, dass niemand unter der Wasserlinie stirbt. Da ich gerade daran denke, fällt mir ein, dass den lieben Braithwaite genau dieses Schicksal ereilt hat.« Lord William lächelte spöttisch. »Er wurde unterhalb der Wasserlinie umgebracht.«

»Er ist zu Tode gestürzt«, sagte Lady Grace.

»So, ist er das?«, fragte Lord William, und sein Tonfall ließ darauf schließen, wie sehr er dieses Gespräch genoss. Ein Donnerschlag erschütterte das Schiff, und dann schabte etwas schnell und hart über den Rumpf. Lord William setzte sich bequemer hin. »Ich muss zugeben, dass ich mich gefragt habe, ob er überhaupt gestürzt ist.«

»Wie sonst hätte er sterben können?«, fragte Grace.

»Das ist eine berechtigte Frage, meine Liebe.« Lord William tat, als denke er darüber nach. »Natürlich könnte man etwas ganz anderes als Todesursache annehmen, wenn man bedenkt, dass jemand an Bord den unglücklichen Mann nicht ausstehen konnte. Wie du zum Beispiel. Du hast gesagt, dass er abscheulich war.«

»Das war er«, sagte Lady Grace bitter.

»Aber ich glaube nicht, das du ihn hättest töten können«, sagte Lord William mit einem Lächeln. »Vielleicht hatte er andere Feinde? Feinde, die dafür sorgen konnten, dass sein Tod wie ein Unfall aussieht? Odysseus, der dem jungen Braithwaite nie hätte begegnen können, hätte sicherlich keine Mühe gehabt, solch einen Mord zu vertuschen, findest du nicht auch?«

»Er ist gestürzt«, beharrte Lady Grace müde.

»Dennoch gibt es erhebliche Zweifel daran«, sagte Lord William und blickte gedankenverloren vor sich hin. »Ich gebe zu, dass ich Braithwaite nicht besonders leiden konnte. Sein Arbeitseifer war zu aufgesetzt für meinen Geschmack. Es mangelte ihm an Taktgefühl, und er konnte seinen lächerlichen Neid auf die Privilegierten nicht verbergen. Ich habe schon mit dem Gedanken gespielt, auf seine Dienste zu verzichten, aber er muss eine bessere Meinung von mir gehabt haben als ich von ihm, denn sonst hätte er mich nicht eingeweiht.«

Lady Grace beobachtete ihren Mann. Die schwankenden Laternen verzerrten die Schatten zu beiden Seiten seines Körpers. Eine Kanonenkugel schlug ins Unterdeck über ihnen, und die Spanten trugen das Krachen hinunter bis zu ihnen, doch Lady Grace zuckte bei dem Geräusch nicht einmal zusammen. Sie kratzte an einem Stückchen Werg und versuchte sich vorzustellen, wie sich ein kleines Kind in einem kalten Waisenhaus fühlte.

»Vielleicht kann man es Einweihen nennen, was er getan hat«, sagte Lord William pedantisch, »denn natürlich habe ich ihn nicht ermuntert, jemanden der Untreue zu bezichtigen, doch er hatte eine Art Vorahnung, dass er sterben würde. Meinst du, dass er vielleicht prophetische Gaben besaß?«

»Ich wusste nichts von ihm«, sagte Grace distanziert.

»Er tut mir fast leid«, sagte Lord William, »denn er lebte in Angst.«

»Eine Seereise kann Nervosität hervorrufen«, sagte Lady Grace.

»In so großer Angst«, fuhr Lord William fort und ignorierte die Worte seiner Frau, »dass er vor seinem Tod einen versiegelten Brief zwischen meinen Papieren hinterlegte, mit der Aufschrift ›Bei meinem Tod zu öffnen‹.« Er schnaubte. »Ziemlich dramatisch, findest du nicht auch? So dramatisch, dass ich zögerte, den Brief zu öffnen, denn ich befürchtete, dass er nichts anderes enthält als weiteren Groll und Rechtfertigungen. Ich war so entgeistert, etwas von Braithwaite nach seinem Tode zu hören, dass ich den Brief fast über Bord geworfen hätte, doch mein christliches Pflichtgefühl ließ mich ihm Aufmerksamkeit schenken, und ich muss zugeben, er schrieb nichts Uninteressantes.« Lord William lächelte seine Frau an und zog den gefalteten Brief aus der *Odyssee*.

»Hier, meine Liebe, ist das Vermächtnis des jungen Braithwaite für unser eheliches Glück. Bitte lies es, denn ich habe mich so sehr darauf gefreut, zu hören, was du zu dem Inhalt sagst.« Er hielt ihr den Brief hin, und obwohl Lady Grace zögerte, wusste sie, dass sie gehorchen musste. Entweder das oder zuhören, wie er den Brief laut vorlas, und so nahm sie ihn wortlos.

Ihr Mann schloss seine Hand um den Griff seiner Pistole.

Der Bugspriet der *Pucelle* zersplitterte den Bugspriet des spanischen Schiffes.

Und Lady Grace las ihr Verhängnis.

Das Heck des französischen Schiffs war so nahe, dass Sharpe es mit ausgestreckter Hand hätte berühren können. Ihr Name stand in goldenen Lettern auf einem schwarzen Streifen zwischen zwei Fenstern mit verzierten goldenen Rahmen: *Neptune*. Die Briten hatten eine *Neptun* bei dem Gefecht, einen Dreidecker mit achtundneunzig Geschützen, doch diese *Neptune* hatte nur zwei Decks, obwohl Sharpe den Eindruck hatte, dass sie größer als die *Pucelle* war. Ihr Heck war höher als das Vordeck der *Pucelle* und gesäumt mit französischen Seesoldaten, die mit Musketen bewaffnet waren.

Ihre Kugeln knallten aufs Deck oder gruben sich in das Hängemattennetzwerk. Gerade unterhalb der Rauchwolke der feindlichen Geschütze erkannte Sharpe ein Schild, das an der Heckreling montiert war. Das Schild war gekrönt von einem Adler, und auf jeder Seite waren Gebinde von hölzernen Flaggen zu sehen, alle, wie das Schild selbst, in den Farben der französischen Trikolore, doch die Farbe war verwittert, und Sharpe konnte darunter das königliche Wappen Frankreichs unter dem Rot, Weiß und Blau erkennen. Er feuerte mit seiner Muskete, und dann zog Clouter, der gewartet hatte, bis sein Geschütz direkt auf die Mitte der französischen *Neptune* feuern konnte, die Abzugsleine.

Es war das erste Geschütz der *Pucelle*, das feuerte, und es zuckte in einer Wolke schwarzen Rauchs auf der Lafette zurück. Die französischen Seesoldaten verschwanden in einem blutigen Schwall der Musketenkugeln, die zusätzlich zur Kanonenkugel geladen worden waren, und die Ladung zerschmetterte das angestrichene Schild und schlug dann in den Besanmast der *Neptune*, mit einem Krachen, das im Donnern der Geschütze unterging, die vom unteren Deck der *Pucelle* feuerten.

Auch diese Geschütze hatten eine Mehrfachladung, jeweils

ein Bündel Kartätschenmunition auf den beiden Kanonenkugeln, und sie feuerten geradewegs in die Heckfenster des Franzosen. Glas und Rahmen verschwanden, als die schweren Geschosse durch die beiden Geschützdecks der *Neptune* rasten. Kanonen wurden von ihren Lafetten gefegt, Männer schwer verletzt und getötet, und immer noch feuerten die Geschütze, als sich die *Pucelle* langsam, so langsam wie im Spaziertempo eines alten Mannes, am Heck der *Neptune* vorbeischob. Die Geschütze auf der Steuerbordseite feuerten in den Bug des Spaniers und schickten ihre mörderischen Geschosse auf die Geschützdecks. Die *Pucelle* brachte den Tod, und Pulverrauch wallte vom Bug bis zum Heck.

Der Besanmast der *Neptune* ging über Bord. Sharpe hörte die Schreie der Schützen in der Takelage, sah sie fallen, dann rammte er eine neue Kugel in seine Muskete. Das Steuerbordgeschütz, geladen wie Clouters Karronade mit Musketenkugeln und einer schweren Kanonenkugel, hatte auf dem Vordeck des Spaniers gewütet, und es waren keine Männer mehr zu sehen. Blut tropfte vom Speigatt des Vordecks, während die Galionsfigur des Mönchs mit dem Kreuz in Kleinholz verwandelt worden war. Die *Pucelle* hatte einen Teil der Flagge des Franzosen zerfetzt, und der Rest hing wie der gefallene Besanmast im Wasser. Chase wollte sein Schiff nach backbord drehen, längs der *Neptune* legen und sie in Klumpen schießen, doch das kleinere spanische Schiff rammte die *Pucelle* und drehte sie unabsichtlich nach steuerbord. Es gab ein Reißen, Bersten und Knirschen, als die beiden Rümpfe gegeneinander stießen, dann ließ der spanische Captain aus Furcht, geentert zu werden, einige Segel einholen, und das kleinere Schiff fiel achtern zurück. Die Steuerbordstückpforten waren geschlossen gewesen, und jetzt kamen die überlebenden Kanoniere von der Backbordseite herüber. Die Geschütze feuerten in die *Pucelle*.

Captain Llewellyns Seesoldaten schossen in die Takelage des Spaniers. Rauch verhüllte das kleinere Schiff. Chase dachte daran, das Ruder herumzureißen und sich ihm zu nähern, doch er war bereits vorbei, und so rief er dem Steuermann zu, das Schiff nordwärts zu dem Hexenkessel aus Feuer und Rauch zu segeln, der die *Victory* umgab. Der Rumpf des Flaggschiffs war in dem stinkenden Nebel nicht zu sehen, aber nach den Masten zu schließen war ein Franzose auf jeder Seite von ihm.

»Holt die Leesegel ein!«, befahl Chase. Die Segel waren nur nützlich vor dem Wind, aber jetzt würde die *Pucelle* drehen und den schwachen Wind auf ihrer Backbordflanke einfangen. Die Matrosen eilten über die Rahen. Einer, getroffen von einer Musketenkugel, brach über der Großrahe zusammen und fiel dann hinab, eine blutige Spur am Großsegel hinterlassend.

Die französische *Neptune* wurde durch ihren ins Wasser gefallenen Besanmast verlangsamt. Ihre Mannschaft hackte mit Äxten auf das Takelwerk ein, versuchte, den abgebrochenen Mast über Bord zu werfen. Die *Pucelle* war jetzt von ihrem Achterschiff freigekommen, und Chases Kanoniere an Backbord hatten neu geladen und feuerten Schuss um Schuss in den Franzosen. Sie feuerten durch den sich zögernd lichtenden Rauch ihrer ersten Breitseite. Das Donnern der Geschütze erfüllte die Luft, ließ die See erbeben, erschütterte das Schiff. Clouter hatte die Karronade an Backbord laden lassen, ein zeitraubender Job, aber es war kein Ziel in der Nähe, und er würde nicht die gigantische Ladung auf die *Neptune* vergeuden, die den abgebrochenen Mast losgeworden war und sich entfernte. Er rammte eine neue Ladung Musketenkugeln in das kurze Rohr und wartete darauf, dass ein neues Ziel in Reichweite auftauchte.

Doch die *Pucelle* befand sich plötzlich allein in der offenen See, und kein Feind war zu sehen. Sie war durch die Linie gestoßen, doch die *Neptune* war nordwärts gesegelt und der Spanier im Rauch achtern verschwunden. Vor ihr war kein anderes Schiff, ausgenommen eine feindliche Fregatte, die eine Viertelmeile entfernt war.

Schiffe in der Kampflinie ließen sich nicht dazu herab, gegen Fregatten zu kämpfen, wenn sie Linienschiffe angreifen konnten. Eine lange Linie französischer und spanischer Linienschiffe kam von Süden, doch keines war in Reichweite, und so setzte Chase seinen Weg durch Rauch fort, durch den Mündungsflammen blitzten und anzeigten, wo Nelsons umzingeltes Flaggschiff lag. Es gab Ruhm bei der Verteidigung eines Flaggschiffs zu erwerben, und die *Victory*, genau wie die *Royal Sovereign*, zog feindliche Schiffe wie Fliegen an. Vier andere britische Schiffe waren nahe der *Victory* in Aktion, doch der Feind hatte sieben oder acht, und eine Zeitlang würde keine andere Hilfe eintreffen, denn die *Britannia* war zu langsam.

Die französische *Neptune* schien sich dem Gewühl anschließen zu wollen, und so folgte Chase ihr. Die See war von schwimmenden Wrackteilen übersät. Zwei Leichen trieben vorbei. Eine Seemöwe hockte auf einer und hackte in das Gesicht des Toten, das von einer Kanonenkugel aufgerissen und vom Seewasser weiß gewaschen worden war.

Die Verwundeten der *Pucelle* wurden nach unten getragen und die Toten über Bord geworfen. Das Kanonenrohr, das von der Lafette gerissen worden war, wurde festgezurrt, damit es sich beim Stampfen des Schiffs nicht verschieben und jemanden zerquetschen konnte. Offiziere verteilten Kanoniere unter den Mannschaften neu, glichen die Zahl aus, wo zu viele getötet oder verwundet worden waren.

Chase starrte auf das spanische Schiff. »Ich hätte mich längsseits daneben legen sollen«, sagte er zu Haskell.

»Das werden andere tun, Sir.«

»Bei Gott, ich will heute eine Prise!«, sagte Chase.

»Da gibt's doch noch viele, Sir.«

Das nächste Schiff war ein Zweidecker, der längsseits der größeren *Victory* lag. Chase konnte den Rauch der Geschütze der *Victory* in dem schmalen Zwischenraum zwischen den beiden Schiffen sehen, und er stellte sich das Chaos auf den unteren Decks des Franzosen vor, als die drei Reihen der britischen Geschütze Männer und Planken zerschmetterten, doch er sah auch, dass die Oberdecks des Franzosen voller Männer waren. Der französische Kapitän schien seiner gesamten Mannschaft befohlen zu haben, die Geschützdecks zu verlassen und sich auf dem Vordeck, Hauptdeck und Achterdeck zu versammeln, wo die Männer mit Musketen, Piken, Äxten und Entermessern bewaffnet worden waren.

»Sie wollen die *Victory* entern!«, rief Chase und wies hin.

»Bei Gott, Sir, so sieht es aus!«

Chase konnte nicht den Namen auf dem Franzosen sehen, denn der Pulverrauch wogte um sein Heck, doch der Kapitän war offenbar ein kühner Mann, der bereit war, sein Schiff zu verlieren, wenn er dadurch Nelsons Flaggschiff kapern konnte. Seine Seeleute hatten sich mit Enterhaken an die größere *Victory* gekrallt, seine Kanoniere hatten ihre Stückpforten geschlossen und die Entermesser genommen, und jetzt suchten die Franzosen einen Weg, um auf Nelsons Deck zu gelangen. Die *Victory* war höher als der Franzose, und selbst wenn sich ihre Rümpfe berührten, waren ihre Relinge immer noch dreißig oder vierzig Fuß voneinander entfernt.

Die Geschütze der *Victory* beschossen den Rumpf des Franzosen, während das französische Schiff Dutzende Männer in der Takelage hatte, die tödliche Musketensalven auf die Decks des Flaggschiffs feuerten. Sie hatten diese Decks fast geräumt, sodass die Briten jetzt von ihrem Unterdeck kämpften, während die Franzosen einen Weg hinüber auf das praktisch unverteidigte Hauptdeck suchten. Der französische Kapitän wollte Hunderte Männer auf die *Victory* schicken. Damit würde er sich einen Namen machen, Admiral werden und Nelson als Gefangenen nach Cadiz bringen.

Chase stieg ein Stück an den Wanten des Besanmastes hoch, um verfolgen zu können, was geschah, und was er sah, erschreckte ihn. Er konnte weder den Admiral noch Captain Hardy sehen. Ein paar rotberockte Seesoldaten duckten sich hinter Geschützen und erwiderten schwach den Kugelhagel der Musketen, der immer noch aus der Takelage des Franzosen herabpeitschte, während auf der anderen Seite der *Victory* ein anderes feindliches Schiff auf ihren Rumpf feuerte.

Chase sprang aufs Achterdeck zurück. Er gab dem Steuermann eine Anweisung und nahm dann ein Sprachrohr von der beschädigten Reling. »Clouter! Haben Sie auch Musketenkugeln geladen?«

»Volle Ladung davon, Sir!«

Das feindliche Schiff war noch etwa hundert Yards entfernt. Das Kanonenfeuer der *Victory* war jetzt aufwärts gerichtet, weil Hardys Kanoniere die Neigung der Geschützrohre so weit erhöht hatten, wie es möglich war. Löcher wurden hoch in die Steuerbordseite des Franzosen geschossen, doch die britischen Kanoniere feuerten blind, und die Enterer versammelten sich hinter der Bordwand auf dem Hauptdeck, das von den britischen Geschützen nicht erreicht werden konnte. Der französische Kapitän rief seinen Männern zu, die Großrahe fallen zu lassen und zu schwenken, damit sie als Brücke zum Ruhm dienen konnte. Seine Takelage hatte sich in der Takelage der *Victory* verfangen, aber seine war voller Männer und die der *Victory* war leer. Das Peitschen der Musketen klang durch das tiefe Wummern der Geschütze. Holz splitterte vom französischen Deck unter dem Einschlag der Kugeln.

Noch fünfzig Yards. Der Wind war schwach. Die See war bedeckt mit Streifen wie Nebel. Die Dünung hob die *Pucelle* ostwärts.

»Ein Strich backbord, John«, sagte Chase zum Steuermann. »Bring mich an sein Achterschiff.« Der Rauch vom Heck des französischen Schiffes lichtete sich, und Chase sah den Namen des Schiffes, dessen Besatzung die *Victory* zu entern drohte. Die *Redoutable*. Tod der *Redoutable*, dachte er, und in diesem Augenblick lockerten die Seeleute des französischen Schiffs das Fall der Großrahe, und das große Rundholz krachte auf das zerschmetterte Hängemattennetz. Es blieb wie ein in Segeltuch gehüllter Baumstamm über der Bordwand der *Redoutable* liegen, doch das Ende ragte gerade hinüber zum Hauptdeck der *Victory*. Es war eine schmale Brücke, doch ausreichend für die Franzosen.

»*A l'abordage!*«, rief der französische Kapitän. Er war ein kleiner Mann mit sehr lauter Stimme. Er hatte seinen Degen gezogen. »*A l'abordage!*«

Seine Männer brachen in Hurrageschrei aus, als sie über die Rahe strömten.

Die *Pucelle* hob sich auf einer Welle.

»Jetzt!«, rief Chase zum Vordeck. »Jetzt, Clouter, jetzt!«

Und Clouter zögerte.

KAPITEL 11

Malachi Braithwaite hatte in gestochener Handschrift geschrieben, dass Lord Williams Frau Grace eine ehebrecherische Beziehung mit Ensign Sharpe hatte. Er hatte die beiden beim Geschlechtsverkehr in Sharpes Quartier an Bord der *Calliope* belauscht und aus den zügellosen Geräuschen in der Kabine geschlossen, dass Ihre Ladyschaft ihren Stand in der Ekstase völlig vergessen hatte. Braithwaite hatte mit einer billigen Tinte geschrieben, in wässrigem Braun, und es war schwierig, die Buchstaben in dem schummrigen Licht zu entziffern. Der Sekretär berichtete, dass er zuerst seinen eigenen Ohren nicht getraut hätte und er es kaum habe glauben können, als er Lady Grace in der Dunkelheit vor der Morgendämmerung aus Sharpes Quartier hatte kommen sehen, und so hatte er es für seine Pflicht gehalten, Sharpe mit seinem Verdacht zu konfrontieren.

»Aber als ich Ensign Sharpe mit meinen Anschuldigungen zur Rede stellte«, schrieb er, »und ihm vorwarf, den Stand Ihrer Ladyschaft zu seinem Vorteil zu missbrauchen, leugnete er nicht die Umstände, sondern drohte mir mit Mord.« Braithwaite hatte das Wort unterstrichen. »Es war dieser Umstand, Mylord, der mich meine Pflicht vergessen und feige schweigen ließ.« Es mache ihm kein Vergnügen, schloss Braithwaite seinen Brief, Seine Lordschaft über die schändlichen Ereignisse zu informieren, besonders weil Seine Lordschaft ihm immer solch außerordentliche Freundlichkeit gezeigt habe.

Lady Grace ließ den Brief auf ihren Schoß sinken.

»Er lügt«, sagte sie. »Er lügt.« In ihren Augen schimmerten Tränen.

Das Deck war von Geräuschen erfüllt. Die Geschütze der *Pucelle* hatten zu feuern begonnen, und das Donnern der Kanonen hallte durch das Schiff und ließ die beiden Laternen an der Decke schwanken. Der Lärm hielt an und wurde lauter, als die Schüsse näher beim Heck krachten. Dann gab es einen fruchtbaren Schlag, als der Bug des spanischen Schiffs mit der Seite der *Pucelle* kollidierte. Es folgte ein gewaltiges Knirschen, als Tonnen von Holz über den Rumpf schabten. Ein Mann rief etwas, ein Geschütz feuerte, dann drei weitere.

Dann herrschte eine Stille, die etwas Unheilvolles hatte.

»Er hat gelogen«, sagte Lord William sanft in die Stille und neigte sich vor, um den Brief vom Schoß seiner Frau zu nehmen. Grace bemühte sich noch, ihn festzuhalten, doch Lord William war zu schnell. »Natürlich hat Braithwaite gelogen«, fuhr Seine Lordschaft fort. »Es muss ihm ein perverses Vergnügen bereitet haben, mir von deinem abscheulichen Verhalten zu berichten. Man merkt seine Freude an jeder Zeile des Briefes. Und ich habe ihm gewiss keine Freundlichkeit gezeigt. Der Gedanke ist so lächerlich wie beleidigend.«

»Er lügt«, sagte Lady Grace trotzig. Eine Träne zitterte in ihrem Augenwinkel und kullerte dann die Wange hinab.

»Ich soll ihm außerordentliche Freundlichkeit gezeigt haben!«, sagte Lord William ätzend. »Warum sollte ich so etwas tun? Ich habe ihm eine kleines Salär gezahlt, entsprechend seinen Diensten, und das war alles.« Lord William faltete sorgfältig den Brief zusammen und steckte ihn in die Tasche. »Ein Umstand verwirrt mich jedoch«, fuhr er fort. »Warum hat er Sharpe damit konfrontiert? Warum kam er nicht gleich zu mir? Es ist mir vollkommen rätselhaft. Warum hat er mit Sharpe gesprochen? Was hat Braithwaite von ihm erwartet?«

Lady Grace sagte nichts, das Ruder knarrte in seiner Aufhängung, und ein feindliches Geschoss traf die *Pucelle* mit einem Donnern. Dann war es wieder still.

»Dann fiel mir wieder ein, dass Sharpe einige Wertsachen bei diesem elenden Cromwell deponiert hatte. Ich hielt das für eigenartig, denn popelige Ensigns sind normalerweise arm, aber ich nehme an, dass er einigen Reichtum in Indien geplündert haben konnte. Hat Braithwaite versucht, ihn zu erpressen? Was meinst du?«

Lady Grace schüttelte den Kopf, nicht als Antwort auf die Frage ihres Mannes, sondern als ob sie das ganze Thema abschütteln wollte.

»Oder vielleicht hat Braithwaite versucht, dich zu erpressen?«, sagte Lord William und lächelte seine Frau an. »Er pflegte dich so schmachtend anzuschauen. Es amüsierte mich, denn es war klar, was er dachte.«

»Ich habe ihn gehasst«, platzte Lady Grace heraus.

»Eine übertriebene Verschwendung von Gefühl, mein Liebling«, sagte Lord William. »Er war eine unbedeutende Person, kaum wert, ihn zu hassen. Aber, und dies ist der Kernpunkt unserer Unterhaltung, hat er die Wahrheit gesagt?«

»Nein!«, schrie Lady Grace.

Lord William hob die Pistole und untersuchte ihr Schloss im Lampenschein. »Ich habe bemerkt, wie deine Stimmung sich besserte, nachdem wir an Bord der *Calliope* gegangen sind. Es hat mich natürlich gefreut, denn du bist in diesen letzten Monaten übernervös und angespannt gewesen, aber seit wir auf Cromwells Schiff waren, hatte es den Anschein, als wärst du glücklich. In der Tat war in den letzten paar Tagen eine Munterkeit in dir, die erstaunlich ist. Bist du schwanger?«

»Nein«, log Lady Grace.

»Dein Mädchen hat mir erzählt, dass dir an den meisten Morgen übel ist. Morgendliche Übelkeit, sagt dir das etwas?«

Grace schüttelte wieder den Kopf. Tränen rannen über ihre Wangen. Teils weinte sie aus Scham. Wenn sie mit Sharpe zusammen war, schien es so schön und aufregend zu sein, doch das konnte sie nicht zu ihrer Verteidigung sagen. Sharpe war ein gewöhnlicher Soldat, ein Waisenkind aus einem Elendsviertel in London. Wenn die Gesellschaft jemals von ihrer Affäre erfuhr, dann würde sie Zielscheibe des Spottes werden. Einem Teil von ihr war es gleichgültig, ob sie verspottet wurde, aber ein anderer Teil zuckte unter der Peitsche von Lord Williams Zorn zusammen. Grace kam sich vor, als wäre sie hier in der Tiefe des Schiffs unter den Ratten und verloren.

Lord William sah ihre Tränen und hielt sie für das erste Anzeichen auf seine Rache. Dann blickte er zu den Planken des Orlopdecks auf und runzelte die Stirn.

»Es ist seltsam still«, sagte er und versuchte, sie verwirrt zu halten, indem er über die Schlacht sprach, bevor er sie weiter mit seiner scharfen Zunge quälte. »Vielleicht sind wir von der Schlacht davongesegelt?« Er konnte das Grollen fernen Kanonendonners hören, aber kein Geschütz wurde mehr auf der *Pucelle* abgefeuert. »Ich erinnere mich, wie wir uns kennen lernten, und mein Onkel mir vorschlug, dich zu heiraten«, sagte er und legte die Pistole auf seine Knie. »Ich hatte natürlich meine Zweifel. Dein Vater ist ein Taugenichts, und deine Mutter eine geschwätzige Närrin, aber du bist klassisch schön, und ich muss zugeben, dass mich diese Schönheit anzog. Ich ahnte zwar, dass du dich mit deiner Erziehung nur groß tust, doch du hast bessere Bildung bewiesen, als ich vermutet habe, und ich befürchtete, dass du eigene Meinungen haben könntest, nahm allerdings an, dass sie albern sind, aber ich war darauf vorbereitet, solche Mängel zu ertragen. Ich glaubte, dass meine Geilheit auf deine Schönheit meine Abneigung gegen deine intellektuellen Mängel überwinden würde, und so habe ich sehr wenig von dir verlangt, außer dass du mir einen Erben schenkst und die Würde meines Namens aufrechterhältst. Beides ist nicht geschehen.«

»Ich habe dir einen Erben geschenkt«, protestierte Grace unter Tränen.

»Diesen kränklichen Balg?«, fauchte Lord William, und ihn schauderte. »Es sind deine anderen Mängel, die mir jetzt zu schaffen machen, meine Liebe. Dein Mangel an Geschmack, an Benehmen, an Anständigkeit, an Treue und ...«, er legte eine Pause ein, suchte nach der richtigen Beleidigung, »... an Manieren!«

»Braithwaite hat gelogen!«, schrie Grace. »Er hat gelogen!«

»Das hat er nicht«, sagte Lord William. »Du hast es mit diesem einfachen Soldaten getrieben, mit diesem unwissenden Lump, diesem Primitivling.« Seine Stimme war jetzt kalt, denn er konnte seinen Zorn nicht länger verbergen. »Du hast mit einem Bauern gevögelt, und du hättest nicht tiefer sinken können, indem du als Hure auf der Straße deine Röcke gehoben hättest.«

Lady Grace starrte ihn an. Ihr Mund stand offen, als ringe sie um Atem. Und die Tränen tropften auf ihren Mantel. Ihre Augen waren voller Tränen und schienen nichts wahrzunehmen.

»Und jetzt siehst du so hässlich aus«, sagte Lord William, »was mir dies viel leichter machen wird.« Er hob die Pistole.

Und von Neuem hallte ein Schuss über das Schiff.

Clouter zog nicht die Abzugsleine, als Chester ihm den Feuerbefehl gab. Er wartete. Für Sharpe und jeden anderen Beobachter hatte es den Anschein, dass Clouter zu lange wartete und dass die Franzosen das Hauptdeck der *Victory* erreichen würden, doch die *Pucelle* hatte sich auf einer Welle gehoben, und Clouter wartete darauf, dass das Schiff sich wieder senkte. So war es, und so feuerte Clouter zum perfekten Zeitpunkt, sodass die Ladung aus Musketen- und Kanonenkugeln in die Franzosen peitschte, die über die Spiere kletterten, über die sie auf das ungeschützte Deck der *Victory* gelangen konnten. Einen Moment lang war es ein Enter-Kommando, dann war es ein Blutbad. Die zwischen den Schiffen liegende Rahe und das Segel waren blutgetränkt, und die Franzosen waren verschwunden, durch den Metallsturm hinweggefegt.

Die *Pucelle* glitt jetzt am Achterschiff der *Redoutable* vorbei. Sie war eine Pistolenschussweite entfernt, und die großen Geschütze von Chases Backbord-Breitseite brachten dem Feind weitere Vernichtung. Chase hatte den Kanonieren befohlen, die Rohre ihrer Geschütze so auszurichten, dass die Schüsse durch die Seite des Franzosen krachten und aufwärts durch das Deck schlugen, auf dem sich die Männer drängten. Schuss um Schuss fiel von der *Pucelle*, in einem Feuer, das wohl überlegt, langsam und tödlich war. Männer wurden vom feindlichen Deck angehoben und von den Kanonenkugeln aufwärts geschleudert. Einige Kugeln durchschlugen die *Redoutable* und trafen die Hauptdeck-Reling der *Victory*. Es dauerte länger als eine Minute, bis die *Pucelle* das zum Untergang verdammte französische Schiff passiert hatte, und während der ganzen Zeit wurde es beschossen. Dann waren es die Geschütze des Achterdecks, die auf das feindliche Deck hinabfeuerten und das Vernichtungswerk beendeten.

Die *Redoutable* hatte keine bemannten Kanonen mehr. Der

französische Kapitän hatte alles auf das Entern der *Victory* gesetzt, und seine Entercrew war jetzt tot, verwundet oder wie betäubt. Doch die Takelage des Schiffes war immer noch mit Scharfschützen gefüllt, die die oberen Decks von Nelsons Flaggschiff geleert hatten, und diese Männer richteten ihre Musketen jetzt auf die *Pucelle*. Die Kugeln rasten hinab, schlugen wie Metallhagel aufs Achterdeck. Granaten wurden geschleudert und explodierten in einer Hölle aus Rauch, Feuer und Metallsplittern.

Die Seesoldaten der *Pucelle* taten ihr Bestes, doch sie waren in der Unterzahl. Sharpe feuerte in die blendenden Mündungsblitze und lud dann hastig neu. Die Planken um seine Füße waren pockennarbig von Kugeleinschlägen. Ein Seesoldat taumelte von der Reling zurück und brach zusammen. Ein anderer, der am Hals getroffen war, kniete beim Fockmast und starrte Sharpe mit weit aufgerissenen Augen an.

»Spuck aus, Junge!«, rief Sharpe ihm zu. »Spuck!«

Der Mann starrte Sharpe mit leerem Blick an, runzelte die Stirn und spuckte dann gehorsam aus. Es war kein Blut in seinem Speichel. »Du wirst leben«, sagte Sharpe. »Geh nach unten.«

Eine Kugel traf einen Mastband und fetzte die frische gelbe Farbe ab. Sergeant Armstrong feuerte mit seiner Muskete. Er fluchte, als eine Kugel seinen linken Fuß traf, humpelte zur Reling, hob eine andere Muskete auf und feuerte erneut. Sharpe rammte seine Kugel in den Lauf, spannte den Hahn, legte die Muskete an und zielte auf einen Haufen Männer auf dem Großmars des Franzosen. Er drückte ab.

Eine Granate landete auf dem Vordeck und explodierte in einer Feuerwand. Armstrong, verwundet von Splittern, erstickte die Flammen mit einem Eimer Sand und begann dann wieder zu laden.

Blut tropfte vom Speigatt des Hauptdecks der *Redoutable*, rann unter die beschädigte Reling und tröpfelte über die Stückpforten. Die neu geladenen vorderen Geschütze der *Pucelle* feuerten in den Bug des Franzosen, und dann gab es ein Geräusch wie das Zuschlagen des Höllentors, als der Anker der *Pucelle* von einer Kanonenkugel getroffen wurde. Weitere Kanonenkugeln von der *Victory* brachen aus der Seite des Feindes, und noch einige trafen die *Pucelle*. Ein Dutzend Musketen feuerten vom Großmars des Feindes.

Sergeant Armstrong war auf die Knie gegangen und fluchte, lud aber immer noch. Mehrere Musketen blitzten vom feindlichen Mast auf, und Sharpe warf seine Muskete hin und hob Sergeant Armstrongs Volley Gun auf. Er blickte zum feindlichen Großmars hinauf und nahm an, dass er zu weit entfernt war und dass die sieben Kugeln zu weit streuen würden, bevor sie den Großmars erreichten.

Er ging zur Steuerbordreling, schwang sich die schwere Waffe über die Schulter und zog sich auf die Wanten des Fockmastes. Er konnte einen Seesoldaten auf dem Achterdeck sehen, aus dessen Körper Blut auf die Planken sickerte. Ein anderer Seesoldat wurde zur Reling getragen. Von Chase war nichts zu sehen, doch dann schlug eine Kugel gegen das geteerte Tau über ihm, ließ es erzittern wie eine Harfensaite, und er kletterte verzweifelt weiter. In seinen Ohren hallte der Lärm der großen Geschütze. Eine Kugel peitschte dicht vorbei, eine zweite traf den Mast und schlug, der Wucht beraubt, gegen den Schaft der Volley Gun. Er erreichte die Püttingswanten und hangelte sich außen aufwärts, der schnellste Weg auf den Großmars. Es war keine Zeit, um sich zu fürchten, stattdessen kletterte er weiter, bis er sich auf die Plattform sinken ließ und feststellte, dass er jetzt auf gleicher Höhe mit den Franzosen in ihrem Großmars war. Er sah ein Dutzend Männer, von denen die meisten nachluden, doch einer feuerte, und Sharpe spürte den Luftzug der Kugel an seiner Wange. Er legte die Volley Gun auf, spannte sie und richtete sie auf die Feinde.

»Bastarde«, sagte er und drückte ab. Der Rückschlag der Waffe schleuderte ihn zurück gegen den Mast. Der Rauch der Volley Gun erfüllte die Luft, aber keine Schüsse fielen mehr vom französischen Großmars. Sharpe schwang die leer geschossene Waffe über die Schulter, erhob sich und kletterte wieder hinab. Er warf die Volley Gun hin, hob eine Muskete auf und ging zur Backbordreling.

Ein Dutzend Seesoldaten war noch kampffähig. Die anderen waren tot oder verwundet. Sergeant Armstrong, sein Gesicht blutete und seine Hose war tiefrot von einer Kugelwunde, hockte mit dem Rücken am Fockmast. Er hielt eine Muskete an der Schulter, und obwohl sein rechtes Auge fast geschlossen und blutig war, tat er sein Bestes, um zu zielen und zu schießen.

»Sie sollten nach unten gehen, Sergeant!«, rief Sharpe.

Armstrong sagte ziemlich unfein, was er von diesem Rat hielt, und zog eine Patrone aus seiner Patronentasche.

Eine Kugel hatte Clouters Rücken gestreift und eine blutige Strieme wie von einem Peitschenhieb hinterlassen, doch der große Mann schenkte ihr keine Beachtung. Er lud weiter das Geschütz, obwohl die *Pucelle* jetzt jenseits der *Redoutable* und der Franzose außer Clouters Reichweite war.

Captain Chase lebte noch. Connors, der Signal-Offizier, hatte durch eine Kanonenkugel seinen rechten Unterarm verloren und war unten im Verbandsplatz, und Pearson, ein Midshipman, zweimal an der Prüfung zum Leutnant gescheitert, war durch Musketenfeuer getötet worden. Der Leutnant der Seesoldaten war mit einem Bauchschuss nach unten getragen worden und gestorben. Ein Dutzend Kanoniere war tot, und zwei Seesoldaten waren über Bord geworfen worden, doch Chase fand, dass die *Pucelle* trotzdem Glück gehabt hatte. Sie hatte die *Redoutable* vernichtet, gerade zu dem Zeitpunkt, an dem sie die *Victory* hatte entern wollen, und Chase war es zum Jubeln, als er zurückblickte und den schrecklichen Schaden betrachtete, den seine Geschütze angerichtet hatten. Bei Gott, sie hatten sie filetiert! Chase hatte mit dem Gedanken gespielt, sich längsseits der *Redoutable* zu legen und sie zu entern, doch sie war bereits an der *Victory* festgezurrt, und zweifellos wollte die Mannschaft des Flaggschiffs ihre Kapitulation entgegennehmen.

Dann sah Chase voraus die französische *Neptune* und rief dem Steuermann zu, sie anzusteuern. »Sie gehört uns!«, sagte er zu Haskell.

Der Erste Leutnant blutete von einer Kugelwunde am linken Arm, doch er weigerte sich, sie behandeln zu lassen. Der Arm hing nutzlos herab, doch Haskell behauptete, keine Schmerzen zu haben und außerdem sei er Rechtshänder. Blut tropfte von seinen Fingern.

»Lassen Sie den Arm wenigstens verbinden«, sagte Chase und starrte auf die *Neptune*, die trotz des Verlustes ihres Besanmastes in überraschendem Tempo segelte. Sie musste den westlichen Rand des Gewimmels umrundet haben, während die *Pucelle* zu seinem östlichen gesegelt war, und jetzt sah es aus, als versuche der Franzose, der Schlacht zu entkommen.

»Ich bin sicher, dass Pickering ziemlich beschäftigt und froh ist, wenn er nicht von angekratzten Leutnants aufgehalten wird«, sagte Haskell gereizt.

Chase band seine seidene Halsbinde ab und winkte Midshipman Collier. »Binden Sie das um Leutnant Haskells Arm«, befahl er Collier, dann wandte er sich an den Steuermann. »Steuerbord, John«, sagte er und wies hin. Die *Neptune* drohte den Bug der *Pucelle* zu kreuzen, und das wollte Chase vermeiden, doch er nahm an, dass er genug Tempo hatte, um den Franzosen einzuholen und Mündung an Mündung mit ihm zu kämpfen, denn sie hatte vierundachtzig Geschütze und er nur vierundsiebzig. Sein Sieg würde also umso bemerkenswerter sein.

Dann brach die Katastrophe herein.

Die *Pucelle* war an der *Victory* und *Redoutable* vorbei, und eine dichte Rauchwolke trieb hinter ihr, und daraus erschien der Bug eines unbeschädigten Schiffs. Seine Galionsfigur zeigte ein gespenstisches Skelett, in einer Hand eine Sense, in der anderen eine französische Trikolore, und sie kreuzte hinter der *Pucelle*, keine Pistolenschussweite entfernt, und ihre Backbordbreitseite lag dem Heck der *Pucelle* gegenüber.

»Hart steuerbord!«, rief Chase dem Steuermann zu, der bereits am Steuerrad drehte, um der *Neptune* die Backbordbreitseite zu zeigen, doch da feuerte der Feind bereits, und der erste Schuss traf das Steuerreep, sodass sich das Steuerrad nutzlos in den Händen des Steuermanns drehte. Das Ruder, nicht länger angespannt durch die Seile, zentrierte sich. Und die *Pucelle* schwang nach backbord zurück und entblößte ihr Heck den feindlichen Geschützen. Sie würde mit Feuer bestrichen werden.

Eine Kanonenkugel raste über das Hauptdeck, tötete acht Matrosen und verwundete ein Dutzend weitere. Das Geschoss hinterließ eine Blutspur auf der ganzen Länge des Decks, und der nächste Schuss zerriss Haskell in zwei Hälften. Collier, der immer noch die seidene Halsbinde hielt, war völlig bedeckt mit Haskells Blut.

Der nächste Schuss zerschmetterte das Steuerrad der *Pucelle* und spießte den Steuermann auf den zersplitterten Speichen auf.

Chase lehnte sich über die zerbrochene Reling des Achterdecks. »Steuerreep!«, schrie er. »Mister Peel! Steuerreep! Und hart steuerbord!«

»Aye, aye, Sir! Hart steuerbord!«

Weitere Schüsse trafen das Heck. Die *Pucelle* erbebte unter der Wucht der Einschläge. Musketenkugeln krachten auf ihr Achterdeck. »Kommen Sie mit mir, Mister Collier«, sagte Chase, als er sah, dass der Junge den Tränen nahe war. »Kommen Sie einfach mit.« Er schritt über das Achterdeck, eine Hand auf Colliers Schulter. »Wir werden beharkt, Mister Collier. Es ist ein Jammer.« Er führte den Jungen unters Achterdeck nahe an die Reste des zerschmetterten Steuerrads und die Leiche des Steuermanns. »Und Sie werden hierbleiben, Harold Collier, und die Signale notieren. Achten Sie auf die Uhrzeit! Und halten Sie ein Auge auf mich. Wenn ich falle, müssen Sie Mister Peel suchen und ihm sagen, dass er das Kommando hat. Verstehen Sie?«

»Jawohl, Sir.« Collier versuchte, zuversichtlich zu klingen, doch seine Stimme bebte.

»Und noch einen Rat, Mister Collier. Wenn Sie selbst das Kommando über ein Schiff haben werden, achten Sie stets mit größter Sorgfalt darauf, dass Sie nie mit Feuer bestrichen werden können.« Chase klopfte dem Midshipman auf die Schulter, dann ging er zurück in das Musketenfeuer, das aufs Achterdeck peitschte. Die feindlichen Kanonen bestrichen die *Pucelle* immer noch mit Feuer, Schuss um Schuss demolierte die Heckfenster, warf Kanonen um und spritzte Blut auf die Deckenbalken. Die Überreste des Besanmastes wurden getroffen, und Chase sah entsetzt, wie der gesamte Mast langsam niederstürzte und sich selbst aus dem Achterdeck riss, als er nach steuerbord fiel. Es ging langsam, die Wanten brachen mit Geräuschen wie von Pistolenschüssen, und der Großmast wackelte, als sich das

Stag spannte, das ihn mit dem Besanmast verband, dann riss das Tau, und der Besanmast knarrte, splitterte und fiel schließlich. Der Feind stieß Hurragebrüll aus.

Chase neigte sich über die zerborstene Achterdeckreling und sah ein Dutzend Männer eines der Ersatztaue der Steuerung anbringen. »Zieht hart, Jungs!«, schrie er gegen den Lärm der feindlichen Geschütze an, die immer noch auf die *Pucelle* feuerten. Eine 24-Pfünder-Kanone kippte um und begrub einen schreienden Mann unter sich. Eines der Geschütze war von der Lafette gestoßen worden. Keines der Geschütze der *Pucelle* konnte auf den Beschuss antworten und würde dazu erst in der Lage sein, wenn sich das Schiff drehte.

»Zieht hart!«, rief Chase abermals und sah, dass sich Leutnant Peel, barhäuptig und schwitzend, am Anbringen des Steuerreeps beteiligte. Das Schiff begann sich zu drehen, doch es war der Besanmast mit seinem Segel und Takelwerk, der im Wasser hing und das Schiff herumzog. Es drehte sich langsam, immer noch beschossen von dem französischen Schiff, das aus dem Rauch des Gefechts heraus war.

Es war die *Revenant*. Chase erkannte sie, sah Montmorin gelassen auf seinem Achterdeck stehen, sah den Rauch der französischen Geschütze in ihre unbeschädigte Takelage aufsteigen und hörte die schrecklichen Geräusche, wenn sein Schiff unter seinen Füßen getroffen wurde, doch schließlich reagierte die *Pucelle* und konnte mit der Steuerbordbreitseite das Feuer erwidern. Seine erste Breitseite war schwach, weil einige der Geschütze nicht einsatzfähig oder die Mannschaften tot waren. Nicht mehr als sieben Geschütze feuerten.

»Die Backbordstückpforten schließen!«, rief Chase. »Alle Mannschaften an Steuerbord! Flott jetzt!«

Es war, als erwache die Pucelle langsam wieder zum Leben. Sie war vom Beschuss wie betäubt gewesen, doch Chase hatte eine Gruppe Seeleute zum Achterdeck kommen lassen, um die Trümmer des Besanmasts zu beseitigen, und unter den Decks hatten die überlebenden Kanoniere der Backbordkanonen die Mannschaften auf der Steuerbordseite verstärkt. Die *Revenant* drehte sich nach backbord und hatte offensichtlich vor, sich längsseits der *Pucelle* zu legen. Ihr Vordeck war voller Männer, bewaffnet mit Entermessern und Enterhaken, doch die verbliebene Steuerbord-Karronade auf Chases Achterdeck fegte sie hinweg. John Hopper, der Bootsmann von Chases Barkassenmannschaft, hatte das Kommando über dieses Geschütz.

Chase durchschlug ein letztes Tau des Besan mit einer Axt und ließ einen Maat die Schweinerei vom Achterdeck räumen. Die Steuerbordgeschütze der *Pucelle* feuerten jetzt richtig, ihre Mannschaften waren verstärkt, und der Beschuss riss Löcher in die Seite der *Revenant*, doch dann waren die ersten der französischen Geschütze neu geladen, und Chase beobachtete, wie ihre geschwärzten Rohre in den Stückpforten auftauchten. Rauch wallte. Er sah die Segel der *Revenant* beim Donnern ihrer Geschütze erzittern, spürte, wie sein eigenes Schiff erbebte, als die Kugeln trafen, und sah den jungen Collier an der Steuerbordreling stehen und auf den sich nähernden Feind starren.

»Was tun Sie hier, Mister Collier?«, fragte Chase.

»Meine Pflicht, Sir.«

»Ich hatte Ihnen gesagt, Sie sollen die Uhr im Heck im Auge behalten, nicht wahr?«

»Da ist keine Uhr mehr, Sir, nur noch ein zerbeultes Zifferblatt.«

»Dann gehen Sie runter zum Orlopdeck, Mister Collier. Stören Sie nicht den Arzt, aber in seinem Krankenrevier befindet sich ein Netz Orangen, ein Geschenk von Admiral Nelson. Bringen Sie es rauf für die Geschützcrews.«

»Aye, aye, Sir.«

Chase blickte zurück und sah die *Victory*. Signalflaggen flatterten von ihrer Takelage, und Chase brauchte keinen Signal-Offizier, um zu verstehen, was die Flaggen bedeuteten. »Den Feind angreifen!« Nun, er war im Begriff, das zu tun. Er wollte ein fast unbeschädigtes feindliches Schiff angreifen, und sein eigenes war stark beschädigt, aber bei Gott, er würde Nelson stolz machen. Chase fühlte sich nicht verantwortlich dafür, dass er mit Feuer bestrichen worden war. In dieser Seeschlacht, bei einem wilden Gewimmel von Schiffen im Pulverrauch, wäre es ein Wunder, wenn ein Schiff ungeschoren blieb, und er war stolz darauf, dass seine Männer das Schiff gedreht hatten, bevor die *Revenant* ihre gesamte Breitseite ins Heck der *Pucelle* hatte leeren können. Sie war immer noch fähig zu kämpfen.

Jenseits der *Victory*, jenseits des Rauchs, der um sie wallte, jenseits der kämpfenden Schiffe, einige entmastet, konnte er die unbeschädigten Takelagen der britischen Schiffe sehen, die den hintersten Teil jedes Geschwaders bildeten, und diese Schiffe, noch nicht in Kampfhandlungen gebunden, griffen gerade erst in die Schlacht ein. Die *Santisima Trinidad*, die beide Flotten wie ein Koloss überragte, wurde von kleineren Schiffen beschossen, und man wurde an einen Bullen erinnert, der von Terriern angefallen wurde. Die französische *Neptune* war verschwunden, und die *Pucelle* wurde allein von der *Revenant* bedroht. Sie war irgendwie dem schlimmsten Kampfgeschehen entkommen, und Montmorin, so gut wie jeder Kapitän in der französischen Marine, war entschlossen, einige Lorbeeren dieses Tages einzuheimsen.

Zwei Seeleute schleiften die durchnässte weiße Flagge der *Pucelle* aufs Achterdeck. »Hisst sie an der Großroyalrah, Backbordseite«, befahl Chase. Sie würde dort seltsam aussehen, aber, bei Gott, er würde sie flattern lassen, um zu zeigen, dass die *Pucelle* unbesiegt war.

Musketenkugeln begannen ins Deck zu schlagen. Montmorin hatte fünfzig oder sechzig Männer in der Takelage, und sie würden jetzt versuchen, der *Pucelle* so zuzusetzen wie die *Redoutable* der *Victory*. Er würde die Decks der *Pucelle* leer fegen, und Chase wünschte verzweifelt, sich in die Deckung des beschädigten Achterdecks zurückziehen zu können, doch sein Platz war hier, in voller Sicht, und so verschränkte er die Hände hinter dem Rücken und gab sich gelassen, als er auf dem Deck auf und ab ging. Er widerstand der Versuchung, die gesamte Länge des Decks zurückzulegen, um in relative Sicherheit zu gelangen, und zwang sich, gebannt auf die Trümmer des Kompasshauses und seinen Kompass zu starren. Eine Musketenkugel schlug zu seinen Füßen ins Deck. Er sollte einen Leutnant von unten kommen lassen, um Haskell zu ersetzen, doch er entschied sich dagegen. Wenn er fiel, wussten seine Männer, was sie zu tun hatten. Nur kämpfen. Das war alles, was ihnen übrig blieb. Nur kämpfen, und Chases Tod oder Leben würde wenig Unterschied beim Ausgang des Kampfes machen, wohingegen die Leutnants mit ihrer Kommandogewalt über die Geschütze etwas Nützliches taten.

Chase wich den Mannschaften der beiden Backbord-Karronaden aus und sah Collier auf dem Hauptdeck, wo er Orangen aus dem großen Netz nahm. »Wirf sie her, Junge!«, rief er Collier zu.

Collier blickte alarmiert bei dem Befehl, als fürchte er sich davor, seinen Kapitän mit etwas zu bewerfen, doch dann warf er die Orange, und Chase musste zur Seite springen, um sie mit einer Hand aufzufangen. Einige Kanoniere johlten, und Chase hielt die Orange hoch wie eine Trophäe und warf sie dann Hopper zu.

Captain Llewellyns Seesoldaten feuerten auf die Franzosen, doch diese waren zahlenmäßig überlegen, und ihre Schüsse dünnten Llewellyns Reihen aus. »Gehen Sie mit Ihren Männern so gut Sie können in Deckung, Llewellyn«, befahl Chase.

»Kann ich einige auf den Großmast schicken, Sir?«, schlug der Waliser vor.

»Nein, nein, ich habe Nelson mein Wort gegeben. Bringen Sie sie in Deckung. Ihre Zeit wird noch früh genug kommen. Suchen Sie unter dem Achterdeck Schutz. Sie können von dort aus feuern.«

»Sie sollten mit uns kommen, Sir.«

»Ich möchte Luft schöpfen, Llewellyn«, sagte Chase und lächelte. In Wirklichkeit war ihm nicht nach Lächeln zumute. Er war aufgewühlt und musste dauernd an seine Frau und die Kinder denken. In ihrem letzten Brief hatte Florence geschrieben, dass eines der Ponys erkrankt sei, aber welches? Und ging es dem Tier jetzt besser? Er dachte an solche häuslichen Dinge, fragte sich, ob die Apfelernte gut gewesen war, ob der Hof beim Stall neu geteert worden war und warum der Kamin im Wohnzimmer so stark bei Ostwind rauchte, doch all dies sollte ihn nur ablenken. In Wirklichkeit wünschte er sich, sich in den Schutz des Achterdecks zurückzuziehen und nicht mehr dem Musketenfeuer des Feindes ausgesetzt zu sein. Er wollte sich in Deckung kauern, doch es war sein Job, auf seinem Achterdeck zu bleiben. Deshalb bekam er 418 Pfund und zwölf Schilling pro Jahr, und so schritt er auf und ab, immer wieder, machte sich bewusst, dass er einen Zweispitz und vergoldete Epauletten trug, und er versuchte 418 Pfund und zwölf Schilling durch 365 Tage zu teilen, während die Franzosen mit ihren Musketen auf ihn zielten und schossen. Er sah den Schiffsbarbier, einen einäugigen Iren, auf dem Hauptdeck an einem Geschütz hantieren. In diesem Moment dachte Chase, dass der

Mann für das Schiff wertvoller als sein Kapitän war. Er ging weiter auf und ab, wusste, dass er bald getroffen werden würde, hoffte, dass es nicht zu sehr schmerzte, und wünschte, vor seinem Tod noch einmal die Kinder zu sehen. Er hatte Angst, aber er wusste, dass es undenkbar war, etwas anderes als eine lässige Verachtung der Gefahr zu zeigen.

Er drehte sich und starrte westwärts. Das Gewimmel um die *Victory* hatte zugenommen, aber er konnte eine britische Flagge über einer Trikolore erkennen, was zeigte, dass ein feindliches Schiff besiegt worden war. Weiter südlich gab es ein zweites Gefecht, wo Collingwoods Geschwader die Nachhut der französischen und spanischen Flotte abgeschnitten hatte. Im Osten, jenseits der *Revenant*, segelte eine Hand voll feindlicher Schiffe schmachvoll davon, während im Norden das Vorgeschwader des Feindes gedreht hatte und sich südwärts schob, um den umzingelten Kameraden zu helfen. Chase nahm an, dass die Schlacht nur noch schlimmer werden konnte, denn mehr als ein Dutzend Schiffe auf beiden Seiten hatte bis jetzt noch nicht eingegriffen.

Die *Pucelle* erbebte, als die *Revenant* in ihre Seite krachte. Die Wucht der Kollision, Breitseite an Breitseite, zweitausend Tonnen gegen zweitausend Tonnen, trieb die beiden Schiffe wieder auseinander, doch Chase rief den wenigen verbliebenen Männern auf den Decks zu, die Enterhaken zu werfen und die *Revenant* festzumachen. Die Haken flogen in die Takelage des Feindes, doch der Feind hatte die gleiche Idee, und seine Mannschaft schleuderte ebenfalls Enterhaken, während Seeleute in der französischen Takelage die unteren Rahen der *Pucelle* an ihre eigenen banden. Beide Schiffe konnten jetzt einander nicht mehr entkommen, sie konnten sich nur gegenseitig vernichten. Die Schanzkleider der beiden Schiffe waren dreißig Fuß auseinander, weil ihr Rumpf oben so stark gewölbt war.

Chase war nahe genug, um Montmorins Gesichtsausdruck zu sehen, und der Franzose, der Chase sah, nahm seinen Hut ab und verneigte sich. Chase tat das Gleiche. Chase war es zum Lachen zumute, und Montmorin lächelte, beide Männer betroffen von der kuriosen Situation, in der sie solche Höflichkeiten austauschten, obwohl sie ihr Bestes taten, um einander zu töten.

Unter ihren Füßen donnerten die großen Geschütze. Chase wünschte, er hätte eine Orange, um sie Montmorin zuzuwerfen, der diese Geste zu schätzen wüsste, dessen war er sich sicher, doch er konnte Collier nirgends entdecken.

Chase wusste es nicht, aber seine Anwesenheit auf dem Deck war äußerst nützlich, denn die französischen Scharfschützen waren versessen darauf, ihn zu töten, und so ignorierten sie die Geschützcrews, die sahen, dass sich französische Seeleute auf dem Mitteldeck versammelten, und sie feuerten in die Masse hinein. Die Franzosen hatten sich mit Enterhaken bewaffnet, andere hielten Äxte und Entermesser, doch eine Karronade auf dem Vordeck und eine achtern führten zu einem Kreuzfeuer, das den Entertrupp vernichtete. Die Franzosen hatten keine Karronaden, verließen sich auf die Männer, die aus der Takelage das feindliche Deck mit Musketenfeuer räumten.

Auf dem Vordeck der *Pucelle* waren noch zehn Seesoldaten übrig. Sergeant Armstrong, der verblutete, hockte zusammengesunken beim Fockmast und feuerte schwerfällig in die feindliche Takelage. Clouter, den nackten schwarzen Oberkörper mit Blut von anderen Männern bespritzt, hatte das Kommando über die Steuerbord-Karronade übernommen, nachdem die halbe Mannschaft von einer Granate getötet worden war. Sharpe feuerte zum Großmast hinauf, hoffte, dass seine Kugeln die französischen Scharfschützen töten würden, die auf den Mastplattformen kauerten. Jetzt herrschte völlige Flaute, sodass die Segel und Flaggen schlaff hingen. Pulverrauch verdichtete sich zwischen den Schiffen, hob und verbarg das von Kugeln gepeitschte Deck der *Pucelle*.

Sharpe war vom Donnern der großen Geschütze wie taub, und seine Welt war auf dieses kleine Stück blutiges Deck und dem vom Rauch umhüllten Feind über ihm geschrumpft. Seine Schulter schmerzte vom Rückstoß der Muskete, sodass er jedes Mal beim Feuern zusammenzuckte. Eine Orange rollte über Deck durch das Blut auf den Planken bis zu seinen Füßen. Er schlug mit dem Musketenkolben hart auf die Orange, riss die Schale auf und hob die Orange dann auf, um sie auszuschlürfen. Er war dankbar über das Fruchtfleisch und presste etwas davon in Armstrongs Mund. Die Augen des Sergeants waren glasig, er war am Rande der Bewusstlosigkeit, versuchte jedoch immer noch, seine Muskete neu zu laden. Er atmete keuchend, und Blut, vermischt mit Orangensaft, tropfte von seinem Kinn.

»Wir siegen, nicht wahr?«, fragte er Sharpe ernsthaft.

»Wir bringen die Bastarde um, Sergeant.«

Die Toten lagen jetzt dort, wo sie gefallen waren, denn es gab nicht genug Männer, um sie über Bord zu werfen, und die Überlebenden waren zu sehr mit Kämpfen beschäftigt. Die schlimmsten dieser Kämpfe fanden unter Deck statt, wo die beiden Schiffe, Geschütze gegen Geschütze, einander beschossen. Das untere Deck war jetzt dunkel, denn die *Revenant* verdunkelte das Tageslicht auf der Steuerbordseite, und die Stückpforten an Backbord waren geschlossen. Rauch erfüllte das untere Deck, kräuselte unter den Balken, die von der ersten Breitseite der *Revenant* mit Blut bespritzt waren. Jetzt rissen die Kugeln des Franzosen den Rumpf auf, rasten über das Deck und traten auf der Backbordseite aus, wo neues Tageslicht durch die Löcher fiel. Dichter Staub und noch dichterer Rauch wallten in den Lichtstreifen.

Die Geschütze der *Pucelle* erwiderten das Feuer, und das Donnern hallte übers Deck. Die Schiffe berührten sich beinahe, ihre Stückpforten deckten sich fast. Wenn ein britischer Kanonier versuchte, sein Geschütz zu reinigen, trennte ihm ein französisches Entermesser fast den Arm ab, dann wurde der Wischer gepackt und an Bord des französischen Schiffes gezogen.

Die Geschosse von den großen französischen Geschützen waren schwerer, aber größere Geschütze bedeuteten auch eine längere Ladezeit, und das britische Feuer war beträchtlich schneller. Montmorins Mannschaft war vermutlich die am besten ausgebildete der gesamten feindlichen Flotte. Dennoch waren Chases Männer schneller, doch jetzt warf der Feind Granaten durch die geöffneten Stückpforten und feuerte mit Musketen, um die britischen Geschütze zu verlangsamen.

»Hol Seesoldaten her!«, schrie Leutnant Holderby einen Midshipman an und ging dann zu dem jungen Mann, um ihm die Ohren zuzuhalten und den Befehl zu wiederholen. »Hol Seesoldaten!« Eine Kanonenkugel tötete den Leutnant, und seine Gedärme hingen über die Gräting, auf der die Kugeln für die Karronaden gelagert wurden.

Der Midshipman verharrte noch sekundenlang wie betäubt vom Lärm. Flammen stiegen zu seiner Linken auf, dann warf ein Kanonier Sand auf die Reste der Granate, und ein anderer schüttete Wasser über das Feuer, um es zu löschen. Ein anderer Kanonier kroch über den Boden und erbrach Blut. Ein Geschütz prallte vom Rückstoß zurück, erfüllte das Deck mit Lärm, und eines der Brooktaue riss, sodass das Geschütz herumschwang und zwei Männer zermalmte, deren Schreie im Lärm untergingen. Männer schwangen das Geschütz wieder herum, luden es, und ihre nackten Oberkörper glänzten von Schweiß, der in die Pulverrückstände tropfte. Alle sahen jetzt schwarz aus, und an den geschwärzten Körpern waren Flecken oder Striemen und Blut zu sehen. Der Pulverrauch der *Revenant* quoll in die *Pucelle* und ließ die Männer nach Luft ringen, die sich abmühten, den Beschuss zu erwidern.

Der Midshipman hastete zum Hauptdeck hinauf, das vom Rückstoß der Geschütze bebte. Trümmer von der Takelage lagen auf dem mittleren Teil des Decks, das so voller Rauch war, dass der Midshipman aufs Vordeck statt aufs Achterdeck kletterte. In seinen Ohren dröhnte es vom Donnern der Geschütze, und seine Kehle war trocken. Er sah einen Offizier in rotem Rock. »Sie werden unten gebraucht, Sir.«

»Was?«, rief Sharpe.

»Seesoldaten werden unten gebraucht, Sir!« Die Stimme des Jungen klang heiser. »Sie kommen durch die Stückpforten, Sir!« Eine Kugel schlug ins Deck neben seinen Füßen, eine andere prallte von der Schiffsglocke ab.

»Seesoldaten!«, brüllte Sharpe. »Piken! Musketen!«

Er führte zehn Männer den Niedergang hinab, trat über die Leiche eines Pulveraffen hinweg und gelangte in die Düsternis des Unterdecks. Nur die Hälfte der Steuerbordkanonen feuerte jetzt, und sie wurde behindert durch die Franzosen, die mit Entermessern und Piken durch die Stückpforten stachen. Sharpe feuerte mit seiner Muskete durch eine Stückpforte, sah das Gesicht eines Franzosen, das sich in Blut aufzulösen schien, sprang zur nächsten Stückpforte und hämmerte mit dem Kolben der leer geschossenen Muskete auf den Arm eines Feindes.

»Simmons!«, schrie er einem Seesoldaten zu. »Simmons!«

Simmons starrte ihn mit weit aufgerissenen Augen an. »Gehen Sie zum vorderen Magazin!«, rief Sharpe. »Holen Sie die Granaten!«

Simmons rannte los, dankbar für die Chance, unter der Wasserlinie zu sein, wenn auch nur für einen Moment. Drei der schweren Geschütze der *Pucelle* feuerten gleichzeitig. Ihr Krachen betäubte Sharpe, der von Stückpforte zu Stückpforte ging und mit seinem Entermesser nach den Franzosen stieß. Ein gewaltiges Krachen, das gar nicht enden zu wollen schien, hallte durch Sharpes betäubte Ohren, und er nahm an, dass ein Mast über Bord gegangen war. Aber er wusste nicht, ob es ein weiterer der *Pucelle* oder einer der *Revenant* war. Er sah einen Franzosen vor der Stückpforte des feindlichen Schiffes eine Kanone laden und stieß mit dem Entermesser nach dem Arm des Mannes. Der Franzose sprang zurück, und Sharpe zuckte zur Seite, denn er konnte sehen, dass der Kanonier einen Luntenstock an das Zündloch gehalten hatte. Das Geschütz feuerte, und der Ansetzer, im Rohr gelassen, löste sich in Splitter auf, als er mit dem Geschoss aufs Deck der *Pucelle* getrieben wurde. Ein Midshipman feuerte einen Pistolenschuss in eine feindliche Stückpforte. Einige der Männer hatten ihre Halstücher verloren, die sie um die Köpfe gebunden hatten, und aus ihren Ohren tröpfelte Blut. Andere hatten Nasenbluten, verursacht durch die Druckwellen der Geschütze.

Simmons kehrte mit den Granaten zurück, und Sharpe nahm einen glimmenden Span, zündete die Lunte einer Granate an und wartete dann, bis die Launen der Dünung eine französische Stückpforte in Sicht brachte. Er konnte die gelbe Beplankung der *Revenant* sehen, dann schabte das feindliche Schiff am Rumpf der Pucelle höher, und eine Stückpforte kam ihn Sicht. Er schleuderte die Glaskugel in die *Revenant*. Er hörte eine Explosion, sah Flammen in dem schwarzen Rauch auflodern, der das feindliche Geschützdeck erfüllte, dann ließ er Simmons die anderen Granaten schleudern. Nachdem er an jeder Stückpforte überprüft hatte, dass keine weiteren Franzosen versuchten, mit Entermessern oder Spießen hindurchzustoßen, verließ er das Deck. Das große Gangspill, die Ankerwinde in der Mitte des Decks, war von einer feindlichen Kanonenkugel zerschmettert worden. Blut tröpfelte vom Deck darüber. Ein Geschütz feuerte mit Kartätschenmunition, und Franzosen schrien.

Dann drang ein anderer Schrei an Sharpes Ohren.

Er kam von oben, vom Hauptdeck, das glitschig vom Blut war. »Schlagt die Enterer zurück! Schlagt die Enterer zurück!«

»Seesoldaten!«, rief Sharpe seinen paar Männern zu, doch keiner hörte ihn in dem Lärm, aber er hoffte, dass ihm einige folgen würden, wenn sie ihn durch den Niedergang klettern sahen. Er hörte Stahl auf Stahl schlagen. Keine Zeit zum Denken, nur Zeit zum Kämpfen.

Lord William zuckte zusammen, als die Backbordbreitseite der *Pucelle* zu feuern begann und das Donnern bis zu ihnen hallte.

»Wir sind noch in Aktion«, sagte er und ließ die Pistole sinken. Dann begann zu er lachen. »Es hat sich gelohnt, eine Waffe auf deinen Kopf zu richten, meine Liebe, einfach um deinen Gesichtsausdruck zu sehen. Aber war diese Reaktion auf dein Elend Reue oder Furcht?« Er legte eine Pause ein. »Komm schon! Ich will eine Antwort hören.«

»Furcht«, keuchte Lady Grace.

»Dennoch möchte ich hören, dass du alles bereust, wenn auch nur als Beweis, dass du einige edlere Gefühle hast. Ich höre.« Er wartete. Die Geschütze feuerten, und der Krach klang lauter, als eine Kanone zwei Decks über ihrem Zufluchtsort donnerte.

»Wenn du irgendwelche Gefühle hättest«, sagte Grace, »ein

bisschen Mumm, dann wärst du an Deck, um dich den Gefahren zu stellen.«

Lord William fand das sehr belustigend. »Welch eine sonderbare Vorstellung du von meinen Fähigkeiten hast. Was kann ich tun, das nützlich für Chase sein würde? Meine Talente, meine Liebe, liegen in der Kunst der Politik, eher noch in ihrer Administration. Der Bericht, an dem ich schreibe, wird einen großen Einfluss auf die Zukunft Indiens haben und deshalb auch auf die Aussichten Britanniens. Ich erwarte, binnen eines Jahres Mitglied der Regierung zu sein. In fünf Jahren könnte ich Premierminister sein. Soll ich diese Zukunft aufs Spiel setzen, nur um mit ein paar minderbemittelten Idioten übers Deck zu stolzieren, die glauben, dass ein Held auf See die Welt verändern wird?« Er zuckte mit den Schultern. »Gegen Ende der Kämpfe, mein Liebling, werde ich mich zeigen, aber ich habe nicht die Absicht, irgendwelche unnötigen Risiken einzugehen. Lass Nelson heute seinen ruhmreichen Tag haben, aber in fünf Jahren werde ich ihn loswerden, wie ich will, und glaube mir, kein Ehebrecher wird von mir geduldet werden. Du weißt, dass er ein Ehebrecher ist?«

»Ganz England weiß das.«

»Ganz Europa«, korrigierte Lord William. »Der Mann ist unfähig zur Diskretion, und du, meine Liebe, bist auch indiskret gewesen.« Die Kanonen der *Pucelle* feuerten nicht mehr, und auf dem Schiff herrschte Stille. Lord William blickte zur Decke, als erwarte er, dass der Lärm jeden Augenblick wieder einsetzen würde, doch die Geschütze blieben stumm. Wasser gurgelte am Heck. Die Schiffspumpen arbeiteten wieder. »Es hätte mir nichts ausgemacht«, fuhr Lord William fort, »wenn du diskret gewesen wärst. Kein Mann lässt sich gern zum Hahnrei machen, aber es ist die eine Sache für eine Frau, sich einen vornehmen Liebhaber zu suchen, und eine ganz andere, mit der Dienerklasse zu vögeln. Warst du so verrückt und liebestoll? Das wäre eine milde Ausrede, aber die Welt sieht dich nicht als verrückt an, und so fällt dein Verhalten auf mich zurück. Du hast dich mit einem Tier, einem Lump, befriedigt, und ich nehme an, er hat dich geschwängert. Du widerst mich an.« Ihm schauderte. »Jeder Mann auf dem Schiff muss gewusst haben, dass du brünftig bist. Sie dachten, ich wüsste es nicht, sie grinsten höhnisch hinter meinem Rücken, und du machtest weiter wie eine billige Hure.«

Lady Grace sagte nichts. Sie starrte auf eine der Laternen an der Decke. Ihre Kerze flackerte, und Rauch kräuselte empor, der durch die Belüftungsschlitze entwich. Grace hatte rot geweinte Augen und war nicht in der Lage, sich zu verteidigen.

»Ich hätte all dies wissen sollen, als ich dich geheiratet habe«, sagte Lord William. »Man hofft allgemein, dass eine Ehefrau sich als treu, vernünftig und vernunftbegabt erweist, aber warum hätte ich das erwarten sollen? Frauen waren schon immer Sklaven ihrer Gelüste. ›Schwachheit‹, zitierte er, ›dein Name ist Weib!‹ Das schwache Geschlecht, bei Gott, wie wahr das ist! Ich wollte Braithwaites Brief zuerst nicht glauben, doch je mehr ich darüber nachdachte, desto wahrer klangen seine Worte für mich, und so beobachtete ich dich und fand zu meiner Enttäuschung heraus, dass er nicht gelogen hatte. Du hast mit Sharpe gevögelt, dich in seinem Schweiß gesuhlt.«

»Sei still!«, bat sie.

»Warum sollte ich still sein?«, fragte er mit ruhiger Stimme. »Ich, meine Liebe, bin die geschädigte Partei. Du hattest deinen geilen Kitzel mit einem geistlosen Rammler, warum sollte ich jetzt nicht meinen Kitzel haben? Ich habe ihn verdient, findest du nicht?« Er hob wieder die Pistole an. Gerade in diesem Moment wurde das Schiff von einem furchtbaren Schlag erschüttert, dann noch einmal, so laut, dass sich Lord William instinktiv duckte, und immer noch gingen die Schläge weiter, schienen das Schiff zu zerreißen, krachten durch die Decks und ließen die *Pucelle* erbeben. Lord William, dessen Zorn vorübergehend von Furcht verdrängt worden war, starrte zur Decke, als rechne er damit, dass das Schiff zusammenbrechen würde. Die Laternen zitterten, Lärm schien das ganze Universum zu erfüllen, und die Geschütze feuerten weiter.

Das Krachen, das Sharpe gehört hatte, als er auf dem unteren Deck gewesen war, stammte vom Großmast der *Revenant*, der zusammenbrach und auf das Deck der *Pucelle* krachte. Als er das Hauptdeck erreichte, sah er Franzosen über den Mast eilen, der zusammen mit der herabgestürzten Großrahe der *Revenant* als Brücke zwischen den Decks der beiden Schiffe diente. Die Kanoniere der *Pucelle* hatten ihre Kanonen verlassen, um die Eindringlinge mit Entermessern, Handspaken, Ansetzern und Piken zu bekämpfen.

Captain Llewellyn brachte Seesoldaten über die Steuerbordlaufplanke, die innerhalb des Schanzkleides zwischen Vor- und Achterdeck verlief, zum Achterdeck. Ein Dutzend Franzosen befanden sich bereits auf der Laufplanke und versuchten, das Heck der *Pucelle* zu erreichen. Einige Franzosen stürmten aufs Hauptdeck und stachen auf gefallene Kanoniere ein, während ein französischer Offizier mit Brille die Ansetzer über Bord warf. Weitere Franzosen rannten über den gefallenen Großmast und die Großrahe, um ihre Kameraden zu verstärken.

Die Mannschaft der *Pucelle* ging zum Gegenangriff über. Ein Seemann schlug einem Franzosen mit einer der Handspaken, die benutzt wurden, um die Kanone zu verschieben, den Schädel ein. Andere packten Piken und benutzten sie als

Wurfspeere. Sharpe zog sein langes Entermesser und stand plötzlich auf der Laufplanke zum Vordeck einigen der Eindringlinge gegenüber. Er stieß das Messer nach einem, parierte den Hieb eines anderen und sprang dann wieder auf den ersten Gegner zu, um ihm seine Messerklinge in den Leib zu rammen. Er riss den Stahl aus dem sterbenden Franzosen und schwang die blutige Klinge herum, um zwei weitere Angreifer zurückzutreiben. Einer, ein Riese mit einem wuchernden Bart, schwang eine Axt und hackte nach ihm.

Sharpe zuckte zurück, überrascht von der großen Reichweite des bärtigen Hünen, glitt in einer Blutlache aus und stürzte. Blitzschnell rollte er sich zur Seite, als er die Axt herabsausen sah, und sie schlug ins Deck, wo er noch vor Sekunden gelegen hatte. Er stach mit dem Entermesser nach oben, versuchte den Arm des Franzosen zu treffen, dann schnellte er nach links, als die Axt wieder auf ihn zuraste. Der Franzose trat Sharpe hart in die Hüfte, riss die Axt aus den Planken und holte zum dritten Mal aus, doch bevor er den tödlichen Schlag ausführen konnte, schrie er auf, denn ein Spieß bohrte sich in seinen Bauch. Ein Röhren ertönte über Sharpe, als Clouter, sein Retter, dem Franzosen die Axt aus der Hand riss. Sharpe rappelte sich auf. Der französische Hüne lag zuckend auf dem Deck, den Spieß immer noch im Bauch.

Dreißig oder vierzig Franzosen waren jetzt auf dem Hauptdeck, und weitere strömten über den Mast, doch in diesem Moment donnerte die Karronade vom Achterdeck und fegte die behelfsmäßige Brücke leer. Ein Enterer, der unverletzt auf dem Mast geblieben war, sprang aufs Deck der *Pucelle*, und Clouter, auf dem er fast landete, riss instinktiv die Axt hoch und mähte den Mann nieder.

Ein großer französischer Offizier, hutlos und mit pulvergeschwärztem Gesicht, führte einen Angriff auf das Vordeck der

Pucelle. Clouter schlug das Schwert des Offiziers zur Seite und drosch ihm die Faust so hart ins Gesicht, dass der Mann gegen seine eigenen Leute taumelte und sie mit zu Boden riss. Dann stürmte eine Gruppe britischer Kanoniere schreiend und Messer schwingend an dem schwarzen Mann vorbei, um die Eindringlinge anzugreifen.

Captain Chase kämpfte auf dem Achterdeck, führte eine Gruppe von Männern, welche die Franzosen vom Heck aus angriffen. Captain Llewellyns Seesoldaten hatten die Laufplanke zurückerobert und hatten jetzt die Kontrolle über den gestürzten Großmast der *Revenant* gewonnen. Sie schossen jeden nieder, der versuchte, ihn zu überqueren, während die verbliebenen Eindringlinge zwischen der Attacke vom Heck und dem Ansturm vom Bug in der Falle saßen.

Clouter war zurück in der ersten Reihe, schwang die Axt mit kurzen Hieben, die einen Gegner nach dem anderen fällten. Sharpe drängte einen Franzosen unter der Laufplanke gegen die Schiffsseite. Der Mann stieß sein Entermesser nach Sharpe, der mühelos parierte. Der Franzose sah den Tod im Gesicht des Rotrocks. In seiner Verzweiflung zwängte er sich durch eine Stückpforte und warf sich hinab zwischen die beiden Schiffe. Er schrie markerschütternd, als die See die Rümpfe gegeneinander trieb.

Das Hauptdeck der *Pucelle* war erfüllt vom Hacken, Stechen und Schreien der Kämpfenden. Der bebrillte feindliche Offizier versuchte immer noch, die Geschütze der *Pucelle* nutzlos zu machen, indem er die Ansetzer über Bord warf. Clouter schleuderte die Axt, und ihre Klinge krachte in den Schädel des Mannes. Sein Tod schien das Chaos zu beruhigen, oder vielleicht war es Captain Chases durchdringende Stimme, die seinen Männern befahl, mit dem Kämpfen aufzuhören, weil die noch lebenden Franzosen auf der *Pucelle* zu kapitulieren versuchten.

»Nehmt ihnen die Waffen ab!«, bellte Chase. »Entwaffnen!«

Nur ein Dutzend Franzosen stand noch auf den Beinen. Als sie entwaffnet waren, wurden sie zum Heck getrieben. »Ich will sie nicht unten haben«, sagte Chase. »Sie könnten Unheil anrichten. Die Scheißer können stattdessen auf dem Achterdeck stehen und beschossen werden.« Er grinste Sharpe an. »Sind Sie froh, dass Sie mit mir gesegelt sind?«

»Heiße Arbeit, Sir.« Sharpe sah sich nach Clouter um, entdeckte ihn und winkte ihn zu sich. »Sie haben mir das Leben gerettet«, sagte er zu dem großen Mann. »Vielen Dank.«

Clouter tat erstaunt. »Ich habe Sie überhaupt nicht gesehen.«

»Sie haben mir das Leben gerettet«, wiederholte Sharpe.

Clouter stieß ein seltsames schrilles Lachen aus. »Wir haben einige getötet, nicht wahr? Haben wir nicht eben ein paar getötet?«

»Sind noch viele übrig«, sagte Chase. Dann hielt er die Hände als Schalltrichter vor den Mund. »Zurück an die Geschütze! Zurück an die Geschütze!« Er sah den Proviantmeister nervös aus dem vorderen Niedergang spähen. »Mister Cowper! Machen Sie sich die Mühe und besorgen Sie Ansetzer und Wischer für dieses Deck. Schnell jetzt! Zurück an die Geschütze!«

Wie zwei angeschlagene Boxer in ihrer letzten Runde, beide blutig und benommen, jedoch nicht bereit, aufzugeben, beschossen sich die beiden Schiffe. Sharpe kletterte mit Chase aufs Achterdeck. Im Westen brodelte die See. Fast ein Dutzend Schiffe kämpften dort. Im Süden beschossen sich weitere Schiffe. Trümmer schwammen im Meer. Ein mastloser Rumpf, die Geschütze stumm, trieb von dem Gewimmel fort. Fünf oder sechs Schiffspaare – wie die *Pucelle* und die *Revenant* –

hatten sich ineinander verbissen und beschossen sich gnadenlos. Die hoch aufragende *Santisima Trinidad* hatte ihren Fockmast und den Großteil ihres Besanmastes verloren und wurde immer noch von kleineren britischen Schiffen beharkt.

Der Pulverrauch breitete sich jetzt über zwei Meilen über dem Ozean aus. Ein von Menschen geschaffener Nebel. Der Himmel verdunkelte sich im Norden und Westen. Einige der feindlichen Schiffe, deren Kapitäne nicht wagten, dem Kampf zu nahe zu kommen, und nach einem Fluchtweg suchten, beschossen die Kämpfenden aus der Ferne, aber ihre Kugeln waren eine ebenso große Gefahr für ihre eigene Seite wie für die Briten. Das allerletzte der britischen Schiffe, das langsamste der Flotte, griff erst jetzt in die Kampfhandlungen ein und öffnete die Stückpforten, um ihren Teil zu dem Blutbad beizusteuern.

Capitaine Montmorin schaute hinüber zu Chase und zuckte mit den Schultern, wie um zu sagen, dass das Scheitern seiner Enterer bedauernswert war, aber nichts Ernsthaftes zu bedeuten hatte. Die Geschütze des Franzosen feuerten immer noch, und Sharpe konnte weitere Enterer sehen, die sich auf dem Hauptdeck der *Revenant* versammelten. Er konnte ebenfalls Captain Cromwell erkennen, der vom Achterdeck herüberspähte.

Sharpe schnappte sich eine Muskete von einem Seesoldaten in der Nähe und zielte auf den Engländer, der die Bedrohung erkannte und sich wegduckte. Sharpe gab dem Seesoldaten die Muskete zurück.

Chase fand inmitten der Trümmer auf dem Deck ein Sprachrohr.

»Capitaine Montmorin! Sie sollten aufgeben, bevor wir noch mehr von Ihren Männern töten!«

Montmorin rief mit den Händen als Schalltrichter zurück:

»Ich wollte Ihnen gerade das Gleiche anbieten, Captain Chase!«

»Sehen Sie dort!«, rief Chase und wies jenseits seines Hecks. Montmorin kletterte in die Wanten seines Besanmasts, um über das Achterdeck der *Pucelle* hinwegsehen zu können, und er erkannte dort auf den Wellen hinter der *Pucelle* die *Spartiate*, ein britischer 74er, der verhext sein sollte, weil er bei Nacht schneller segelte als am Tag. Auch diesmal war er zu spät zur Schlacht eingetroffen. Seine Männer waren dabei, die Backbordstückpforten zu öffnen.

Montmorin wusste, was geschehen würde und dass er nichts tun konnte, um es zu verhindern. Er würde mit vernichtendem Feuer bestrichen werden, und so befahl er seinen Männern, sich zwischen die Geschütze zu legen, doch das würde sie nicht vor dem Geschützfeuer der *Pucelle* bewahren. Dann blieb er in der Mitte seines Achterdecks stehen und wartete.

Die *Spartiate* verpasste Montmorins Schiff eine volle Breitseite. Eines der Geschütze nach dem anderen krachte vom Rückstoß zurück, und die Kugeln schlugen in die hohen Galeriefenster des Hecks der *Revenant*. Die *Spartiate* war höllisch langsam, aber das verschaffte ihren Kanonieren mehr Zeit, bedächtig und genau zu zielen, und ihre Breitseiten schlugen tiefe Wunden in die *Revenant*. Ihre Besanmast-Wanten rissen, als seien die Saiten von Satans Harfe geplatzt, dann stürzte der ganze Mast, zersplittert wie ein gewaltiger vom Blitz getroffener Baum, und riss Rahen, Segel und Trikolore über Bord.

Sharpe hörte die französischen Musketenschützen schreien, als sie mit dem Mast fielen. Geschütze kippten von ihren Lafetten, Männer wurden von Kanonenkugeln und Kartätschenmunition getötet. Montmorin stand immer noch reglos, selbst als das Steuerrad hinter ihm weggeschossen wurde. Erst als das Letzte der Geschütze der *Spartiate* gekracht hatte, drehte er sich um und schaute auf das Schiff, das ihn mit Feuer bestrichen hatte. Er musste befürchtet haben, dass es sich längsseits seiner Steuerbordseite legte, doch die *Spartiate* segelte davon und suchte sich ein anderes Opfer.

»Geben Sie auf, Capitaine!«, rief Chase durch das Sprachrohr.

Montmorin gab seine Antwort, indem er seine Hände als Schalltrichter benutzte und auf sein Hauptdeck hinab rief: »*Tirez! Tirez!*« Er drehte sich um und verneigte sich vor Chase.

Chase blickte übers Achterdeck. »Wo ist Captain Llewellyn?«, fragte er einen Seesoldaten.

»Gebrochenes Bein, Sir. Ist nach unten geschleppt worden.«

»Leutnant Swallow?« Swallow war der junge Leutnant der Seesoldaten.

»Ich glaube, der ist tot, Sir. Jedenfalls schwer verwundet.«

Chase blickte zu Sharpe, als die Geschütze der *Revenant* wieder das Feuer eröffneten.

»Stellen Sie einen Entertrupp zusammen, Mister Sharpe«, sagte Chase förmlich.

Es war immer klar gewesen, dass sie es bis zum Ende auskämpfen würden – von dem Moment an, an dem die *Pucelle* die *Revenant* vor der afrikanischen Küste gesehen hatte. Und nun würde Sharpe ihn beenden.

KAPITEL 12

Lord William lauschte dem Donnern der Geschütze. Es war unmöglich, aus dem Klang zu schließen, wie die Schlacht verlief, doch es war klar, dass sie eine neue Dimension des Zorns erreicht hatte. *»Si fractus inlabatur orbis«*, sagte er und blickte zur Decke.

Grace schwieg.

Lord William lachte. »Ah, komm schon, meine Liebe, sag mir nicht, du hast deinen Horaz vergessen. Das ist eines der Dinge, die mich am meisten an dir ärgern, dass du es nicht lassen kannst, meine Zitate zu übersetzen.«

»Wenn der Himmel herabfällt«, sagte Lady Grace dumpf.

»Das ist kaum angemessen. Meinst du nicht auch?«, fragte Lord William ernst. »Ich gebe zu, dass du ›Himmel‹ für *orbis* nehmen kannst, obwohl ich ›Himmelsgewölbe‹ vorziehen würde, doch das Verb ›herabfallen‹ gefällt mir nicht. ›Einstürzen‹ wäre sicher besser. Du warst niemals die Lateinkennerin, für die du dich gehalten hast.« Er blickte wieder zur Decke, als ein dumpfer Schlag durch das untere Deck hallte. »Das klingt tatsächlich, als ob der Himmel herabfällt. Hast du Angst? Oder fühlst du dich hier völlig sicher?«

Lady Grace gab keine Antwort. Sie hatte keine Tränen mehr, fühlte sich zutiefst niedergeschlagen an diesem Ort, der von Geschützfeuer, Entsetzen, Boshaftigkeit und Hass heimgesucht wurde.

»Ich bin hier sicher«, fuhr Lord William fort, »aber du, meine Liebe, wirst gepeinigt von Ängsten, so sehr, dass du meine

Pistole nehmen und sie auf dich selbst richten wirst. Ich werde sagen, dass du eine Wiederholung dieser amüsanten Episode auf der *Calliope* befürchtet hast, als dein Geliebter dich so tapfer rettete, und ich werde behaupten, dass es mir nicht möglich war zu verhindern, dass du dich selbst tötest. Ich werde natürlich tiefste, jedoch würdige Trauer über dein Ableben mimen. Ich werde darauf bestehen, dass deine kostbare Leiche nach Hause gebracht wird, damit ich dich in Lincolnshire beisetzen kann. Bei der Beerdigung werden die Pferde vor dem Leichenwagen schwarze Federbüsche tragen, der Bischof wird die Trauerrede halten, und meine Tränen werden deine Gruft benetzen. Dein Grabstein aus feinstem Marmor wird deine Tugenden verkünden. Darauf wird nicht stehen, dass du ein geiles Lotterweib warst, das die Beine für einen gemeinen Soldaten breit gemacht hat, sondern, dass du Weisheit mit Verständnis kombiniert hast, Liebreiz mit Nächstenliebe, und dass du eine Geduld besessen hast, die ein leuchtendes Beispiel für die Weiblichkeit war. Möchtest du die Inschrift in Latein haben?«

Sie sah ihn stumm an.

»Und wenn du tot bist, meine Liebe«, fuhr Lord William fort, »und sicher begraben unter einem Grabstein, der deine Tugenden preist, werde ich mich daranmachen, deinen Liebhaber zu vernichten. Ganz langsam und hinterhältig, so raffiniert, dass er niemals erfahren wird, wer die Quelle seines Unglücks ist. Ihn aus der Armee zu entfernen wird einfach sein, aber dann? Ich werde mir etwas ausdenken, und es wird mir ein Vergnügen sein, sein Schicksal zu bestimmen. Ich werde dafür sorgen, dass er aufgehängt wird. Na, wie gefällt dir das? Vermutlich werde ich nicht in der Lage sein, zu beweisen, dass er den armen Braithwaite umgebracht hat, was zweifellos der Fall gewesen ist, aber ich werde mir etwas anderes einfallen lassen, das ihn bombensicher an den Galgen bringt. Und wenn er dort baumelt und zuckt und in seine Hosen pinkelt, werde ich lächelnd zuschauen und mich an dich erinnern.«

Sie starrte ihn immer noch stumm an, das Gesicht ausdruckslos.

»Ich werde mich an dich erinnern«, wiederholte er. Er konnte seinen Hass nicht mehr verbergen. »Daran, dass du eine üble Hure warst, eine Sklavin deiner dreckigen Gelüste, eine Nutte, die sich von einem Mann aus der Gosse besteigen ließ.«

Er hob die Pistole.

Die Geschütze, zwei Decks über ihnen, begannen wieder zu feuern, und ihr Rückstoß erschütterte die Planken bis hinab ins unterste Deck.

Doch der Pistolenschuss klang viel lauter als die großen Geschütze. Der Knall hallte in dem engen Raum, in dem dichter Rauch wallte, als Blut auf die Planken spritzte. *Si fractus inlabatur orbis.*

Die Dünung wurde stärker, der Himmel dunkler. Der Wind hatte zugenommen, sodass die Rauchschwaden ostwärts zogen und zwischen Schiffen mit zerbrochenen Masten und zerfetzter Takelage zerfaserten. Immer noch feuerten Geschütze, aber jetzt nur noch wenige, denn immer mehr feindliche Schiffe ließen Beiboote und Barkassen – einige schlimm beschädigt – zu Wasser, die zwischen den Kämpfenden ruderten und britische Offiziere transportierten, die eine feindliche Kapitulation entgegennehmen wollten.

Einige französische und spanische Schiffe hatten ihre Flaggen gestrichen, aber dann waren ihre Gegner weitergesegelt, und diese Schiffe hatten die Flaggen wieder gehisst und waren mit so viel Segeln, wie sie an ihren gebrochenen Masten setzen konnten, ostwärts gesegelt. Weitaus mehr blieben als Prise zurück, ihre Decks in Trümmern, die Rümpfe durchlöchert und die Mannschaften wie gelähmt von der Heftigkeit des britischen Geschützfeuers. Die Briten feuerten schneller. Sie waren besser ausgebildet.

Die *Redoutable* – immer noch mit der *Victory* verhakt – war nicht mehr französisch. Sie war kaum noch als Schiff zu bezeichnen, denn all ihre Masten waren fort, und ihr Rumpf war von Kanonenkugeln durchsiebt. Die Hälfte ihres Achterdecks war zusammengebrochen, und eine britische Flagge hing jetzt über ihrer Gillung. Der Besanmast der *Victory* war fort, ihr Fock- und Großmast waren nur noch Stummel, doch ihre Geschütze waren noch bemannt und immer noch gefährlich. Die große *Santisima Trinidad* war stumm, hatte die Flagge eingeholt. Das heftigste Gefecht fand jetzt nördlich von ihr statt, wo ein Teil der feindlichen Flotte es riskiert hatte, zurückzukommen, um den Kameraden zu helfen. Jetzt eröffneten sie das Feuer auf die der Schlacht müden britischen Schiffe, die unermüdlich luden und feuerten.

Im Süden, wo Collingwoods *Royal Sovereign* die Schlacht eröffnet hatte, brannte ein Schiff. Die Flammen loderten zweimal so hoch wie ihre Masten, und die anderen Schiffe, deren Kapitäne ein Übergreifen des Feuers und eine Explosion ihrer Magazine befürchteten, segelten von ihr fort. Einige der britischen Schiffe, die wussten, was die Mannschaft des brennenden Schiffs erlitt, schickten Beiboote zu ihr, um die Seeleute in Sicherheit zu bringen. Das brennende Schiff war die französische *Achille*, und als sie explodierte und das Donnern über die von Trümmern bedeckte See hallte, klang es wie die Posaunen des Jüngsten Gerichts. Eine Rauchwolke, schwarz wie die Nacht, schleuderte glühende Trümmer in den Himmel über dem Schiffswrack, die in die See fielen, zischten und im Ozean erloschen.

Nelson starb.

Vierzehn Schiffe waren bis jetzt aufgebracht worden. Ein Dutzend weitere kämpften noch ums Überleben. Eines war verbrannt und gesunken, der Rest ergriff die Flucht.

Capitaine Montmorin, der wusste, dass Chase ihn entern wollte, hatte Männer mit Äxten losgeschickt, um den gefallenen Großmast abzutrennen. Andere Männer zerhackten die Enterhakenstricke, mit denen die *Revenant* mit der *Pucelle* verbunden war. Montmorin versuchte, freizukommen, weil er hoffte, überleben, sich nach Cadiz schleppen und an einem anderen Tag weiterkämpfen zu können.

»Ich will, dass die Karronaden feuern!«, rief Chase, und die Männer, die geholfen hatten, die Enterer zurückzuschlagen, schwangen die schweren 32-Pfünder herum und feuerten auf die Männer, die versuchten, die *Revenant* freizubekommen und jetzt noch mehr Probleme hatten, denn ihr Focksegel hatte Feuer gefangen. Die Flammen breiteten sich außergewöhnlich schnell aus, verschlangen das von Kugeln gelöcherte Segeltuch, doch Montmorins Männer durchschnitten die Stricke, die die Fockrah hielten, und so fiel das Segel aufs Deck, und sie konnten das brennende Segeltuch über Bord werfen.

»Lasst sie in Ruhe«, bellte Chase diejenigen seiner Männer an, die mit ihren Musketen auf die sich abmühenden Seeleute zielten. Er wusste, dass das Feuer auf die *Pucelle* übergreifen konnte, und dann würden beide Schiffe brennen und explodieren. »Gut gemacht, gut gemacht!«, rief Chase der Mannschaft seines Feindes zu, als sie die letzten brennenden Trümmer ins Wasser geworfen hatte. Dann krachten die Geschütze und fegten die Männer mit den Äxten hinweg, die immer noch versuchten, die beiden Schiffe aus ihrer Umarmung zu befreien. Ein Geschütz explodierte auf der *Revenant*, und es klang schrecklich, als Stücke des zerborstenen Schlosses Montmorins Kanoniere auf dem Unterdeck niedermähten.

Weitere britische Geschütze feuerten, und die *Pucelle* fügte dem Franzosen unbarmherzig Schaden zu. Ein Leutnant, der das Kommando über die Unterdeckgeschütze der *Pucelle* hatte, sah, dass die beiden Rümpfe so nahe zusammenlagen, dass die Mündungsflammen seiner 32-Pfünder drohten, das gesplitterte Holz des unteren Rumpfs der *Revenant* in Brand zu stecken, und so befahl er einem halben Dutzend Männern, Wasser aus Eimern auf die kleinen Brandherde zu schütten, damit die Flammen nicht auf die *Pucelle* übergriffen.

»Seesoldaten!«, rief Sharpe. »Seesoldaten!« Er hatte zweiunddreißig Seesoldaten versammelt und nahm an, dass die anderen tot oder verwundet waren oder das Magazin oder die französischen Gefangenen auf dem Achterdeck bewachten. Diese zweiunddreißig Mann mussten genügen. »Wir entern!«, schrie Sharpe gegen das Krachen der Geschütze an. »Nehmt Piken, Äxte, Entermesser und sorgt dafür, dass eure Musketen geladen sind. Beeilung!« Er fuhr herum, als er das Schaben eines Schwerts in der Scheide vernahm, und sah Collier, immer noch mit Leutnant Haskells Blut getränkt, unter dem gefallenen französischen Großmast stehen, der die Brücke zum Entern sein würde. »Was, zur Hölle, tun Sie hier, Harry?«, fragte Sharpe.

»Ich gehe mit Ihnen, Sir.«

»Den Teufel werden Sie tun. Gehen Sie und behalten Sie die verdammte Uhr im Auge.«

»Da ist keine Uhr mehr.«

»Dann gehen Sie und kümmern sich einfach um etwas anderes!«, blaffte Sharpe.

Die Kanoniere des Hauptdecks, mit nacktem Oberkörper, blutbefleckt und vom Pulverrauch geschwärzt, versammelten sich mit Piken und Entermessern. Die Unterdeckgeschütze feuerten immer noch, erschütterten bei jedem Schuss beide

Schiffe. Ein paar französische Geschütze antworteten, und eine Kugel schmetterte durch die versammelten Enterer und schlug eine blutige Schneise über das Deck der *Pucelle*.

»Wer hat eine Volley Gun?«, rief Sharpe, und ein Sergeant der Seesoldaten hielt eine der stummelartigen Waffen hoch. »Geladen?«, fragte Sharpe.

»Jawohl, Sir.«

»Dann her damit.« Er nahm die Volley Gun und vertauschte sie mit seiner Muskete, dann vergewisserte er sich, dass sein Entermesser in der Scheide steckte. »Folgt mir rauf zum Achterdeck!«, rief Sharpe.

Der umgestürzte Mast ragte aufs Hauptdeck der *Revenant*, konnte jedoch nur erreicht werden, wenn man sich auf ein heißes Kanonenrohr stellte und sich hochzog. Sharpe hielt es für leichter, zum Achterdeck zu gehen und dann entlang der Steuerbordlaufplanke zurückzukehren. So konnte man auf den Mast gelangen. Dann musste man rennen, auf dem gebrochenen Rundholz balancieren und schließlich auf das Deck der *Revenant* springen, und weil sich die beiden Schiffe ungleichmäßig auf den Wellen bewegten, war das äußerst gefährlich.

Mein Gott, dies ist eine schreckliche Aktion, dachte Sharpe, fast wie in die Bresche einer feindlichen Festung zu gehen. Er rannte hinauf zum Achterdeck, ließ sich dann zur Laufplanke hinab und versuchte nicht daran zu denken, was geschehen würde. Auf der gegenüberliegenden Laufplanke waren französische Seesoldaten, und eine Horde bewaffneter Verteidiger wartete auf den blutgetränkten Planken des Hauptdecks der *Revenant*. Montmorin wusste, was kam, doch gerade in diesem Augenblick krachte eine 32er-Kugel der Karronade auf dem Vordeck in den Bauch der *Revenant*, und eine Rauchwolke wallte über das Schiff.

»Jetzt!«, sagte Sharpe und kletterte auf den Mast, doch eine

Hand hielt ihn zurück. Als er fluchend den Kopf wandte, sah er, dass es Chase war, der ihn aufhielt.

»Ich zuerst, Sharpe«, sagte Chase tadelnd.

»Sir!«, protestierte Sharpe.

»Jetzt, Jungs!« Chase hatte seinen Säbel gezogen und rannte über die behelfsmäßige Brücke.

»Kommt schon!«, rief Sharpe und rannte hinter Chase her, die siebenläufige Waffe in der Hand. Es war wie ein Balanceakt auf einem Seil im Zirkus. Er blickte hinab und sah das schäumende Weiß zwischen den beiden Schiffsrümpfen, und er glaubte, schwindlig zu werden, als er sich vorstellte, zu fallen und zu Tode gequetscht zu werden, wenn die beiden Schiffe aneinanderstießen. Dann pfiff eine Kugel an ihm vorbei, und er sah, dass Chase vom zersplitterten Stumpf des Masts gesprungen war. Sharpe folgte ihm und sprang schreiend durch den Rauch.

Chase war nach links gesprungen, in den Bereich, der von der Karronade beschossen worden war. Dort lagen Sterbende und Verwundete, und das Deck war glitschig von Blut. Er stolperte über eine Leiche. Die Franzosen sahen seine goldenen Tressen durch den Rauch leuchten, und sie griffen ihn schreiend an, aber Sharpe riss die Volley Gun hoch und feuerte, und die Kugeln warfen die Franzosen in einer Rauchwolke zurück. Sharpe warf die Volley Gun zur Seite und zog sein Entermesser. Er war in den rauchenden Wahnsinn einer Schlacht gesprungen, nicht in die relative Ruhe eines disziplinierten Kampfs, wenn Bataillone Salven feuerten oder stattliche Schiffe Kanonenfeuer austauschten, sondern in den Horror eines Gossenkampfes.

Chase war zwischen zwei der französischen Steuerbordgeschütze gefallen, und sie gaben ihm Deckung, aber Sharpe war ungeschützt, und er schrie den Feind an, fegte eine Pike mit dem Entermesser zur Seite, stieß mit dem Messer nach einem Angreifer, traf ihn nicht, und im nächsten Augenblick sprang ein Seesoldat den Mann an, warf ihn nach vorn, und Sharpe erledigte ihn mit einem Tritt, während der Seesoldat hinterrücks von einem Franzosen aufgespießt wurde.

Sharpe schwang das Entermesser nach rechts, wich damit unabsichtlich einem weiteren Pikenstoß aus, dann packte er den französischen Seemann am Hemd und zog ihn an sich, in die Klinge des Entermessers hinein. Sharpe drehte den Stahl im Bauch des Mannes und riss ihn heraus. Er schrie wie der Teufel, wechselte das Entermesser wieder in die Linke und vertrieb einen französischen Offizier, der über den sterbenden britischen Seesoldaten stolperte und außer Reichweite stürzte.

Die Toten waren wie eine Barrikade, die Sharpe und Chase schützte, doch ein französischer Seesoldat kletterte hinüber zu einem der Geschütze. Chase rappelte sich auf, stieß seinen Säbel nach einem Angreifer und feuerte dann mit seiner Pistole über die andere Kanone. Sharpe schwang wieder das Entermesser, dann stieß er einen Freudenschrei aus, als britische Seesoldaten und Seeleute vom Mast aufs Deck der *Revenant* sprangen.

»Hier lang!« Sharpe sprang über die Toten hinweg und verlagerte den Kampf zum Vordeck des Schiffes. Die französischen Verteidiger waren zahlreich, doch der Weg nach achtern war durch ebenso viele Männer blockiert. Musketen krachten vom Achterdeck, und weitere feuerten vom Vordeck, und mindestens ein Verteidiger wurde von seinen eigenen Leuten in diesem wilden Feuer getötet.

Die Männer der *Revenant* waren den Enterern zahlenmäßig weit überlegen, doch die britische Zahl stieg mit jeder Minute, und die Mannschaft der *Pucelle* wollte Rache für den Beschuss durch die *Revenant*. Sie kämpfte wild und erbarmungslos. Ein

Kanonier schwang eine Handspake, fegte einen Säbel zur Seite und zerschmetterte einem Franzosen den Schädel, dann wurde er von den nachfolgenden Männern weiter vorwärts geschoben. Chase rief den Männern zu, ihm zum Achterdeck zu folgen, während Sharpe einen Trupp nach vorne führte. »Tötet sie!«, brüllte er. »Tötet sie!«

Danach konnte er sich kaum noch an diesen Kampf erinnern. Solche Kämpfe waren zu wild und leidenschaftlich, zu laut, voller Horror, dass er beschämt war, wenn er sich an die Freude daran erinnerte. Es war, als wären alle Fesseln der Zivilisation gesprengt. In solchen wilden Abenteuern war Richard Sharpe gut. Deshalb trug er eine Offiziersschärpe, anstatt des Koppels eines einfachen Soldaten, weil fast in jeder Schlacht der Moment kam, an dem sich die disziplinierten Reihen auflösten und ein Mann mit allen Mitteln ums Überleben kämpfen und töten musste.

Um in eine solche Art Kampf zu gehen, musste man entweder zornig, wahnsinnig oder verzweifelt sein. Einige Männer waren das nie, und sie schreckten vor der Gefahr zurück, und Sharpe konnte es ihnen nicht verdenken, denn nichts war an Zorn, Wahnsinn oder Verzweiflung bewundernswert. In einem solchen Kampf zählten allein Gnadenlosigkeit und die Entschlossenheit zu siegen. Die Bastarde zu schlagen, zu beweisen, dass der Feind unterlegen war. Der gute Soldat war wie der Hahn auf einem blutgetränkten Misthaufen, und Richard Sharpe war ein guter Soldat.

Sein Zorn erkaltete bei einem Kampf. Zu Beginn mochte ihn Furcht quälen, und für einen Augenblick hätte er fast einen Vorwand gesucht, um die Brücke aus dem zersplitterten Mast nicht zu betreten, nicht mitten zwischen die Feinde zu springen, aber nachdem er sich überwunden hatte, kämpfte er mit tödlicher Präzision. Er hatte das Gefühl, dass die Zeit sich verlangsamte, sodass er deutlich voraussagen konnte, was jeder Gegner vorhatte. Ein Mann zu seiner Rechten zog eine Pike zurück, sodass diese Bedrohung ignoriert werden konnte, weil es schließlich Sekunden dauern würde, bis die Pike wieder zustieß. Unterdessen holte ein bärtiger Mann vor Sharpe bereits mit seinem Entermesser aus, und Sharpe drehte die Spitze seiner eigenen Klinge in den Hals dieses Mannes, dann wechselte er sein Entermesser in die Rechte und parierte den Stoß mit der Pike, obwohl er noch nach links blickte. Er sah keine augenblickliche Gefahr, sein Blick zuckte wieder nach rechts, stieß die Klinge in das Gesicht des Angreifers mit der Pike, sah wieder nach vorne, rammte den Mann mit der Schulter, sodass er gegen eine Kanone fiel. Sharpe hob das Entermesser mit beiden Händen und trieb es dem Mann in den Bauch. Die Spitze der Klinge blieb im Holz der Lafette stecken, und Sharpe verlor eine Sekunde, um sie herauszureißen.

Britische Seeleute rannten an ihm vorbei, zwangen die Franzosen, ein paar Schritte auf ihrem Deck zurückzuweichen, und Sharpe kletterte auf die Kanone und sprang auf der anderen Seite wieder hinunter. Dort wollte sich ihm ein Franzose ergeben, doch Sharpe wollte keinen Mann in seinem Rücken haben, und so stach er dem Franzosen ins Handgelenk, damit er nicht die Axt benutzen konnte, die er fallen gelassen hatte, und trat ihm zwischen die Beine, bevor er auf die nächste Kanone kletterte. Die Flächen zwischen den Kanonen dienten den Franzosen als Deckung, und Sharpe wollte sie herausjagen und auf die Piken und Klingen der Enterer zu treiben.

Captain Chases Barkassenmannschaft war ihm nach achtern gefolgt und kämpfte sich zur Treppe zum Achterdeck durch, doch Clouter war zu spät dazugekommen, denn er war es gewesen, der die vordere Steuerbord-Karronade der *Pucelle* in die Masse der Verteidiger abgefeuert hatte, als Chase den

Angriff über den Mast begonnen hatte. Der große Schwarze war über die Brücke des gefallenen Großmasts aufs Deck der *Revenant* gesprungen und hatte sich nach achtern gewandt und die Seeleute angebrüllt, ihn durchzulassen. Als er an der Spitze gewesen war, hatte er sich auf der Backbordseite über das Hauptdeck durchgekämpft, während Sharpe den Angriff über die Steuerbordseite geführt hatte. Clouter schwang eine Axt einhändig, ignorierte die Männer, die sich zu ergeben versuchten, und tötete diejenigen, die ihn angriffen.

Jetzt ergaben sich immer mehr Männer, warfen Äxte und Piken hin und hoben die Hände oder warfen sich auf die Planken, um sich tot zu stellen. Sharpe musterte sie misstrauisch, bis er glaubte, dass sie keine Gefahr mehr waren. Als er sich umdrehte, um nach seinen Seesoldaten zu sehen, peitschte ein Musketenschuss, und die Kugel zupfte am Saum seines Rocks.

»Feuert auf die Bastarde!«, rief er und wies zum Vordeck, wo einige Männer aus Montmorins Mannschaft noch Widerstand leisteten. Einer der Seesoldaten zielte mit einer siebenläufigen Volley Gun, doch Sharpe entriss sie ihm. »Benutz eine Muskete, Junge!«

Er schob das blutbefleckte Entermesser in die Scheide und rannte dann durch den Niedergang zum Vordeck. Die *Revenant* war das Schwesterschiff der *Pucelle*. Sharpe hatte das Gefühl, auf der *Pucelle* zu kämpfen, so gleich waren die Räumlichkeiten der beiden Schiffe. Er bahnte sich einen Weg durch die Feinde bis zum Vordeck. Ein Kanonier versuchte halbherzig, einen Wischer nach ihm zu stoßen. Sharpe schlug ihn mit der Volley Gun nieder. Seesoldaten folgten ihm.

Zwei Franzosen duckten sich in der Kombüse, wo der große Herd auseinandergerissen worden war. Sharpe hörte unter sich die großen Geschütze feuern, das Donnern erfüllte das Schiff, doch er konnte nicht sagen, ob es die Geschütze der *Revenant* oder die der *Pucelle* waren. Er stieg mit der Volley Gun im Hüftanschlag in die Düsterkeit des Unterdecks hinab und drückte ab. Der Pulverrauch vermischte sich mit dem Rauch, der bereits unter den Deckenbalken kräuselte. Sharpe zog das Entermesser.

»Es ist vorbei!«, rief er. »Stopp mit dem Feuern! Stopp!« Er wünschte, er könnte Französisch. »Hört mit dem Feuern auf, ihr Bastarde! Es ist vorbei!«

Die nächsten französischen Kanoniere starrten ihn nur an. Dutzende von Toten lagen auf dem Deck, und aus einigen Leichen ragten große Holzsplitter. Der Großmast hatte eine Seite des Vordecks zerschmettert. Das Deck war versengt, wo die Kanone explodiert war.

»Es ist vorbei!«, schrie Sharpe. »Geht von der Kanone weg!« Die Franzosen mochten kein Englisch verstehen, aber sie verstanden die Sprache von Sharpes Waffe. Sharpe ging zu einer Stückpforte und brüllte: »*Pucelle! Pucelle!*«

»Wer ist das?«, antwortete eine Stimme.

»Ensign Sharpe! Sie haben das Feuer eingestellt. Nicht mehr schießen! Feuer einstellen!«

Eine letzte Kanone krachte, dann herrschte Stille. Sharpe ging über das Deck, trat über Leichen hinweg, kletterte auf eine umgestürzte Kanone und forderte die französischen Kanoniere mit Gesten auf, sich hinzuknien oder zu legen. Drei Seesoldaten folgten ihm, die Bajonette aufgepflanzt.

»Runter!«, fuhr Sharpe einen Mann an, der ihn, vom Pulver geschwärzt, wild anblickte. »Runter!« Er wandte sich um und sah weitere Seesoldaten und britische Seeleute durch den Niedergang kommen. »Entwaffnet die Bastarde«, rief er, »und bringt sie nach oben!« Er trat über die zersplitterten Reste einer Schiffspumpe. Ein französischer Offizier wollte ihm mit gezogenem Säbel gegenübertreten, doch nach einem Blick in

Sharpes Gesicht ließ er ihn fallen. Kanoniere der *Pucelle* kletterten aus den Stückpforten des britischen Schiffs in die französischen Stückpforten, um zu plündern, was sie konnten.

Sharpe überquerte einen Teil des geschwärzten Decks, wo eine seiner Granaten explodiert war. Die Franzosen beobachteten ihn angespannt. Er schob einen Mann mit dem Entermesser beiseite und stieg durch den hinteren Niedergang zum Lazarett hinab.

Er wünschte, er wäre nicht hinabgestiegen, denn unten gab es Dutzende blutende und sterbende Männer. Dies war das Königreich des Todes, dieser blutige Bauch des Schiffes, der Platz, an dem die Schwerverwundeten unter dem Messer des Arztes stöhnten und wo für viele aller Wahrscheinlichkeit nach die Ewigkeit wartete. Es roch nach Blut und Exkrementen, Urin und Verzweiflung. Der Arzt, ein weißhaariger Mann mit Blutflecken im Bart, blickte von einem Verwundeten auf, dessen Bauchwunde er gerade untersucht hatte. »Verschwinden Sie von hier«, sagte er in gutem Englisch.

»Halten Sie die Klappe«, knurrte Sharpe. »Ich habe noch keinen Arzt getötet und möchte nicht mit Ihnen anfangen.«

Der Arzt blickte bestürzt und sagte nichts mehr, als Sharpe weiterging. Er zog an dem Ring der Luke zum untersten Deck und richtete die Pistole hinab in einen von Laternen erhellten, kleinen Raum.

Ein Mann und eine Frau hielten sich darin auf. Die Frau war Mathilde, und der Mann war Pohlmanns sogenannter Diener, der Mann, der behauptet hatte, Schweizer zu sein, in Wirklichkeit jedoch ein Feind Britanniens war. Über Sharpe, im rauchgeschwängerten Tageslicht, ertönten Hochrufe, als die zusammengefaltete Trikolore der *Revenant* Joel Chase übergeben wurde. Die Jagd auf den Geist war beendet, das Schiff aufgebracht worden.

»Hoch«, sagte Sharpe zu Michel Vaillard. »Hoch mit dir!« Sie hatten diesen Mann über zwei Ozeane verfolgt, und Sharpe war noch immer angefressen wegen Vaillards Verrat auf der *Calliope*.

Michel Vaillard hob die Hände und spähte durch die Luke. Er blinzelte. Zweifellos konnte er Sharpe erkennen, wusste ihn jedoch nicht einzuordnen. Dann erinnerte er sich, wer Sharpe war, und blitzschnell wurde ihm klar, dass die *Calliope* wieder zurückerobert worden sein musste. »Sie sind das!« Er klang ärgerlich.

»Ja, ich bin es. Und jetzt hochkommen! Wo ist Pohlmann?«

»An Deck«, antwortete Vaillard. Er kletterte die Leiter hinauf, klatschte sich den Staub von den Händen und bückte sich, um Mathilde durch die Luke zu helfen. »Was ist geschehen?«, fragte Vaillard Sharpe. »Wie sind Sie hierhergekommen?«

Sharpe ignorierte die Frage. »Sie werden hierbleiben, Ma'am«, sagte er zu Mathilde. »Da ist ein Arzt, der Hilfe braucht.« Er stieß Vaillards Arme zur Seite, zog den Rock des Franzosen auseinander und sah einen Pistolengriff. Er zog die Pistole aus der Tasche und warf sie durch die Luke hinab. »Sie kommen mit mir.«

»Ich bin nur ein Diener«, sagte Vaillard.

»Sie sind ein Stück verräterische französische Scheiße«, sagte Sharpe. Er schob Vaillard vor sich her zum Unterdeck, wo die großen Geschütze, heiß wie Kochtöpfe auf einem glühenden Herd, jetzt verlassen waren. Nur die französischen Toten und Verwundeten waren zurückgeblieben, und ein Dutzend britische Seeleute durchsuchten ihre Taschen.

Vaillard weigerte sich, weiterzugehen. Er drehte sich zu Sharpe um. »Ich bin Diplomat, Mister Sharpe«, sagte er ernst. Sein Blick war fast freundlich. Er trug einen grauen Rock mit schwarzer Halsbinde auf weißem Hemd. Er wirkte ruhig und zuversichtlich. »Sie können mich nicht töten«, sagte er, »und Sie haben kein Recht, mich gefangen zu nehmen. Ich bin weder Soldat noch Seemann, sondern akkreditierter Diplomat. Sie mögen diese Schlacht gewonnen haben, aber in ein, zwei Tagen wird mich Ihr Admiral nach Cadiz schicken, weil Diplomaten so behandelt werden müssen.« Er lächelte. »Das ist Gepflogenheit, Ensign. Sie sind Soldat und können sterben, aber ich bin Diplomat, und ich muss leben. Mein Leben ist sakrosankt.«

Sharpe stieß ihn mit der Pistole an und zwang ihn, nach achtern auf die Offiziersmesse zuzugehen. Wie auf der *Pucelle* war auch hier jedes Schott entfernt worden. Der graue Segeltuchteppich war mit Blut verschmiert. Die großen Fenster waren von den Geschützen der *Spartiate* zerschossen worden, sodass keine einzige Scheibe mehr übrig war, und die eleganten Sitze der Fensterbänke waren mit Scherben übersät. Sharpe zog eine Tür zur Steuerbordseite auf und sah, dass die Quartiere mit der Offizierslatrine von der Breitseite der *Spartiate* fast ganz weggeschossen worden waren, sodass sich die Tür zu nichts außer dem Ozean öffnete. Weit entfernt segelten die paar feindlichen Schiffe, die der Schlacht entkommen waren, auf die Küste von Spanien zu.

»Sie wollen nach Cadiz?«, fragte er Vaillard.

»Ich bin Diplomat«, protestierte der Franzose. »Sie müssen mich dementsprechend behandeln!«

»Ich werde Sie verdammt behandeln, wie ich will«, sagte Sharpe. »Hier gibt es keine verdammten Regeln, und wenn Sie wollen, dann segeln Sie verdammt noch mal nach Cadiz.« Er packte Vaillard am grauen Rock. Der Franzose wehrte sich, wich zurück von der geöffneten Tür, hinter der die Reste der Latrine über der See hingen. Sharpe schlug ihm mit dem Griff der Pistole über den Schädel und stieß ihn durch die Tür. Schreiend stürzte der Franzose ins Meer.

Ein britischer Matrose, dessen Zopf fast bis zur Hüfte reichte, hatte das beobachtet. »Musste das sein, Sir?«

»Er wollte das Schwimmen lernen«, sagte Sharpe und steckte die Pistole ein.

»Als Franzmann sollte er schwimmen können, Sir«, meinte der Seemann. »Es liegt ihnen in der Natur.« Er trat neben Sharpe und blickte ins Wasser hinab. »Aber er kann es nicht.«

»Er ist also kein guter Franzmann«, sagte Sharpe.

»Aber er sah reich aus, Sir.« Der Seemann sah Sharpe tadelnd an. »Wir hätten ihn durchsuchen können, bevor er schwimmen ging.«

»Tut mir leid«, sagte Sharpe, »daran habe ich nicht gedacht.«

»Und jetzt ertrinkt er«, sagte der Seemann.

Vaillard planschte verzweifelt, dass das Wasser spritzte, ging jedoch trotz seiner panischen Bemühungen unter. Hatte er die Wahrheit über seinen geschützten Status als Diplomat gesagt? Sharpe war sich dessen nicht sicher, doch wenn er nicht gelogen hatte, dann war es besser, wenn er nicht mehr dazu kam, in Paris sein Gift zu verbreiten.

»Nach Cadiz geht es da lang!«, rief Sharpe zu dem mit den Wellen kämpfenden Mann hinunter und wies ostwärts, doch Vaillard hörte ihn nicht. Vaillard starb.

Pohlmann war bereits tot. Sharpe fand den Hannoveraner auf dem Achterdeck, wo Pohlmann die Gefahr mit Montmorin geteilt hatte und früh in der Schlacht durch eine Kanonenkugel gestorben war, die ihm die Brust aufgerissen hatte. Das Gesicht des Deutschen, sonderbarerweise ohne einen Blutstropfen, schien zu lächeln. Eine Woge hob die *Revenant* an und wiegte Pohlmanns Leichnam.

»Er war ein tapferer Mann«, sagte jemand. Sharpe blickte

auf und sah Capitaine Louis Montmorin. Montmorin hatte Chase das Schiff übergeben und mit Tränen in den Augen seinen Degen angeboten, doch Chase hatte ihn nicht genommen. Stattdessen hatte er Montmorin die Hand geschüttelt, dem Franzosen sein Mitleid ausgedrückt und ihm zu den Kampfqualitäten seines Schiffs und der Besatzung gratuliert.

»Er war ein guter Soldat«, sagte Sharpe und blickte auf Pohlmanns Gesicht hinab. »Er hatte nur die schlechte Gewohnheit, sich für die falsche Seite zu entscheiden.«

Wie es bei Peculiar Cromwell der Fall gewesen war. Der Kapitän der *Calliope* lebte noch. Er sah besorgt aus, wozu er auch allen Grund hatte, denn auf ihn wartete eine Anklage und Bestrafung, doch er richtete sich kerzengerade auf, als er Sharpe sah. Es überraschte ihn anscheinend nicht, vielleicht hatte er bereits vom Schicksal der *Calliope* erfahren.

»Ich habe Montmorin geraten, nicht zu kämpfen«, sagte er, als Sharpe zu ihm ging. Cromwell hatte sein langes Haar kurz geschnitten, vielleicht bei dem Versuch, sein Aussehen zu verändern, doch seine buschigen Brauen und das lange Kinn waren nicht zu übersehen. »Ich habe ihm gesagt, dass dieser Kampf nicht unsere Sache ist. Wir sollten nur Cadiz erreichen, nichts sonst, aber er bestand darauf, zu kämpfen.« Er streckte Sharpe die Hand hin. »Es freut mich, dass Sie leben, Ensign.«

»Es freut Sie, dass ich lebe?« Sharpe spuckte die Worte fast in Cromwells Gesicht. »Sie Bastard!« Er packte Cromwell am Kragen. »Wo ist es?«

»Wo ist – was?«, erwiderte Cromwell.

»Versuchen Sie nicht, mich zu verscheißern, Peculiar«, sagte Sharpe. »Sie wissen verdammt genau, was ich haben will. Also wo, zum Teufel, ist es?«

Cromwell zögerte, dann brach sein Widerstand zusammen. »Im Laderaum«, murmelte er und zuckte zusammen, als er an seine Niederlage dachte. Er hatte sein Schiff verkauft, weil er geglaubt hatte, die Franzosen würden die Welt beherrschen, und jetzt war er Teil der zerstörten französischen Hoffnungen. Fast ein Dutzend französische und spanische Schiffe waren aufgebracht worden, und die Briten hatten kein einziges Schiff eingebüßt, aber er, Peculiar Cromwell, war verloren.

»Clouter!« Sharpe sah den blutbesudelten Mann aufs Achterdeck steigen.

»Sir?«

»Was ist mit Ihrer Hand passiert?«, fragte Sharpe. Der große Schwarze trug einen blutgetränkten Lappen um seine linke Hand.

»Entermesser«, sagte Clouter lapidar. »Der letzte Mann, gegen den ich kämpfte. Kostete mich drei Finger, Sir.«

»Das tut mir leid.«

»Und ihn kostete es das Leben«, fügte Clouter hinzu.

»Können Sie das halten?«, fragte Sharpe und hielt Clouter die Pistole hin. Clouter nickte und nahm sie. »Bringen Sie diesen Bastard runter in den Laderaum.« Sharpe wies auf Cromwell. »Er wird Ihnen einen Beutel mit Edelsteinen geben. Bringen Sie mir die Steine, und Sie bekommen einige davon, weil Sie mir das Leben gerettet haben. Da ist auch eine Uhr drin, die einem Freund von mir gehört und mir viel bedeutet, aber wenn Sie noch was anderes finden, gehört es Ihnen.« Er schob Cromwell dem Schwarzen in die Arme. »Und wenn er Ihnen Probleme macht, Clouter, Sie haben ja die Pistole!«

»Ich will ihn lebend, Clouter.« Captain Chase hatte Sharpes letzte Worte gehört. »Lebend!«, wiederholte Chase, dann trat er zur Seite, um Cromwell passieren zu lassen. Er lächelte Sharpe an. »Ich schulde Ihnen wieder Dank, Richard.«

»Nein, Sir. Ich muss Ihnen gratulieren.« Sharpe starrte auf die beiden Schiffe, die immer noch dicht nebeneinander lagen, und sah Trümmer und Rauch und Blut und Leichen, und im Umkreis schwammen Wracks und beschädigte Schiffe, aber jetzt alle unter britischer Flagge. Dies war das Bild des Sieges, eines mit Blut erkauften Triumphes, aber ein Sieg. Die Kirchenglocken würden in Britanniens Städten dafür läuten, und dann würden Familien besorgt darauf warten, dass ihre Männer heimkehrten. »Sie haben Ihre Sache gut gemacht, Sir«, sagte Sharpe. »Sehr gut.«

»Wir alle haben unser Bestes gegeben«, sagte Chase. »Haskell ist gestorben, haben Sie das gewusst? Der arme Haskell. Erst vor einem Jahr sind wir nach Indien aufgebrochen.« Chase wirkte so erschöpft wie Montmorin, doch als er aufblickte, sah er seine alte rote Flagge über der französischen Trikolore auf dem Fockmast, dem einzigen verbliebenen Mast der *Revenant*, gehisst. Die weiße Flagge flatterte am Großmast der *Pucelle*, und das weiße Tuch war mit Haskells Blut beschmiert. »Wir haben ihn nicht im Stich gelassen, nicht wahr?«, sagte Chase mit Tränen in den Augen. »Nelson, meine ich. Ich hätte nicht mit dem Wissen leben können, Nelson im Stich gelassen zu haben.«

»Sie haben ihn stolz gemacht, Sir.«

»Die *Spartiate* hat uns gerettet. Welch ein guter Freund Francis Lavory ist! Ich hoffe, er hat selbst eine Prise gemacht.« Wind ließ die Flaggen flattern und trieb den sich lichtenden Rauch über die See. Die langen Wellen kräuselten sich und weißer Schaum gischtete um die Trümmer, die in der See schwammen. Es war nur noch ein Dutzend Schiffe in Sicht, deren Masten und Takelage intakt waren. Nelson hatte den Tag mit achtundzwanzig Schiffen begonnen, und jetzt waren sechsundvierzig in seiner Flotte. Und der Rest des Feindes hatte die Flucht ergriffen. »Wir müssen nach Vaillard suchen«, sagte Chase, als er sich plötzlich an den Franzosen erinnerte.

»Er ist tot, Sir.«

»Tot?« Chase zuckte mit den Schultern. »Das ist das Beste, nehme ich an.« Der Wind blähte die zerfetzten Segel der beiden Schiffe. »Mein Gott«, sagte Chase, »endlich bläst Wind! Und nicht nur ein wenig, befürchte ich. Wir müssen an unsere Arbeit gehen.« Er blickte zur *Pucelle*. »Sieht sie nicht lädiert aus? Armes liebes Ding. Mister Collier! Haben Sie überlebt?«

»Ich bin putzmunter«, sagte Harold Collier mit einem Grinsen. Er hielt immer noch seinen Degen in der Hand, dessen Klinge mit Blut verschmiert war.

»Den können Sie vermutlich in die Scheide stecken, Harry«, sagte Chase freundlich.

»Die Scheide ist getroffen worden«, sagte Collier und hob sie an, um zu zeigen, wo sie von einer Musketenkugel beschädigt worden war.

»Sie haben Ihre Sache gut gemacht, Mister Collier«, sagte Chase. »Und jetzt werden Sie die Männer antreten lassen, um die beiden Schiffe zu trennen.«

»Aye, aye, Sir.«

Montmorin wurde an Bord der *Pucelle* gebracht, doch der Rest von seiner Mannschaft wurde unter dem Deck der *Revenant* gefangen gehalten. Der Wind stöhnte jetzt in der Takelage, und die See war schaumgekrönt. Ein Leutnant und zwanzig Mann wurden als Prisencrew an Bord der aufgebrachten *Revenant* eingesetzt, und dann wurden die beiden Schiffe getrennt. Ein Schlepptau wurde am Heck der *Pucelle* angebracht, sodass sie ihre Prise in den Hafen schleppen konnte. Leutnant Peel ließ von einem Dutzend Männern neue Stage an dem verbliebenen Mast anbringen, um ihn vor dem bevorstehenden Sturm zu stützen. Die Stückpforten wurden geschlossen und die Geschütze festgezurrt. In der Kombüse wurden die Feuer wieder angezündet und als Erstes Essig gekocht, mit dem die blutbefleckten Decks geschrubbt wurden, denn man glaubte, dass nur erhitzter Essig die Planken vom Blut befreien konnte.

Sharpe, wieder an Bord der *Pucelle*, fand einige Orangen im Speigatt, verzehrte eine und füllte mit den anderen seine Taschen.

Die Toten wurden über Bord geworfen. An Bord waren alle nach einem Nachmittag des blutigen Kämpfens völlig erschöpft, doch der Einbruch der Dunkelheit und der aufkommende Wind brachte die schlechteste Nachricht des Tages.

Ein Boot von der *Conqueror* wurde zur *Pucelle* gerudert, und ein Offizier rief die Nachricht hinauf zu Chases beschädigtem Achterdeck. Nelson sei gefallen, niedergestreckt durch eine Musketenkugel auf dem Deck der *Victory*. Die Seeleute der *Pucelle* konnten die Nachricht kaum glauben, und Sharpe erfuhr erst davon, als er Chase weinen sah. »Sind Sie verwundet, Sir?«, fragte er.

Chase wirkte völlig fassungslos wie ein Besiegter, statt wie ein siegreicher Kapitän mit reicher Prise. »Der Admiral ist tot, Sharpe«, sagte Chase. »Er ist tot.«

»Nelson?«, fragte Sharpe.

»Tot!«, sagte Chase. »O Gott, warum nur?«

Sharpe empfand ebenso eine innere Leere. Die gesamte Mannschaft wirkte schwer betroffen, als sei ein Freund, kein Kommandeur, gestorben. Nelson war tot. Einige glaubten es nicht, aber die Flagge des Oberbefehlshabers, die an der *Royal Sovereign* flatterte, bestätigte, dass jetzt Collingwood die siegreiche Flotte befehligte. Und wenn Collingwood das Kommando hatte, war Nelson tot. Chase weinte um ihn. Er wischte sich erst mit dem Ärmel über die Augen, als die letzte Leiche über Bord geworfen wurde. Es gab keine Zeremonie für diese letzte Leiche, denn für keinen, der an diesem Tag gefallen war, hatte es eine gegeben.

Es schien plötzlich kälter zu werden. Der Wind war eisigkalt, und Sharpe fröstelte. Chase beobachtete, wie der Leichnam von den Wellen weitergetragen wurde, dann schüttelte er verwirrt den Kopf. »Er muss sich entschieden haben, am Kampf teilzunehmen«, sagte Chase. »Können Sie das glauben?«

»Von jedem Mann wurde erwartet, dass er seine Pflicht tut, Sir«, sagte Sharpe gleichmütig.

»So war es, und das haben sie getan, aber niemand hat von ihm erwartet, dass er selbst kämpft oder sich eine Kugel einfängt. Der arme Kerl. Er war tapferer, als ich je gedacht habe.«

Er wandte sich um und betrachtete die Flotte, deren Hecklaternen bereits brannten und die in dem auffrischenden Wind segelte. Nur die *Victory* war dunkel, kein einziges Licht war dort zu sehen. »Oh, armer Nelson«, lamentierte Chase, »armes England.«

Sharpe ging hinab ins Lazarett, das so stinkend und blutig wie das auf der *Revenant* war. Pickering hatte an einem Oberschenkelknochen gesägt, und der Schweiß war von seinem Gesicht in das zerschmetterte Fleisch getropft. Der Patient, ein Stück Leder zwischen den Zähnen, hatte gezuckt, als die Säge in seinem Knochen geknirscht hatte. Zwei Matrosen hatten ihn festgehalten, und weder sie noch der Arzt hatten Sharpe bemerkt, der an ihnen vorbeiging, um die Luke zum Gatt anzuheben, in dem Lord William und Lady Grace vor dem Kampf in Sicherheit gewesen waren.

Die Unterseite der Luke war mit Blut bespritzt. Lord William lag in dem engen Raum, und in seinem Schädel klaffte ein Loch, durch das eine Pistolenkugel ausgetreten war. Grace saß zitternd, die Arme um die Beine geschlungen, neben der Leiche und schrie fast auf, als die Luke geöffnet wurde, dann erkannte sie erleichtert, dass es Sharpe war, der sich herabfallen ließ.

»Richard, bist du das wirklich?« Sie brach wieder in Tränen aus. »Sie werden mich hängen, Richard. Sie werden mich hängen, aber ich musste auf ihn schießen! Er wollte mich töten. Ich musste schießen!«

»Niemand wird dich hängen, Liebling«, sagte Sharpe. »Er ist an Deck gestorben. Jeder wird denken, er ist an Deck gestorben.«

»Ich musste es tun!«, jammerte sie.

»Die Franzosen haben es getan.« Sharpe nahm ihr die Pistole ab und steckte sie ein. Dann legte er die Hände unter Lord Williams Achseln und hob ihn auf, versuchte, die Leiche durch die Luke zu bugsieren, doch sie ließ sich nicht hindurchzwängen.

»Man wird mich aufhängen«, schluchzte Grace.

Sharpe ließ die Leiche fallen, wandte sich um und ging neben ihr in die Hocke. »Niemand wird dich aufhängen. Niemand wird es erfahren. Wenn man ihn hier unten findet, werde ich sagen, ich hätte ihn erschossen, aber mit etwas Glück kann ich ihn rauf an Deck bringen, und jeder wird denken, dass die Franzosen ihn erschossen haben.«

Sie legte die Arme um seinen Nacken. »Du lebst! O Gott, du lebst. Was ist passiert?«

»Wir haben gesiegt«, sagte Sharpe. Er küsste sie, dann hielt er sie einen Moment in den Armen, bevor er sich wieder mit der Leiche abmühte. Wenn Lord William hier gefunden wurde, würde niemand glauben, dass er vom Feind getötet worden war, und Chase würde gezwungen sein, eine Untersuchung durchführen zu lassen, also musste die Leiche aufs Orlopdeck geschafft werden. Aber die Luke war schmal, und Sharpe konnte den Leichnam nicht hindurchzwängen. Plötzlich griff eine Hand herab, packte Lord William am blutigen Kragen und zog ihn mühelos hoch.

Sharpe fluchte lautlos. Jemand wusste jetzt, dass Lord William hier im Versteck erschossen worden war. Als er durch die Luke hinaufgeklettert war, stellte er fest, dass der Mitwisser Clouter war, der jetzt bewies, dass er einhändig fähiger war als die meisten Männer mit zwei gesunden Händen. »Ich sah, dass Sie hier runtergestiegen sind, Sir«, sagte Clouter, »und ich wollte Ihnen dies geben.« Er hielt Sharpe den Beutel mit Edelsteinen und Major Daltons Uhr hin, und Sharpe nahm die Schätze und wollte Clouter davon seine Belohnung geben.

»Ich habe nichts dafür getan«, protestierte der große Mann.

»Sie haben mir das Leben gerettet«, sagte Sharpe und schloss Clouters große schwarze Finger um die Edelsteine. »Und jetzt werden Sie mich wieder retten. Können Sie diesen Toten an Deck schaffen?«

Clouter grinste. »Rauf, wo er gestorben ist, Sir?«

Sharpe konnte kaum glauben, dass Clouter so schnell das Problem begriff und die Lösung erkannte. Er konnte den großen Schwarzen, der ihn angrinste, nur anstarren. »Sie hätten den Bastard schon vor Wochen erschießen sollen, Sir, aber die Franzmänner haben das für Sie erledigt, und keiner an Bord wird etwas anderes sagen.« Er bückte sich und hievte den Leichnam auf seine Schulter. Sharpe half Lady Grace durch die Luke hinauf. Er bat sie zu warten und ging dann mit Clouter zum Achterdeck, wo sie in der zunehmenden Dämmerung Lord William über Bord warfen.

Niemand hatte gesehen, dass die Leiche übers Schiff getragen worden war.

Sharpe kehrte ins Lazarett zurück, wo Lady Grace, bleich und mit schreckgeweiteten Augen, sah, wie Pickering den Hautlappen über den Stumpf des amputierten Beins nähte. Sharpe nahm sie am Arm und führte sie in eine der winzigen Kabinen hinter dem Lazarett.

»Ich will, dass du weißt, was geschehen ist«, sagte Lady Grace.

»Ich weiß, was geschehen ist«, sagte Sharpe, als sie um Worte rang.

»Er wollte mich töten«, sagte sie.

»Dann hast du in Notwehr das Richtige getan«, sagte Sharpe. »Der Rest der Welt wird denken, dass er als tapferer Mann gefallen ist. Man wird annehmen, er ist an Deck gegangen, um zu kämpfen, und wurde erschossen. Wenn Chase das denkt, dann denkt es jeder. Verstehst du?«

Sie nickte. Sie zitterte, aber nicht vor Kälte. Blut ihres Mannes haftete an ihrem Haar.

»Und du hast auf ihn gewartet«, sagte Sharpe, »und er kam nicht zurück.«

Sie wandte sich um und schien dorthin zu blicken, wo sich ihr Versteck befand. »Aber das Blut«, jammerte sie, »das Blut!«

»Das Schiff ist voller Blut«, sagte Sharpe, »von zu viel Blut. Dein Mann starb an Deck. Er fiel als Held.«

»Ja«, sagte sie, »so war es.« Sie schaute ihn an, die Augen groß in der Dunkelheit, dann warf sie sich ihm in die Arme. Er spürte, wie sie zitterte. »Ich habe gedacht, du wärst tot«, flüsterte sie.

»Ich habe nicht mal einen Kratzer«, erwiderte Sharpe und streichelte über ihr Haar.

Sie bog den Kopf zurück, um ihn anzuschauen.

»Wir sind frei, Richard«, sagte sie mit einer Spur von Überraschung. »Ist dir das klar? Wir sind frei!«

»Ja, mein Liebling, wir sind frei.«

»Was werden wir tun?«

»Was immer wir wollen«, sagte Sharpe, »was immer wir können.«

Sie hielten einander fest, als wollten sie sich nie mehr loslassen. Das Schiff neigte sich im Wind, und die Verwundeten stöhnten, und die letzten Rauchschwaden verschwanden in der Nacht, als der Sturmwind von Westen anschwoll und unerträglich auf die Schiffe einpeitschte. Aber Sharpe hatte seine Frau, er war frei, und er kehrte schließlich heim.

HISTORISCHE ANMERKUNG

Sharpe hatte wirklich nichts bei Trafalgar zu tun, aber er musste von Indien heimreisen, und Trafalgar liegt nicht weit von der Route entfernt, die er genommen hätte, und er hätte Kap Trafalgar gut am oder gegen den 21. Oktober 1805 passieren können. Aber wenn Sharpe dort nichts zu tun hatte, dann hatte Admiral Villeneuve, Kommandant der kombinierten französischen und spanischen Flotte, es noch weniger.

Die große Flotte war versammelt worden, um die Invasion Britanniens zu unterstützen, für die Napoleon seine große Armee bei Boulogne versammelt hatte. Die britische Blockade und das Wetter hielten die Franzosen im Hafen, bis sie schließlich in den Atlantik ausbrechen konnten, ein Manöver, mit dem Villeneuve hoffte, Nelson aus dem Ärmelkanal wegzulocken. Der Plan scheiterte, weil die britische Antillenflotte zurückgekehrt war, und so musste Villeneuve Cadiz anlaufen. Dort saß er in der Falle. Napoleon musste seine Invasionspläne aufschieben und mit seiner Armee ostwärts gegen die Russen und Österreicher marschieren, die den Krieg gegen ihn eröffnet hatten. Die französische und spanische Flotte war für ihn nun sekundär. Doch Napoleon, wütend auf Villeneuve, schickte einen Admiral als Ersatz, und es hat den Anschein, dass Villeneuve in dem Wissen, in Ungnade zu fallen, und begierig darauf, seine Existenzberechtigung zu beweisen, in See stach. Er muss gehofft haben, gegen die britischen Schiffe zu siegen, die Cadiz blockierten, und damit seinen Ruf wiederherzustellen. Nach nur einem Tag auf See musste er erkennen, dass die Blockadeflotte viel größer war, als er gedacht hatte, und so segelte er nordwärts in der Hoffnung, der Schlacht ausweichen zu können. Es war bereits zu spät. Nelson war in Sicht, und die kombinierte Flotte war dem Untergang geweiht.

Es gab weder eine *Pucelle* noch eine *Revenant*. Nelson kämpfte mit siebenundzwanzig Schiffen, während die kombinierte französische und spanische Flotte dreiunddreißig zählte. Am Tagesende hatten siebzehn dieser Schiffe die Fahnen gestrichen und eines war durch Feuer zerstört, was Trafalgar zur entscheidendsten Seeschlacht bis Midway machte. Die Briten verloren keine Schiffe, zahlten aber einen hohen Preis mit Nelsons Leben. Er war der unvergleichliche Held der britischen Marine, so geliebt von seinen Männern, wie gefürchtet vom Feind. Er war natürlich auch ein berühmter Ehebrecher, und seine letzte Bitte an sein Land war, dass sich Britannien um Lady Hamilton kümmerte. Die Erfüllung dieser Bitte lag in der Macht von Politikern, aber die taten nichts, sodass Lady Hamilton in elender Armut starb.

In der Nacht nach der Schlacht kam ein gewaltiger Sturm auf, und alle außer vier Prisen waren verloren. Viele wurden abgeschleppt, doch der Sturm tobte zu stark und ließ die Taue brechen. Drei der Prisenschiffe gingen unter, zwei wurden in Brand gesteckt und fünf wurden Wracks. Weitere drei aufgebrachte Schiffe, bemannt mit Prisencrews, die zu klein waren, um dem Sturm zu trotzen, wurden an ihre ursprünglichen Mannschaften zurückgegeben und segelten in Sicherheit, aber sie waren durch die Schlacht und den Sturm so stark beschädigt, dass keines je wieder tauglich zum Segeln war. Viele der britischen Schiffe waren so schlimm beschädigt wie die französischen oder spanischen, doch hervorragend ausgebildete Mannschaften brachten sie sicher in den Hafen.

Die *Redoutable* wurde von einem feurigen Franzosen namens Lucas befehligt, dem vermutlich fähigsten französischen Kapitän bei Trafalgar, der seine Mannschaft in einer neuen Taktik ausgebildet hatte, die ausschließlich aufs Entern eines feindlichen Schiffes ausgerichtet war. Als sich die *Victory* seinem viel kleineren Schiff näherte, schloss er seine Stückpforten und versammelte seine Männer auf Deck. Seine Takelage war mit Scharfschützen gefüllt, und es war einer dieser Männer, der Nelson erschoss. Lucas ließ die oberen Decks der *Victory* praktisch leer fegen, doch gerade als er seine Mannschaft versammelte, um das britische Flaggschiff zu entern, segelte die *Temeraire* vorbei und feuerte mit ihren Geschützen in die Enterer. Die *Temeraire* bestrich Lucas' Schiff, das von den Unterdeck-Geschützen der *Victory* beschossen wurde, ebenfalls mit Feuer. Das beendete Lucas' Kampf. Die *Redoutable* wurde aufgebracht, war jedoch durch Geschützfeuer so stark beschädigt, dass sie in dem folgenden Sturm sank. Die *Victory* hatte 57 Tote – einschließlich Nelson – und 102 Verwundete zu beklagen. Auf der *Redoutable* waren 22 der 74 Geschütze nicht mehr einsatzbereit, und von ihrer Mannschaft waren von 643 Männern 487 tot und 81 verwundet. Diese außerordentlich hohe Verlustrate (88 %) war verursacht durch Geschützfeuer, nicht durch Musketenfeuer. Die eröffnende Breitseite der *Royal Sovereign* mit doppelter Ladung bestrich die französische *Fougueux* und tötete oder verwundete die halbe Mannschaft mit diesem einen Schlag. Als die *Victory* später in der Schlacht Villeneuves Flaggschiff, die *Bucentaure*, mit Feuer bestrich, schaltete sie zwanzig ihrer achtzig Geschütze aus und tötete oder verwundete wieder die Hälfte der Mannschaft.

Die Unterschiede der Verlustraten war außergewöhnlich. Die Briten verloren 1500 Mann, entweder getötet oder verwundet, während die Verluste der Franzosen und Spanier ungefähr 17 000 betrugen, Zeugnis der schrecklichen Wirksamkeit des britischen Geschützfeuers. Verschiedene britische Schiffe wurden mit Feuer bestrichen – wie die erfundene *Pucelle* –, doch keines hatte die hohen Verluste wie die feindlichen Schiffe, die an Bug oder Heck einer britischen Breitseite ausgeliefert waren. Die *Victory* erlitt die höchsten Verluste der britischen Flotte, während vermutlich das am meisten beschädigte aller britischen Schiffe, die *Belleisle*, die in das südliche Gewimmel gesegelt und oft beharkt worden war, all ihre Masten und den Bugspriet verlor und nur 33 Tote und 93 Verwundete hinnehmen musste. Vierzehn der feindlichen Schiffe beklagten mehr als hundert Tote, während bei vierzehn britischen Schiffen nur zehn oder mehr Männer getötet worden waren. Ein britisches Schiff, das wie eine »Heumiete« segelte, hatte überhaupt keine Verluste, vermutlich weil ihr langsames Tempo sie bis zum späten Nachmittag von der Schlacht fernhielt, als nur noch wenige Feinde Widerstand leisteten. Die Ungleichheit der Verluste gibt nicht die Zähigkeit wieder, mit der die meisten Feinde kämpften. Sie wurden vom überlegenen britischen Geschützfeuer dezimiert, kämpften jedoch hartnäckig weiter. Die meisten der französischen und spanischen Mannschaften waren schlecht ausgebildet, und einige hatten keinerlei Erfahrung mit Seegefechten, doch es mangelte ihnen nicht an Mut.

Die hohe Verlustrate der *Victory* lag zum Teil an Lucas' Taktik, sie mit Musketenfeuer zu bestreichen, und zum Teil daran, dass sie das erste britische Schiff im nördlichen Keil der Flotte war und eine kurze Zeit allein kämpfte. Sie trug auch den Wimpel des Admirals, und so wurde sie zur Zielscheibe für mehrere feindliche Schiffe. Collingwoods Flaggschiff, die *Royal Sovereign*, erstes im südlichen Keil der feindlichen Flotte und ebenfalls mit dem Wimpel eines Admirals, hatte 47 Tote und 94 Verwundete zu beklagen, die größten Verluste aller Schiffe in Collingwoods Geschwader.

Die Schlacht war wirklich entscheidend. Sie erschütterte die Moral der französischen und spanischen Marine, die sich für den Rest der Napoleonischen Kriege nicht mehr erholte. Die britische Macht auf See war nun dominierend und blieb es bis zum Beginn des 20. Jahrhunderts. Nelson beeindruckte Britannien mehr als jeder andere in der Welt des 19. Jahrhunderts. Es wird oftmals gesagt, dass seine Taktiken revolutionär waren, und das waren sie auch, denn die normale Marinekriegsführung im Kampf einer Flotte gegen die andere war, parallele Schlachtlinien zu bilden und Breitseite gegen Breitseite zu kämpfen. Doch schon 1797 vor Camperdown hatte Admiral Duncan seine Flotte aus sechzehn britischen Linienschiffen in zwei Geschwader formiert, mit denen er geradewegs in die Breitseiten von achtzehn holländischen Schiffen der Schlachtlinie segelte. Und am Ende der Schlacht hatte er elf dieser Schiffe aufgebracht und keines seiner eigenen verloren. Indem Nelson wie zuvor Duncan seine Geschwader direkt in die feindliche Linie segeln ließ, setzte er darauf, dass seine Schiffe ständigen Beschuss überstehen konnten. Bei Trafalgar konnten die britischen Schiffe mindestens zwanzig Minuten nach Eröffnung der Schlacht keinen einzigen Schuss abfeuern, während sie von einem Dutzend der feindlichen Schiffe unaufhörlich beschossen wurden. Nelson wusste das, riskierte es und war überzeugt, dass er trotzdem siegen konnte. Erst als die Royal Navy im Krieg von 1812 gegen die US Navy kämpfte, trafen die britischen Kanoniere auf Ebenbürtige, doch die US Navy hatte keine Linienschiffe. Ihre Fregatten waren nur ein unbedeutendes Ärgernis für eine weltweite Flotte, die damals die Meere beherrschte.

Diente irgendein Mann sowohl bei Trafalgar als auch bei Waterloo? Ich weiß nur von einem. Don Miguel Ricardo Maria Juan de la Mata Domingo Vincente Ferre Alava de Esquivel, gnädigerweise kürzer als Miguel de Alava bekannt, war 1805 ein

Offizier in der spanischen Marine und diente an Bord des Flaggschiffs des spanischen Admirals, der *Principe de Asturias*. Dieses Schiff kämpfte tapfer bei Trafalgar, denn obwohl schwer beschädigt, ließ es sich nicht aufbringen und entkam nach Cadiz. Vier Jahre später wurde Alava Offizier in der spanischen Armee. Spanien hatte unterdessen die Seiten gewechselt, und die spanische Armee war mit der britischen unter Sir Arthur Wellesley, dem zukünftigen Duke of Wellington, verbündet, als sie auf der iberischen Halbinsel kämpfte. General de Alava wurde als Wellingtons spanischer Verbindungsoffizier ernannt, und die beiden wurden äußerst enge Freunde, eine Freundschaft, die bis zu ihrem Tod andauerte. De Alava blieb bei Wellington, bis er zum spanischen Botschafter in den Niederlanden ernannt wurde, wo er sich den Alliierten bei der Schlacht von Waterloo anschließen konnte und den ganzen Tag an Wellingtons Seite blieb. Er brauchte nicht dort zu sein, doch seine Anwesenheit war zweifellos eine Hilfe für Wellington, der Alavas Urteil und seinen Rat schätzte. Fast alle von Wellingtons Adjutanten wurden getötet oder verwundet, doch er und de Alava überlebten unverwundet. Miguel de Alava kämpfte bei Trafalgar also gegen die Briten und bei Waterloo für sie, eine wirklich sonderbare Karriere. Sharpe schließt sich de Alava im Überleben dieses bemerkenswerten Doubles an.

Ich bin Peter Goodwin, dem historischen Berater, Betreuer und Kurator der HMS *Victory*, für seine Anmerkungen in dem Manuskript äußerst dankbar, ebenso Katy Ball, Kuratorin des Portsmouth Museum und Records Office. Die verbliebenen Fehler sind alle meine eigenen, oder man kann Richard Sharpe die Schuld dafür geben, ein Soldat, der sich in eine sonderbare nautische Welt verirrt hat. Er wird bald wieder an Land sein, wo er hingehört und von Neuem marschiert.

Erwin Resch ist die langersehnte neue Stimme im Genre der historischen Seeromane

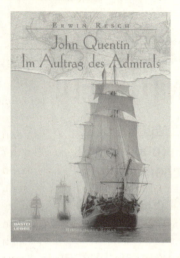

Erwin Resch
JOHN QUENTIN – IM
AUFTRAG DES ADMIRALS
Historischer Roman
304 Seiten
ISBN 978-3-404-15800-3

Mai 1799. Für John Quentin beginnt ein abenteuerliches Leben, als er den Dienst bei der britischen Marine antritt. Im Krieg gegen Napoleon erlebt Quentin seine erste Schlacht und begeistert mit seinem Wagemut Admiral Nelson. Nelson erkennt das Talent des Jungen und schickt ihn als Spion hinter die Linien. Als Dank winkt ihm ein eigenes Kommando. Doch zuvor muss sich Quentin einer Gefahr stellen, die er nur mit List und Tücke überwinden kann – einer List, die nicht nur seine Feinde überrascht ...

Der Beginn einer neuen großen Seefahrersaga in der Tradition von Frank Adam und Patrick O'Brian.

Bastei Lübbe Taschenbuch